KB081938

스포츠문화와 인간의 삶 4

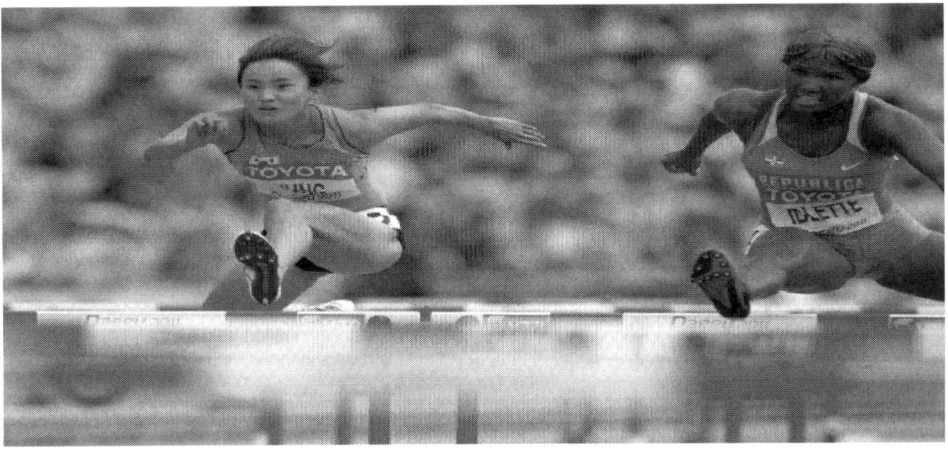

휠체어(wheelchair) 경기(한국일보, 2012. 10. 17, 서재훈)

스포츠 문화와 인간의 삶 4

발 행 | 2024년 2월 1일
저 자 | 김용수
펴낸이 | 한건희
펴낸곳 | 주식회사 부크크
출판사등록 | 2014.07.15.(제2014-16호)
주 소 | 서울특별시 금천구 가산디지털1로 119 SK트윈타워 A동 305호
전 화 | (02) 1670-8316
이메일 | info@bookk.co.kr

ISBN | 979-11-410-7004-5

www.bookk.co.kr

스포츠 문화와 인간의 삶 4

海東 김용수 지음

이 책을 쓰면서

스포츠는 뛰어난 운동선수들의 경쟁과 보다 나은 기록을 추구함으로써 사람이 가진 신체적 능력의 한계에 도전하는 활동이라고도 볼 수 있다. 이와 같은 활동은 스포츠를 몸소 하지 않는 사람들에게도 관심과 흥미를 일깨움으로써 스포츠의 대중화가 이루어지며, 경기라는 형태로 대중 생활의 한 몫을 차지하고 있다.

한때 스포츠는 낚시·사격·사냥과 같은 야외 오락만을 지칭하고 미리 정해진 규칙에 따라 단체나 개인이 벌이는 조직적인 경쟁은 운동 경기라고 불렀다. 그러나 스포츠와 운동 경기의 구별은 차츰 희미하게 되어, 오늘날에는 두 용어가 흔히 같은 의미로 쓰인다. 예로부터 인간은 다른 사람과 사교적으로 만나고 기술과 신체 능력을 과시하고 흥분을 즐기기 위해 다양한 운동 경기를 만들어냈다. 대부분의 운동 경기는 달리기·던지기·뛰어오르기의 요소를 포함하고 있는데, 이는 모두 사냥 기술에서 발전했다. 사회가 차츰 도시화한 것도 운동 경기 발전에 중요한 요인이었다. 비교적 안정된 인구를 가진 도시가 등장하자, 정규 팀을 조직하고 경기 일정을 정할 수 있게 되었다. 그래서 장비와 경기 원칙을 조정하기 위해 단일한 규칙이 만들어졌다. 운동 경기를 주관하는 지방 조직과 전국 조직도 결성되었고, 프로 선수와 아마추어 선수의 구별도 이루어졌다.[1]

문화(culture)는 도구의 사용과 더불어 인류의 고유한 특성으로 간주된다. 문화를 구성하는 요소에는 언어·관념·신앙·관습·규범·제도·기술·예술·의례 등이 있다. 문화의 존재와 활용은 인간 고유의 능력, 즉 상징적 사고(언어의 상징화)의 능력에서 기인한다. 또한 문화(文化)는 일단 확립되면 자체의 생명을 가지게 된다. 문화는 한 세대에서 다음 세대로 전달되며, 그 기능은 인간이 사회 속에서 안전하게 생활하도록 하는 것이다. 문화는 인간 사회의 보편적인 특징이다. 그러나 구체적으로 그 문화는 어느 특정한 사회와 지역의 문화로 볼 수 있다.[2]

오늘날 '스포츠란 우리에게 무엇인가?' 사실 우리가 너무나 가까이 보면서 접하고 있는 스포츠에 대해 이 같은 물음을 던지는 것이 매우 새삼스럽다. 그러나 가만히 따지고 보면 우리가 매일 TV나 신문지상, 혹은 직접 관람하며 익숙하게 접하고 있는 스포츠에 대해 과연 보고 즐기는 것 외에 그다지 심도 있는 물음을 던져본 것 같지 않다. 아마도 스포츠에 대해 갖는 대다수 사람들의 생각은 그저 보고 즐기는 여가활동의 일부 정도일 것이다. 그러나 과연 그러한가?

올림픽을 비롯하여 연중 끊임없이 매스컴을 넘나드는 각종 대회의 소식과 스포츠 스타에 대한 뉴스들은 그저 일상적 사건들로만 바라보기 어려울 정도로 우리의 삶과 밀착되어 있다. 물론 일상적인 것에 대해 불필요한 심각한 물음을 던지는 것이라고 반문할 수 있으나, 우리는 너무 익숙해져 있기 때문에 그것의 본질을 보지 못하고 그것에 얽매여 있는 경우를 볼 수 있다. 어쩌면 우리의 삶에 일상적으로 밀착되어 있는 스포츠가 우리의 삶을 자신에게 종속시키고 있는 기재일 수 있다.

미디어와 고도의 정보기술이 지배하는 현대사회는 권력독재에 항거하고 민주화를 열망하는 선구자들의 희생에 힘입어 객관적인 억압기재들이 거의 완전히 해체된 사회이다. 그러나 눈에 보이는 객관적 억압기재들이 사라졌다한들 진정한 자유가 도래한 것이라 할 수 없다. 우리가 자유로운 시민사회의 일원으로서 살아가기 위해서는 이제 우리의 일상을 억압하고 있는 기재에 대해 반성하지 않으면 안된다. 그러나 일상을 돌아보기 어려운 것은 인간이 지극히 일상적인 것에 안주하기를 원하기 때문이다.[3]

우리의 일상과 밀착되어 있는 스포츠에 대한 사회학적 측면의 반성적 성찰이 요구되는 시점에 와 있다. 바로 그런 점에서 너무나 일상적인 것이었기 때문에 그동안 당연한 것으로 받아들여 왔던 스포츠에 대해 새로운 관점에서 재음미할 수 있는 계기를 마련해야 한다.

우리들을 억압하고 옥죄는 객관적 권력이 겉으로 사라졌다고 하여, 우리가 진정한 자유를 누리고 있는 것은 결코 아니다. 어쩌면 그것보다 더욱 강력한 방식으로 우리들의 일상과 의식을 지배하는 이데올로기에 대해 항거해야 하는 시대가 지금인지 모른다. 그런 점에서 이 책은 그 동안 엘리트스포츠 일색의 사회 분위기에 젖어있던 우리 스포츠 문화를 비판적으로 조명하고 우리의 일상을 지배하는 스포츠 문화에 대해 재성찰 할 수 있는 계기와 함께 새로운 스포츠 문화의 대안을 제기하고 있는 책이 아닌가 싶다.

"나는 스포츠를 전혀 좋아하지 않아" 라고 말하기가 점점 어려워지고 있는 현실을 의식하며, 스포츠를 둘러싸고 있는 문화 곳곳을 탐색해야 한다.

현대 스포츠의 성립 과정과 특성, 그것이 지니고 있는 다양한 의미, 스포츠와 인간의 삶, 인간의 삶과 스포츠에 대한 관계 등을 살펴봄으로써 개별 스포츠 종목을 넘어 스포츠 일반에 대한 사회문화적 접근을 시도할 필요가 있다.

2024년 2월

海東 김용수 씀

초원의 빛(Splendor in the Grass)

윌리엄 워즈워스(William Wordsworth)

What though the radiance which was once so bright
Be now for ever taken from my sight,
한때 그처럼 찬란했던 광채가
이제 내 눈앞에서 영원히 사라졌다 한들 어떠랴

Though nothing can bring back the hour
Of splendor in the grass, of glory in the flower
초원의 빛, 꽃의 영광어린 시간을
그 어떤 것도 되불러올 수 없다 한들 어떠랴

We will grieve not, rather find
Strength in what remains behind;
우리는 슬퍼하지 않으리, 오히려
뒤에 남은 것에서 힘을 찾으리라

In the primal sympathy
Which having been must ever be;
지금까지 있었고 앞으로도 영원히 있을
본원적인 공감에서

In the soothing thoughts that spring
Out of human suffering;
인간의 고통으로부터 솟아나
마음을 달래주는 생각에서

In the faith that looks through death,
In years that bring the philosophic mind.
죽음 너머를 보는 신앙에서
그리고 지혜로운 정신을 가져다주는 세월에서

https://blog.daum.net/sang7981?page=2(2021. 4. 15)

차례

Ⅰ. 들어가는 글

스포츠는 뛰어난 운동선수들의 경쟁과 보다 나은 기록을 추구함으로써 사람이 가진 신체적 능력의 한계에 도전하는 활동이라고도 볼 수 있다. 이와 같은 활동은 스포츠를 몸소 하지 않는 사람들에게도 관심과 흥미를 일깨움으로써 스포츠의 대중화가 이루어지며, 경기라는 형태로 대중 생활의 한 몫을 차지하고 있다.

한때 스포츠는 낚시·사격·사냥과 같은 야외 오락만을 지칭하고 미리 정해진 규칙에 따라 단체나 개인이 벌이는 조직적인 경쟁은 운동경기라고 불렀다. 그러나 스포츠와 운동경기의 구별은 차츰 희미하게 되어, 오늘날에는 두 용어가 흔히 같은 의미로 쓰인다. 예로부터 인간은 다른 사람과 사교적으로 만나고 기술과 신체 능력을 과시하고 흥분을 즐기기 위해 다양한 운동 경기를 만들어냈다. 대부분의 운동 경기는 달리기·던지기·뛰어오르기의 요소를 포함하고 있는데, 이는 모두 사냥 기술에서 발전했다.

사회가 차츰 도시화한 것도 운동경기 발전에 중요한 요인이었다. 비교적 안정된 인구를 가진 도시가 등장하자, 정규 팀을 조직하고 경기 일정을 정할 수 있게 되었다. 그래서 장비와 경기 원칙을 조정하기 위해 단일한 규칙이 만들어졌다. 운동경기를 주관하는 지방 조직과 전국 조직도 결성되었고, 프로선수와 아마추어 선수의 구별도 이루어졌다.[4)]

문화(culture)는 도구의 사용과 더불어 인류의 고유한 특성으로 간주된다. 문화를 구성하는 요소에는 언어·관념·신앙·관습·규범·제도·기술·예술·의례 등이 있다. 문화의 존재와 활용은 인간 고유의 능력, 즉 상징적 사고(언어의 상징화)의 능력에서 기인한다.

문화는 일단 확립되면 자체의 생명을 가지게 된다. 또한 문화(文化)는 한 세대에서 다음 세대로 전달되며, 그 기능은 인간이 사회 속에서 안전하게 생활하도록 하는 것이다. 문화는 인간 사회의 보편적인 특징이다. 그러나 구체적으로 그 문화는 어느 특정한 사회와 지역의 문화로 볼 수 있다.[5)]

오늘날 '스포츠란 우리에게 무엇인가?' 사실 우리가 너무나 가까이 보면서 접하고 있는 스포츠에 대해 이 같은 물음을 던지는 것이 매우 새삼스럽다. 그러나 가만히 따지고 보면 우리가 매일 TV나 신문지상, 혹은 직접 관람하며 익숙하게 접하고 있는 스포츠에 대해 과연 보고 즐기는 것 외에 그다지 심도 있는 물음을 던져본 것 같지 않다. 아마도 스포츠에 대해 갖는 대다수 사람들의 생각은 그저 보고 즐기는 여가활동의 일부 정도일 것이다. 그러나 과연 그러한가?

올림픽을 비롯하여 연중 끊임없이 매스컴을 넘나드는 각종 대회의 소식과 스포츠 스타에 대한 뉴스들은 그저 일상적 사건들로만 바라보기 어려울 정도로 우리의 삶과 밀착되어 있다. 물론 일상적인 것에 대해 불필요한 심각한 물음을 던지는 것이라고 반문할 수 있으나, 우리는 너무 익숙해져 있기 때문에 그것의 본질을 보지 못하고 그것에 얽매여 있는 경우를 볼 수 있다. 어쩌면 우리의 삶에 일상적으로 밀착되어 있는 스포츠가 우리의 삶을 자신에게 종속시키고 있는 기재일 수 있다.

미디어와 고도의 정보기술이 지배하는 현대사회는 권력독재에 항거하고 민주화를 열망하는 선구자들의 희생에 힘입어 객관적인 억압기재들이 거의 완전히 해체된 사회이다.

그러나 눈에 보이는 객관적 억압기재들이 사라졌다한들 진정한 자유가 도래한 것이라 할 수 없다. 우리가 자유로운 시민사회의 일원으로서 살아가기 위해서는 이제 우리의 일상을 억압하고 있는 기재에 대해 반성하지 않으면 안 된다. 그러나 일상을 돌아보기 어려운 것은 인간이 지극히 일상적인 것에 안주하기를 원하기 때문이다.[6]

우리의 일상과 밀착되어 있는 스포츠에 대한 사회학적 측면의 반성적 성찰이 요구되는 시점에 와 있다. 바로 그런 점에서 너무나 일상적인 것이었기 때문에 그동안 당연한 것으로 받아들여 왔던 스포츠에 대해 새로운 관점에서 재음미할 수 있는 계기를 마련해야 한다.

우리들을 억압하고 옥죄는 객관적 권력이 겉으로 사라졌다고 하여, 우리가 진정한 자유를 누리고 있는 것은 결코 아니다. 어쩌면 그것보다 더욱 강력한 방식으로 우리들의 일상과 의식을 지배하는 이데올로기에 대해 항거해야 하는 시대가 지금인지 모른다. 그런 점에서 이 책은 그 동안 엘리트스포츠 일색의 사회 분위기에 젖어있던 우리 스포츠 문화를 비판적으로 조명하고 우리의 일상을 지배하는 스포츠 문화에 대해 재성찰 할 수 있는 계기와 함께 새로운 스포츠 문화의 대안을 제기하고 있는 책이 아닌가 싶다.

"나는 스포츠를 전혀 좋아하지 않아" 라고 말하기가 점점 어려워지고 있는 현실을 의식하며, 스포츠를 둘러싸고 있는 문화 곳곳을 탐색해야 한다.

현대 스포츠의 성립 과정과 특성, 그것이 지니고 있는 다양한 의미, 스포츠와 인간의 삶, 인간문화와 스포츠, 스포츠를 빛낸 영웅들의 삶과 숨은 이야기 등을 살펴봄으로써 개별 스포츠 종목을 넘어 스포츠 일반에 대한 사회문화적 접근을 시도할 필요가 있다.

1. 학교 체육정책이 엘리트 스포츠의 기반 조성에 공헌한 부문은 인정해야 한다

1945년 8월 15일 광복이 되자 체육은 민족주의를 기초로 한 민주화의 새로운 전환기를 지향함으로써 자유롭고 활력 있는 체육·스포츠 활동을 전개하기 시작하였다. 그러나 정치, 사회적 환경과 경제적 어려움, 그리고 국민의 체육에 대한 인식 부족으로 체육·스포츠는 오랜 기간 동안 침체 상태에 놓이게 되었다.

이러한 가운데 제3, 4공화국의 국가 체육·스포츠 정책 추진은 건민체육(健民體育)으로, 국위 선양을 위한 우수 선수 양성과 국민 체위 향상을 통하여 체육-스포츠 문화의 새로운 전기를 마련함으로써 체육·스포츠 발전을 가져오게 하였다.

이와 같은 체육정책이 활성화되면서 1972년 서울 개최된 제53회 전국체육대회 개회사에서 박정희 대통령은 '우리는 체육이 곧 국력이라고 말합니다. 그 이유는 국력의 증강은 국민의 체력에 달려 있으며, 국민 체력 향상은 곧 국가의 발전을 상징하는 것이기 때문입니다.' 라고 했으며, 1973년 부산에서 열린 제54회 전국체육대회 개회사에서는 국가 발전과 연계하여 체육·스포츠 발전의 필요성을 더욱더 강조한 내용을 찾아 볼 수 있다.

'체력과 정신력은 곧 국력 배양의 기본이 된다는 사실을 모든 국민은 마음 속 깊이 명심해야 하겠습니다. 지금 남북의 대화가 시작된 이 시점에서처럼 우리에게 국민 총화에 의한 국력 배양이 절실히 요청된 때는 일찍이 없었으며, 그렇기 때문에 오늘처럼 체육의 중요성이 강조된 때도 없었습니다. 또한 국가 발전에 적극 기여할 수 있는 체육, 의욕적이고 진취적인 국민을 형성하는 체육, 산업 개발의 기초가 되는 체육, 국토방위를 위한 체육, 그리고 나아가서 국제 스포츠에 공헌하는 한국 체육의 건설에 새 전기를 마련해야 할 것입니다.' 라고 역설하였다.

이것은 바로 건민체육(健民體育) 이었으며, 반공을 주요 이념적 근간으로 하여 민족주의적, 국가주의적 목표를 달성하기 위한 바탕 위에 체육·스포츠 활동이 실시되었다. 당시의 이러한 정신은 국가나 사회뿐 만 아니라, 학교에서도 상당 수준 적용되었고, 어느 정도 강요되었다.

그러나 국가 정책의 일환으로 스포츠를 통해 국가 경쟁력을 높인다는 명분아래 상당 부분 희생적이고, 강압적인 방법으로 운영하였지만, 각종 세계대회에서 우수한 성적을 획득하여 스포츠 강국으로서 한국의 위상을 높였으며, 국민들의 사기

진작과 국민 통합에 기여한 점은 인정해야 한다.

이어지는 제5공화국의 체육 선진화 정책은 '체육부'를 창설하여 국민체육의 3대 요소인 '학교 체육', '엘리트 스포츠', '생활 스포츠' 전반에 걸친 내실화 도모를 목표로 삼았다. 이에 따라 학교체육에서는 각 급 학교의 법정 체육 시간 준수, 학교 스포츠 활동 활성화로 학교별 운동부 육성 종목 지정, 학교 급식 개선 등 학교 체육·스포츠 환경의 개선을 도모했을 뿐만 아니라 엘리트 스포츠 분야에서는 우수 선수와 경기 지도자 양성, 스포츠 과학 진흥을 통한 경기력 향상에 초점을 맞추었다.

결국 이러한 성과는 체육입국(體育立國)을 내세운 정책 의지의 구현과 정책 추진 여건의 조성 그리고 이를 뒷받침할 수 있는 재정 기반 마련 등에 힘입어 가시화 될 수 있었으며, 그 구체적이고 직접적인 결과가 바로 1986년 하계 아시아경기대회와 1988년 하계 올림픽대회의 성공적인 개최 및 괄목할만한 성적으로 나타났다는 사실을 쉽게 확인할 수 있다.

이와 같이 1980년대 체육 선진화 정책은 '체력은 국력'이라는 구호를 내결고 국민 체육·스포츠 시대를 열었던 제3, 4공화국의 체육 정책이 꽃 피운 결실인 동시에 '스포츠 공화국'으로 불릴 만큼 체육·스포츠 정책에 각별한 관심을 쏟았던 제5공화국의 산물이기도 하다.

제3, 4공화국이 '민족주의적·국가주의적 체육활동을 통해 경제 개발을 위한 국민적 단합과 체력 향상을 추구한다'는 스포츠 내셔널리즘을 앞세워 체육·스포츠 정책을 마련하고 내외적인 체육·스포츠 환경을 조성했다고 한다면, 제5공화국은 '체육입국(體育立國)을 표방하며, 스포츠 강대국으로 가는 길을 열었다'고 해도 과언이 아니라고 볼 수 있다.

한국의 근대 체육은 국권 상실이라는 절박한 민족 위기의 시기에 출발하였고, 이러한 민족 위기를 극복할 수 있는 방법으로서 적극 수용되고 발전되었다. 그러나 일제의 한국 체육·스포츠에 대한 통제로 말미암아 민족주의 체육은 그 기반을 상실하게 되었고, 나중에는 일제의 전쟁 대행을 위한 도구로 전락하기도 하였다.

그 시대를 살아 온 사람들인 제3, 4공화국 정부는 체육·스포츠 정책의 중요성을 인식하고, 한국 체육·스포츠 史에 길이 남을 건민체육(健民體育)을 통하여 한국 체육·스포츠 발전의 기반을 조성함으로써 건민부국(健民富國)에 기여한 부문은 시사하는 바가 크다고 할 수 있다.

2. 학교 체육·스포츠 정책의 엘리트 스포츠 공헌

제30회 런던 하계올림픽 대회가 막을 내렸다. 대한민국은 12개 종목에서 28개의 메달을 획득하며 올림픽 참가 사상 최고 성적인 5위를 거두었다. 64년 전 신생 국가 대한민국의 67명의 젊은이들이 조그만 불빛으로 시작했던 시점을 되돌아보면서 올해 245명의 젊은 선수들이 영국에서 이뤄낸 빛나는 결실을 역사적 관점에서 짚어볼 필요가 있다고 본다.

1960년 5월 16일 사건을 계기로 우리나라 체육·스포츠는 일대 변혁을 가져 왔다. 군사 정부는 국민의 체력 증진 정책을 추진하고, 전국민에게 체육·스포츠의 중요성을 인식토록 하였다. 특히, 1962년 9월 17일 '국민의 체력을 증진하고 건전한 정신을 함양하며, 명랑한 사회생활을 영위함' 을 목적으로 하는 국민체육진흥법을 법률 제1146호로 제정 공포함으로써, 체육 발전의 획기적인 기틀을 마련했다.

이어서 국가 체육 정책 추진은 건민부국(健民富國)을 지향하고 있는 근대 선진제국의 기본 정책과 맥을 같이 하면서 추진되어 왔으며, 1960~1970년대 우리나라는 '체력은 국력이다' 라는 구호 아래 건민체육(健民體育)으로 국가 발전의 토대를 마련한 것은 주지의 사실이다. 특히 우리들이 제 3, 4공화국(1963~1980)에서 주목해야 할 내용은 전국 소년스포츠 대회를 개최하여 엘리트 선수 양성에 기반을 조성한 점과 대통령 이름을 딴 축구대회 등을 통하여 국가에 대한 애국심을 함양했으며, 각 시도별 각종 체육대회를 활성화시켜 체육·스포츠 발전에 새로운 전기를 마련했다는 점을 상기할 필요가 있다.

1972년 5월 '몸도 튼튼, 마음도 튼튼, 나라도 튼튼' 이라는 표어 아래 제1회 전국 소년스포츠대회를 서울에서 개최함으로써 많은 꿈나무 선수들을 배출하였다. 1986년 서울 하계 아시아경기대회, 1988년 서울 하계 올림픽경기대회의 주역은 물론 그 당시를 출발점으로 지금까지 다수 엘리트 스포츠선수로 성장해 가면서 하계 아시아경기대회와 하계 올림픽경기에 참가했다. 물론 시·도간의 과열 경쟁과 체육교육 정상화의 저해, 학교 스포츠선수 인권 문제 등의 역기능도 있었지만, 1만~2만불 시대인 때에 그러한 학교 체육·스포츠 정책이 엘리트 스포츠의 기반 조성을 위한 공헌과 대한민국 위상을 세계에 알림으로 인해 발생된시너지 효과는 인정해야 할 것이다. 이와 관련하여 미래 체육 정책의 이해를 돕기 위해 제1회 소년스포츠대회의 중3 선수를 기준으로 엘리트 스포츠와 관련해서 보다 더 구체적으로 정리해 볼 필요가 있다.

1972년 제1회 전국 소년스포츠대회에 참가한 학생을 기준으로 살펴보면, 그 당시 참가 선수 연령을 14세~15세로 본다면, 1982년 아시아 하계경기대회 때 참가한 연령은 24세~25세, 1986년 서울 아시아 하계경기대회 때 참가한 연령은 28세~29세였다. 1984년 하계 올림픽대회 때 참가한 연령은 26세~27세, 1988년 서울 하계 올림픽대회 때 참가한 연령은 30세~31세로 추정할 수 있다. 따라서 제1회 선수부터 제5회까지 선수들이 1986년 서울 아시아 하계경기대회와 1988년 서울 하계올림픽대회에 출전했을 확률이 높다고 볼 수 있다.

또한, 종목마다 차이는 있지만 지도자의 연령을 추정해 보면, 1986년 서울 아시아 하계경기대회와 1988년 서울 하계올림픽대회 당시 45세~55세로, 지금은 69세~79세로 추산할 수 있다. 또한, 제1회 소년 스포츠대회 출전 선수 연령은 현재 52세~53세 정도로, 전국 소년스포츠대회 출신 50세~60세 지도자가 2014년, 2018년 아시아 하계경기대회와 2016년, 2020년 하계올림픽대회에 우리 대표 팀을 이끌 공산이 크다. 이는 조기의 우수 선수 육성이 20년 후 아시아는 물론 세계 대회 출전 선수의 지도자 양성을 위한 밑거름이 된다는 것을 보여주는 사례이다. 이러한 과정을 통해서 많은 엘리트 선수를 양성하고, 세계 각종 대회에 출전하여 우수한 성적으로 입상함으로써 한국을 세계에 알렸을 뿐만 아니라, 그 시대의 선수가 지도자로서의 기반 조성 등 성장과 발전의 이중적 효과를 얻게 되었다. 이것이 압축적이고, 비약적으로 스포츠를 성장시켜 왔다 하더라도 국가 발전의 공헌으로 받아 들여야 한다고 본다. 따라서 지금까지 학교 체육·스포츠 정책이 엘리트스포츠의 기반 조성에 공헌(貢獻)한 부문은 인정해야 한다.

이를 고려하였을 때 앞으로 오늘날과 같은 스포츠 강국으로서의 위치를 계속 유지하기 위해서는 지금까지의 스포츠 정책의 우수한 점을 받아들이고 여러 가지 역기능의 단점을 보완함으로써 미래를 위한 새로운 체육·스포츠 정책 의지를 구현하고 추진 여건을 조성하며 재정 기반을 마련하여 가시화될 수 있는 미래의 체육·스포츠 정책안 마련이 시급하다.[7]

3. 스포츠 윤리교육이 강화되어야 할 때이다

스포츠 시즌이다. 이즈음에는 늘 발생하는 스포츠 관련 추문이 언론에 보도 되곤 한다. 경찰청 지능범죄수사대는 레슬링과 스키, 씨름 등 각 종목에서 횡령 및 사기에 연루된 스포츠 관계자 4명 등 총 9명을 총 9명을 불구속 입건했다고 18일 밝혔다. 얼마 전 강원도에서는 강릉시청 쇼트트랙 팀에서 훈련비 및 스카우트비 횡령 사건이 적발됐다. 이제는 한 발 나아가 사전에 스포츠윤리 교육이 필수적으로 요구되고 있다.

오늘날 스포츠현장에서 폭력, 승부 조작, 성폭력, 약물복용, 입시부정, 선수의 학습권 문제, 연구윤리 문제, 산업윤리 문제, 조건적 귀화 등 다양한 윤리적 문제가 발생하고 있다. 이와 관련해서 스포츠 윤리교육과 제도적 개선 없이는 해결될 수 없는 현실에 직면했다. 그렇다면 왜 '스포츠 선수는 왜 도덕적이어야 하는가?' 에 대한 답변으로 윤리교육과 연관시켜 세 가지 측면을 제시하고자 한다.

첫째, 스포츠 선수가 도덕성을 갖추면 자신에게 유익하게 된다는 점이다. 오늘날 스포츠는 선수의 도덕성을 시험하는 하나의 시험대로써 자신의 이미지와 상품적 가치, 그리고 연봉에도 영향을 미치는 중요한 요소로 작용하고 있다. 따라서 지속가능한 훌륭한 선수가 되기 위해서는 운동 능력뿐만 아니라, 인성도 중요하기 때문이다.

둘째, 스포츠 인으로서의 도덕적 책임감을 갖고 스포츠 활동을 해야 한다. 오늘날 스포츠는 단순한 취미를 넘어서 중요한 생활의 일부분이고 사회적 영향력을 가진 하나의 문화로써 스포츠 선수들은 때론 국가 영웅이 되어 청소년의 롤 모델, 즉 역할 모형이 되고 있다. 이러한 사실은 공인은 아닐지라도 전공 또는 인기 있는 스포츠 인으로서 다른 사람보다 더 큰 도덕적 책임감을 요구하게 한다.

셋째, 스포츠의 존립과 발전을 위하여 스포츠 선수는 보다 윤리적이어야 한다는 사실이다. 스포츠의 가치는 스포츠를 수행하는 사람에 의해서 표현되기 때문에 스포츠는 사회적 축소판으로서 스포츠가 지닌 도덕적 가치를 배울 수 있는 효과적인 수단이 될 수 있다. 따라서 스포츠 선수의 비윤리적 행동은 스포츠의 가치를 저하시킴과 동시에 스포츠의 존립 자체에 부정적 요인이 될 수 있다.

이러한 세 가지 요인을 고려해 볼 때, 스포츠 윤리교육의 필요성은 물론 필연성마저 갖게 된다. 좀 더 폭넓은 차원에서 살펴보면, 인간의 행동은 개체와 환경의 상호작용에 의하여 인간성이 유발되기 때문에 사회적 영향이라는 관점에서 고려해 볼 수 있다. 사회적 환경의 스포츠에 대한 영향이라는 측점에서 접근해 보면, 오늘날 우리 사회는 경쟁과 물질 만능주의로 인하여 인간성이 상실되고 가정이 파괴되고 사회가 무너지는 위기를 맞고 있다. 이는 정신적 가치보다 물질적 가치를 존중함으로써 삶의 진정한 의미를 상실해 가고 있는 것이다. 오늘날 자살률 세계 1위, 성폭력 증가, 빈익빈 부익부 현상 초래, 행복 지수 저조, 개인주의 팽창 등은 이러한 실태를 잘 설명해 주고 있다.

이와 같은 물질만능의 사회적 현상은 스포츠 문화에도 그대로 영향을 미쳐 스포츠가 사회적 역기능을 수행하도록 할 수 있다. 그러므로 건전한 스포츠문화를 조성하기 위해서는 선수나 지도자는 물론 모든 스포츠 참가자들이 바람직한 스포츠맨십과 페어플레이 정신을 가질 수 있도록 윤리 의식을 함양시켜야 한다. 특히 부정적인 사회적 환경의 영향을 받지 않도록 차단하기 위해서는 스포츠윤리 교육이 반드시 필요하다. 그런 측면에서 지금은 스포츠 윤리교육이 보다 더 강화되어야 할 때이다.8)

윤리교육(倫理敎育)은 인간의 행위 규범을 가르침으로써, 사람으로서 마땅히 행하거나 지켜야 할 도리를 갖추게 하는 교육이다.

체육 지도자의 윤리 의식 향상과 체육계 인권침해 방지·비위 근절을 위해 지도자 교육도 강화한다. 체육 지도자 자격 취득을 위한 필수 연수 과정과 체육 지도 업무에 종사하는 체육 지도자 대상 재교육 과정으로 현재 운영하는 '성폭력 등 폭력 예방 교육' 을 체육의 공정성 확보와 인권 보호를 위한 내용의 교육을 포함하는 '스포츠 윤리교육' 으로 확대한다.

이 밖에 사행 산업에서 미성년자를 보호하고자 체육진흥투표권 판매 나이 제한 기준을 2023년 6월에 도입된 '만 나이' 로 변경해 통일성을 유지했다.9)

4. 2018 평창동계올림픽 말, 말, 말, 다 옳은 말이다.

지난 1월 4일 최문순 강원도지사는 한 언론과의 인터뷰에서 "스노보드 한 두 종목을 상징적으로 북한 지역에서 분산 개최하는 방안을 검토할 수 있다" 고 말한 바 있다. 최지사가 남북 분산 개최 종목으로 거론한 스노보드는 평창의 휘닉스파크 스키장의 기존 시설을 205억 원을 들여 리모델링해 치를 예정이다. 6개 신설 경기장 건설비용이 6,694억 원인 것을 감안 한다면 적은 액수다. 따라서 남북 분산 개최에 따른 경제적인 효과도 크지 않다는 게 조직위의 분석이다. 또한, 류길재 통일부 장관이 1월 28일 평창올림픽 남북 분산 개최 가능성에 대해 단독 개최가 원칙이라는 전제를 달긴 했지만 "남북 관계가 어떻게 되느냐에 따라 모든 것이 열려 있다" 고 발언해 논란이 되자 통일부는 "분산 개최가 가능하다는 취지는 아니었다" 고 급히 해명했다.

하지만 오죽했으면 강원도정을 책임지고 있는 도지사가 신년 기자 회견 및 라디오 방송에서 한 말을 이틀 후 "남북 분산 개최는 사실상 물 건너간 상태다" 라고 뒤집었을까. 최지사의 '가벼운 입' 으로 보지 말고, 혼선과 불협화음이 생길 수 있는 사안임을 알면서도 답답한 심정을 표현한 것으로 해석할 수가 있다. 물론 강원도가 "남북 평화 등의 상징성을 고려한 아이디어 차원의 언급이었다" 고 해명하긴 했지만 최문순 도지사 입장에서 보면, 개최에 따른 물적 · 재정적 숙제에 엄청난 부담을 느끼는 현 상황에서 고려는 해볼 수 있었다고 본다. 또한 류길재 통일부 장관의 남북 관계 개선의 탈출구를 찾으려는 입장은 십분 이해도 간다. 그러나 남북 분산 개최 문제를 다루기에는 시기적으로 늦은 상태이고 만약 남북이 합의를 한다고 해도 북한이 대회를 앞두고 허튼소리를 한다면 큰 위기에 봉착하여 낭패를 볼 수도 있다. 이러한 제안이 불가능으로 판명난 이 상황에서 행여 예기치 못한 변수까지 끼면 블루오션은커녕 평창 동계올림픽을 제대로 치를 수 있을지 괜한 걱정을 해 본다.

하지만 돌이켜 보면, 2018 평창동계올림픽을 위해 강릉에 새로 짓는 남자 아이스하키 경기장은 1,079억 원의 공사비가 소요되지만 올림픽이 끝나면 1,000억을 들여 철거한다. 200억 원의 비용으로 서울 아이스 링크를 활용하면 큰돈을 절약할 수 있다. 역시 강릉에 1,311억 원을 들여 짓는 스피드스케이팅 경기장은 1,000억 원의 철거 비용을 길바닥에 버릴 바에는 서울 태릉 스케이트장을 활용하면

400억 원으로 충분하다. 환경 파괴 논란을 빚으며 사업비와 복원비에 2,190억 원을 쓰는 정선의 활강 경기장 또한 1997년 동계유니버시아드 대회를 치른 무주리조트를 활용하면 300억 원이면 가능하다. 여기에 859억 원을 들여 짓는 4만 5,000석의 개·폐회식장은 단 5~6시간을 사용한 뒤 1만 5,000석만 남기고 철거된다. 게다가 생활스포츠 시설로 사용하겠다는 여자 아이스하키 경기장과 피겨-쇼트트랙 경기장도 사후 연간 30억~50억 원이 들 것으로 예상되는 운영비용을 어떻게 감당할지 무계획이다.

또한, 평창 올림픽조직위원회는 운영 예산 중 41.5%를 스폰서 유치로 충당하게 되어 있다. 예상 수입원 가운데 자체 해결해야 하는 비중이 가장 높은데, 2월 현재 목표액의 3분의 1도 달성하지 못해, 안정적인 대회 운영을 위해 스폰서 확대가 시급하다.

일본과 공동 개최나 북한과 분산 개최는 국민 정서상 현실적으로 이뤄지기 어렵다. 그러나 아이스하키, 피겨-쇼트트랙, 스피드스케이팅, 일부 스키 종목 등은 국내 다른 도시에서 분산 개최하는 방안을 적극적으로 고려해 봐야 한다는 의견이 많다. 하지만 박근혜 대통령이 '의미 없다'고 대못을 박아 놓은 상태이다.

2014년 인천 아시아경기대회를 경험한 조직위 한 관계자는 "정치적 이해관계에 따라 움직이면 결국 경제적으로 손해를 볼 수밖에 없다. 평창에 제대로 된 인프라가 없으면 대회 참가자들은 모두 고속철도를 타고 서울 근교를 관광하며, 돈을 쓰고 갈 것"이라고 말했다.

2018 평창 동계올림픽 개막 'D-3년 성공 개최'의 외침과 국민을 통합시키기 위해 강원발전 100년 도약을 다짐하는 '문화도민 한 마음 다짐행사'인 출정식도 중요하지만 사후 대책을 먼저 면밀하게 살펴보고, 올림픽 시설을 건설해야 한다는 점을 명심해야 한다. 지금부터는 말, 말, 말, 다 옳은 말이지만 한 치의 시행착오도 허락될 수 없다.[10)]

2018 평창동계올림픽 여자 아이스하키 조별리그 B조 남북단일팀-일본 경기에서 패한 단일팀 선수들이 도종환 문화체육관광부 장관 등으로부터 격려를 받고 있다(연합뉴스).

5. 엘리트스포츠의 강조는 중용(中庸)과 평등의 입장에서 어긋날 수 있다

대한체육회 및 국민생활체육회의 통합에 대해, 전문가들은 입을 모아 '한국 스포츠의 백년대계를 위해 긍정적' 이라는 입장이다. 이미 지난 3월 대한체육회 및 국민생활체육회 통합을 위한 '국민체육진흥법 개정안' 이 국회 본회의를 통과했다.

한국의 체육·스포츠 문화의 제 문제는 한국의 독특한 문화적 특성에 기인하고 있었다. 따라서 비록 내부의 문제라 할지라도 그 상황을 총체적 구조적으로 접근하여 해결점을 모색하여야 함에도 불구하고 실상은 근시안적으로 접근하는 예가 적지 않았다. 1960~1980년대 우리나라 국가 체육·스포츠 정책의 방향은 건민부국을 지향한 근대 선진제국의 기본 정책으로서 적극 추진되어 왔다. 1986년 아시아 경기대회, 1988 세계올림픽대회를 성공적으로 개최하기 위하여 체육부를 창설하고 추진한 이러한 정부의 노력으로 양 대회를 성공적으로 개최 할 수 있었다.

2002년 한·일 월드컵 성공은 많은 분야에서의 큰 성과와 함께 정부 체육·스포츠 정책의 중요성, 침체된 한국 체육·스포츠의 발전적 부분을 위한 측면에서 시사 하는바가 크다. 그리고 1992년 국민생활체육을 위한 일명 '호돌이 계획' 이라는 종합계획을 발표하여 국민 모두가 참여하는 생활스포츠 정책 기반을 조성했다. 그러나 문민정권 때부터 평가 절하하기 시작한 체육·스포츠는 체육부 명칭부터 사라지고 실업 컵 대회 등 국민 복지를 위한 사회체육은 실종 위기에 처해졌다. 또한 건강한 청소년을 육성하기 위한 학교체육도 질식 상태에서 신음하는 결과를 초래했다.

엘리트 선수의 과잉으로 인한 수급문제 등 역기능은 상대적으로 부각되지 않는다. 문제는 수급에서 제기되어 온 엘리트스포츠 낙오와 기형적인 발전에 있다. 종목에 있어서 인기 종목으로의 쏠림 현상은 엘리트 스포츠 전반에 있어서 수요와 공급의 불균형을 초래하는데, 이 같은 구조적인 문제를 다시금 재현할 것이라는 전망이 가능하다.

또한 엘리트스포츠를 이끄는 선수들이 더 이상 국가나 기업, 학교의 홍보 수단으로만 이용되어서는 안 된다, 선수 개개인의 문제와 더불어 이로 인해 파생되는 종목별 엘리트스포츠의 미발자와 관련된 문제를 해결하기 위한 사회적 비용이 너무 크기 때문이다. 이러한 즉 엘리트스포츠의 문제들은 거시적인 관점에서 볼 때 생활스포츠나 학교스포츠를 기반으로 해결해야 한다는 결론에 이른다.

반면에 엘리트스포츠가 국민적 자긍심을 심어주고 국가를 홍보하는 등 긍정적으로 역할을 수행하고 있지만 스포츠는 이데올로기와 민족주의가 내포되어 있음을 유념해야 한다. '붉은 악마' 를 한국인의 집단주의 성향과 결과, 엘리트스포츠를 통해 정치적으로 이용하려는 의도 또한 다른 한 예가 된다.

민주주의의 자율 경쟁 사회 속에서 평등주의의 사고는 '역차별' 이라는 단초를 제공하며 또 다른 문제로 비화될 수 있다는 점에서 조심스럽다. 하지만 어떠한 사회 구조에서든 균형이 필요함에는 이견이 별로 없을 것이다. 균형이 깨지면 비수인 '부메랑' 은 모두에게 반사적으로 적용될 위험성을 내포하고 있기 때문이다. 이 같은 측면에서 볼 때 생활스포츠가 진정한 대중스포츠로 거듭나려면 범국민적 참여가 이루어져야 한다. 따라서 엘리트스포츠의 강조는 '평균, 보통, 균형, 중립' 이라는 중용(中庸)과 평등의 입장에서 어긋날 수 있다.

대한체육회와 국민생활체육회의 통합은 거창하게 한국 스포츠의 백년대계를 위해서가 아니다. 편중된 엘리트스포츠를 지향하고, 지금 2015년을 살아가는 국민 한 사람 한 사람이 더욱 가치 있는 스포츠를 즐기기 위한 '통합시스템' 마련을 위해서라는 점을 명심해야 한다. 엘리트스포츠의 지나친 강조는 중용(中庸)과 평등의 입장에서 어긋날 수 있기 때문이다.[11]

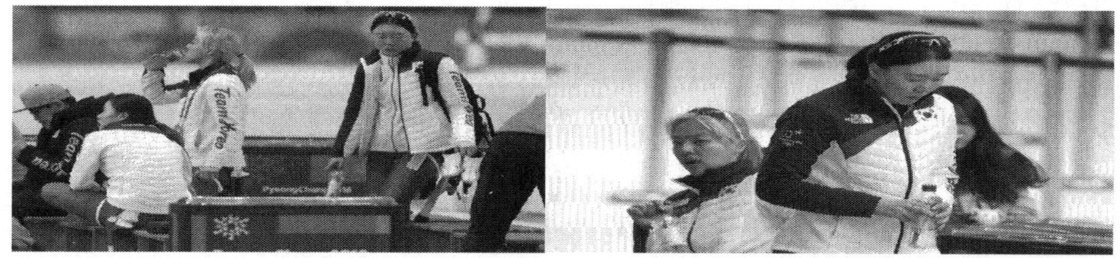

2018년 평창 동계올림픽 당시 김보름과 노선영(연합뉴스).

스피드스케이팅 선수 김보름이 전 국가대표 선수 동료 노선영을 상대로 낸 민사 소송에서 일부 승소한 후 심경을 전했다. 김보름은 13일 자신의 인스타그램 스토리에 "이럴 때도 있고 저럴 때도 있다" 며 "세상에는 내 뜻대로 되지 않는 일들이 더 많다" 면서 2018년 평창 동계올림픽 당시 메달을 딴 후 태극기를 앞에 펼치고 관객을 향해 큰절하는 모습이 담긴 사진을 게재했다.

김보름은 "아픔을 말하지 않는 사람은 나름의 이유가 있다" 며 "아픔에 아픔을 더하는 가장 잔인한 행동은 그 아픔을 설명하게끔 만드는 것" 이라며 그동안 느낀 심경을 토로했다.[12]

6. 2018 평창동계올림픽의 성공을 위해 또 한 마디

지난 1월 15, 16일 한국을 찾은 구빌라 린드베리 국제올림픽위원회(IOC)조정위원장은 "평창 올림픽은 현재 계획된 장소에서 열기를 결정했다"고 했다. 그러나 "경기장 사후 활용에 대해서는 명확하게 평창 조직위원회가 계획해야 한다"는 조건을 강조했다고 전해지고 있다. 올림픽의 역사적 유산(遺産)은 극대화하되 비용은 최소화하자는 것이 최근 IOC의 방침이다.

평창 동계올림픽을 일본과 공동 개최나 북한과 분산 개최를 하는 것은 현실성이 없지만 국내에서 분산 개최하는 것은 현 시점에서 출구 전략이 될 수 있다. 국제올림픽위원회(IOC)가 공동 및 분산 개최 여부를 알려 달라고 한 시한은 올해 3월까지다. 박근혜 대통령은 지난해 12월 일본과의 공동 및 북한과의 분산 개최론에 대해 '불가(不可)' 입장을 분명히 했다(강원도민일보 2015. 2. 3). 하지만 국내 분산 개최는 IOC에 통보해야 하는 3월 시한까지 합리적으로 결단할 필요가 있다. 강원도와 지역 국회의원들, 조양호 조직위원장은 나라와 지역을 위한 선택이 무엇인지를 깊이 생각하고 책임 있는 자세를 보여야 할 것이다.

한편으로는 강원도민과 평창군민을 이해시키고 설득해야 한다. 그래야 평창 동계올림픽이 성공한 올림픽이 될 수 있다. 물론 평창조직위도 IOC가 규정을 바꾸어가며 '확산과 참여'를 위해, 타국가나 타도시의 분산 개최를 가능케 한 '어젠다 2020'을 내놓은 배경을 잘 알고 있다. 문제는 '경제올림픽'을 내세운 IOC의 방침에는 공감하지만 이를 따를 수 없다는 게 평창조직위가 빠진 진퇴양난 상황이다. 무엇보다 개최지인 평창, 강릉, 정선을 비롯한 강원도의 반발을 무시할 수 없다. 삼수 끝에 평창이 동계올림픽 개최지로 선정된 데는 강원도민의 지원이 큰 힘이 됐기 때문이다.

그런 입장에서 조직위로서는 올림픽의 성공 개최를 위해 분산 개최를 고려할 수 있지만 "분산 개최를 하면 올림픽 반납도 불사하겠다"는 강원도민의 눈치를 보지 않을 수 없다. 그러나 현 상태로 올림픽을 치르면 피해는 불 보듯 번하다. 조직위 한 관계자는 "가장 이상적인 그림은 강원도가 국익을 생각해 공동 및 분산 개최를 먼저 제안하는 것"이라며 "그럴 경우 IOC는 평창대회 운영비로 6,000억 원을 지원하게 돼 있어 협상에 따라 착공에 들어간 경기장의 원상복구 비용을 IOC에서 받아낼 수도 있다"고 말했다.

현재로서는 올림픽 특별 구역 개발 사업에 대한 부담금 감면 혜택과 이를 통한 관광 인프라 구축, 지속 가능한 관광콘텐츠 개발 및 고부가가치 관광산업 창출 등을 골자로 한 평창동계올림픽특별법 개정안과 올림픽 경기장 등을 체계적으로 관리하기 위해 서울올림픽기념 국민체육진흥공단이 평창 동계올림픽 관련 사업도 지원할 수 있도록 하는 것을 핵심 내용으로 한 국민체육진흥법 개정안이 빠른 시일 내에 국회의 문을 넘어서야 한다.

평창 올림픽조직위원회와 강원도는 레드오션으로 알려진 동계올림픽을 개최한 도시의 실상을 모르고, 아직까지 안타깝게 블루오션이라는 망상에 사로잡혀 있지는 않는지 걱정스럽다. 평창 동계올림픽조직위원장인 조양호 한진그룹 회장은 '땅콩 회항 사태' 이후 손을 놓고 있는 상태였는데, 이제야 알펜시아 콘서트홀에서 열리는 문화도민 다짐행사인 2018 동계올림픽 개막 'D-3년 성공 개최', 강원 발전 100년 도약을 다짐하는 '문화도민 한 마음 다짐행사' 인 출정식 Game-3년 미리가 보는 평창에 참여했다. 정부는 지난해 7월 자리를 고사하는 조위원장에게 떠맡기다시피 위원장 자리를 맡겼다. 당초에 "공무원보다 경쟁과 손익 계산에 익숙한 기업인에게 조직을 이끌게 하는 것이 훨씬 더 경쟁력이 있다" 는 판단으로 선임된 만큼 그 진가를 발휘해야 할 때이다.

이 같은 상황에서 평창 동계올림픽이 돈만 많이 들고 쓸모없는 '화이트 엘리펀트' 가 아닌, 적어도 밑지지 않는 장사가 되기 위해서 평창조직위와 강원도에 지금 필요한 것은 유치 때와 같은 문화관광 콘텐츠로서의 흥행과 진정한 레거시의 가치를 창출하는 '비지니스 마인드' 로 경쟁력을 갖는 것이다.

평창 동계올림픽에 있어서 사후 대책과 배후 시설 문제는 경제적으로 대회 개최보다 중요하다. 시작부터 세심하고 철저한 준비가 없으면 성공하기 어렵다.

2018 평창동계올림픽 개막이(2018년 2월 9일)이 8개월 밖에 남지 않았다. 그런 가운데 대회 성공 개최를 기원하는 전국 고등학생들의 뜨거운 열기가 전국을 뒤덮었다. 글로벌 교육 기업 EF Education First (이하 "EF")는 2018 평창 동계올림픽대회 성공 개최 기원 전국 고등학생 프레젠테이션 대회를 성황리에 마쳤다.[13]

7. 한국 사회의 문화와 학교 엘리트스포츠의 괴리 현상을 어떻게 극복할 수 있을까

한국 사회의 문화에는 "하나만 잘하면 만사가 해결된다." 는 '능력 제일주의' 와 "최고만 되면 만사가 보상된다." 는 1등 만능주의가 만연하고 있다. 이를 위해서 교육과 관련되어 있는 학생, 학부모, 교사, 학교, 학원이 연합적으로 경쟁하고 있다. 이러한 다툼을 조장하는 능력주의가 학교운동부와 관련 있는 학교 엘리트스포츠에도 그대로 적용되고 있다.

학교운동부는 학부모의 과잉 기대, 지도자와 행정 담당자의 이해관계가 복합적으로 작용하여 많은 문제를 야기 시킨다. 이들은 경쟁 논리와 경제 논리에 의한 이해득실의 합일점을 진학과 실적에서 찾고 있으며, 이에 대한 보상에 기대하고 있다. 학교운동부는 학교에서 이루어지는 교육활동임에도 불구하고 이미 학교 밖의 논리에 의해 운영되고 있다.

국가는 이러한 문제점을 직시하고 있음에도 스포츠를 통한 국가 경쟁력의 우위를 점하기 위해 이를 묵인하고 있다. 또한 이러한 엘리트스포츠 정책의 비판이나 학생선수가 직면하고 있는 과도한 운동 시간 준수나 선수의 학업 이수와 같은 학교운동부의 심각한 문제들은 학문적인 비판은 담론조차도 금기시되어 온 경향이 있었다. 심지어는 학교운동부 학생들에 대한 부정적 측면의 접근이 체육스포츠 활동에 대한 자해 행위로 까지 취급된 때도 있었다.

학생과 학부모는 상급학교 진학, 대학 특례, 그리고 직업 시장 진출이라는 사회경제적 지위 획득의 구조 속에서 학교 운동부에 참여한다. 학생은 운동만 잘하면 모든 것이 해결된다는 생각에 학생으로 갖추어야 할 기본권을 스스로 포기하고 있는 실정이다. 학부모는 자식을 출세와 자기 과시의 도구로서 이용하고 있는 셈이다. 공급자인 각 종목별 코치 및 감독 그리고 연맹과 관련된 시·도, 시·군은 실적주의와 직업적 보상주의, 연맹 간 경쟁주의로 학생 선수를 압력과 통제의 대상으로 삼는다.

관리자는 상명 하달식 행정을 통하여 실적의 효율성을 높이기 위해 경쟁을 가열화 시킨다. 출세주의나 실적주의에서 요구되는 비교육적, 반교육적 형태는 학생선수들을 '사회적으로 거세' 하고 있으며 잠재적인 사회적 부적응자로 만들고 있다. “100명의 아마추어 선수로부터 1명의 엘리트 선수가 배출된다.” 는 쿠베르탱의 말처럼 현실적으로 학생선수들이 운동을 전문 직업으로 갖는 것이 결코 쉽지 않다. 체육특기자로 대학에 진학해 운동선수로 진로를 결정한 학생들은 공부는 접어두고 오로지 운동에만 매달린다.

우리나라는 ‘공부하는 운동선수’ 에 대한 인식이 아직도 퍼져 있지 않은 편이다. 그나마 2016년 5월 4일, 학교체육 진흥법 시행으로 운동하는 학생의 학습권을 보장하려는 시도가 스포츠계 전반에서 점차 펼쳐지고 있다. 대통령령 제27751호로 2017년 1월 1일부터 시행에 들어간 학교체육 진흥법 시행령의 주요 내용 중 한 가지인 최저학력제가 대표적이다. 학생 선수들은 일정 과목의 학업성적이 해당 학년 교과별 평균성적 대비 일정 비율 이상이 돼야만 대회 참가가 가능한 제도다.

그런데 일선 학교를 중심으로 체육계 일부에서는 학교체육 진흥법 시행 이후 운동에 대한 학생 선수들의 집중력 저하와 훈련량 감소로 경기 성적이나 기록이 좋지 않다고 불만을 털어놓는다. 실제로 일부 학생 선수들 스스로 매일매일 운동하기도 힘든데 공부까지 하는 것은 쉽지 않다며 볼멘소리를 내고 있다.

현재와 같이 학습 기회가 단절된 상태로 운동에만 전념하는 학생들이 차후에 부상이나 사고 등으로 인해 선수생활이 어려워진다거나 기량의 부족으로 도태될 경우에 과연 이들이 사회에 적응할 수 있을지 의문이다. 따라서 하나만 잘하면 만사가 해결된다는 생각을 버려야 한다.

‘확산 미투운동의 여파, 빙상계의 파벌싸움’ (김개형, 2018. 2. 26. KBS)

〈공감토론〉 이주의 [공감이슈]에서는 사회 전반으로 번지고 있는 미투운동의 여파 짚어보겠습니다. 또 평창 동계올림픽에서 국민적 공분을 불러일으킨 팀추월 여자대표팀 경기로 수면 위로 떠오른 빙상계의 고질병 파벌싸움 살펴보고 간호사 조직 내의 괴롭힘, 이른바 태움문화에 대해서도 생각해 보겠습니다.[14]

8. 학교체육의 현실을 바라보며

대부분의 운동선수들은 중·고등학교 때부터 오전 수업하거나 수업을 전폐하고 운동에 전념하는 목적이 대부분 실업 및 프로선수, 국가대표가 되는 것을 목표로 하고 있는 실정이다. 따라서 자신이 어떠한 사람이 되고 싶은지, 또 어떻게 살아야 행복한지, 자신의 미래 목표는 무엇인지에 대해 진지하게 깊이 생각할 여지도 없이 삶을 살아가는 것이다. 결국 운동선수들은 자신의 미래에 대한 긍정적인 포부 수준이 낮고 이로 인해 자아실현의 정도 또한 부족한 것으로 판단된다.

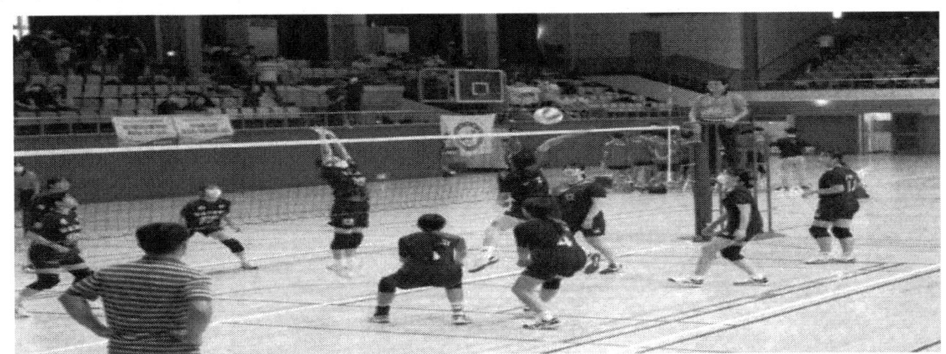

학교체육의 현실을 바라보면, 소수의 선수만 스포츠에 동원되는 엘리트선수들과 대다수 일반 학생들의 스포츠 수용과는 극심한 양극화 현상으로 나타나고 있다는 점이다. 소위 학교를 대표한다는 소수의 엘리트선수들이 운동할 수 있는 장소, 시간, 도구, 경제적 지원들을 독점한다는 것이다.

무더웠던 여름이 지나고 이제부터는 모든 사람들이 스포츠 활동을 시작할 때이다. 그렇게 풍족하지도 않지만 우리나라 학교에는 운동장을 비롯한 체육시설이 있다. 생활스포츠 시설이 많지 않은 한국 사회에서 학교 체육시설은 국민들에게 가뭄의 단비와 같다. 그러나 운동부가 있는 학교에서 일반 학생이나 지역민에게 운동부가 사용하는 학교 체육 시설은 그림의 떡일 수밖에 없다. 학교에 야구부나 축구부가 있다면 운동장은 이들 선수들이 독차지 한다. 이런 학교에는 방과 후 스포츠 활동이나 자율적으로 운동장에 남아서 축구경기 한 번하고 집에 가는 학생은 거의 찾아볼 수가 없다. 그리고 야구부나 축구부가 시합을 앞두고 일요일까지 연습을 하는 날이면 일요일에 운동장을 빌려서 쓰는 학생들과 일반인들까지 뚜렷한 대안 없이 운동을 그만 두거나 아니면 훈련이 끝날 때까지 기다려야 한다.

보다 많은 학생들이 한정된 시설이나마 효율적으로 활용해야 함에도 불구하고 소수의 선수들만이 시설을 독점한다는 것은 큰 문제가 있음을 드러내는 현상이다. 물론 소인수 학교는 그 반대 현상도 나타나곤 하지만. 이러한 현상은 한국의 스포츠 정책이 어떠한가를 보여 주는 부분이다.

지금도 학교에는 수많은 학생들이 운동을 즐기고 있고 또 하고 싶어 한다. 학교체육의 정상적인 운영과 운동선수들의 올바른 성장을 위해 선수들의 면학 분위기 조성과 폭 넓은 학교생활을 위한 교육적 배려가 필요하다. 이는 교육적 차원이나 스포츠 고급 인력의 육성 및 보호 관리 측면에서 가장 중요한 과제이다.

한창 두뇌가 발달하는 아동기와 청소년기의 체육은 인지능력과 단기 기억력을 향상시킨다. 단순한 체력훈련도 도움이 되지만 스포츠 경기를 하게 되면 지능이 한결 복합적으로 발달된다. 정보처리능력, 사물과 공간의 지각, 전략적 사고, 신체 제어 기능, 팀워크 등. 많은 나라에서 엘리트의 필수 조건으로서 스포츠 능력을 꼽는 이유도 바로 그러한 자질과 역량을 키워주기 때문이다.

학교마다 체육 전담교사를 두어 아이들의 체력을 보다 체계적으로 길러주는 식으로 급격히 여성화되어가는 학교 현장에 균형을 잡아주려는 노력은 턱없이 부족했다. 학교에서 운동 하나 똑 부러지게 가르치질 않으니 태권도 학원이며, 축구 과외며 사교육이 성행하는데, 그것도 초등학교 때나 하는 일이다. 중·고교 들어가면 상황은 훨씬 심각하다.

체력은 정말 국력이다. 국방 개혁, 국력 배양도 어쩌면 초등학교, 중학교, 고등학교의 운동장에서부터 시작해야 할 일인지 모르겠다.

이제부터라도 오전 수업을 하거나 수업을 전폐하고 운동만 하는 운동기계는 학교에서 사라져야 한다. 또한 많은 학생들이 자율적 스포츠 활동을 할 수 있는 홍보는 물론 형식적이 아닌 진정으로 학생들을 위한 제도 개선이 무엇보다 필요하다.

9. 평창동계올림픽과 언론

2018 평창 동계올림픽은 2018년 2월 9일부터 2월 25일까지 개최된 제23회 동계올림픽으로 대한민국에서 최초로 개최하는 동계올림픽이자 아시아에서 세 번째로 열린 동계올림픽이다. 강원도의 세 도시에서 개최된 본 대회는 평창군과 정선군에서 설상 종목이, 강릉시에서 빙상 종목이 열리며, 각 도시 모든 경기장은 '알펜시아 스포츠 파크' 를 중심으로 30분 이내에 자리잡고 있다.

2018 평창동계올림픽 언론 보도와 관련해서 대부분의 국민들에게 각인되고, 일상의 대화를 통해 담론화되는 주제는 '올림픽 유치의 당위성' 과 '메가 스포츠 이벤트에 따른 무조건적인 경제적 이득' 일 수밖에 없다. 그 이유는 국민의 80% 이상이 보는 메이저 신문에서 주되게 보도되어 온 내용이 '평창동계올림픽의 유치는 당연한 것' 이고 '국가의 중대사' 라는 '찬성담론' 이 자리하고 있기 때문이다. 반대의 목소리, 비판의 목소리, 혹은 개최 준비활동에 방해되는 목소리는 주변으로 쫓겨나고 있다. 소위 반대 담론의 '모퉁이 화(化)' 가 형성된 것이다.

지금까지 정선 경기장 설치 환경 문제, 일본과 공동 개최, 북한과 분산 개최, 한국 내 분산 개최, 강원도 내 분산 개최 등은 지배담론에 밀려 한 귀퉁이도 차지하지 못하는 '주변담론' 으로 전락되었다. 주변 화된 담론으로 형성된 내용은 과연 동계올림픽을 통해 경제가 회생될 수 있는가, 관광에만 의존하려는 강원도의 논리와 그러면서 환경문제에 침묵하는 의도가 무엇인지를 언론에서 찾아볼 수 없다. 도리어 주류언론이 동계올림픽 개최에 따른 경제적 수익을 사후 책임지지 못하면서 불확실한 통계를 들고 나와 국민과 도민을 혼란시킨 자들보다는 양심적이다.

하지만 2014년부터 2015년에 이르기까지 평창동계올림픽과 관련된 150여 편의 기사를 분석해 보면, 평창의 동계올림픽 개최 준비와 관련하여 '문제없다' 고 외치는 언론의 여론 형성 과정이 지배적으로 나타나고 있음을 말해주고 있다. 특히 동계올림픽 개최를 함으로써 경제적으로 '회생' 할 것이고, 그러한 개최가 지니는 의미는 강원도 주민의 소망을 넘어 대한민국 국민의 염원까지 대변해주는 것임을 말해준다. 더불어 지역경제의 회생을 위한 지방자치단체의 자립적 노력보다는 국가정부의 개입과 재계인사의 치열한 노력이 필요함을 말한다.

이미 시기적으로 늦었지만 환경과 예산문제, 그리고 사후 강원도의 부채 문제는 좀 더 언론의 비판과 함께 합리적인 대안을 찾았어야 했다. 물론 대통령까지 나서 '의미 없다' 고 선을 그어서 그렇다고 하겠지만 그런 문제가 어디 국회나 대통령이 나서서 해결할 문제인가. 추후 우리 후손들에게 빚을 떠넘기거나 악영향이 미친다면 누가 책임진단 말인가. 그래서 주변담론도 필요하며 때로는 요긴하게 쓰일 때도 있다. 주류 언론들은 우리 사회의 중상층에 그 초점을 맞추고 있기에 그들의 평창동계올림픽의 개최 준비 과정 보도는 중상층의 자부심, 인류 국가로 가는 지름길 등, 소위 그들의 '입맛에 맞는' 내용으로 이루어질 수밖에 없는가, 스스로의 노력을 통해 보도의 균형을 맞출 수 있는 자정활동에 제약이 따를 수밖에 없는가. 결국 외부에서 비판적 해석과 주장을 통한 교정 실천이 필요한데도, 알면서도 모른 척 할 뿐인가

동계올림픽에 대비해서 강원도민은 정신을 바짝 차려야 한다. 물론 평창군민도 마찬가지다. 빚더미에 나앉지 않고 현상 유지라도 할 수 있는 대책을 강구해야 한다. 11조 4,311억 원의 국비가 들어가는 평창 동계올림픽이 빚더미 동계올림픽의 대표 사례 도시로 기록된다면 대한민국과 강원도에 비극이 될 수 있다. 7,000천억 원 이상 비용을 대야 하는 강원도는 부채에 허덕이게 되고 부담은 강원도민과 평창군민에게 돌아가 미래 세대에 불행을 초래할 수도 있다. 물론 올림픽과 관련된 직접 시설에 소요되는 예산은 1조 2,600억 원이며, 강원도 부담액은 3,457억 원이라 하더라도 혈세인 만큼 적은 액수는 아니다. 신설이 필요한 6개 경기장은 유치 신청서의 착공 예정일보다 반년 늦은 2014년인 지난 해 하반기 첫 삽을 떠서 현재 공정이 10% 안팎에 불과하다.

재정 자립도가 30%를 밑도는 강원도가 2006년부터 올림픽을 유치한다며 알펜시아 리조트를 지었다가, 2016년까지 갚아야 할 공사채는 1조원이 넘는다. 최소 3년간 긴축 재정을 몰입해도 상환하기 빠듯한 규모였다. 분산 개최를 결사반대하는 사람들은 강원도의 빚을 다른 지역 주민에게 떠안기지 않겠다고 약속이라도 해야 한다. 2006년부터 추진한 알펜시아가 남긴 상처는 생각보다 크다. 강원도 재정 자립도는 21.6%로 꼴찌에서 세 번째다. 알펜시아 리조트를 지었다가 1조원의 빚을 진 데다 올해 1,200억 원, 내년 1,000억 원 지방채를 발행할 계획이다. 이 빚을 어떻게 감당할 것인지 말하는 사람은 아무도 없다.

게다가 평창 올림픽조직위원회는 운영 예산 중 41.5%를 스폰서 유치로 충당하게 되어 있다. 예상 수입원 가운데 자체 해결해야 하는 비중이 가장 높은데, 2월 현재 목표액의 3분의 1도 달성하지 못해, 안정적인 대회 운영을 위해 스폰서 확대가 시급하다.

10. 강원도 체력 약한 '약질(弱質)' 학생 18%로 전국에서 가장 많다

학생들의 기초체력을 평가하는 체력장 제도의 후신으로서 2009년 초등학교부터 실시되어 2010년 중학교, 2012년 고등학교까지 전면 확대되어 시행한다. 영어로는 PAPS(Physical Activity Promotion System)이므로 /pʰæps/라고 읽거나 혹은 철자를 하나씩 읽어야 하지만 한국어로는 '팝스' 라고 많이 불린다.

학교보건법' 의 하위법인 학교건강검사규칙(교육부령)에 의거하여 실시되고 있다(신체능력검사). 교육청에서 권장하는 1년에 실시 횟수는 무려 4회다. 당연하게도 교육청 에서는 학교 상황에 맞춰 실시 횟수를 조절할 수 있게 한다.

학생건강체력검사평가 결과 농촌이나 어촌 등 시골 학생들의 부실하며 대도시 학생들보다 크게 떨어지는 것으로 나타났다. 또 입시 부담 등으로 학년이 올라갈수록 체력적으로 약한 '약질(弱質)' 의 비중이 높아지는 것으로 조사됐다.

국회 교육문화체육관광위원회 소속 염동열 새누리당 의원이 8월 16일 교육부에서 받은 '2014년 학생건강체력평가(PAPS)' 자료에 따르면 지난해 이 검사를 받은 434만 619명의 학생 중 체력이 약한 4~5등급은 38만 6253명(8.9%)으로 나타났다. 4등급 학생은 전체의 8.2%(35만 6893명), 최하등급인 5등급은 0.7%(2만 9360명)였다.

PAPS는 전국 초등학교 5학년~고등학교 3학년을 대상으로 의무적으로 실시하는 검사다. 초등 4학년은 선택 사항이다. 일선 학교에서는 매년 상반기에 50m 달리기, 팔굽혀펴기, 제자리멀리뛰기, 유연성 검사 등을 통해 학생들의 건강 및 체력을 측정한다. 결과는 1~5등급으로 분류된다.

지난해 PAPS를 보면 상급학교로 진학할수록 체력이 약한 학생의 비율이 높았다. 4~5등급 비율은 초등학생이 4.6%였지만 중학생은 7.5%, 고등학생은 12.4%로 조사됐고, 최저 5등급의 비율도 고교생은 1.1%(1만 8천 736명)로 중학생 0.5%, 초등학생 0.3%를 크게 웃돌았다. 대학입시 등에 대한 부담으로 고등학생들이 체육활동을 제대로 하지 못하기 때문으로 풀이된다.

학생들의 체력 수준이 시·도별로 차이가 큰 것으로 나타났다. 지역별로는 대도시보다 농촌, 어촌, 산촌에 체력이 낮은 학생들이 많았다. 소규모 학교가 많은 강원은 4~5등급 학생 비율이 18.1%로 전국 시·도 가운데 가장 높았다. 전북

(12.8%), 경기(11.8%), 제주(11.3%), 세종(10.3%), 충북(9.3%), 대전(9.3%) 등이 뒤를 이었다. 강원은 2012년 4~5등급 비율이 19.2%, 2013년 18.5%로 3년 연속 이 부문 1위를 차지하는 불명예를 안았다.

반면 대구는 4~5등급 비율이 가장 낮은 4.6%로 강원의 약 4분의1 수준이었다. 부산(5.5%), 울산(5.6%), 광주(5.7%), 경남(6.0%) 등도 체력이 약한 학생이 적은 편이었다. 서울은 4~5등급이 7.9%를 기록해 전국 평균(8.9%)보다 1% 포인트 낮았다. 서울은 2012년과 2013년에는 각각 15.2%, 9.7%를 기록했다. 서울은 하위 등급이 감소한 것으로 나타났다.

지역별 편차는 있지만 전반적으로 대도시는 체력이 떨어지는 학생 비율이 낮은 편이다. 강원과 대구의 4~5등급 비율 차이는 약 4배에 달한다. 대도시에 사는 학생이 학교 등에서 체력관리를 하는 데 상대적으로 좋은 환경에 있다는 해석이 가능하다. 이에 따라 지역 간 학생들의 체력 격차를 줄이기 위해 교육 당국의 대책이 필요하다는 지적이 나온다.

미국의 뇌과학자 루안 브리젠딘 교수는 베스트셀러 저서 '남자의 뇌, 남자의 발견'에서 "남녀의 뇌 구조 차이 때문에 남자아이는 어렸을 적부터 움직임도 많고, 남성 호르몬 테스토스테론이 급증하는 10대 때는 신체의 변화와 더불어 모험적이고 공격적인 성향도 강해진다" 고 지적했다. 그래서 지・덕・체(智德體)를 강조하는 교육 목표 중에 남학생들에게 특히 중요한 것이 스포츠다. 격렬한 스포츠를 하면서 체력을 단련하고, 건강한 체력을 바탕으로 단단한 정신력도 기르는 것이다.

이제 교육 지도자들은 로마의 시인 유벨날리스의 "건강한 신체에 건전한 정신이 깃든다" 는 말과 "워털루 전투의 승리는 이튼의 운동장에서 이루어졌다." 는 영국의 웰링턴 장군의 명언을 되새겨 봐야 할 것 같다.15)

11. 태권도의 활성화 정책이 요구되고 있다

태권도(跆拳道, Taekwondo)는 대한민국에서 창안되고 발전한 현대 무술로, 대한민국의 국기(國技)이다. 발차기를 중심으로 손과 발 및 기타 신체부위를 이용해서 상대를 효과적으로 제압하는 것을 지향한다. 한국에서 매년 9월 4일은 기념일인 '태권도의 날'로 지정되어 있다. 1950년대 한국에서 정립되어 전세계적으로 규정 및 경기 진행에서 한국어를 사용하며 중국이나 일본에서도 태권도가 자국이나 북조선의 것이라는 날조는 거의 없다. 엄연히 자타공인 대한민국의 무술이다.

문화체육관광부는 태권도를 한국의 이미지 제고를 위해 2014년 2월 13일, 한글, 아리랑과 함께 3대 문화브랜드로 선정했다. 태권도가 한국을 대표하는 브랜드로 선정된 이유는 한류문화의 첨병으로써 '한국의 역동성과 정체성을 가장 기장 잘 표현하고 있기 때문'이라고 설명하였다. 이러한 사례는 태권도가 우리나라 고유의 무도에서 출발해 이제는 전 세계에서 사랑받는 스포츠로 자리 잡아 단순한 가치를 뛰어넘어 한국의 역사와 철학, 언어와 생활양식이 잘 내포된 한국을 대표하는 문화 상징물이자 문화상품이라는 것을 잘 보여준다.

한국에서 발생하여 전통 무예의 형태로 발전한 태권도는 한국인의 몸짓과 한국의 혼(魂)을 세계인들에게 자랑할 수 있는 우리의 중요한 문화유산이다. 1944년 주로 무도 수련을 하였던 사람들이 중심이 되어 태권도를 배울 수 있는 태권도장을 만들기 시작하면서 구체적인 형태를 보이기 시작하였다.

태권도는 우리나라를 대표하는 국기(國技) 스포츠이다. 1961년 '체력은 국력'이라는 슬로건 아래 정책적으로 지원되면서 태권도 활성화가 시작되었다.

성장기에 있는 초·중·고 학생들의 영양 과잉 섭취와 운동 부족으로 인한 체중 증대 및 컴퓨터와 오락기기의 발달 그리고 교육 제도의 편협성으로 지적인 능력에만 관심을 두어 청소년들의 움직이고 싶은 욕구를 차단하기에 이르렀다.

태권도는 크게 신체적인 능력과 정신적인 능력이 서로 밀접하게 상호작용하는 스포츠 중의 하나로 짧은 경기시간 안에 상대의 공격, 방어, 페인팅 동작에 대하여 순간적인 판단과 민첩한 동작, 심리적인 영향이 아주 많이 작용하는 운동이다.

태권도는 2000년 시드니올림픽경기대회에서 정식 종목으로 채택되면서 우리 민족의 무술에 대한 가치와 우수성을 전 세계에 알릴 수 있는 계기가 마련되었으며, 2004년 그리스올림픽과 2008년 북경올림픽은 물론이고 2012년 런던올림픽, 그리고

2016년 브라질 리우데자네이루올림픽까지 이어지게 되었다.

이와 같이 태권도는 우리나라의 고유 무술로서 올림픽 정식 종목으로 채택되어 세계적인 스포츠로 자리매김하였다. 엘리트스포츠 종목으로서의 스포츠뿐만 아니라 생활스포츠 가운데서도 태권도는 세계적으로 널리 그 기능을 발휘하고 있다. 그러나 해외에 태권도 도장들이 점진적으로 세계 시장을 넓힌 것과는 대조적으로 국내 태권도 시장은 내부적 경쟁력을 잃고 있다.

21C는 서비스 경쟁시대 혹은 고객 만족 시대인 만큼 앞으로 상업 스포츠 시설에서도 회원의 욕구를 충족시켜 줄 때 무한 경쟁 시대에서의 절대적 우위를 차지할 수 있을 것이다. 이와 같은 맥락에서 태권도장 또한 발전적인 활성화를 도모하기 위해서는 도장 경영의 경쟁력을 강화시킬 필요성이 절실히 요구되고 있다. 또한 생활스포츠 무도로서 태권도가 현대생활에서 쉽게 접할 수 있도록 발전을 가속화시켜야 한다.

현대인들은 비약적인 과학 기술의 발달로 경제적인 풍요로움을 영위하면서 살아가게 되었다. 그러나 현대의 물질문명이 가져다주는 장점이 있는 반면 사회조직은 더욱 복잡성을 띠게 되었고, 과도한 경쟁은 스트레스로 연결되어 각종 질병을 일으키는 원인을 제공하고 있다. 현대사회에서 문제시되는 신체와 정신, 즉 여러 가지 성인병과 스트레스 등을 해결할 수 있는 운동으로 자리매김할 수 있는 역할이 필요하다.

이러한 문제를 해결하기 위한 방법으로 사회체육 활성화가 제시되고 있으며, 특히 성장기 아동과 청소년들에게 있어서는 건전한 신체 발달을 도모하고 부모들의 진정한 교육적 욕구를 충족시킬 수 있는 태권도 도장이 대안으로 생각될 수 있다.

우리나라의 국기(國技)인 태권도 활성화 정책을 통한 국민스포츠로서의 확산이 절실히 요구되고 있다.[16]

12. 그 많은 적자를 무엇으로 감당하려고 숨기려 하는가

불 보듯 뻔한 진실을 왜 시간을 벌면서 숨기려 하는가. 평창 동계올림픽을 성공적으로 치를 수 있을지 우려하는 목소리가 상당히 높다. 평창 동계올림픽이 엄청난 적자와 함께 국제적 실패한 도시로 전락할 수 있다는 전망까지 나오고 있다. 3년도 남지 않은 현재 올림픽의 성공 개최를 위한 방안과 사후 관리도 불확실하다. 현재 평창동계올림픽조직위원회의 인적 구성을 보면 현재 341명이며, 운영 예산은 2조 540억으로 예상하고 있다. 이들은 이러한 사실을 모를 리가 없다. 직무 특성상 알면서도 모른 척 할 뿐이다.

2018 동계올림픽을 위해 강릉에 새로 짓는 남자 아이스하키 경기장은 1,079억 원의 공사비가 소요되지만 올림픽이 끝나면 철거되거나 원주로 이전된다. 철거 비용만 추가로 1,000억 원이 들것으로 추산한다. 2010년 올림픽 유치 계획대로 원주에서 유치하면 된다. 아니면 강릉을 '빙상의 메카' 로 발전시키던가. 또한 당초에 스노보드를 신청했던 횡성은 올림픽에 버금가는 국제대회를 다섯 차례나 치러 본 경험이 있으니 적합한 종목으로 조정하면 안성맞춤이다.

11조 4,311억 원의 국비가 들어가는 평창 동계올림픽이 빚더미 동계올림픽의 대표 사례 도시로 기록된다면 대한민국과 강원도에 비극이 될 수 있다. 7,000천억 원 이상 비용을 대야 하는 강원도는 부채에 허덕이게 되고 부담은 강원도민과 평창군민에게 돌아가 미래 세대에 불행을 초래할 수도 있다. 물론 올림픽과 관련된 직접 시설에 소요되는 예산은 1조 2,600억 원이며, 강원도 부담액은 3,457억 원이라 하더라도 혈세인 만큼 적은 액수는 아니다. 신설이 필요한 6개 경기장은 유치 신청서의 착공 예정일보다 반년 늦은 지난 해 하반기 첫 삽을 떠서 현재 공정이 10% 안팎에 불과하다. 늦었지만 마지막으로 강원도민과 평창군민은 허심탄회하게 논의하여 합리적인 방안을 모색해 보는 게 더 현실적이다.

1988년 나가노 동계올림픽 조직위원회는 2,800만 달러의 흑자를 냈다고 주장했지만 경제학자들의 분석에 따르면 오히려 110억 달러 적자를 봤다. 가장 성공적으로 대회를 치렀다는 2010년 제21회 캐나다의 밴쿠버 대회도 최대 100억 달러의 적자로 끝났다. 조직위에서 흑자라고 주장하는 2014 인천 아시아경기대회도 마찬가지다. 조직위 관계자는 "적자는 경기장 시설에 국한되어 있다" 라고 전하고 있다. 하지만 인천시의 전체 부채 규모는 1조 2,493억 원이며, 올해 매일 이자만

11억 원을 부담해야 할 것이라는 추산은 다 알고 있는 사실이다. 아시아드 주경기장을 비롯해 4개 시설에 수익 사업을 유치하겠다던 계획도 현재로선 소득이 없다. 여전히 "많은 기업에서 참여 의사를 밝히고 있다"는 말로 하는 희망만 있을 뿐이다.

레이크플레시드 올림픽지역개발청(ORDA) 최고 경영자인 테드 블레이저가 "파티의 손님이 모두 떠난 뒤에 문제가 시작된다"고 언급한 것처럼, 올림픽 개최 전 경제적 파급 효과에 대한 장밋빛 기대와 달리 대회 이후 현실에서는 올림픽 시설이 지역의 훌륭한 문화적 유산으로서가 아닌 '애물단지'가 되어 지역경제의 부담으로 전락한 사례가 많다. 올해 3월이면 분산 개최 여부의 결정 시안이 끝나 IOC에 통보해야 한다. 그 전까지 나름대로의 타당성에 따른 합의와 결정은 국가나 강원도를 위해 절실히 필요하다. 그리고 난 다음 '강원의 힘'을 보여줘도 늦지 않다.

동계올림픽 저변에 열악한 한국에서 동계올림픽을 경험해 본 전문 인력은 거의 없다. 현재 341명이 일하는 조직위(중앙공무원 30명, 지방공무원 107명, 대한체육회 및 대한장애인올림픽위원회 8명, 위원장 회사 대한한공 27명, 민간전문직 160명)는 내년까지는 876명, 2018년까지는 1,300명으로 늘어난다. 이들을 통한 강력한 리더십과 체계적인 준비, 그리고 온 국민의격려가 없다면 평창 동계올림픽은 성공하기 쉽지 않다.

현재 중요한 것은 화합 차원의 '다짐 대회'나 아이디어 창출을 위한 '토론회'도 중요하지만, '동계올림픽 경기 사후(事後) 활용방안'과 '실패 사례를 감안한 배후(背後)시설 설치방안'을 주제로, 빠른 시일 내에 관련학회나 유수대학에 프로젝트를 추진해야 한다. 그래야 지금까지 논의되고 있는 주먹구구 담론에서 벗어나 큰 틀에서 향후 적자를 메울 수 있는 인프라가 구축될 것이다. 올림픽 전후의 배후시설 설치를 통한 지방경제 활성화와 배후도시와 연결된 지역 관광산업은 상호 긴밀한 활용계획에 따라 그 결과가 다양하게 나타날 수 있다.

2018년 2월 9일에 열리는 개막식에서 전 세계인을 대상으로 개막을 선언하는 사람은 박근혜대통령이지만, 후일 진정으로 평가받는 사람은 대통령과 조직위 및 관계자가 아니라 강원도민과 평창군민 모두이다. 이 점을 명심해야 한다.

13. 체육의 날을 맞이하여 국기(國技) 스포츠 태권도를 사랑하자

체육의 날은, 국민 체육 진흥법 제7조 제1항과 동법 시행령 14조에 의하여 설정된 날로 해마다 10월 15일이다. 동 시행령에는 이 날이 속해 있는 10월 중에는 학교에서는 운동회 또는 체육 대회와 기타 체육 행사를, 직장에서는 각각 실정에 맞는 체육 행사를 실시하기로 되어 있다.

태권도는 우리나라를 대표하는 국기(國技) 스포츠다. 한국에서 발생하여 전통 무예의 형태로 발전한 태권도는 한국인의 몸짓과 한국의 혼(魂)을 세계인들에게 자랑할 수 있는 우리의 중요한 문화유산이다. 1944년 주로 무도 수련을 하였던 사람들이 중심이 되어 태권도를 배울 수 있는 태권도장을 만들기 시작하면서 구체적인 형태를 보이기 시작하였다.

1961년 '체력은 국력' 이라는 슬로건 아래 정책적으로 지원되면서 태권도가 활성화가 시작되었다. 1962년 대한체육회 가맹 경기단체가 됨으로서 본격적인 경기화가 되었다. 국제적으로는 월남전을 계기로 태권도가 해외 120여 개국에 알려지면서 민간 외교와 국위 선양에 이바지하고 있는 등 한국의 태권도 정신을 전 세계에 심고 있다. 태권도는 아이들만 하는 운동이 아니라 남녀노소 누구나 쉽게 배울 수 있다. '국기 태권도' 라는 공식 명칭 내지 기록은 1971년 3월 20일 박정희 대통령께서 친필휘호를 대한태권도협회에 하사하면서 시작되었다. 이 휘호의 복사본은 태권도 용품을 취급하는 가게에서 유행처럼 팔려나가 이후 태권도 종주국 중앙도장 개념으로 서울 역삼동에 건립된 건물을 '국기원' 이라고 하면서 자연스럽게 한국의 국기는 '태권도' 라는 인식이 심어지게 되었다. 한국 정신문화연구원에서 펴낸 『한국민족문화대백과사전 23』을 보면 '1971년에는 태권도의 우수성과 가치를 인정받아 국기로 인정받았다' 라고 되어 있다.

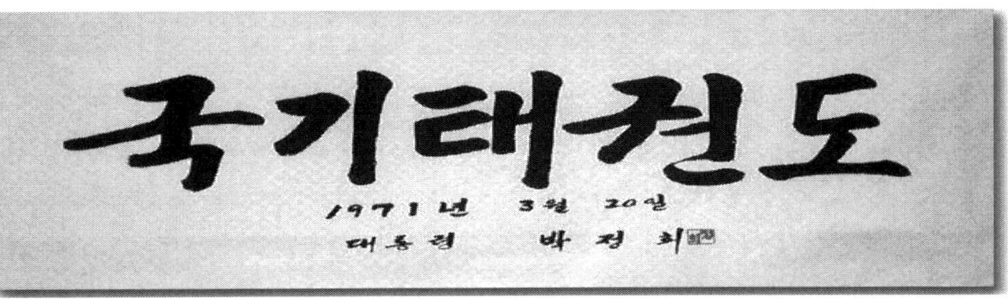

문화체육관광부는 태권도를 한국의 이미지 제고를 위해 2014년 2월 13일, 한글, 아리랑과 함께 3대 문화브랜드로 선정했다. 태권도가 한국을 대표하는 브랜드로 선정된 이유는 한류문화의 첨병으로써 한국의 역동성과 정체성을 가장 기장 잘 표현하고 있기 때문이라고 설명하였다. 이러한 사례는 태권도가 우리나라 고유의 무도에서 출발해 이제는 전 세계에서 사랑받는 스포츠로 자리 잡아 단순한 가치를 뛰어넘어 한국의 역사와 철학, 언어와 생활양식이 잘 내포된 한국을 대표하는 문화 상징물이자 문화상품이라는 것을 잘 보여준다.

1986년 서울 아시아경기대회에서 정식 종목으로 채택되었고, 1988년 서울 올림픽경기대회와 1992년 바르셀로나 올림픽대회에서는 시범 종목으로 선정, 2000년 호주 시드니올림픽에서는 정식 종목으로 채택되어 세계 속의 태권도로 자리 잡는 계기가 되었다. 그리고 2000년 문화체육관공부는 한국을 대표하는 10대 문화 상징을 선정하였는데, 여기에 한복, 한글, 김치, 태권도, 불고기, 불국사, 석굴암, 고려인삼, 탈춤, 종묘제례악 등을 선전하여 세계 속의 한국을 알리는 노력을 하고 있다. 이 중에서 태권도가 한국의 대표하는 문화 상징으로 선정된 점은 높이 살만한 일이지만 그 이면에 부족한 것이 많이 있는 것이 지금의 현실이다.

우리나라 국기(國技) 태권도가 수련 인구 문제로 절체절명의 위기 국면에 접어들고 있다. 태권도 수련인구 감소 현상은 앞으로 더욱 증가될 것으로 보인다. 태권도 수련 인구의 약 60%가 2년 이내 수련을 중단하는 것을 감안할 때, 2016년부터 감소 현상은 더욱 크게 나타날 전망이다. 태권도 수련 인구 감소 현상을 탈피하기 위해서는 제도권과 일선 도장의 전략적인 대응책 마련이 시급하다. 체육의 날을 맞이하여 우리 모두 국기(國技) 스포츠 태권도의 발전 과정을 되새기며 사랑하는 마음을 가져야 할 때이다.

오후 서울 여의도 국회에서 열린 태권도 월드기네스 기록도전행사 '태권도 평화의 함성' 에서 참가자들이 태권도 품새를 선보이고 있다.

국회의원 태권도연맹은 태권도가 법적으로 국기로 지정된 것을 기념하기 위해 이번 행사를 마련했으며 1만명이 모여 기네스에 도전했다(뉴스1, 2018. 4. 21, 신웅수 기자).

14. '도민통합체전', '경제체전', '스마트 체전'에 강원도민의 성원이 절실하다

전국체육대회는 1920년 11월 조선체육회(朝鮮體育會)가 배재고등보통학교(培材高等普通學校) 운동장에서 개최한 제1회 전 조선야구대회를 기원으로 삼고 있으며, 이 대회부터 횟수를 기산(起算)해 왔다. 그러나 일제의 체육 통제가 가해지기 시작해 1938년 조선체육회가 일본인 체육단체인 조선체육협회에 강제 통합되면서 전조선종합경기대회는 1937년에 개최된 제18회 대회를 마지막으로 중단되고 말았다.

이후 1945년 해방과 함께 부활되어 같은 해 10월부터 자유해방경축종합경기대회라는 명칭으로 경기가 개최되었는데, 이것이 제26회 전국체육대회이다. 1948년 제29회 때부터 전국체육대회로 이름을 개칭하고, 종전의 자유참가제를 시·도대항제로 정착화 해 지금에 이르렀다.

전국체육대회는 대한체육회에 등록된 종목의 시·도간 순위를 경쟁하는 국내 최대의 스포츠이벤트이다. 20,000명 이상의 선수단이 참가함으로써 지역 경제에 기여하고 있으며, 개최지의 경기장 시설 장비 및 신설, 문화·관광 등을 발전시킬 수 있는 기반이 조성되기도 한다.

2015년 10월 16일부터 10월 22일까지 '세계 중심 강원에서, 함께 뛰자 미래로'라는 슬로건 아래 펼쳐지는 제96회 전국체육대회 및 제35회 전국장애인체육대회가 강원도 강릉종합운동장 외 71개 경기장에서 열린다. 이번 전국체육대회는 체전 역사상 처음으로 같은 해, 같은 장소에서 전국장애인체육대회가 열린다는 점에서 그 의의가 각별하다. 이번 전국체육대회는 44개 정식 종목과 3개 시범종목(바둑, 택견, 수상스키) 등 총 47개 종목의 경기가 열리며, 전국 17개 시·도 선수단 2만 4,780명이 참가한다.

강원도는 지난해 보다 266명이 늘어난 선수 1,391명과 임원 및 지도자 등 1,647명으로 구성된 역대 최대 규모의 선수단을 출전시켜 전국 17개 시・도 중 지난해 종합 9위에서 종합 3위 성적의 도약을 노린다. 또한 강원도는 효율적인 경기 운영을 위해 18개 시・군 당 1개 이상 종목이 열리도록 경기장을 배려했다. 기존의 경기장을 활용해 이용도를 높이고 전 도민적 참여 분위기를 고조시키는 효과를 거두기 위한 방안을 채택함으로써 주 개최지는 강릉이지만 18개 시・군 경기장에서 1개 이상의 경기가 열려 도민 모두의 축제가 될 수 있도록 하였다.

강원도는 1985년 제66회 대회와 1996년 제77회 대회를 개최한 경험이 있다. 따라서 강원도에서 19년 만에 세 번째 개최되는 제96회 전국체육대회를 통해 300만 강원도민의 자긍심을 북돋고 강원도의 문화・예술・관광의 새로운 도약의 기반으로 삼아야 한다. 이번 전국체육대회는 강원도가 손님이 아닌 주인으로서 능력과 역할이 강조되고, 2018동계올림픽 성공적 개최를 위한 대조표(對照表) 성격을 지닌다. 도민 통합을 통한 동계올림픽 성공 개최 역량을 미리 평가 받는 대회이기도 하다는 의미를 포함하고 있다.

제96회 전국체육대회를 통해 구축되는 인프라는 대조표 성격을 띠고 있어 강원도 체육역량 강화와 함께 2018동계올림픽의 성공적 개최의 기반이 될 것이다. 이를 위해 먼저 문화・예술・축제 연계 상품화이며, 스포츠마케팅의 고도화이다. 그리고 스마트 체전이 되는 것이다. 특히 강원도민은 결속력을 강화하고 자긍심을 높여 종목 분산 개최로 인한 선수단과 가족, 관광객의 원거리 이동 등에 대한 어려움을 호스트(host)로서 각별한 관심을 갖고 심신의 지원 체제를 강화해야 한다.

제96회 전국체육대회는 2018 평창동계올림픽을 앞두고 강원도가 치르는 가장 규모가 큰 스포츠 행사다. 동계올림픽의 개최 역량을 사전에 평가받고 대회 운영 전반이 동계올림픽에 계승된다는 점에서 성공적인 개최가 무엇보다 중요하다.

강원도가 주체가 된 제96회 전국체육대회가 '도민통합체전', '경제체전', '스마트 체전'으로 거듭나 2018년 동계올림픽의 성공적 개최를 위한 초석이 되기를 기대한다.[17]

15. '스타' 만을 요구하는 학교 엘리트스포츠 바뀌지 않고 있다

"우리나라 중·고등학교 운동부 선수들 가운데 상당수는 학생이라기보다는 거의 운동하는 기계와 같은 생활을 매일하고 있습니다. 오로지 체육 특기자로 진학하기 위해서 수업과는 전혀 담을 쌓고 때로는 구타까지 감내하는, 수업 포기, 운동만 하는 학생들…."

오로지 대회에서 좋은 성적만 올리려 하고, 선수들을 대학에 진학시키는 일에만 매달리는 코치나 학교 당국을 꼬집은 오래 전의 '학교 스포츠, 수업은 없다' 의 일부 내용이다.

그동안 우리나라의 스포츠는 학교체육 위주의 엘리트스포츠, 즉 몇 명의 운동선수들이 국가나 학교의 명예를 드높였다. 학교체육이 중심이 되다보니 여러 가지 문제점도 발생시켰다. 몇 년 전부터는 우리나라도 선진국들처럼 생활스포츠가 활성화되어 왔다. 생활스포츠에 비해 월등히 적은 예산 때문에 상대적으로 학교체육이 소외받고 있는 느낌이지만 생활스포츠가 활성화되면서 학교체육의 폐해가 많이 줄어 든 것 또한 사실이다. 하지만 예전보다 덜할 뿐 아직 대부분의 종목들이 학교체육에 의존해야 한다. 더구나 체육 특기자에 대한 형식적인 최저학력 기준의 대학입시제도는 운동선수들이 수업을 포기한 채 종일 운동에만 매달리고, 수업시간에 잠을 자면서 몸 관리를 하도록 종용하고 있다.

우리나라 운동선수 부모들의 허황된 생각이 오히려 학교체육을 멍들게 하는 면도 있다. 1980년대 초 나는 축구부가 있는 시내학교에 8년 동안 축구 감독과 체육부장으로 근무했다. 몇 년 동안 전국대회에서 우승과 준우승은 물론 적어도 4강 대열에 낄 만큼 실력 있는 팀이었고, 연습도 열심히 했다.

대회 출전이 잦다보니 자연스럽게 축구부 학부모들과 대면할 일이 많았다, 그때 학부모들의 대화를 들어보면 꿈꾸는 것이 한결같았다. 모두 자식들이 연봉을 몇 억씩 받는 프로축구팀의 스타가 되는 것이었다.

그 당시 프로팀이 활성화 되지 못한 현실에 비춰 볼 때 운동을 해서 스타가 되는 것은 하늘의 별따기만큼이나 어려운 일이었다. 그런데 겨우 중학교에 다니고 있는 자식을 놓고 스타로 키우는 꿈같은 일이 현실이라도 된 양 거드름을 피우는 부모도 봤다.

시합 전이면 선수들의 수업 때문에 축구부 학부모들은 학교 측과 마찰을 빚었다. “중학교 선수들이니 당연히 수업이 끝난 후 운동을 해야 한다.” 는 게 학교 측의 주장이었고, “운동선수로 키울 것인데 공부가 왜 필요 하냐” 는 게 번번이 제동을 걸고 나서는 학부모들의 주장이었다. 그러다 시합에라도 지게 되면 연습이 부족했다며 학교를 원망하기 일쑤였다.

생각대로 된다면 좋겠지만 운동은 쉬운 일이 아니다. 그런데도 학부모들은 운동을 하지 못하게 될 경우는 전혀 생각하지 않고 오로지 자식 뒷바라지만 열심히 하면 되는 줄 알고 있었다. 학부모의 그릇된 기대 심리가 작동하고 있었던 것이다. 그러니 어느 날 운동을 하지 못하게 되었을 때 선수나 부모들이 절망의 늪에서 어떻게 헤어나겠는가.

그때 스타가 될 기대주로 학부모들이 인생을 걸었던 아이들 중 5명만이 몇 년 후 프로축구 시합이 있을 때 TV에 얼굴이 나오곤 했었다. 나머지 아이들이 어디까지 선수생활을 했는지, 지금 무엇을 하고 있는지 알 수 없지만 선수생활에 종지부를 찍었을 때 아이들이나 부모가 느꼈을 절망감은 미루어 짐작할 수 있다.

스포츠 시즌이다. 진학을 위해 운동에 모든 것을 걸 수밖에 없는 운동선수들의 교육 현실, 개선해야 한다는 목소리는 되풀이되지만 상황은 좀처럼 바뀌지 않고 있다. 오로지 운동만 하면서 학창 생활을 보내야 하는 운동선수들의 교육현실은 빨리 개선되어야 한다. 물론 ‘스타’ 만을 요구하고 있는 학부모의 의식구조나 사회구조도 바뀌어야 할 것이다.

한국만의 독특한 특성을 우리는 잘 파악해야 한다. 학교장이 스포츠클럽을 만들어도 보통 스포츠 전문 아카데미나 유스팀으로 가는 것과 같이 사교육을 시키는 학부모들이 대다수다. 이는 스포츠뿐만이 아니라 어릴 때부터 국,영,수를 익히기 위해 무조건 학원에 보내는 한국만이 갖고 있는 독특한 문화인 것이다.

이제는 한국형 학습권 보장제도, 한국형 엘리트 선수관리제도, 한국형 최저학력제를 내놓아야 한다. 몸매가 다른데 같은 옷을 입힌다고 같은 핏이 나오진 않는다. 우리는 우리 한국인 체형에 맞는 옷을 입어야 한다.[18]

16. 왜 가만히 있는가, 합리적인 해법은 없는가

평창 동계올림픽에 필요한 경기장은 모두 13개다. 이 중 5곳은 기존 경기장을 활용하고, 2곳은 보완하며, 6곳은 신설한다. 6곳의 신설 경기장에 대한 사후 활용 계획은 진정성과 타당성이 부족하다. 강릉에 들어서는 4개의 경기장 가운데 사후 활용 방안이 결정된 곳은 생활스포츠 시설로 바뀌는 여자 아이스하키 경기장과 피겨-쇼트트랙 경기장뿐이다.

1,079억 원 소요의 남자 아이스하키 경기장과 1,311억 원을 들여 짓는 스피드스케이팅 경기장은 올림이 대회가 끝난 후 이전 혹은 철거나 민자 유치로 예정돼 있다. 철거에 건설비 못지않은 경비가 소요되는 걸 감안하면 2,000억 원가량의 국민 혈세를 써야만 한다.

소요 예산 1095억 원을 들여 짓는 강원 정선 가리왕산 활강 경기장도 대회 후 환경 문제로 복원 또는 민자 유치한다는 계획이다. 여기에다 알펜시아에 859억 원을 들여 가건물로 짓는 4만 5,000석의 개 · 폐회식장은 단 5~6시간을 사용한 뒤 1만 5000석만 남기고 철거된다. 생활스포츠 시설로 사용하겠다는 여자 아이스하키 경기장과 피겨-쇼트트랙 경기장은 연간 30억~50억 원이 들 것으로 예상되는 운영비용을 감당할 수 있을지 걱정스럽다.

해외 분산 개최나 북한 공동 개최는 국민 정서상 현실적으로 이뤄지기 힘들다. 또한 아이스하키, 피겨-쇼트트랙, 스피드스케이팅, 일부 스키 종목 등은 국내 다른 도시 유치도 여건상 어렵다. 강원도에서 원주, 횡성으로 분산 개최하는 합리적인 방안을 적극적으로 고려해 봐야 한다는 의견이 많다.

늦은 감은 있지만 2018 평창동계올림픽 종목에 따른 강원도 경기장 분산 개최 장소와 주장에 에 대한 의견이 타당한 건지, 합당한 건지 살펴보자. 2010년 올림픽 유치 계획에 아이스하키 경기가 열리는 개최 도시였던 원주는, IOC가 관련 시설의 거리를 줄이는 콤팩트 경기장 배치 규정상의 이유를 앞세우는 바람에 불발로 끝났다. 하지만 "남자 아이스하키 경기장은 강릉에 신축하고 올림픽이 끝나면 이전 비용 600억을 들여 원주로 이전하기로 되어 있다." 또 횡성은 조직위와 IOC에 불가 원칙에 막혔지만 당초에 스노보드를 요청했는데, "하프파이프, 슬로프 스타일 종목을, 올림픽에 버금가는 국제대회를 이미 다섯 차례나 치러냈고, 공인된 경기장과 숙박시설, 운영 노하우는 성공 올림픽을 담보하는 막대한 자산이기 때문이다" 는 당위성 있는 의미로 받아들여진다.

이와 같은 고려를 나름대로 고민해 봐야 하는 이유는, 신설 경기장 6곳에 공사 진행 상황이 당초의 계획보다 6개월 이상 착공이 지연된 현 시점에서 공정률마저도 불안하게 만들고 있기 때문이다. 평창 알펜시아 슬라이딩센타 공정 12.4%, 정선 가라왕산 활강장 공정 7.6%, 강릉 스포츠콤플렉스 아이스하키Ⅰ은 공정 6%, 강릉 스포츠콤플렉스피겨-쇼트트랙 7%, 강릉 관동대학교 이아스하키Ⅱ는 공정 6%, 강릉 스포츠콤플렉스 스피드스케팅장은 공정 0%로 재설계 중이다. 이러한 상황에서 기존 시설을 리모델링하면 경제적 이득은 물론이고 공사기간도 훨씬 앞당겨지므로 그만큼 철저한 대회 준비를 할 수가 있을 것이다.

물론 분산 개최는 강원도와 평창군은 반대한다. "모든 경기장을 이미 착공했고, 지금 상황에서 분산 개최는 불란 만 가져올 뿐 올림픽에 전혀 도움이 안 된다" , "이제는 부족한 2%에 대비해서만 이야기 하지 말고 98%의 긍정적인 부분도 함께 보면서 올림픽 유산(legacy) 효과를 극대화하는 지혜가 필요하다" (강원도민일보 2015 1. 28. 이범연)는 논리를 앞세우고 있다. 하지만 평창 동계올림픽은 나랏돈이 총 11조 4,300원 드는 국가 중대사(重大事)다. 강원도 등 지방 정부도 7,000원 이상의 비용을 대야 한다. 직접 시설에 소요되는 예산은 1조 2,600억 원인데, 강원도 부담액은 전체 예산 27.5%인 3,457억 원이다. 재정 자립도가 30%를 밑도는 강원도가 2006년부터 올림픽을 유치한다며 알펜시아 리조트를 지었다가, 2016년까지 갚아야 할 공사채는 1조원이 넘는다. 최소 3년간 긴축 재정을 몰입해도 상환하기 빠듯한 규모였다. 분산 개최를 결사반대하는 사람들은, 강원도의 빚을 다른 지역 주민(대한민국 국민) 어느 누구에게도 떠안기지 않겠다고 약속이라도 해야 한다.

IOC가 분산 개최 여부의 마지노선으로 정한 시간은 올해 3월이다. 모든 사심을 내려놓고 국가와 강원도를 먼저 생각해야 한다. 그런 점에서 강원도민과 평창군민은 한번쯤 동서화합의 차원에서 논의할 필요가 있다. 서로 마음을 비우면 가장 타당하고 합당한 합리적인 방안이 나올 수도 있다. 이게 '강원도민의 힘' 이다.

17. '통합', 경제', '스마트' 체육대회에 강원도민의 성원이 절실하다

전국소년체육대회는 '몸도 튼튼, 마음도 튼튼, 나라도 튼튼'이라는 구호 아래 지(智)·덕(德)·체(體)를 연마하는 전인적 광장으로 개최되었다. 1971년 이전에는 전국체육대회의 중등부에서 실시되어 왔으나, 1972년 초에 전국적으로 스포츠소년단이 조직되면서 전국스포츠소년대회로 분리, 독립되었다. 이에 따라 같은 해 6월 16일 동대문운동장(구 서울운동장)에서 11개 시·도의 스포츠소년단이 참가한 가운데 제1회 전국스포츠소년대회를 개최하였다. 그 뒤 1975년 제4회 대회 때부터 전국소년체육대회라는 이름으로 변경하였다.

소년체육대회의 창설은 소년체육의 발전책 강구와 전국체육대회의 축소라는 두 가지 요인이 그 배경 동기로 작용하였다. 초등학생·중학생들만의 체육대회를 개최하게 된 것은 체육이 지육(智育)·덕육(德育)과 함께 교육적인 기능을 다 발휘할 수 있도록 학교체육의 기틀을 다지고, 체육인구의 저변을 확산시켜 체육진흥을 도모하여야 할 필요성이 있었기 때문이었다.

학교체육은 사회체육의 기반이 되므로 학교체육에서 우수한 소질을 가진 자를 조기 발굴하고 그들을 과학적으로 훈련시킴으로써 스포츠를 통한 국위선양을 이룰 수 있기 때문이다.

하지만 지나친 과열 경쟁으로 부작용이 발생하여 1989년부터 전국소년체육대회가 폐지되고 각 시·도교육위원회 주최로 전환하여 개최해오다가 1992년에 다시 전국소년체육대회가 부활하여 오늘에 이르고 있다.

2016년 5월 17일부터 5월 31일까지 제10회 전국장애학생체육대회(2016. 5. 17~5. 20) 및 전국소년체육대회(2016. 5. 28~5. 31)가 강원도 강릉종합운동장 등 47개 경기장에서 열린다. 이번 전국소년체육대회는 체전 역사상 처음으로 같은 해, 같은 장소에서 전국장애학생체육대회가 열린다는 점에서 그 의의가 각별하다. 이번 전국소년체육대회는 초등부 19종목, 중학부 36종목(단체종목 8, 기록종목 11, 체급종목 5, 개인단체 12)의 경기가 열리며, 전국 17개 시·도 선수단 1만 7,000여명이 참가한다. 전국장애학생체육대회는 강릉종합운동장 등 16개 경기장에서 열리며, 15개 종목(육성 5, 보급 10)에 전국 17개 시·도 선수단 3,000여명이 참가한다.

강원도는 1980년 제9회 전국소년체육대회와 1997년 제26회 전국소년체육대회를 개최한 경험이 있다. 따라서 강원도에서 19년 만에 세 번째 개최되는 제45회 전국소년체육대회를 통해 300만 강원도민의 자긍심을 북돋고 강원도의 문화·예술·관광의 새로운 도약의 기반으로 삼아야 한다. 특히 이번 전국소년체육대회는 강원도가 손님이 아닌 주인으로서의 능력과 역할이 강조되고 2018동계올림픽 성공적 개최를 위한 체크리스트(checklist) 성격을 지닌다. 강원 도민 통합을 통한 동계올림픽 성공 개최 역량을 미리 평가 받는 대회이기도 하다는 의미를 포함하고 있다.

제45회 전국소년체육대회와 제10회 전국장애학생체육대회를 통해 구축되는 인프라는 대조표(對照表) 성격을 띠고 있어 강원도 체육역량 강화와 함께 2018동계올림픽의 성공적 개최의 기반이 될 것이다. 이를 위해 먼저 문화·예술·축제와 연계한 상품화이며, 스포츠마케팅의 고도화이다. 그리고 스마트 체전이 되는 것이다. 강원도민은 결속력을 강화하고 자긍심을 높여 종목 분산 개최로 인한 선수단과 가족, 관광객의 원거리 이동 등에 대한 어려움을 호스트(host)로서 각별한 관심을 갖고 다양한 지원 체제를 강화해야 한다.

제45회 전국소년체육대회와 제10회 전국장애학생체육대회는 2018평창동계올림픽을 앞두고 강원도가 치르는 가장 규모가 큰 스포츠 행사다. 동계올림픽의 개최역량을 사전에 평가받고 대회 운영 전반이 동계올림픽에 계승된다는 점에서 성공적인 개최가 무엇보다 중요하다.

강원도가 주체가 된 제45회 전국소년체육대회와 제10회 전국장애학생체육대회가 '통합', '경제', '스마트' 체육대회로 거듭나 2018년 동계올림픽의 성공적 개최를 위한 초석이 되기를 기대해 본다.

18. 교육인적자원부의 인식 변화 없이는 학교체육이 살 길이 없다

학교 체육(學校體育)은 교육 기관의 책임하에 학교에서 학생들을 대상으로 조직적 · 계획적으로 시행하는 체육. 교과로서의 체육과 체육 활동이 포함된다.

교육인적자원부는 고교 2·3학년이 반드시 공부해야 할 5개 필수과목 군(群)에서 체육을 따로 떼어내 6개로 늘리는 초·중등 교육과정을 확정하여 운영하고 있다.

당초 교육과정의 필수과목은 '국어 · 도덕 · 사회', '수학 · 과학 · 기술 · 과정', '체육 · 미술 · 음악', '외국어', '교양'의 5개 군으로 구성돼 있었다. 이 5개 군에서 최소 한 과목씩을 필수적으로 배우도록 해왔다.

그 후 교육과정 개정안의 결정은 '체육 · 미술 · 음악' 군을 '체육'과 '미술 · 음악' 으로 분리해 각각을 필수과목으로 정해 필수과목을 6개로 늘린 것이다. 이에 따라 예 · 체능과목의 내신(內申) 비중, 즉 입시 비중이 커진 것이다. 반면 수학 · 과학과 기술 · 가정을 나눠 과학교육을 강화하려던 시안(試案)은 사실상 백지화됐다.

대부분 인문계 고등학교의 경우 2학년 정도가 되면 체육 시간이 일주일에 한 시간 정도이고, 3학년이 되면 아예 없어진다. 촌음을 아껴 대학 입시공부에 매진하기 위해서다. 그러한 과목 편제와 학사 운영을 학교 당국뿐만 아니라 학부모들도 원한다.

새벽에 등교하여 야간 자율학습과 이어지는 학원 수업까지 학생들은 하루 종일 교실 안에 갇혀 공부하는 기계가 되고 있다. 전문계 고등학교는 체육교사 조차도 대부분 배정되지 않아 더욱 심하다.

청소년기에 체득한 스포츠의 기능과 즐거움은 평생 이어진다는 점에서 매우 중요하다. 청소년들이 스포츠를 즐길 수 있게 하기 위해서는 행정 당국은 물론 학교에서는 학생들이 마음대로 뛰고 싶은 환경을 조성해 주어야 한다.

하지만 지금 우리 체육은 지름 2m 원(圓) 안에서 배구공 40회, 토스하기, 50m 코스에 깃발 꽂아놓고 축구공 드리블하기, 농구 자유투(自由投) 성공 횟수에 따라 점수를 매기는 식이다. 이런 체육으로 어떻게 청소년들이 건강한 체력을 기르며 이 나라의 지도자 혹은 국민에게 요구되는 리더십, 협동심, 인내력, 준법정신, 희생정신을 갖출 수 있게 하겠는가.

미국과 유럽의 체육은 주중(週中) 2시간의 수업시간에 중점이 있는 게 아니라 방과 후 육상·수영·축구·야구·농구·테니스·레슬링·권투 등 다양한 스포츠클럽을 통해 이뤄지는 스포츠의 생활화에 있다. 이런 과정을 통해 '심(心)' 과 '신(身)' 을 함께 기르는 진정한 체육이 이뤄지고, 그렇기에 대학진학 과정에서도 각 대학은 스포츠클럽에서의 활동상을 중요하게 평가하고 있는 것이다.

교육과정의 또 다른 특징은 온 세계 정부와 지도자가 수학과 과학교육 강화 경쟁을 벌이고 있는 세상의 변화에 다시 한 번 눈을 감고 귀를 닫아 버린 것이다. 이 나라 지도자와 교육인적자원부 그리고 교과목 심사위원들은 세계의 신문도 읽을 줄 모르고 세계의 방송도 들을 줄 모른다는 증거다.

수학과 과학이 앞선 나라는 지금 선진국이거나 머지않아 선진국의 반열에 오를 나라이고, 수학과 과학이 뒤진 나라는 지금 선진국이라도 곧 후진국으로 퇴보할 나라이고, 만약 후진국이라면 영영 선진국으로 올라서지 못할 나라라는 세계의 상식(常識)도 모르고 있는 것이다.

결국 현재의 교육과정은 대한민국에서 '교육인적자원부가 인식 변화 없이는 학교체육이 살 길이 없다' 는 말이 왜 나오고 있는가를 증명하는 걸로 끝나고 말 것인가.

문화부-교과부, 학교체육 활성화 손잡았다

19. 주지주의(主知主義) 교육정책으로 학교체육이 실종되고 있다

청소년들의 신체적·정서적·사회적 발달을 도모함으로써 원만한 인격도야와 공동체의식을 함양하는 학교체육은 문민정부 등장 이후 부각된 주지주의 교육정책으로 인해 점차 침체의 길로 들어서게 되었다. 문민정부가 주지주의 교육정책을 전면에 내세우게 됨에 따라 입시교육에 파묻혀 학교체육은 침체와 파행이 불가피해졌고, 체육행정의 난맥상만을 드러나 문제의 심각성을 더하게 되었다.

물론 그 뿌리는 1980년대로 거슬러 올라간다. 제5공화국 88서울올림픽에 대비하여 '체육부(體育部)'를 신설하게 됨에 따라 체육정책이 엘리트스포츠에 치중하게 되었고, 상대적으로 학교체육을 소홀히 하는 구조적 문제를 안게 되었기 때문이다. 이로 인해 교육부는 학교체육을 체육부에 떠넘겨 학교체육진흥을 위한 정책적 의지를 상실했고, 체육부는 학교체육의 교육적 기능을 염두에 두지 않고 경기력 향상만을 생각하여 학교체육 본연의 기능이 실종되는 결과를 가져오게 된 것이다.

중·고등학교의 체육 시간은 대폭 축소되었고, 학생 체력장제도와 입시 체력검사제도는 폐지되었으며, 교양필수 과목이었던 대학체육이 선택과목으로 밀려났다. 여기에 우수선수 조기 발굴 육성을 위한 소년스포츠대회가 또다시 폐기의 위기를 맞았고, 체육특기생 제도마저 유명무실해지는 최악의 조건으로 후퇴해 학교체육은 고사(枯死) 위기에 직면하기에 이르렀다. 그럼에도 불구하고 역대 정부는 학교체육을 정상화시키는 조치를 취하려 하지 않고, 오히려 학교체육을 후퇴시키는 정책만을 앞세운 것이다.

이를 행정제도의 측면에서 보면 보다 쉽게 알 수 있다. 문민정부 이후 학교체육은 교육부의 교육환경개선국 학교보건환경과와 문화관광부의 체육국 체육진흥과 및 청소년국 등에서 분담해 왔다. 그러나 교육부의 학교보건 환경과는 학교체육의 육성·지원, 학생 체육 활동 및 체력검사에 관한 사항, 학교 체육시설의 운영 지원 등에 관한 사항을 관장했지만, 명칭에서부터 학교체육을 정책적으로 전담하고 확고한 이미지를 느낄 수 없었다.

이런 분위기를 느낀 교육인적자원부가 자문기구인 학교체육발전위원회와 대학체육발전위원회를 설치 운영하며, 학교체육발전위원회를 통해 초·중등학교의 아마추어 체육 및 전통체육 활성화 방안과 전국소년체전 운영 개선방안을 강구하였다. 대학체육발전위원회로 하여금 대학 아마추어체육의 획기적 진흥방안과 체육특기자의 선발 및 학사 지도의 근원적 개선방안을 수립할 것이라는 점을 밝히기도 했다. 그러나 단순한 자문기구가 실질적인 정책 수행에 얼마나 큰 힘을 발휘할 것인지는 미지수일거라는 우려가 사실로 드러났다.

지금 이 시대는 공부만 잘하는 우등생만을 결코 원하지 않는다. 학업성적만 좋은 100점짜리 보다는 다소 미흡하더라도 운동을 통한 팀워크를 경험하고 게임의 룰을 익힌 건전하고 튼튼한 사람을 선호한다. 더욱이 우리의 꿈나무들이 살아갈 미래사회에서 성공하고 출세한 지도자들 중에는 분명 운동선수 출신이 많아 질 것이라 생각한다.

이는 선진국 지도자들 중 많은 분들이 학창시절 운동부로 활약하였던 경험을 갖고 있다는 사실과 함께 우리나라를 비롯한 세계의 유명 대학들 대부분이 스포츠 활동에 많은 관심과 투자를 한다는 점이 이를 증명하고 있다.

이제는 보다 획기적인 학교체육 정책이 요구되고 있는 시점이다. 주지주의 교육정책에서 한 걸음 더 탈피하여 실종된 학교체육을 되살려야 할 때이다.

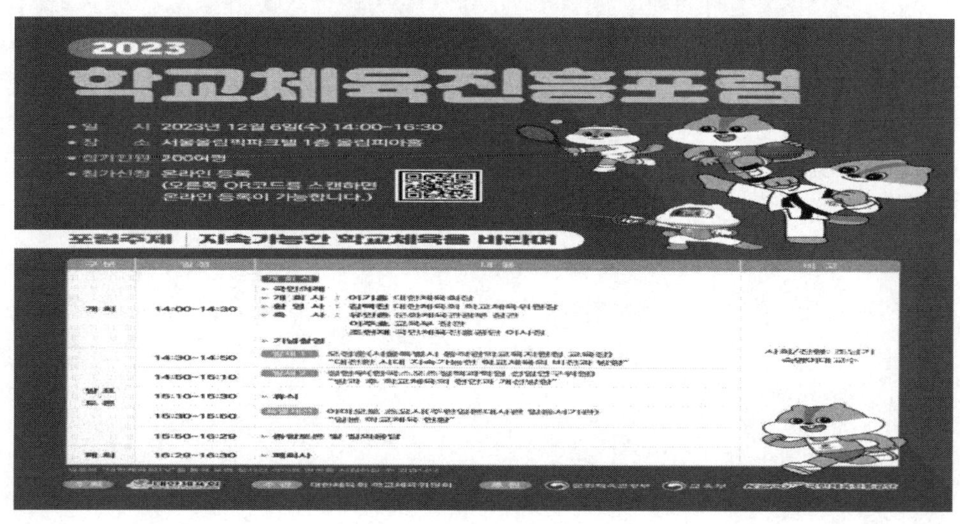

20. 성공한 평창 동계올림픽이 되기 위한 인프라 구축이 필요하다

2011년 7월 7일 자정을 넘은 시각 전국이 떠들썩했다. 평창이 3수 끝에 2018년 동계올림픽 개최지로 선정됐다는 소식이 전국을 강타한 것이다. 다음 날 부터는 동계올림픽에서 굴러들어올 돈이 적어도 몇 천억은 될 것이라고 야단법석을 떨었다. 이때까지만 해도 동계올림픽은 수익성이 큰 보물덩어리를 발굴한 것으로 생각했다. 적어도 그때는 국민적 정서나 담론이 그러했다. 하지만 하계올림픽과 동계올림픽은 상당한 차이가 있다. 동계스포츠는 지구 전체 인구의 20%만이 즐길 수 있는 '혜택' 이지, 범인류적인 문화가 아니라는 점이다.

평창 올림픽조직위원회와 강원도는 안타깝게 황금알이라는 망상에 사로잡혀 이미 뜨거운 감자로 알려진 동계올림픽을 개최한 국가·도시의 실상을 모르고 있는 것일까. 그러한 현실을 정확히 알고 있으리라 본다. 그런데 어찌하랴 이제 와서 포기하고 반납할 수도 없고 이미 쏟아진 물인데, 시간이 갈수록 생각지도 않은 적자의 수준은 늘어나고 기존 개최 도시는 빚더미니 깔리고 있으니 말이다.

몇 년 전과는 달리 이제는 국제올림픽위원회(IOC)에서 동계올림픽을 유치해 달라고 애걸하는 시대이다. 이러한 상황은 이미 2022년에 동계올림픽을 신청한 나라들이 중도에 포기 선언을 한 것이 그것을 입증하고 있다. 그래서 평창 동계올림픽에 6000만 달러를 주기로 한 올림픽 준비 지원금을 2022년 주최국에게는 1억 달러까지 올리겠다는 유인책을 쓰고 있다. 유치 도시의 재정 부담을 줄여 줘 모두가 기피하는 현상을 막고, 흥행의 성과를 얻겠다는 심산이 깔려 있는 셈이다. 국제올림픽위원회(IOC)가 평창조직위원회에 분산 개최를 제안하고 경기장 사후 활용을 심도 있게 논의해야 한다고 강조한 부분도 같은 맥락으로 봐야 한다. 만약 평창의 실패한다면 동계올림픽 전체의 흥행 추락을 가속화 시킬 수 있다는 것이 IOC의 우려이다.

그러나 실제로는 평창조직위원회와 강원도가 보족한 대안이 없는 듯하다. 동계올림픽을 외부에 알리는 과시용이나 지역 발전을 위한 행사용으로 착각하고 있지는 않은지 염려된다. 여기에다 낡은 사고의 틀에 갇혀 1월 20일 기자 간담회에서 평창조직위원회는 "일본 등과의 분산 개최는 불가능 하다. 더 이상 거론하지 않으면 좋겠다." 고 못을 박으면서 사후 경기장 활용 방안을 묻는 질문에는 "4년 뒤 베이징 동계올림픽이 열리면 그 경기장으로 활용하면 된다." 고 답할 정도면 발등의 불을 끄기도 바쁜 이 시점에서 동문서답할 정도로 문제의식이 부족한 것으로 판단된다.

평창 동계올림픽 준비는 2018년 개최를 3년 앞두고 총체적 난맥상을 보이고 있다. 경기장 건설이 예정보다 6개월 이상 지연되고 있고, 공정이 10% 안팎인 실정이다.

정부 고위 관계자는 1월 20일, 2018 평창동계올림픽조직위원회에 1988년 서울올림픽조직위에 버금가는 권한을 주기로 했다. "성공적인 대회 개최를 위해 조직위에 모든 힘을 실어주기로 했다" 고 한다. 그리고 신설 경기장 등에 대한 확실한 사후 방안을 마련한 뒤 기획재정부 등 관련 부처와의 협의를 통해 최대한 지원한다는 방침이다. 다만 "아무런 대책 없이 국비를 더 달라는 요청은 받아들일 수 없다" 고 전해지고 있다.

실제로 해당 지자체의 경제 파급 효과와 고용 창출과 같은 긍정적인 효과를 기대하는 것이 사실이지만, 경기장 건립에 필요한 지자체의 재정 부담과 사후 운영에 따른 위험 부담이 동시에 과제로 남아 있는 것이 현실이다.

성공한 평창 동계올림픽이 되기 위해서는 단순한 경제 효과 수치를 벗어나 비용 대비 편익을 철저히 재분석하여 중앙정부와 강원도 재정에 장기적 부담을 최소화 할 수 있는 인프라를 구축하여야 한다.

21. 세계적인 스포츠 영웅의 기반은 학교 운동부 육성에서 부터

우리는 운동선수들이 세계대회에 출전하여 입상하는 과정을 통해 스포츠의 힘이야말로 한 국가의 위상을 높이는 데 큰 역할을 하고 있다는 것을 알 수 있다. 그렇기 때문에 스포츠의 경기력 향상을 기반으로 한 스포츠마케팅 전략에 많은 국가들이 혼신의 노력을 다하고 있는 듯하다.

이러한 국제적인 엘리트 선수를 양성한 스포츠의 근간은 학교체육이라 생각하며, 학교체육은 다시 엘리트스포츠와 생활스포츠로 연결되어지는 것이라 하겠다. 이런 의미에서 매년 개최되는 전국소년체육대회는 꿈나무들의 큰 스포츠 잔치임과 동시에 유망선수 발굴 혹은 생활스포츠의 경연장이라 할 수 있다. 지난번 강원도에서 개최한 제45회 전국소년체육대회에 참가한 모든 학생선수들은 많은 사람들의 격려와 칭찬의 찬사를 받아야 마땅할 것이다. 왜냐하면 학교체육에서 선수를 발굴하고, 발굴된 선수의 기능을 배양시키는 것이 결코 쉬운 일이 아니기 때문이다.

어린 시절 습득된 운동기능은 오랜 세월이 지나도 소멸되지 않는다는 것이 이미 입증되었다. 오히려 그 기능은 성장하면서 더욱 세련되어지고 다른 종목으로까지 전이되어 인간의 신체활동을 원활하게 해줌과 동시에 성인이 되어서는 생활을 보다 즐겁게 해나갈 수 있는 하나의 요인도 될 수 있는 것이다. 궁극적으로는 개인의 삶을 보람되고 즐겁게 만들어 주는 역할기능까지 하게 되는 것이라 생각한다.

근래에 들어서는 자녀를 전문적인 운동선수로 키우려는 부모들을 제외하고는 대다수가 운동부에 소속되는 것조차 허락하지 않는 실정이니 참으로 안타까울 뿐이다. 다시 말해 운동부 육성에 소요되는 재정적인 면과 지도자 확보에 따른 어려움도 많지만 보다 큰 문제는 학부모와 학생들의 운동 회피 경향에 있는 것 같다.

전국소년체육대회 출전하는 선수 규모가 해를 거듭할수록 줄어들고 있다는 모 일간지 기사를 보면서 학교체육 활성화와 생활스포츠인의 저변 확대를 위한 각계각층의 노력과 의식의 변화가 절실히 요구됨을 느낄 수 있었다. 진정 이런 추세라면 그 많은 운동종목과 막대한 예산을 투자하여 갖추어 놓은 스포츠 시설물들이 선수가 없어 그냥 사장되는 것은 아닌지 심히 우려하는 심정이다.

체육(體育)은 인간의 근본을 길러주는 교육 또는 교과(敎科)라고 한다. 그러므로 어린이들과 청소년들은 스포츠 활동을 통해 심신을 단련하고 정해진 경기규칙을 따르면서 최선을 다하는 강인한 정신력은 물론, 협동심과 이해심 등 사회생활에 반드시 필요한 많은 덕목들을 배양 할 수 있다.

각종 국제대회에서 국위선양을 위해 선전하는 우리의 선수를 보며 간절한 응원과 승리의 환호로 한 마음이 되어 웃기도 울기도 하는 우리 국민들이 아닌가? 마치 내 아들·딸이 이긴 것 같은 기쁨을 가지면서도 내 자녀만은 운동선수를 시키지 않겠다는 의식은 이제 버리고 학교에서의 운동선수 모집에 적극 호응하여 주시기를 간절히 기대해 본다. 혹시 내 자녀의 남다른 운동기능을 부모님이 스스로 묵살해 버리지 않도록 말이다. 근래에는 지자체 및 사회단체에서 운동선수 양성에 대하여 각별한 관심을 갖고 지원금 보조, 지도자(코치) 배정과 대회 개최 등으로 유망선수 육성에 학교와 함께하는 역할도 수행하고 있다.

이제라도 세계적인 스포츠 영웅인 '국민의 아들·딸' 들을 탄생시키는 힘은 학교체육의 활성화로부터 이루어 질 수 있음을 인식하고 학부모는 물론 관련되는 모든 사람들이 학교운동부 육성·발전에 더 많은 관심과 사랑을 가져주길 바라는 심정뿐이다.

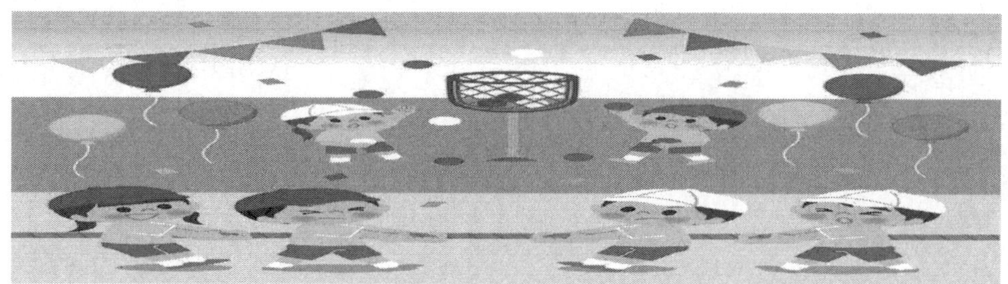

22. 국민의 운동 부족은 국가적 차원에서 체육·스포츠 정책으로

‘스포츠가 우리 아이 바꿉니다.’ 라는 조선일보 특집 기사와 나트륨 과다의 문제를 지적한 '건강한 삶 9988’ 신년 기획을 상기하면서 행복한 미래를 그려 본다.

미국 등 다른 선진국들도 스포츠 활동의 교육적 중요성을 강조하고 있다. 청소년 시절의 스포츠 활동, 특히 학교 스포츠 활동은 체력 향상과 스트레스 해소를 비롯하여 학교 폭력과 같은 교육 현장의 당면 문제들을 해결하며 생애 건강을 다지는 기틀이 될 뿐만 아니라 민주 시민으로서의 인성과 자질 함양에도 큰 보탬이 되기 때문이다. 그동안 입시 위주 교육에서 벗어나 청소년들의 체력향상에 관심을 갖는 것은 국가 백년대계를 위해서도 꼭 필요한 교육정책이라고 생각한다. 현대 스포츠의 모국이라고 하는 영국은 교육의 우선순위를 학생들의 체력 증진에 두고 있고 그 순위도 체·덕·지로 우리가 흔히 말하는 지·덕·체와는 순서가 다르다.

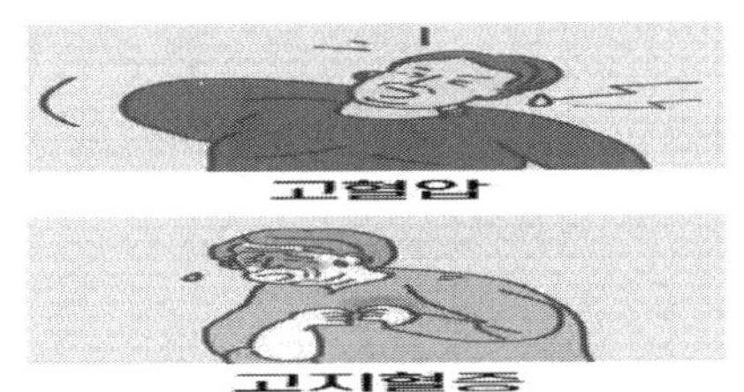

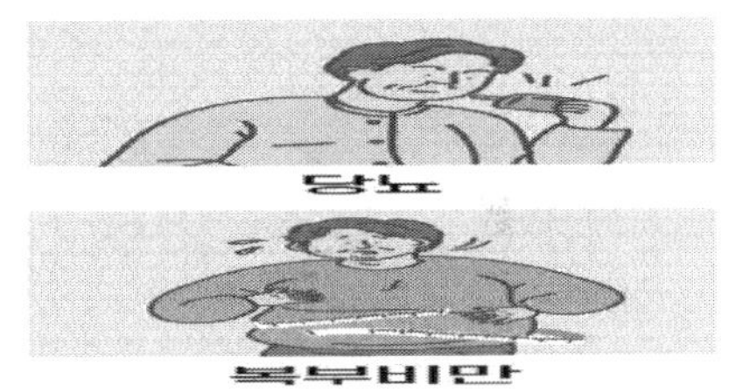

벤저민 프랭클린이 “건강은 자기 자신에 대한 첫째 의무이며, 둘째는 사회에 대한 의무“라고 한 말을 떠올리게 한다. 말은 쉬워도 행동으로 옮기기는 어렵지만, 하루에 한 번 심장운동을 권장하는 기획을 제안하고 싶다. 여기서 심장운동이란 걷기, 달리기, 자전거, 수영, 등산, 댄스 등의 활동을 통해 평소 맥박의 약 2배 정도인 맥박 130 정도의 유산소 운동을 말한다.

우리 국민의 운동 부족이 얼마나 심각한지는 조금만 자료를 뒤적여 보면 쉽게 알 수 있다. ‘주 2회 이상’, ‘1회 30분 이상’ 규칙적으로 운동을 하는 국민이 41.4% 밖에 되지 않고, 청소년 5명 중 1명은 일 주일에 단 하루도 30분 이상 운동을 하지 않는 게 우리 현실이다. 상황이 이 지경인데 건강을 국민이 각자 알아서 챙기라고 하는 건 정부의 정책으로서의 도리가 아닌 듯싶다.

지난 20여 년 간 국정(國政)에서 체육·스포츠 복지 정책을 책임지는 정부 조직부터 점점 쪼그라들었다. 지금 문화체육관광부의 체육국(局) 소속 공무원은 50여 명뿐이다. 관련 업무는 보건 복지부 등 다른 부처로 쪼개져 나갔다. 더욱 심각한 것은 체육·스포츠 관련 업무를 조율할 컨트롤타워가 없다는 점이다. 학교체육만 해도 주무 부처가 문화체육관광부와 교육과학기술부로 양분(兩分)돼 있다.

노인들이 많이 이용하는 생활스포츠 시설 조성은 문화체육관광부가 하는데, 노인을 위한 공공사업은 보건복지부가 추진하고 있다. 칸막이 행정 때문에 덜컹거리는 체육·스포츠 관련 정책이 수두룩하다. 우리나라는 이미 고령화 사회에 접어들었다 '얼마나 사느냐' 의 차원을 넘어 '어떻게 사느냐' 의 문제를 고민해야 할 시기이다.

선진국 대통령들은 일찌감치 체육·스포츠 활동의 중요성을 간파했다. 프랑스의 조르주 퐁피두 대통령은 '삶의 질(質) 이라는 연설에서 중산층 조건으로 '스포츠 하나쯤은 즐길 수 있는 능력' 을 꼽았다. 미국 존 F. 케네디 대통령은 '내가 이끌 행정부의 원동력은 체력' 이라며 국민 건강과 체력 향상에 방점(傍點)을 찍었다.

정부에서는 체육·스포츠 정책에 대하여 제 몸 챙길 여유가 없어 팍팍한 삶을 사는 국민을 한 번쯤은 떠 올려주길 바랄 뿐이다. 체육은 신체의 단련만이 아니라 몸을 통한 자아의 발견과 교류를 매개하는 활동이어야 한다. 표현과 소통의 문화로 몸의 길을 스포츠가 열어주었을 때 격이 높아진 신체는 곧 자존감의 토대가 된다.

세계보건기구가 권장하는 건강을 지키기 위한 50개 항목 중 첫 번째 항목은 "많이 움직여라" 이다. 우리 몸은 일상생활에서 근육과 관절의 3분의 1만 쓴다고 한다. 안 쓰고 아껴둘수록 망가지는 게 우리 인체이다. 스포츠 활동은 이렇게 평소에 사용하지 않는 신체 여러 조직에 자극을 주어 체력을 향상시키고 노화를 지연시키며 각종 질병을 예방하는 효과까지 있다. 모든 국민이 국가적 차원에서의 신체활동을 통해 건강한 활력을 찾았으면 한다.[19]

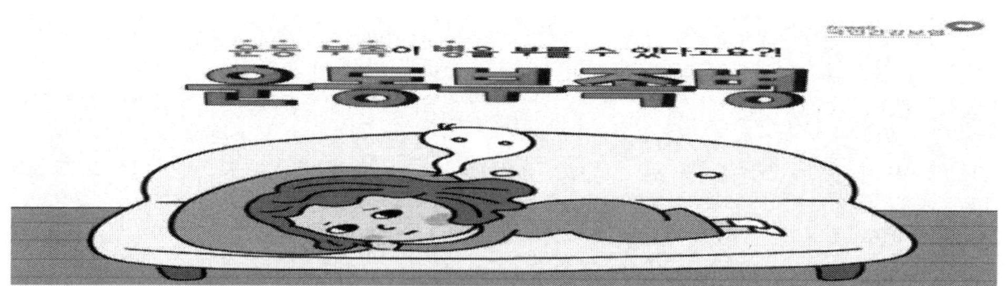

23. 평창 동계올림픽은 효율적인 사후 대책과 배후 시설만이 성공한 올림픽이 될 수 있다

국제올림픽위원회(IOC)가 평창올림픽에 대해 일본과의 분산 개최를 제안하자 지난해 12월 박근혜 대통령은 "세 번 만에 어렵게 유치한 대회이고, 경기장 공사가 진행 중인 상황에서 의미가 없다" 고 말했다. 하지만 IOC가 '확산과 참여' 를 위한 올림픽 분산 개최를 주 골자로 하는 '어젠다 2020' 를 공표했을까. 오죽하면 유치 도시의 재정적 부담을 줄여 줘 동계올림픽 유치를 세계 모두가 기피하는 애물단지가 되는 것을 막겠다고 나섰겠는가!

문화체육관공부는 "2018년 평창 동계올림픽 개최에 맞춰 2017년 말까지 설악산에 친환경 케이블카가 설치된다. 평창, 강릉, 정선 등 동계올림픽을 여는 3개 도시는 '레저스포츠 메가시티' 로 재탄생한다." 는 내용을 중심으로 2015 관광분야 정책을 올해 1월 28일 발표했다. 케이블카 설치 지역은 양양군 오색리에서 끝청봉에 이르는 3.5km 구간이다.

문체부는 아울러 강원도 관광을 활성화하가 위해 "평창동계올림픽 개최 도시인 평창에는 민간 투자 766억 원을 유치해 대관령 가족 휴양지를 개발하고, 강릉에는 1079억 원을 들여 전통 한옥촌을 지을 예정이다. 산과 계곡이 발달한 정선은 '에코 익스트림 파크' 를 조성해 체험형 관광지로 육성한다." 는 것이다.

먼저 결론부터 얘기하자. 사후 대책 사업으로 그 정도의 관광 활성화 수준으로는 어림없다. 요사이 언론에서 강하게 비판하는 이명박 정부의 4대강 살리기 사업이나 자원 외교 사업이 섬뜩하게 머리를 스친다. 물론 그 사업들의 결과는 다음 세대에 두고 봐야 하지만, 동계올림픽 사후 대책과 배후 문제는 우리 세대뿐만 아니라, 다음 세대로 바로 직결되기 때문이다. 문체부에서 대략 2,500억 원을 투자할 계획인 모양인데, 평창 동계올림픽과 별개인 강원도를 극진히 사랑하는 문체부의 국내 관광 활성화 정책이면 강원도민의 한 사람으로서 백번 감사의 절을 해도 부족함이 없다. 하지만 이 사업이 평창 동계올림픽 사후 대책과 배후 시설 방안의 한 가지 사업으로 추진한다면, 정말로 올림픽유치 국가의 경기 후 사정을 모르는 처사이다. 그럴싸한 명분을 내세워 혈세로 부족한 예산을 충당하고자 노인네 담배값 2,000원이나 인상한 국회나 정부의 처사를 모름지기 알만도 하다.

만약에 평창 동계올림픽 배후지역 시설 문제를 논의하려면 좀 더 포괄적으로 기획하여 추진할 필요가 있다. 겨울철 온통 시내 아스팔트를 파헤치는 일처럼 주먹구구식 행정이 아닌 좀 더 방법과 활용 면에서 광범위 하면서도 쉽지 않은 일이어야 한다. 강원도나 평창, 강릉, 정선이라는 협의의 내용이 아닌 국가적 차원에서 이 문제를 다루어야 한다. 다시 말해 계획안이 국회를 통과하거나 대통령이 직접 국민을 설득할 수 있을 정도의 기획이어야 동계올림픽 적자 문제를 어느 정도 해결할 수가 있다.

강원도를 넘어선 범국민적 차원에서의 사후 계획과 배후 시설 투자가 따라야 그나마 점진적으로 부채를 줄일 수 있다고 본다. 그렇지 않으면 시설은 애물단지가 될 것이고, 미래에는 국가는 물론 강원도에 엄청난 재정적 재앙이 불어 닥칠 것은 불 보 듯 번하다.

그 예로 알펜시아를 생각하지 않을 수 없다. 2006년부터 추진한 알펜시아가 남긴 상처는 생각보다 크다. 강원도 재정 자립도는 21.6%로 꼴찌에서 세 번째다. 알펜시아 리조트를 지었다가 1조원의 빚을 진 데다 올해 1,200억 원, 내년 1,000억 원 지방채를 발행할 계획이다(조선일보 2015 1. 8). 이 빚을 어떻게 감당할 것인지 말하는 사람은 아무도 없다.

알펜시아는 동계올림픽을 유치하기 위한 시설이라고 하지만, 따져보면 리조트와 골프장 분양을 위한 수익 사업으로 추진됐다. 도민을 기만하고 사업 초기부터 성공 가능성이 희박하다는 전망을 강원도가 귀담아 듣지 않았다.

강원도는 당장 적자에 허덕이면서 재정 파탄 위기로 몰려 아우성인 인천시를 반면교사로 삼아야 하며, 알펜시아 때문에 '올림픽 푸어(Olympic Poor)' 가 될 번한 사실을 타산지석으로 삼아야 한다. 그런 점에서 지금부터 정부에서 추진한다는 사후 대책과 배후시설 방안을 강원도민 입장에서 곰곰이 곱씹어 봐야 한다. 성공할 가능성이 있는지.

24. 덕(德)교육 · 체(體)교육 · 진로(進路)교육을 통해 미래의 삶을 설계할 때다

학교교육은 개인의 건전한 발달을 위한 경험의 조직화된 총체로 볼 수 있다. 그러므로 학교교육의 정상적인 모습은 전인적 발달을 위하여 필요하고 다양한 경험을 균형 있게 제공하는 것이다. 특히, 체육은 각 개인의 특성에 맞는 신체활동을 통해서 신체의 조화적 발달을 촉진화고 개인과 건강과 복지를 증진시키며, 나아가 정신적, 사회적으로 보다 유능한 인간을 육성하는 교육이다. 하지만 현실은 학교체육의 본질에서 상당히 벗어나 있는 듯하다.

가장 큰 원인은 모든 공부를 입시로 연결하는 교육환경과 체육 · 스포츠에 대한 편견과 무지에서 비롯된다. 현재 우리 교육에서 지 · 덕 · 체(知 · 德 · 體)를 논할 때 체(體)는 과목이 아니라 더 큰 범주의 교육 영역이란 점을 학교교육에서 간과하고 있다는 사실조차 인식하지 못하는 경우가 허다하다.

학교교육의 균형을 논하는 많은 사람들조차도 체육을 여러 과목 중의 하나로 인식하고 있어 체육의 교육적 가치와 그 역할을 무의식적으로 경시하고 있는 것이 사실이다. 그 결과로 체육전공자가 아닌 교육 관계자들은 개인적 주장, 정치적 논리, 사회적 쏠림 현상 등에 따라 교육과정을 개정할 때마다 체육수업 시수를 축소해 왔다.

4차 교육과정까지 전 학년에 걸쳐 주당 3시간씩 하던 고등학교 체육수업은 2009년 개정 교육과정이 실시된 후 2011년부터 고등학교 전 학년에 걸쳐 10시간만 수업하고 있다.

또한 중학교 경우 시수는 그대로 유지되지만 많은 학교들이 체육을 하나의 기능 습득 정도로만 여기고 집중이수제를 선택하여 실시하고 있어, 학교 체육 · 스포츠가 제 기능을 수행할 수 없을 지경에 이르렀다. 또 초등의 경우 통합교육을 해야 한다는 일부 교육학자들의 무책임한 주장에 따라 초등학교 1, 2학년의 '즐거운 생활' 이란 과목 안에 '체육' 을 포함시킴에 따라 체육 · 스포츠의 본질은 훼손되고 체육교과의 기능과 역할이 대폭 축소되었다.

우리는 학생들의 흥미와 관심 분야에 관련된 공부와 활동을 더 많이 하고 탐색할 수 있도록 지원해 주며, 미래 계획을 세울 수 있도록 도와주고 있는지 반성하면서 신중하게 진로교육에 교육의 역할과 가치에 대해 생각해 봐야한다.

선진국에서는 평생직장의 개념이 사라진지 오래며 일생에 약 7~8개의 직업 생활을 한다는 이야기를 들었다. 또 70% 이상이 20세 전후에서 자아 정체감을 형성하고 푸른 꿈에 부풀어 그들의 미래를 웃으면서 가꾸어나간다고 한다.

우리의 청소년들은 지금 어디서 무엇을 하고 있는 걸까? 진로교육과 평생교육 측면에서 문제를 보고 접근해야 하며, 초등학교에서부터 진로교육을 신설하여 체계적인 교육이 이루어져야 한다.

한마디로 학교 체육 · 스포츠가 지 · 덕 · 체(知 · 德 · 體)교육의 하나의 축으로 인식되는 것이 아니라 하나의 과목으로 인식되고, 그 과목마저도 교육 관계자와 단위 학교의 체육 · 스포츠에 대한 인식 부족으로 수업 시간을 줄이며, 존폐의 기로에까지 몰고 가는 누(累)를 범하고 있다. 우리가 주목해야 할 점은 결국에는 이에 대한 피해는 고스란히 학생들이 받게 되고 한국 미래는 물론 우리 2세들의 만든다는 점이다.

학부모의 무한한 자식 사랑이 덕(德)교육과 체(體)교육, 진로(進路)교육으로 침착(沈着)되어 그들을 풍요로운 인성이 겸비되고 개성이 최대한 계발되고 신장되게 교육시켜야 한다. 따라서 이제는 덕(德)교육 · 체(體)교육 · 진로(進路)교육을 통해 미래의 삶을 설계할 때다.

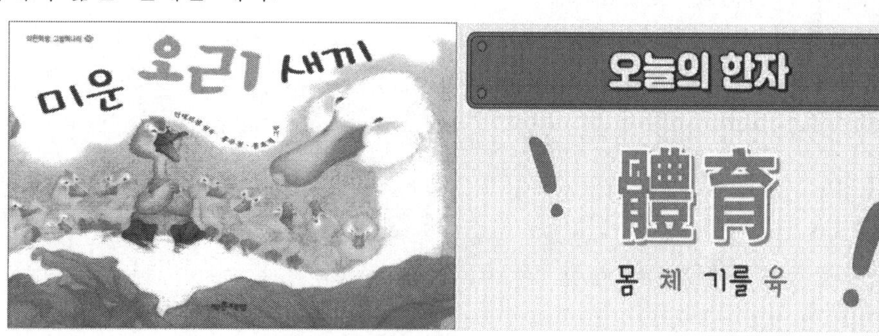

25. 악순환이 되풀이 되고 있다

국내의 학생 선수들은 각종 세계대회와 국내대회에서 우수한 성적을 거두고 있는 외양과 달리 이들은 '반쪽 학생' 혹은 '운동 기계' 라고도 불리도록 만드는 불균형적인 교육시스템에 의해 학업 부진, 교육 단계 단절, 불투명한 진로 등 많은 문제에 시달려 왔다.

학교운동부 운영이 경기력 향상과 경기 성적 중심으로 이루어지면서 엘리트스포츠의 그늘에 가려진 대다수 학생 운동선수들에게 파행적인 학교생활과 나아가 사회에 적응하기 위해 필요한 최소한의 소양마저도 등한시 하도록 강요하고 있는 실정이었던 것이다.

이것이 지속되고, 학생선수들을 위한 교육시스템의 미비로 이를 개선하기 위한 인식의 부족에 대한 우려의 목소리가 높아지기 시작하자 교육인적자원부는 국민체육진흥법 제9조 및 시행령 제15조에 의거하여 학생선수의 학습권 및 행복추구권 보장의 기틀을 마련하고 실행에 옮겼다. 그 외에도 학생선수 정상화 노력의 일환으로 일선 학교 내학생선수보호위원회 설치와 폭력 가해자에 대한 삼진아웃제의 도입, 선수고충처리센터를 설치 및 운영, 학생 선수들을 위한 상담의 의무화, 상시합숙의 금지, 대회 참가의 제한 등의 정책이 이루어졌다. 그러나 교육부의 이러한 시도에도 불구하고 운동선수들의, 특히 정책의 수혜 당사자인 학생 선수들의 반응은 미온적이다 못해 냉랭하다. 학생 선수들이 이러한 반응을 보이는 이유는 무엇일까?

엘리트스포츠는 홍보의 천병으로써 아주 중요한 역할을 수행하였고, 현재도 그러한데, 이는 국가, 대기업, 문화스포츠, 엘리트 등을 하나의 상품으로 국가 경쟁력을 늘인다고 인식하고 있기 때문이다. 하지만 그 과정에서 적지 않은 부작용이

엘리트 선수들에게 파생되는 위기를 맞고 있다. 학생선수의 경우에도 수업 결손, 고된 훈련, 인가된 폭력, 금품수수, 비인가된 합숙, 성적조작 등 승리지상주의가 그것인데 아직도 진행형이다.

프로선수의 경우에도 폭력, 약물복용, 학생시절 수업 결손으로 인한 무지(無知)의 대상으로 오인된 경험, 일반적인 직업으로의 전환 어려움 등도 문제시 되고 있다. 따라서 공부하는 운동선수를 육성하려는 제도, 방과 후 훈련, 주말시합, 연중 출전 횟수 제한 등 정부 차원에서 권하고 자율적인 일반 클럽에서 선수를 수용하는 등 개선안을 인권 차원에서 제시한 바 있다. 그러나 입시제도의 한국문화는 선수들에게 일정 부분의 경기 성적을 요구함과 동시에 학생, 취업 등과 연결되어 있기 때문에 또 다시 선수 역할에 집중해야 하는 악순환이 되풀이 되고 있다는 것이다.

교육청 차원의 스포츠를 통한 건전한 인격과 건강한 신체의 형성이라는 본래 체육의 목적을 성취하기 위해서는 학교운동부의 세 주체가 학생의 스포츠 활동에 대한 올바른 인식을 제공하고 이를 실천하기 위한 행동적 노력을 경주해야 한다는 것을 의미한다. 학교교육의 목적은 학생이 정상적인 수업을 받아 교육적 성장을 하는 데 있다. 학생은 학습에 대한 권리와 의무를 가진다. 학생은 수업을 받을 권리가 있으며 이에 상응하여 학습할 의무도 지닌다. 그러나 학교는 학생의 전인교육이라는 적극적인 사명을 유보한 채 교육적인 요구에 의해 수동적으로 끌려가는 실정이어서 정작 학생 선수는 물론이고 일반 학생들의 체육・스포츠 활동의 학업 기회를 책임져야 할 본래의 책임과 기능을 다하지 못하고 있는 실정이다.

특히 학생선수와의 유기적인 협조가 이루어지지 않아 학생 선수의 학업 능력은 저하되고 있다. 학교운동부가 체육의 목적을 달성하기 위해서는 감독교사의 선임방법 및 처우 개선과 코치 위상 강화와 직업적 안정이 필요하다. 또한 학생 선수에 대한 후생 복지 대책에 관심을 갖고 강화되어야 한다.

26. 국기(國技) 태권도 퇴출될 뻔한 기억을 잊었는가

'국기(國技)' 태권도가 올림픽 무대에서 살아남았다! 운명의 시간이 눈앞에 다가왔었다. 2013년 2월 12일 현지 시각, 13시 스위스 로잔에서 IOC(국제올림픽위원회) 집행위원회가 열렸다. 로이터 통신은 IOC 관계자의 말을 인용해 "이번 집행위원회에서 하계올림픽 26개 종목 중 '핵심 종목(Core Sport)' 25개를 추려낼 예정" 이라며 "이는 9월 아르헨티나에서 열리는 IOC 총회에서 표결을 통해 최종 결정될 것" 이라고 보도했다. 25개 핵심 종목은 2020년 하계올림픽부터 사실상 영구적으로 올림픽 무대에 잔류될 전망이었다.

IOC는 2012년 런던올림픽 때 선보인 26개 종목에서 하나를 빼고 야구, 소프트볼, 가라테, 우슈, 스쿼스, 롤러스포츠, 스포츠 클라이밍, 웨이크보드 등 7개 후보 종목에서 하나를 골라 새로운 정식 종목으로 추가할 계획이었다. 여기에 2016년, 2020년 올림픽 종목으로 이미 결정된 럭비(7인제)와 골프까지 합치면 2020년 하계올림픽 종목은 28개가 된다.

IOC는 2013년 12일과 13일에 열리는 집행위원회에서 런던올림픽 26개 정식 종목 중 하나를 2020년 하계올림픽 정식 종목에서 제외 될 한 종목이 태권도가 될 수 있다는 사실이었다. 그 동안 태권도는 근대 5종, 트라이애슬린, 복싱 등과 함께 퇴출 후보로 꼽혀왔다. 로이터 통신은 '몇몇 종목이 퇴출 위기에 있다고 알려진 가운데 가장 많이 언급되는 종목이 근대 5종과 태권도' 라고 전했다. IOC 집행위원회는 프로그램 위원회가 제출한 평가서를 토대로 각 종목에 대한 심의를 거쳐 총회에 상정한다. 집행위원회는 상정한 결과가 총회에서 뒤집히는 경우는 거의 없다.

국내 태권도계는 2012년 런던올림픽의 성공적인 대회 운영이 IOC 총회의 핵심 종목 선택에 긍정적인 역할을 할 것이라고 기대한 결과 살아남았다. 2000년 시드니올림픽에서 정식종목으로 채택된 태권도는 올림픽을 세 번 치르며 재미없는 경기 방식과 끊이지 않는 판정 시비로 많은 비판을 받았다.

하지만 2012년 런던 하계올림픽에선 채점 방식을 최고 4점(얼굴 공격 3점에 회전 시 1점 추가)까지 주는 것으로 바꾸며 막판 역전의 긴장감을 줬다. 10초 간 공격이 없으면 감점하는 '10초 룰' 을 적극 적용하여 박진감을 높였다. 올림픽에 처음 도입한 전자 호구와 비디오 판독 장치도 공정한 판정을 이끌어냈다. 유도와 펜싱 등에서 판정 시비가 일어나는 동안 태권도가 열린 런던 엑셀 아레나엔 연일 만원 관중이 들어찼다.

대회 결과는 핵심 종목 잔류에 긍정적으로 작용하였다. 금메달 8개를 8개국이 골고루 나눠가졌고, 21개국이 한 개 이상의 메달을 따냈다. WTF(세계태권도연맹) 가입국은 204개국으로 전 세계 경기 단체 중 5위다. 종목 평가에서 다른 종목을 앞설 수 있는 상황이다. 하지만 국제 스포츠 지형도를 생각하면 태권도의 잔류를 낙관하기 어려웠다. 퇴출 종목을 결정할 집행위원회는 자크 로게 IOC 위원장을 비롯해 위원 15명으로 구성돼 있었는데, 그 중 9명이 유럽 출신이다. 집행위원회는 표결이 아닌 위원들의 비공개 심의로 진행되기 때문에 유럽세의 입김으로 인한 '정치적 판단' 가능성을 배제할 수 없다.

스포츠 외교력이 절실했지만 한국의 두 IOC 위원 운신의 폭이 좁은 상황이었다. 2004년 아테네올림픽 태권도 금메달리스트 문대성 국회의원은 논문 표절 의혹이 IOC 윤리위원회에 검토되고 있는 중이었으며 이건희 삼성회장은 유산 상속 분쟁에 휘말려 있었다. 국내 태권도 관계자는 '한국의 유명 글로벌 기업들이 태권도를 후원하지 않는 현실은 IOC에 태권도의 국내 위상이 떨어지는 것으로 비칠 수 있다' 고 말했다.

당시 스위스 로잔으로 떠나면서 조정원 WTF 총재는 '태권도의 올림픽 정식 종목 잔류를 위해 그 동안 최선을 다했다' 고 말했다. 그런데 근자의 대한태권도연맹은 어떠한가. 스포츠윤리 부재는 이제 오늘의 일이 아니고, 게다가 밥그릇 싸움소리 까지 요란하니 한심할 뿐이다.

'국기(國技)' 태권도가 올림픽 종목으로 살아남았다. 대신 레슬링이 퇴출되는 충격적인 결과가 나왔다. 국제올림픽위원회(IOC)는 12일(한국시간) 스위스 로잔의 로잔팰리스호텔에서 집행위원회 회의를 열고 2020년 여름대회부터 채택할 올림픽 '핵심종목(Core Sports)' 25개를 선택했다. 퇴출 후보로 거론됐던 태권도, 근대5종, 양궁, 배드민턴은 모두 살아남았다. 하지만 고대 올림픽부터 꾸준히 정식 종목에 이름을 올린 레슬링을 퇴출 종목으로 결정됐다.[20]

27. "高 2·3들 예체능 부담" 불만이 지속되고 있다

교육인적자원부의 초·중·고교 교과과정 특징은 '주5일 수업제'가 월4회로 확대됨으로써 과목을 편성하는 권한을 지금보다 더 많이 각 급 학교에 넘긴 점이다. 그럼에도 심각한 논란에 휘말린 것은 입시를 앞둔 고교 2~3학년이 공부해야 할 필수과목 수가 늘어났기 때문이다. 교육부는 현행 5개의 필수과목 집단을 7개 집단으로 늘리려다가 "공부 부담이 가중된다"는 비판에 직면하자, 결국 6개로 늘리는 '절충안'을 선택했다. 현재는, 국어·도덕·사회, 수학·과학·기술·가정, 체육·음악·미술, 외국어, 교양 등 5개 집단에서 각각 1~2과목씩을 선택하면 된다. 이 가운데 체육·음악·미술 부분을 '체육'과 '음악·미술'로 분리한 것이다.

교육부는 예체능 과목의 평가방법을 개선하겠다는 점을 누차 강조했다. 학생들이 예체능 과목까지 내신에 신경을 써야 하느냐는 비판을 의식한 것이지만 실현 가능성에 대한 의도가 의심에서 현실로 되어 왔다.

예·체능 평가방법 다양화는, 예·체능 과목의 시험방식 중에는 학생이 교사와 협의해 시험 방식을 선택하는 것이 포함돼 있다. 가령, 체육 과목에서 야구·농구·배구 등 학생이 원하는 종목을 골라 실기시험을 치르게 한다는 것이다. 신체 능력이 떨어지거나 스포츠에 해박한 지식을 갖춘 학생의 경우, 체육 실기시험 대신 경기 관전기를 제출하는 방법도 거론됐다. 하지만 실기 점수를 매기는 것이 아니라 통과(Pass)와 미달(Fail)로만 판정하는 평가 방법은 내신을 예·체능 과목은 3등급으로 바꿔 학생 간 편차를 줄이는 방안이 도입되었다.

전체적으로는 초·중·고교 수업시간이 주당 1시간 정도 감소(초등학교 1~2학년 제외)했다. '주5일 수업제'의 확대에 따른 것이다. 역사·과학 교육도 강화됐다. 중·고교 사회과목에 '역사'를 독립시키고, 고교 2~3학년 과정에 '동아시아사'를 신설했다. 고교 1학년 역사 수업시간을 주당 2시간에서 3시간으로 늘렸다. 과학교육을 강화하기 위해서는 고교 1학년 과학과목 수업시간을 주당 3시간에서 4시간 늘렸다.

학부모 우려, 과학계 반발은 내신부담 증가를 우려하는 목소리는 높아지고 있다. 000씨는 "입시위주의 교육현실에서 예·체능과목을 필수과목으로 남겨두는 것은 전인교육은커녕 내신부담만 가중시킬 것"이라고 비판했다. 한국교원단체총

연합회도 “학생들의 학습부담 가중 문제에 대한 후속대책이 필요하다” 고 논평한 바 있다.

필수과목에서 과학과 수학의 분리를 요구했다가 거부당한 과학·기술계도 강하게 반발해 왔으며, ‘바른 과학기술사회 실현을 위한 국민연합’ 은 성명서를 내고 “다른 과학기술단체들과 힘을 모아 이번 개정안이 철회되도록 모든 수단을 다해 노력하겠다” 고 밝혔다. S고의 한 화학 교사는 “학생들의 수학·과학 기피가 심한데다 이미 과학교과 수업시간이 너무나 줄어든 상태” 라며 “이번 개정안은 교육부가 기초과학 육성에 대한 의지가 없음을 보여준 것” 이라고 말했다. 000 기술교사는 “선진국은 실험·실습 위주인 기술과목을 강화하는데 우리만 거꾸로 가고 있다” 고 말했다. 반면 체육교사들은 “체육은 미술·음악과 전혀 다른 성격의 교과” 라며 크게 환영했다.

미국의 경우 우리나라 대학의 최소 이수학점제와 비슷하게 교과과정을 운영하고 있다. 연간 수업일수가 정해져 있는 게 아니라, 졸업하기 위해 최소 몇 시간을 들어야 하는지 주마다 다르게 정하고 있다. 하지만 미국 고교생들이 한 학기에 듣는 과목수는 필수 과목을 포함해 5~7개에 불과해 한국의 11~12개보다 적다. 뉴질랜드에서는 고 2~3학년이 듣는 필수과목이 ‘국어’ 한 과목인 학교도 있다.[21]

28. 학교 엘리트스포츠의 문제점을 알고 있는가

현재까지 학교 엘리트스포츠는 '국가주도의 엘리트 정책' 에 기초를 두고 성장하여 왔다. 국가정책의 일환으로 엘리트 선수를 육성하여 스포츠를 통한 국가 경쟁력을 높이려는 목적에서 한국의 스포츠를 압축적이며 비약적으로 성장시켜왔다. 이러한 스포츠 발전이 외향적으로 각종 세계대회에서 우수한 성적을 획득하여 스포츠 강국으로서 한국의 위상을 높였으며, 국민들의 사기진작과 국민 통합에 기대한 것도 사실이다.

그러나 현재 우리나라의 엘리트 스포츠의 모습을 비관적으로 바라볼 때 국가주도 스포츠 발전을 개인의 '성장' 을 희생할 것을 강요하면서까지 얻고자 했던 엘리트 체육정책의 '발전' 모습과는 거리가 멀다.

학교 엘리트스포츠는 '승리한 자만이 살아남는다.' 는 극단적인 자본주의의 경쟁 논리가 적용되어 훈련의 합리성이나 효율성의 문제보다는 운동의 효과만을 증대시키기 위한 연습과 고된 훈련으로 일관되어 왔다. 이와 관련하여 현재까지 끊이지 않고 문제가 표출되고 있다. 그 중에서 승리 지상주의의 현실과 운동 잠재력을 향상시킨다는 명목으로 어린 학생들을 인간으로서의 '행복추구권' 도 거부당하고 '학습권' 도 포기해야 만 했던 것에 주목해야 한다.

엘리트 육성 중심의 학교스포츠에서 나타난 학교체육과 학교운동부의 문제는 더욱 심각하다. 체육특기자의 경우 '운동만' 을 강요받는 상황에서 현저하게 학력이 저하되고 있으며, 학생으로써의 기본적 책무도 회피하고 있다. 그리고 체육특기자 제도는 상급학교 진학 수단으로 역할이 전도되고 있는 실정이다.

또한 운동부는 학교의 체육수업에도 상당 부문 지장을 초래하고 있다. 운동부에 편중된 예산으로 인한 기자재 부족, 감독교사의 잦은 수업 결손으로 인한 파행적 수업, 운영 시설 장소에 사용 제한 등 학교체육 자체를 파행적으로 만드는 역할을 하고 있다. 이와 같은 학교스포츠는 학교 교육의 테두리 안에 있으면서 학교가 지향하는바 전인교육의 성취와는 관련 없이 오히려 학교교육의 취지와는 완전히 동떨어진 기이한 형태로 변화되고 있는 실정이다. 결국 학교 엘리트스포츠를 학생 엘리트선수 육성의 기반으로 삼아 스포츠 국가 경쟁력을 강화하려는 현재의 스포츠 정책은 한계에 직면하게 된 것이다.

학교 엘리트스포츠는 학교체육 속에서 이루어지는 체육활동임에도 불구하고 지금의 성격은 우수선수를 양성하는 전문체육(엘리트스포츠)의 모습에 가깝고, 특기·적성교육의 목적으로 운영되는 과외체육활동과는 전혀 다른 교육활동이다. 이는 실질적으로 사용되고 있는 학교스포츠의 개념은 '교육과정 영역의 특별활동 중 체육 클럽활동이 보다 진일보된 형태로서 전문성을 갖춘 체육지도자(코치 또는 감독)을 영입하며, 대회 참가 및 입상을 목표로 운영되는 학교운동부의 활동' 으로 규정할 수 있다.

학교체육에서 용어들의 개념 정리가 되지 않아 '학생선수', '선수학생', '운동선수', '운동부원', '운동부 학생' 등의 용어가 오용되어 사용되고 있다. 따라서 '선수' 가 강조될 때는 전문 스포츠 영역으로 '학생' 이 강조될 때는 교육의 영역으로 해설 될 수 있다.

국가 주도적 엘리트 정책에서 발생한 문제는 학교운동부를 바라보는 패러다임의 변화 없이는 해결될 수 없다. 이제는 국가 주도의 스포츠의 발전을 중심에 두는 것이 아니라 개인의 자율성에 기초한 전인적 성장을 이룰 수 있도록 지원하는 방향으로 학교스포츠의 패러다임이 변화해야 한다.[22]

29. 2018 평창동계올림픽의 축복과 재앙 간 지배담론과 주변담론

평창 동계올림픽 개최과정에 대하여 언론이 어떠한 담론을 생산하고 있는가를 분석해 본적이 있다. 이를 위해 2014년부터 2016년에 이르기까지 평창 동계올림픽과 관련된 총 180편의 기사를 분석하였다. 그 결과 동계올림픽을 개최함으로써 강원도는 경제적으로 회생하고, 이러한 개최는 강원도 주민의 소망을 넘어 대한민국 국민의 염원의 의미로까지 확장되어 있음을 알 수 있었다. 더불어 지역경제 회생을 위한 지방자치단체의 자립적 노력보다는 국가정부의 적극적 개입과 재개인사의 치열한 노력이 필요함도 결과를 통해 나타났다.

아직까지 국내·외적으로 88서울올림픽부터 2002월드컵, 2014인천 아시아경기대회, 그리고 평창동계올림픽 같은 메가 스포츠이벤트에 이르기까지, 우리는 스포츠이벤트를 유치할 때마다 아무런 반대 없이 '그냥 하나보다' 하고 넘어왔고, 때로는 권력자들의 밥벌이로 악용되는 것을 방관해 왔음을 부정하기는 힘들다. 이는 전적으로 '비판의 부재' 에서 기인한 것이다. 비판이 부재한 사회는 '쏠림 현상' 이 극단적으로 나타날 수 있음을 우리 역사가 말해주고 있다.

지금까지 정선 경기장 설치 환경 문제, 일본과 공동 개최, 북한과 분산 개최, 한국 내 분산 개최, 강원도 내 분산 개최 등은 지배담론에 밀려 한 귀퉁이도 차지하지 못하는 '주변담론' 으로 전락되었다. 주변화된 담론으로 형성된 내용은 과연 동계올림픽을 통해 경제가 회생될 수 있는가는 늘 과제로 남아있다.

하지만 주류언론이 동계올림픽 개최에 따른 경제적 수익을 사후 책임지지 못하면서 불확실한 통계를 들고 나와 국민과 도민을 혼란시킨 자들의 내용이 상당 부문 나타났다.

또한 지배담론과는 달리, 주변적 담론에서의 내용이 과연 동계올림픽을 통해 경제가 회생할 수 있는가를 과거 스포츠이벤트의 결과를 통해 반박하였고, 더불어 관광에만 의존하려는 강원도의 논리와 그리고 환경문제에 침묵하는 의도가 무엇인지를 말해 주었다.

이제는 시대가 변했다. 2012년을 기준해서 그 이전과 이후 동계올림픽이 흑자가 될 거라고 호언장담한 각종 연구소나 정확한 데이터 없이 구술로 기사를 쓴 자들은 추후 그 책임을 반드시 물어 응징해야 한다. 그래야 우리 지금 정부나 차기 정부에서 국민의 혈세로 4대강 살리기 사업이나 자원 외교 사업 같은 확실하지도 않은 사업을 벌이지 않을 것이다. 2018 평창동계올림픽도 마찬가지다. 정부를 믿어서는 안 된다. 강원도민은 알펜시아 1조원과 동계올림픽 4,000억 원의 빚더미에 깔리게 되었다.

1988년 나가노 동계올림픽 조직위원회는 2,800만 달러의 흑자를 냈다고 주장했지만 경제학자들의 분석에 따르면 오히려 110억 달러 적자를 봤다. 가장 성공적으로 대회를 치렀다는 2010년 제21회 캐나다의 밴쿠버 대회도 최대 100억 달러의 적자로 끝났다. 2014년 러시아 소치올림픽에서도 다를 봐 없다. 조직위에서 흑자라고 주장하는 2014 인천 아시아경기대회도 마찬가지다. 조직위 관계자는 "적자는 경기장 시설에 국한되어 있다" 라고 전하고 있다. 인천시의 전체 부채 규모는 1조 2,493억 원이며, 올해 매월 이자만 11억 원을 부담해야 할 것이라는 추산은 다 알고 있는 사실이다. 아시아드 주경기장을 비롯해 4개 시설에 수익 사업을 유치하겠다던 계획도 현재로선 소득이 없다. 여전히 "많은 기업에서 참여 의사를 밝히고 있다" 는 말로 하는 희망만 있을 뿐이다.

강원도는 당장 적자에 허덕이면서 재정 파탄 위기로 몰려 아우성인 인천시를 반면교사로 삼아야 하며, 알펜시아 때문에 '올림픽 푸어(Olympic Poor)'가 될 번한 사실을 타산지석으로 삼아야 한다. 그런 점에서 지금부터 정부에서 추진한다는 사후 대책과 배후시설 방안을 강원도민 입장에서 곰곰이 곱씹어 봐야 한다. 성공할 가능성이 있는지, 그리고 강원도민을 위해서 적합한 계획인지, 늦었지만 강원도민과 평창군민은 허심탄회하게 논의하여 사후 대책과 배후시설 방안을 모색해 보는 게 더 현실적이다. 정부를 믿지말고.

30. 유희성과 도덕성을 갖는 스포츠 사회운동이 필요하다

스포츠(sports)는 몸을 단련하거나 건강을 위해 몸을 움직이는 일이다.

스포츠를 진정으로 즐기는 스포츠 인들은 자기가 속한 집단에 대한 자긍심이 있어야 한다. 객관적으로 존재하는 집단의 강점을, 인식 능력이 우수한 사람은 누가 굳이 알려주지 않아도 쉽게 파악된다.

하지만 우리는 몇몇 뛰어난 사람들만 함께 하는 엘리트 집단이 아니다. 특히 스포츠라 하는 것은, 그 집단의 구성원이라 하면 누구나 쉽게 접하고 익힐 수 있도록 노력해야 한다. 다시 말해 그 가치를 쉽게 파악할 수 있어야 한다는 것이다. 그러면 그러한 가치는 어떻게 전달하고 알려주는 것이 가장 좋겠는가? 그것은 철학적으로 체계화된 내용을 목적의식적으로 쉽게 알려주는 것이 좋다. 객관적으로 아름다운 것을 자연히 익히고, 배우며 느낄 수도 있지만 그렇지 않은 경우가 더 많다.

사람은 아는 만큼 본다. 아무리 객관적 가치가 뛰어난 것이라도 개인의 인지가 낮으면 그 잣대로 사물과 사안을 인식하여 훌륭한 사물과 사안도 값어치 없이 간과하여 버린다. 아름다운 것은 심미안이 있어야 진정 그 아름다운 것만큼의 크기를 이해한다.

스포츠 인들은 저마다의 이해로 스포츠를 바라봐도 되지만 공통적으로 느껴야 할 핵심적인 사안은 반드시 같은 눈높이로 함께 느껴야 한다. 만일 객관적으로 그러한 사안이 없다면 어쩔 수 없겠으나 객관적으로 그럴만한 가치가 있는데도 대충 알고 지나간다면 안타까운 일이 아닐 수 없다.

한편, 스포츠를 보급하는 지도자에게 스포츠의 철학과 사상은 나침반과 같은 역할을 한다. 모든 단체에서 지도자는 가장 중요한 그 단체의 구성원이다. 집단은 구성한 첫 시기부터 좋은 일만 있지 않다. 궂은 일, 좋은 일이 항상 병존하며 해당 단체는 발전한다. 사람이 좋은 일이 있을 때 그 집단에 기여하는 것은 어렵지 않을 뿐만 아니라 누구나 할 수 있는 일이다. 그러나 궂은 일이 닥쳤을 때는 그렇지 않다.

따라서 지도자는 궂은 일이 있을 때 진가를 발휘한다. 하지만 진가를 발휘하기 위해서는 강철 같은 신념이 있어야 한다. 사람에 따라 어려움을 잘 넘기는 기질이 있는 사람이 있는가 하면 능력에 관계없이 그렇지 못한 사람도 있다.

또 어떤 일과 단체에서는 자기 능력을 잘 발휘하여 해당 집단을 잘 이끌어 가지만 어떤 단체에서는 그 반대의 경우도 있다. 그 단체가 일정 정도 시간이 지나면 그 단체의 기질에 걸맞는 사람들만 남게 되어 있다. 그러나 이것을 개별적 능력에만 의존하게 되면 그 단체의 발전은 기대할 수 없다. 이것은 집단력을 발휘하여 발전할 수 있도록 해야 한다. 그 집단력을 발휘하게끔 하는 것이 철학이며 사상이다.

지도자는 모름지기 그 단체를 이끌어 가는 도량이다. 누구보다도 그 단체의 정신을 잘 알아야 한다. 철학과 사상은 그 정신을 잘 알 수 있도록 이끌어주는 무형의 나침반이 될 것이다.

현대 스포츠의 중요한 요소 중의 하나인 유희성이다. 스포츠는 관중에게 구경거리를 제공해야 하고 또한 그것이 도덕성을 가지고 있어야 한다.[23]

유희성(遊戱性)은 흥겹게 놀며 장난하는 듯한 성질이다. 도덕성(道德性)은 도덕적인 품성으로 선악의 견지에서 보는 인격, 판단, 행위 등에 대한 가치를 말한다.

31. 학교체육의 본연의 모습을 찾아야 한다

학교 체육(學校體育)은 교육 기관의 책임하에 학교에서 학생들을 대상으로 조직적 · 계획적으로 시행하는 체육. 교과로서의 체육과 체육 활동이 포함된다.

체육·스포츠에 대한 인식의 문제는 각종 부실에서 파생되어도 개연성이 크다. 제기되었던 학교 운동부의 문제를 체육교사의 자질, 수업, 평가 시설, 학교 엘리트 선수 전통적으로 등을 직·간접적으로 경험한 사람들에게는 이것이 부정적 인식을 고착화시키는 토대가 되었을 가능성이 적지 않기 때문이다. 임시 보완 문제와는 별개로 현재 학교 체육 스포츠가 주는 과목의 대상에서 멀어지게 하는 또 다른 변수로 작용한다는 점에서 간과될 수 없는 사안일 것이다.

해방 후에 학교에서는 전인교육에 주목하게 되었고 에 따라서 홍익인간(弘益人間)이라는 교육이념을 실현하기 위하여 학교에서 지·덕·체를 강조하게 되었다. 체육은 전인교육의 실현을 위하여 요구되는 교과목으로 인정받을 수 있다. 즉 신체를 위한 교육이 요구되었기 때문이다.

우리나라의 체육은 승리주의와 국위선양에 입각한 엘리트 위주의 정책으로 인하여 체육 참여의 기회와 시설 프로그램의 혜택이 모든 사람에게 초등한 균등한 배분이 이루어지지 불과했다. 특히 스포츠 참여 공간의 부족 등으로 인해 불균형적 체육 구조를 이루어 왔던 것이 과거의 현실이었다.

하지만 1986년 아시안게임과 1988년 서울올림픽 유치의 개최 이후 생활스포츠에 대한 관심이 증대하게 되었다. 특히 1988년은 학교체육사에서 잊지 못할 세계적인 스포츠이벤트 축제가 있었다, 제24회 서울올림픽이 동서화합의 올림픽으로 인류 역사에 각인되고 있다. 이때만 해도 우리나라의 관심은 엘리트스포츠에 관심이 집중되었다. 하지만 서울올림픽 유치를 계기로 생활스포츠에 대한 관심이 높아졌다.

구미 선진국의 학교체육은 크게 정규체육수업, 교내체육활동, 학교 간 체육활동으로 구분된다. 선진국은 교내 체육활동으로 다양한 체육 클럽 활동이 이루어지고 있으며 또한 학교 밖에서의 클럽 활동도 다양하게 이루어지고 있다.

따라서 '학교 간 체육활동' 은 다양한 클럽 활동에서 기량을 익힌 학생들이 중심이 되어 학교 대표선수로 학교 간 경기를 실시하게 된다. 이와 같이 운동기량이 우수한 학생은 있으나 우리나라와 같이 제도적으로 규정된 '체육 특기자' 는 존재하지 않는다. 모든 학교 체육활동은 교육적 목적과 분리된 형태로는 존재하지 않는다. 학교 간 체육활동에 참여하는 학생들은 본질적으로 학생 신분이며, 진학의 수단으로 '운동만하는 학생' 은 존재하지 않는다. 물론 우리나라의 학교체육은 구미 선진국의 학교체육과 사회, 문화적 맥락에는 많은 차이점이 있다.

우리나라와 같이 생활스포츠의 형태로 만들어진 다양한 '클럽스포츠' 가 많지 않고, 학교에서도 다양한 체육 '클럽(동아리)' 이 없는 상황을 고려할 때 우리나라의 학교체육은 학교라는 교육공간에서 이루어지는 정규 체육수업과 방과 후 특기적성 교육의 차원에서 이루어지는 과외 자율체육활동으로 규정하는 것이 교육적으로 합당하다고 본다.

스포츠 클럽, 체육단, 선수단, 스포츠단, 운동부란 스포츠계에서 하나의 종목 또는 그 이상의 종목을 하기 위해 자발적으로 형성되는 임의의 집단을 뜻한다.

대개 구기 종목의 육성 및 관리를 목적으로 결성하기 때문에 줄여서 '구' 단(球團)이라고 불리는 경우가 많으나, 구기 종목임에도 한자 球가 들어가는 종목이 아닌 원어로 칭하는 종목(예: 핸드볼, 배드민턴)의 팀과 구기 종목이 아닌 팀(예: E스포츠)에도 구단이라고 칭하는 오류를 보이는 경우가 많다.

32. 국민의 스포츠 향유라는 가치가 실현될 수 있어야 한다

학교는 교육의 주요 기능을 수행하는 기관으로써 학생 개개인 또는 사회적으로 바람직한 것을 학교생활을 통해 배우도록 기본 목표를 설정하고 있다.

학교체육은 교육의 일환으로서 개인적 인격의 완성을 궁극적인 목표로 하는 교육적 노력이지만 방법론적 입장에서 볼 때 인간성의 계발을 지도하는 교육이라고 말할 수 있다. 따라서 생명체로서의 신체 그 자체의 교육인 동시에 신체활동을 수단으로 하는 유능한 국민적 사회인양성을 위한 교육이 되어야 한다.

학교체육의 정상적인 운영과 운동선수들의 올바른 성장을 위해 선수들의 면학 분위기 조성과 폭넓은 학교생활을 위한 교육적 배려는, 교육적 차원이나 스포츠 고급 인력의 육성 및 선수 보호 관리 측면에서 가장 중요한 과제이다.

우리나라는 아직 클럽스포츠가 활성화되지 않아 스포츠 활동의 시작부터가 학교 엘리트 체육에 전적으로 의존하고 있는 현실이다. 학교체육을 담당하고 있는 상급 기관인 교육청이 체육교사의 능력과 인사 이동시 선수 지도에 의한 전국대회 성적 등을 인사고과에 반영시킴으로서 팀을 관리하는 체육교사는 운동선수들이 학업으로 인하여 경기력이 떨어지는 것을 원치 않으며, 운동선수들이 경기력 향상과 훈련을 위한 숙소에 집단으로 기숙시킴으로써 일반 학생들과 폭 넓은 교우관계를 형성하는 데 커다란 장애가 되고 있다.

스포츠에 참가하는 선수의 경기에 대한 가치 성향은 크게 공정한 경기를 강조하는 성향과 기능 및 승리를 강조하는 성향으로 구분된다. 공정성을 강조하는 성향은 경쟁력 활동으로서 스포츠가 성립되기 위한 기본적 조건이며, 스포츠맨십과 공평을 최고의 가치로 수용하는 참가자의 태도를 말한다.

페어플레이는 어떠한 희생을 무릅쓰더라도 승리를 쟁취해야 한다는 사고방식에 대한 단호한 거부이다. 이처럼 페어플레이는 스포츠맨십의 구성요소로서 정정당당하게 경기에 임하는 태도를 의미하며 승리를 위한 비겁한 행위나 책략을 배격함으로써 상대방에게 유감없이 자신의 실력을 발휘하여 후회 없이 경쟁한다는 가치 태도의 체제를 포함한다.

공정과 규칙의 준수를 본질로 하는 페어플레이 정신을 강조하는 선수의 가치 태도를 아마추어리즘이라 할 때, 수단과 방법을 가리지 않고 무조건 승리해야 한다는 태도나 가치관을 심어주는 대신에 자신의 능력을 최대로 발휘하여 공정하게 경쟁하며, 경쟁의 결과보다는 과정을 더 한층 중요한 가치로 수용하게 하는 것이 필요하다. 따라서 승리를 위해서 수단과 방법을 가리지 않는 문화에서 스포츠맨십을 강조하는 문화로 전화되어야 한다.

우리나라 체육의 미래는 운동선수인 엘리트선수들에게 있는 것은 아니다. 학창시절부터 일반 학생들이 참여하는 개방적인 형태의 운동부가 활성화되어야 한다. 운동을 하고 싶은 학생이면 누구나 자기가 하고 싶은 종목의 운동부를 만들고 참여함으로써 즐길 수 있어야 한다.

학창 시절의 스포츠에 대한 경험과 말하기가 일반화되어야만 하며, 그 과정에서 일반 학생들은 진정으로 스포츠를 즐기고 향유할 줄 아는 체험을 할 것이다. 그렇게 교육 받은 학생들이 대학의 일반학과와 사회 각 분야에 진출할 때 전 국민의 스포츠 향유라는 가치가 실현될 수 있다.

우리 사회에는 아직까지 스포츠를 기본권으로 인식하는 데 한계 요소가 존재한다. 첫째, 다른 기본권에 비해 상대적으로 중요도가 낮은 부차적 권리라는 편견이다. 둘째, 스포츠는 개인의 사적 영역으로 개인의 기본권이라기보다는 국가가 국민들에게 제공하는 복지라는 인식이다. 마지막으로 스포츠권은 체육을 생업으로 하는 체육인을 위한 한정된 권리라는 인식이다.

그러나 스포츠권의 확립은 우리 사회가 어느 정도 성숙한 민주사회인지를 보여주는 시금석과 같다. 스포츠를 기본권으로 인식하고 법제화를 시도한다는 것 자체가 국가가 스포츠를 중요한 정책의제로 인정한다는 증거이며 정책실천의 실효성을 담보하는 가장 확실한 방법이다. 스포츠기본법 제정을 통해 스포츠권을 확립하는 것이 필요하며, 이는 대한민국 스포츠가 한 단계 더 나아갈 수 있는 계기가 될 것이다.[24]

33. 엘리트스포츠 내 성폭력 이대로 방치할 것인가

오늘날 대한민국은 다수의 스포츠 메가이벤트에서 우수한 성적을 거두며 국제 스포츠계의 강국으로서 면모를 보이고 있다. 대한민국 선수들이 각종 국제대회에서 보여 준 한국스포츠의 높은 위상은 엘리트스포츠 시스템에 기저를 두고 있으며 특히, 지도자와 선수들의 경기력 향상을 위한 전술 지도, 강도 높은 훈련 등의 노력이 그 밑거름이 되어왔다고 할 수 있다.

작금의 한국 스포츠 국제적 위상 이면에 자리 잡고 있는 심각한 문제가 수면 위로 떠오르고 있는 듯하다. 성폭력 문제이다. 최근 지도자와 선수 간의 폭력 문제, 특히 성폭력 문제가 심심찮게 언론을 통해 보도되고 있으며, 심각한 사회적 문제로 대두되고 있다.

지난 2014년 2월 소치동계올림픽에 처녀 출전하여 좋은 모습을 보여 준 여자 컬링 대표팀의 모습은 국민들에게 잔잔한 감동을 주었다. 그러나 귀국 후 불거진 여자컬링대표팀 내 성폭력 문제로 여자대표팀 전원 사퇴와 해당 코치 해임 등의 사건은 국민들에게 적지 않은 충격을 안겨주었다.

성폭력(性暴力)은 상대방이 원하지 않는 성적 행위를 통해 타인에게 정신적·육체적 손상을 주는 행위를 일컫는다. 성희롱, 성추행(강제추행), 성폭행(강간) 등 성에 관련한 범죄를 전부 아우르는 개념으로, 언어적 성희롱과 음란성 메시지, 불법촬영 등 상대방의 의사에 반해 가해지는 모든 신체적·정신적 폭력을 포함한다. 또한, 일상생활에서 막연히 느끼는 불안이나 공포, 행동의 제약도 넓은 의미에서 성폭력에 해당할 수 있다. 개인의 성적 자기결정권을 침해해 피해 당사자에게 신체적, 정신적, 성적 피해를 주는 심각한 인권 문제로, 세부적인 법적 기준은 지역이나 나라마다 다르다.

따라서 성폭력(性暴力)은 심리적, 물리적, 법적으로 성과 관련되어 이성에게 위해를 가한 폭력적 사태를 통틀어 이르는 말이다. 비단, 특정 대표팀의 문제가 아니다. 학생선수들과 지도자 사이에서도 성폭력 문제가 비일비재하게 나타나고 있다.

이러한 성폭력 문제는 스포츠의 외형적 성장만을 중요시한 체 인간의 존엄성 훼손과 인권유린에 제대로 된 관심과 처방을 내리지 못한 스포츠계의 구조적인 치부가 드러났으며 그 심각성에 주목해애 된다고 주장한다. 또한 엘리트스포츠 선수에 대한 성폭력 문제의 대책 마련을 요구하는 목소리가 높아지고 있다.

지난 몇 년간 체육계에서는 성폭력 근절을 위해 성폭행 가해자에게 중징계를 내림으로써 체육인들에게 강한 경고의 메시지를 전하여 왔다. 그럼에도 불구하고 스포츠계 성폭력 문제는 끊임없이 발생하여 오고 있다. 이는 개인의 정신적, 신체적 자율권을 침해하고, 더 나아가 심각한 정신적 피해 및 트라우마를 가져오거나 심한 경우에 평생 동안 개인의 삶에 심각한 영향을 미칠 수 있는 인권 침해라 할 수 있다.

스포츠인 권익센터에 들어온 성폭력 관련 신고 및 상담건수는 점차 늘어나고 있는 실정이지만, 아직 체육인들의 성폭력에 대한 인식적인 문제로 인해 신고가 되지 않은 실제 건수들은 몇 배에 달할 것으로 예상하고 있다.

스포츠의 특성상 선수나 지도자 등의 스포츠 관계자들은 어느 정도의 신체 접촉은 불가피한 것이 현실이라며 용인하여 온 것이 사실이다. 또한, 성폭력 관련 문제는 스포츠 내 고착화된 한 부분이라고 할 수 있을 것이다. 하지만, 이러한 문제의 발단은 스포츠의 특성상 신체 접촉의 정도와 경계가 모호한 이유이기도 하며, 스포츠 관계자들의 잘못된 인식에서 비롯된 것이라는 시선에서 바라볼 필요가 있다.

한편, 성폭력 가해자와 피해자 사이에서 발생하는 특이한 현상은 성폭력을 당한 피해자 또한 가해자 못지않은 고통과 비난을 받게 되는 현상이 나타난다는 것이다. 과거부터 이어져 온 스포츠계의 관습 아닌 관습으로 인해 성폭행 피해자가 그 사실을 숨기게 되는 것이다. 마치 성폭행 사건의 피해자인 선수들에게도 가해자와 마찬가지로 성폭행 사건 관련자라는 '낙인'이 찍히게 되는 것이다.

성폭력 근절을 위한 대책이 지속적으로 수립되고 있음에도 불구하고 엘리트 중심의 국내 체육계 구조상 지도자의 의견이 절대적인 스포츠계의 특성상 제대로 된 처벌과 근절이 속 시원히 이루어지지 않고 있다.

최근에도 운동선수를 대상으로 하는 성폭력 사건은 지속적으로 발생하고 있으며, 가해 방법 역시 기존의 억제책으로는 일관적으로 규정할 수 없는 변형된 형태로 나타남으로써 그 실효성에 대한 의견은 시시비비가 있다. 또한 이러한 상황에서는 성폭력 피해자는 주위의 따가운 시선으로 인해 그 사실을 숨길 수 밖에 없으며, 선수 생활을 하기 힘든 경우가 대부분이다. 즉 성폭력 피해자 및 관련 당사자들이 겪는 스티그마(stigma)로 인해 나타나는 부정적인 영향은 향후 체육계에서 스포츠 성폭력 문제와 관련하여 반드시 극복해야 하는 중요한 요인 중 하나라 판단된다.

34. 전국소년체육대회와 전국장애학생체육대회에 즈음하여

강원도에서 개최되는 제45회 전국소년체육대회 및 제10회 전국장애학생체육대회 상징물인 엠블럼, 마스코트, 그리고 포스터가 주는 의미가 그 어느 대회보다도 각별하다.

엠블럼은 국민 모두가 하나 되는 화합체전의 컨셉 아래 두 선수가 손을 맞잡고 달려 나가는 모습을 표현하였으며, 물과 해, 단단함과 부드러움, 음과 양처럼 반대되지만 세상을 구성하는 모든 요소가 조화되는 모습을 상징한다. 마스코트는 2018평창동계올림픽 대회의 성공개최를 염원하며 구상한 것으로 특히, 눈사람은 동심을 꿈꾸듯 상상의 나래와 함께, 따스하고 다정한 이미지를 갖고 있어 모두가 공감하고 배려하는 세상, 장애와 비장애인의 구분이 없는 세상을 만들고자 하는 의지와 희망을 형상화 한다.

또한 제45회 전국소년체육대회 포스터는 2018평창동계올림픽대회를 모티브로 하여, 한국을 넘어 세계로 도약하는 강원도와 체육인들의 역동성을 강조하여 표현하였다. 포스터는 전국소년체육대회의 이미지를 전달하는 중요한 시각 정보 전달 매체로써 그 효과가 매우 크며 홍보를 위한 수단으로도 사용할 수 있다. 따라서 제작과 사용, 관리에 철저하고 세심한 주의를 기울여야한다.

한편, 대회의 성화(聖火)는 옛 신라 화랑들의 본고장인 경주에서 채취하였는데, 이는 애국충절과 협동정신을 통하여 나라를 통일한 화랑들의 얼을 계승, 발전시켜 국가관을 확립하고 주체성 있는 한국인상(韓國人像)을 육성하고자 함이다.

전국소년체육대회 참가자격은 각 경기단체에 선수등록을 마친 전국의 초등학교 5·6학년과 중학교 1·2·3학년 학생으로, 초등학교부는 만 12세 이하, 중학교부는 만 15세 이하를 대상으로 하였다. 이 대회는 자라나는 소년·소녀들에게 기초적인 스포츠를 보급하고 스포츠정신을 고취하여 균형 있는 신체의 발달과 기초체력을 배양하며, 나아가 우수선수 및 국가 대표선수 양성의 밑거름이 되고 있다.

해를 거듭할수록 점차 기록과 수준이 향상되어 우수한 국가대표 급 선수들이 이 대회를 통하여 발굴, 배출되었다. 또한, 학교체육이 활성화되어 체육인구, 특히 운동선수의 저변 확대가 이루어졌으며, 특히 체육을 경시하던 과거의 교육에 비하여 체육을 포함한 지·덕·체의 조화로운 전인교육이 이루어질 수 있는 계기를 마련해주었다.

한편, '함께 뛰는 땀방울, 자신감의 꽃망울', 화합과 희망의 축제인 전국장애학생체육대회는 장애학생에게 체육활동의 기회를 제공하여 건강 증진과 여가 선용을 목적으로 전국 순회 개최된다. 초등학교, 중학교, 고등학교에 재학 중인 장애학생은 누구나 대회에 참가할 수 있으며, 장애학생 및 비 장애학생에게 장애인체육과 지역의 문화 등을 체험할 수 있는 종합체육행사로 개최된다. 이러한 대회를 통해 장애학생의 학교체육이 활성화 될 것으로 기대한다.

강원도는 효율적인 경기 운영을 위해 18개 시·군 당 1개 이상의 종목이 열리도록 경기장을 배려했다. 기존의 경기장을 활용해 이용도를 높이고 전 도민적 참여 분위기를 고조시키는 효과를 거두기 위한 방안을 채택함으로써 제45회 전국소년체육대회 및 제10회 장애학생체육대회 주 개최지는 강릉이지만 18개 시·군 경기장에서 1개 이상의 경기가 열려 도민 모두의 축제가 될 것이다.

제45회 전국소년체육대회 및 제10회 전국장애학생체육대회는 강원도민의 인심 넘치는 배려와 협조를 통한 성공적 '도민통합체전'으로, 다가오는 2018평창동계올림픽의 주체 도시로서의 면모를 확실히 각인시켰으면 한다.

35. 올림픽지역 개발청, 대형 노인요양시설, 국제 수준 카지노를 설치하라

김종덕 문화체육부 장관은 지난 2월 6일 "올림픽의 진정한 레거시는 올림픽을 계기로 만들어지는 문화 관광 콘텐츠다. 정부는 앞으로 강원도를 레저스포츠의 중심지로 집중 육성할 계획이다. 올림픽 개최지인 3개 시 · 군의 특성을 반영해 올 상반기 중에 올림픽 특구 종합계획을 변경하고 관련 예산을 확보하겠다" 고 문화관광 콘텐츠에 대한 정부계획을 전했다. 맞는 말이다.

하지만 평창동계올림픽은 오랜 지역의 문제와 국가적 과제를 동시에 해결하고 미래의 비전을 담아야 한다. 그리고 그것은 평창 동계올림픽이 개최되는 2018년까지 유보된 가치 창출이 아니라 바로 올해부터 차근차근 실천에 옮겨 사후(事後)까지 연결되어야 할 일로, 올림픽 개최보다도 중요한 당면 과제다. 물론 문화체육관공부장관의 '문화관광 콘텐츠' 에 대한 언급이 강원도가 풀어야 할 동계올림픽 배후 대책이 아니길 바랄 뿐이다.

그런 점에서 김종덕 문화체육부 장관과 최문순 강원도지사에게 감히 동계올림픽 사후와 배후 대책과 관련하여 몇 가지 간략하게 돈키호테적인 의견을 제안하고자 한다.

첫째, 정부에 관리하고 운영하는 각 공단과 공사 수준의 '올림픽지역개발청(Olympi Regional Development Authority)' 을 설치해라. 그리고 지금부터 빠르게 유수대학과 관련학회 연구기관에 사후 관리 문제와 배후 시설에 대해 용역비를 주고 프로젝트를 추진해라. 해방 이후 우리나라에서 내적으로 성공한 국제대회는 88서울올림픽 밖에 없다. 그 성공의 비결은 그 당시 민간 전문직 종사자들과 자원봉사 요원을 경기 후 당시 인력을 올림픽 기념 '국민체육진흥공단' 으로 창설

하여 활용했다는 점이다. 그래야만 민간 전문직 종사자들과 자원봉사자들이 적극적이면서도 창의적인 활동이 이루어질 수 있다. 1988년 이후 지금까지도 대한민국 '국민체육진흥공단' 은 대한민국 생활 체육·스포츠 발전을 위해 기여한 바가 크며 성공한 케이스다.

둘째, 평창을 중심으로 대한민국 최대의 노인 요양시설을 건립해라. 지금 평창의 3곳의 노양요양시설과 6개의 노인의료 복지시설은 시골 수준이다. 제주도 서귀포시의 14곳인데 이곳 요양소의 2배 정도의 국가 수준 시설과 장비를 설치해야 한다. 우선 경인지역과 접근성에서 다른 지역보다 유리하다. 가까운 강릉 사천과 원주에 최신식 병원이 유치되어 있기는 하지만 건립 위치에 따라 종합병원도 필히 설치 계획에 넣어야 된다.

셋째, 동계올림픽 복권을 발행해라. 서울올림픽 복권은 5년 8개월간 발행해 625억 원의 수익을 남긴 바 있다. 평창동계올림픽의 경우 복권 발행기간이 4년에 불과한 실정이고 보면 서둘러 논의할 일이다. 복권이 사행성을 조장한다는 원론과 법률 개정 문제를 모르는 바가 아니다. 하지만 경마·경륜장 운영은 물론이고 각종 복권 판매를 통해 사업 자금을 충당하고 있다. 현재 우리나라 복권시장 규모가 4조 원에 달한다. 하지만 서울올림픽이 흑자를 낼 수 있었던 한 요인이 복권 발행이었음을 부인할 수 없다.

넷째, 가장 어려운 난제지만 꼭 필요한 대목은 국제 수준의 '카지노' 설치이다. 거기다 관광진흥개발기금을 2018년까지 한시적으로 유보하고, 이를 지방세로 전환해야 재정 압박을 덜 수 있다. 물론 엄청난 반대에 부딪치겠지만 도지사가 직접 나서고, 대통령이 지원해야 가능하다. 올림픽 후 알펜시아와 함께 불어나는 수백억 원의 계속되는 누적 적자의 혈세와 강원도의 파산을 막기 위해서는 필수적이다.

문화체육관공부는 "2018년 평창 동계올림픽 개최에 맞춰 2017년 말까지 설악산에 친환경 케이블카가 설치된다. 평창, 강릉, 정선 등 동계올림픽을 여는 3개 도시는 3,000억 원을 들여 '레저스포츠 메가시티' 로 재탄생한다" 그리고 강원도 관광을 활성화하가 위해 "평창동계올림픽 개최 도시인 평창에는 민간 투자 766억 원을 유치해 대관령 가족 휴양지를 개발하고, 강릉에는 1079억 원을 들여 전통 한옥촌을 지을 예정이다".

산과 계곡이 발달한 정선은 '에코 익스트림 파크' 를 조성해 체험형 관광지로 육성한다" 는 주먹구구식 탁상공론에다 사탕발림 수준이다. 그럴 바에는 그 돈으로 평창과 강릉을 중심으로, 광범위하게 국제적인 설상 · 빙상의 메카 도시로 올림픽 공원(PyeongChang & Gangneung Olympic Park)설립하여 2018 평창 동계올림픽 사후 '올림픽지역개발청(Olympi Regional Development Authority)' 에 운영권을 주는 것이 효율성 측면에서 더 가능성이 높다.

2002년 한 · 일 월드컵을 비롯해서 가까운 2014 인천아시안게임 등 모두 지금까지 적자에 허덕이고 있는 점을 반면교사와 타산지석으로 삼아야 한다. 올림픽은 강원도, 평창뿐만 아니라 국가 중대사이이다. 때문에 대한민국 국민이며, 강원도민의 한 사람으로서 닥아 올, 그리고 아무도 책임지지 않을, 몰려올 적자의 거센 폭풍을 피할 수 있는 방안인 나름대로 필자의 4가지 제안 중 2가지만이라도 성취되기를 간곡히 기대해 본다.

36. 올림픽이란 쓰레기

-유엔 환경개발회의와 평창동계올림픽-

지구 환경보존에 대해 지구촌 나라들이 강원도에 모였다. '제12차 생물다양성협약 당사국총회' 가 2014년 9월 29일부터 10월 17일까지 194개 생물다양성협약 당사국대표단, 국제기구, 비정부기구, 글로벌 기업 등 2만여 명이 참석한 가운데 강원도 평창 알펜시아에서 개최되었다. 생물다양성협약(CBD: Convention on Biological Diversity)은 지난 1992년 브라질 리우 유엔 환경개발회의를 계기로 채택돼 생물다양성의 보존과 지속가능한 이용, 공정한 분배를 목적으로 2년마다 개최됐고, 2014년 평창 총회는 12번째 당사국총회다.

2018년 2월 9일부터 제23회 동계올림픽이 강원도에서 열린다. 이 둘은 세계의 거의 모든 나라가 참여하는 가장 큰 규모의 모임이다. 우연하게도 이 두 모임은 강원도 지역이라는 사실 외에는 그들 사이에 공통점이란 거의 없다. 오히려 대조되는 점이 많고, 그것은 오늘날 세계가 가진 모순을 대변하는 것 같아 흥미롭다.

세계 환경 총회는 '지속가능 발전을 위한 생물다양성(Biodiversity for Sustainable Development)' 이라는 주재아래 60억 이상의 인류에 사활이 걸린 환경 문제를 논의한 것이고 올림픽은 그저 스포츠문화를 위한 것이다. 그러므로 하나는 지극히 심각하고 다른 하나는 있어도 그만 없어도 그만 전혀 심각하지 않을 수도 있다. 사람의 일생에도 심각한 문제로 고민하는 순간들이 있고, 스포츠로 즐기는 때가 있는 것처럼 인간이 모여서 만든 세상에도 그런 대조적인 사건이 있을 법하다. 그래서 세계는 역시 다양하고 숱한 의미와 성질을 가진 사건들이 얽히고 설혀서 역사란 것이 만들어지는 것이다. 이렇게 생각하면 "그것도 필요하고 이것도 좋고" 라면 마음이 편해진다. 구태여 한 가지만 옳고 다른 것은 틀렸다고 떠들어 대서 다른 사람 마음 상하게 할 필요도 없고 한 가지 틀에 온갖 것을 다 끼어 맞춘다고 억지를 부리고 궤변을 늘어 놓을 필요도 없다.

프로클리토스는 다원주의가 인기를 끌고 있는 요즘 세상에는 전혀 표를 얻을 수 없다. 그리고 아직도 생존을 위하여 아무 것도 생상하지 않는 스포츠를 위하여 세계가 그렇게 열광할 수 있는 이유가 있다는 것이 대견스럽기까지 하다.

그러나 온 세계가 열광하는 데도 불구하고 어쩐지 마음이 그렇게 편하지만 않은 게 스포츠를 공부하는 자로서 병인지도 모르겠다. 1992년 6월 브라질 리우에서 최초의 유엔 환경개발회의가 있었고, 2016년 8월 5일부터 제31회 브라질의 리우데자네이루에서 하계올림픽 경기가 열린다. 과연 세계 환경 총회에서 환경문제를 논의해야 할 만큼 평창 동계올림픽 경기가 있어야 하며, 세계 환경 총회가 끝나지 마자 아무 일 없었던 것처럼 하계올림픽이나 동계올림픽 경기에 몰두해야 되는 것인지 확신이 생기지 않는다.

가리왕산은 최고 높이 1,561m로 지난 2008년 여의도 면적의 2.3배인 1948hark 산림 유전 자원보호 구역으로 지정된 산이다. 천연 기념물은 주목을 비롯하여 전나무, 분비나무, 피나무, 왕사스래나무, 구상나무, 물박달나무, 물푸레나무 등 그 이름만 불러 봐도 입가에 잔향이 돌고 마음 깊이 신성한 기운이 스며드는 나무들이다. 무려 5만 그루가 벌목되었다. 활강 슬로프로 선정하는 데는, 표고차 800m 이상, 평균 경사도 17도 이상, 슬로프 길이 3,000m 이상이라는 3가지 요건 이외에는 사실상 아무 것도 고려되지 않은 탓에 철쭉 군락은 사라졌고, 밑둥 지름이 1.2m에 달하는 왕사스래나무는 잘려나갔으며, 가슴 높이 지름이 1.23m에 달하는 들메나무도 한순간에 쓰러졌다. 산림청은 “가리왕산 숲을 산림유전자원보호림의 원형대로 복원한다” 고 말만 되풀이 하고 있다. 그들이 직무에 대하여 최소한의 공적 헌신이 있다면 ‘원형대로 복원한다’ 는 말에 평생 책임을 져야 할 것이다.

쓰레기가 된 나무, 폐허가 된 산…누구를 위한 올림픽인가? 정선 가라왕산의 울음소리가 귓전에 들리는데.

37. 오염된 올림픽이라는 쓰레기를

우선 올림픽 경기란 아무 양심의 거리낌 없이 찬양하고 경기들을 관람할 수 있는지 자신이 없다. 도덕적으로 너무 타락해 버렸기 때문이다. 1896년 프랑스의 쿠베르탱 남작이 고대 그리스의 올림픽 경기를 부활시키면서 의도했던 순수 아마추어들의 경기는 그림자도 찾아 볼 수 없게 되었다. 보통 사람들은 상상도 할 수 없는 돈을 들여 훈련을 거친 전문가들만이 올림픽에 얼굴이라도 내밀 수 있게 되었다. 돈 없는 나라, 민주주의가 제대로 된 나라는 메달이란 것을 바라볼 수 없게 되고, 돈으로 유혹하든지 강제로 위협해서 사람의 몸을 기계처럼 만들어야 명함이라도 내밀게 되었다.

거기다가 IOC(국제올림픽위원회) 제7대 사라만치(Samaranch, 1980~2001)위원장이란 인물이 올림픽 제왕으로 즉위하여 20년 이상 장기 집권하면서 아예 직업 선수들도 참가할 수 있는 길을 열었고, 텔레비전 위성 중계가 가능해져서 상품 광고의 군침나는 수단이 된 다음에는 올림픽 경기가 돈 경기가 되고 말았다. 모든 운동경기들이 점점 그 모양이 되어가고 있고 소위 다국적 기업들이 우후죽순처럼 생겨나는데 온 세계의 수십 억 인구가 관람하는 올림픽 경기가 돈의 오염으로부터 자유롭기를 기대하는 것은 비현실적일지 모르겠다.

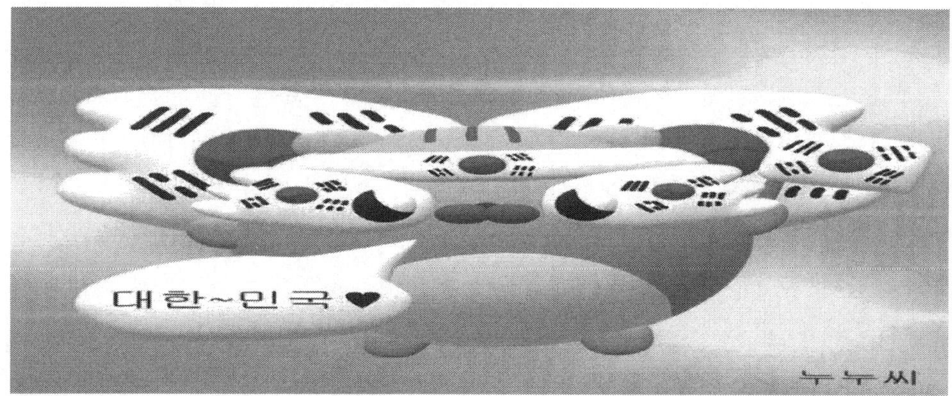

아테네의 '신전(神殿)' 터에서 '태양' 열로 불을 채취하고, 그것을 '성화(聖火)' 라 하여 수많은 사람들이 '봉송(奉送)' 한다는 의식과 용어는 신과 거룩함과 올림픽 전통에 대한 모독이 아닐 수 없다. 신(神)적인 것도, 거룩함도, 공정성도 오늘 날 벌어지는 올림픽 경기에는 사라지고 말았다. 다만 매우 원시적인 민족감정, 돈자랑, 힘자랑, 그리고 엄청난 액수의 부정한 뒷거래만이 있을 뿐이다.

동계올림픽을 포함해서 온 인류가 매 2년마다 그 엄청난 사기극에 열광한다는 것은 정직, 진실, 순수, 공정 등 인류가 애써 가꾸어 온 고상한 가치를 자신들도 모르게 포기하고 있음을 뜻한다. 올림픽 정신은 이제 사라졌다. 그러므로 올림픽 경기는 중단되어야 한다. 그렇지 않다면 적어도 그 이름이라도 '모니픽(moneympic)' 으로 바꾸고, 사라만치를 그 창시자로 하는 것이 그나마 어느 정도의 정직성을 유지하는 길일 것이다. 그리고 '평화의 제전', '우의의 증진', '인류화합의 큰 잔치', '공정한 경쟁' 등 이제까지 올림픽 경기에 붙여왔던 온갖 고상한 표현들을 하루 빨리 제거하는 것이 우리 세대들을 도덕적 냉소주의로부터 구제하는 데 도움이 될 것이다.

다행스럽게 장기집권 하던 사라만치가 물러나고 제9대 국제올림픽위원회 위원장으로 의사 출신 자크 로게(2001~2013)가 '미스터 클린' 개혁 이미지로 유럽 스포츠계에 폭넓음 지지를 받았다. 올림픽 출전 선수인 로케는 벨기에 요트 대표로 1968년부터 1976년까지 3회 연속 올림픽에 출전한 바 있으며, 세계선수권대회에서는 금메달 1개와 은메달 2개를 땄으며, 럭비 국가대표로도 활약해 만능 스포츠맨으로 알려져 왔다. 국제올림픽위원회에서는 의사란 직업의 특수성을 발휘해 약물퇴치 운동에 앞장섰으며, 솔트레이크시티 뇌물 스캔들에 연루되지 않아 '미스터 클린' 이라는 이미지를 가지고 있었다. "올림픽이 지나치게 비대해지고 상업화됐다" 며 올림픽 규모의 축소를 내세웠지만 로게의 재임동안 공염불이 되었다.

자크 로게 국제올림픽 위원장에 이어 제125차 총회에서 제9대 IOC 위원장으로 1976년 몬트리올 펜싱 플로레 금메달리스트 출신인 토마스 바흐(2013~ 현재)가 선출됐다. 임기는 8년이고 한 차례에 한 해 4년을 더 맡을 수 있다.

그리스 고대 올림픽은 기원전 6세기에 이르러 순수한 아마추어 정신이 퇴색되고 프로화 되어 타락의 길을 걸으면서 서서히 사라져 버렸다. 타락함과 동시에 사라져버린 고대올림픽의 점철을 밟지 않기 위해 토마스 바흐 위원장은, 흐트러진 IOC(국제올림픽위원회) 내 분위기를 쇄신하여 '모니픽(moneympic)을 지향하고, 그가 주장한 '다양성 속 통일성(Unity in Diversity)' 이란 모토를 잊지 말아야 할 것이다.

38. 올림픽이란 쓰레기 속에서 시대 상황에 맞지 않는 올림픽 정신이라니

올림픽 경기는 환경오염이 문제되지 않았을 때, 아니 자연환경이 문제될 수 있다는 것을 생각조차 하지 못했을 때 시작되었고 그 근본 전제는 지금도 바뀌지지 않은 채 운영되고 있다. 마치 1992년 브라질 리루 유엔 환경개발회의를 계기로 채택돼 생물다양성의 보전과 지속가능성 이용, 공정한 분배를 목적으로 2년마다 개최하면서 운영되어 온 것은 없었던 것처럼 2012년 제30회 런던 하계올림픽, 2014년 제22회 소치 동계올림픽이 치러졌고, 그리고 2016년 브라질 리우데자네이루 하계올림픽, 2018년 대한민국 평창 동계올림픽이 개최될 것이다. "더 빨리, 더 높이, 더 힘차게!" 란 올림픽 슬로건이 그것을 잘 표현해 준다. 맑은 공기는 무한한 지구를 감싸고 있고, 깨끗한 물은 도처에 흐르며, 땅에는 캐내기만 하면 되는 지하자원이 무진장 묻혀 있고, 인간의 능력은 무한함으로, 우리가 해야 할 일은 그것들을 그저 잘 개발하고 이용하기만 하면 되는 것이다. 그리고 창조적, 생산적 활동에서 잠시 시간을 내어 자연이 허락한 그 무한한 풍성을 감사하고 나라들끼리 한 번 힘겨루기를 해 보자는 것이다. 전쟁에서 수많은 사람이 피를 흘리고 그 재산을 파괴하는 것에 비하면 경기를 통한 힘겨루기는 훨씬 더 인간적이고 그런 스포츠를 통해서 사람은 좀 더 창조적이 되고 더 생산적이 될 수 있다는 것이 전제되어 있다. 모든 문화의 창조는 놀이를 통해서 가능하다고 하이징가(J. Huizinga)가 주장하지 않았던가?

그러나 그런 전제는 타당하지 않게 되고 말았다. 그저 받아들일 수 없는 정도가 아니다. 관점의 차이, 의견의 차이 정도의 배부른 다원주의 문제가 아니기 때문이다. 받아들이면 받아들이는 사람의 생물학적 존재 자체가 위협을 받는 문제이기 때문이다. 관점이 다르다 하여 물과 공기가 맑아지고 산성비가 그쳐 준다면 오직 좋겠는가마는 그런 관념주의가 하나의 관점으로 허용될 수 있는 단계는 이미 지나갔다. 1992년부터 출발한 유엔 환경개발회의는 2012년 런던 하계올림픽, 2014년 소치 동계올림픽, 그리고 2016년 브라질 리우데자네이루 하계올림픽, 2018년 대한민국 평창 동계올림픽처럼 선택의 문제가 아니라 생존을 위한 필수의 문제이다.

올림픽은 낭비의 거대한 상징이 되고 말았다. 무엇 때문에 그렇게 빨리 달려야 하며 그렇게 높이 뛰어야 하는가? 공중에서 몇 바퀴 돈 다음에 한 치의 오차도 없이 착지하기 위하여 어린 생명을 수년간 밤낮으로 훈련시켜 곡예사로 만들어야 할 이유가 어디에 있는가? 스포츠란 노동의 괴로움에서 잠시 벗어나기 위하여 여가에 즐겨야지, 그 자체가 본업이 되면 이미 스포츠가 아니고 하나의 노동인 것이다. 이제 올림픽은 과잉을 생산하고 낭비를 촉진하는 투기장이 되고 말았다.

스포츠에의 몰두와 투자는 할 일이 너무 없고 모든 다른 것이 풍족할 때나 생각해 볼 수 있는 것이다. 그러나 생업을 제쳐놓고 스포츠를 즐기거나 적의 공격이 임박한데 잡기를 한다면 그것은 정상적이라 할 수 없을 것이다. 그런데, 지금 인류란 공동체가 과연 올림픽이란 스포츠를 즐길만한 여유가 있는가? 마실 물과 식량이 없어 하루에 생사람이 몇 만 명씩이나 굶어 죽어가고, AIDS 같은 불치병이 사람의 잘못에 의하여 전 세계적으로 확산되고 있으며, 무엇보다도 환경오염이 이루 전체의 생존을 위협하고 있다. 그리고 그 어느 것도 단순한 관점의 차이, 의견의 차이 문제로 무시해 버릴 수 있는 것들이 아니다. 우리의 생물학적 생명을 위협하는 것들이기 때문이다. 그래서 유엔 환경개발회의가 2년마다 열리고 문제가 매우 심각하다는 것에 모두가 동의하였다. 그런데 몇 달도 채 못 되어서 깨끗이 잊어버리고 과잉과 낭비의 거대한 잔치를 열며, 앞으로도 열릴 것이다.

이제 인류는 쓰레기 생산과 스포츠를 중단하고 스스로 만들어 놓은 쓰레기를 치우는 데 총동원해야 한다. 쓰레기를 많이 만들어 내는 올림픽도 쓸어내야 할 것이다. 중단은 유엔 환경개발회의의 한 중요한 안건이 되어야 할 것이다.

39. 덕(德)교육 · 체(體)교육 · 지(知)교육을 통해 미래의 삶을 설계할 때다

우리들은 지금 과학 기술과 정보 통신이 고도로 발달된 사회에서 편리해진 여러 문명의 이기(利器)들을 마음껏 누리며 살고 있다. 하지만 삶의 질 향상을 위한 더 많은 경쟁과 노력이 요구되고 교육은 더 치열한 경쟁을 강요당하고 있는 것 또한 사실이다.

청소년들은 학벌과 학력 만능 풍토 하에서 분에 넘치는 많은 학교 공부와 학원 공부 그리고 과외 공부에 시달리며, 학력경쟁에서 승자가 되기 위한 공부 기계로 전락해 신음하고 있는 것 같아 안타까운 마음을 금할 길이 없다. 교육을 책임진 교육행정 담당자들이나, 정치인, 지식인들은 이 문제에 대해 침묵하며 관심이 적은 듯하다.

그렇다면 과연 성적을 올리고 '좋은 대학' 에 진학을 하면 행복한 삶이 약속되는가? 모두가 그렇게 돼야 하고 또 될 수는 있는 걸까?

모든 교육의 출발은 인간 교육이고, 전인교육이기에 그 가치를 지(知) · 덕(德) · 체(體)의 균형에 두어야 함을 부정하는 사람은 적을 것이다. 그 중에서 실제로는 체(體)교육이 덕(德)교육이나 지(知)교육보다 더 중요하다. 풍성한 음식물의 과다섭취와 각종 영상 매체의 범람으로 그에 몰입하여 체육활동을 소홀히 한 후유증으로 비만과 과체중에 시달리는 학생들이 늘어나고 있다. 운동경기에서 터득되는 협동심은 찾아보기 힘들며, 컴퓨터 중독자는 늘어만 가고, 육신이 시들어가며 정서가 메말라가고 있다. 관련 이해 당사자에게는 누(累)가 될지도 모르지만 국어, 영어, 수학 등의 시수를 줄일 수만 있다면, 덕(德)교육, 체(體)교육, 그리고 지(知)교육은 더 늘여나가야 할 당위성을 여러 곳에서 충분히 감지되고 있다고 생각한다.

미래의 삶을 준비하는 과정인 학교교육에서 체육은 매우 중요한 교육활동의 하나이다. 우리 학생들은 체육활동을 통해 신체적 건강을 유지 · 증진하고 공동체 의식과 사회성을 함양하는 등 미래사회에 필요한 인재가 갖춰야 할 품성과 덕성을 기른다. 그러나 이처럼 중요한 학교 체육이 제 기능을 수행하지 못할 만큼의 위기를 맞고 있다. 20년 전에 비해 지금 학생들은 영양 상태가 좋아짐에 따라 비만도가 높아져 학교 체육활동이 더욱 필요한데, 그러한 요구는 무시되고 오히려 학생들의 기본 움직임은 최소한으로 제한받고 있는 것이 현실이다.

체육 과목은 학생들의 신체활동 경험의 특수성으로 인해 일반교과와는 차별되는 인성교육에 초점이 맞추어지고 있다. 그러나 현재 교육현장에서의 체육 수업은 학생의 요구와 개인차 그리고 교육 여건이 무시된 목표를 설정하고 비합리적인 내용이 선정되어 획일적으로 지도, 평가되는 경우를 자주 접하게 된다. 즉, 전통적으로 체육 수업은 교사가 중심이 되는 방법에 의해 체육 교육과정의 운영이 창의력과 문제 해결 능력을 육성하는 데에 있어서 소홀했다고 볼 수 있다.

따라서 학교체육에 있어서 교육의 인간화, 민주화, 특성화를 추구함에 있어서 필수적인 인간 중심 체육의 핵심 개념을 구체적으로 전개함으로써 체육이 학교교육에서 추구하는 전인적 인간 구현을 달성하는 데 기여하여야 할 것이다.

학부모의 욕심이 교육으로 오인되고, 지(知)교육이 교육의 전부라는 착각은 하루 속히 시정되어야 한다. 훗날 신나는 일터에서 흥겹게 일하는 직업인이 되게 하여 사회에 공헌하고 자신의 삶을 행복하게 가꾸어 갈 수 있도록 중지를 모아 도와주어야 할 때이다.

교육, 과학, 문화는 인간사회를 지탱하는 근간이자 인간을 만물의 영장으로 만들어 준 힘이다. 교육은 인간을 길러내는 것이고 과학은 호기심, 탐구심 등 인간의 본성을 발현하는 것이며 문화는 인간다운 삶을 향유하는 것이다. 이 세 가지는 창의성을 공통점으로 한다. 교육은 창의적인 인재 양성을 추구하고, 과학과 문화는 창의성을 자양분으로 삼아 발전한다.

40. 스포츠 윤리교육이 보다 더 강화되어야 할 때이다

인간의 행동은 개체와 환경의 상호작용에 의하여 인간성이 유발되기 때문에 사회적 영향이라는 관점에서 고려해 볼 수 있다. 스포츠 환경의 사회적 영향이라는 관점에서 접근해 보면, 스포츠 활동에 있어서 윤리적 문제는 학교체육, 생활스포츠, 전문스포츠, 재활스포츠를 중심으로 심판, 지도자, 선수, 관중을 대상으로 한 윤리적 문제는 물론, 체육 산업, 체육정책, 체육연구 등 각 영역에서 발생하고 있다.

이태양(NC)과 문우람(상무)에 이어 KIA 투수 유창식도 승부 조작을 한 것으로 드러났다. KOC는 이들은 즉각 실격 처분과 계약 해지 승인을 내릴 것이고 구단은 수용해야 할 것이다. 물론 유창식은 자진 신고를 했기 때문에 징계에 있어 경감을 받게 된다.

반면에, 역도선수 전 국가대표 임정화(울산시청)가 8년 전 올림픽에서 놓쳤던 메달을 받는다. 국제 올림픽위원회는(KOC)는 2008년 베이징 올림픽 여자 역도 48kg급에서 은메달을 딴 터키의 시벨 오즈칸이 근육 증강제인 '애너볼릭 스테로이드'를 복용했다며 7월 23일 메달 박탈을 결정했다. 오즈칸의 메달 박탈로 당시 이 체급에서 4위를 한 임정화가 동메달을 받게 된다.

최근에 약물복용, 프로스포츠의 승부조작, 런던올림픽대회 여자 펜싱 에페경기 신아람 선수의 개인전 준결승에서의 심판 오심과 축구 경기 박종우 선수의 독도 세리머니, 스포츠스타 선수의 표절 논문, 선수에 대한 폭력과 성폭력, 운동선수의 학습권, 특기자 입시 부정, 그리고 스포츠토토 운영 비리 등 다양하게 발생하였다.

이것은 일반적으로 약물 복용, 폭력, 부정행위 등으로 구분될 수 있다. 이러한 스포츠에서의 윤리적 일탈행위는 스포츠는 물론 개인과 사회, 그리고 국가의 발전에 부정적 영향을 미치는 요소로 작용할 수 있다. 특히 스포츠는 강한 공개성을 지니고 있어서 청소년의 성장에 큰 영향을 미칠 수 있기 때문에 스포츠 현장에서 페어플레이 정신을 바탕으로 한 스포츠맨십의 정립은 필수적 요소이며, 이것은 스포츠에 있어서 생명과도 같다고 할 수 있다.

예컨대 지금까지 승부 조작에 대한 정부의 대응이 사건 발생 후의 규제 중심이었다면 앞으로는 예방을 목적으로 하는 교육중심으로 전환되어야 할 것이다. 즉 스포츠맨십과 페어플레이 정신을 길러주는 체계적인 교육 프로그램이 필요하다는 것이다. 이러한 교육 프로그램은 스포츠 참가자는 물론 장차 스포츠 참가를 희망하는 청소년, 스포츠를 좋아하는 팬, 그리고 일반 대중들에게 큰 영향을 미칠 수 있을 것이다.

스포츠 윤리는 스포츠맨십과 페어플레이 정신을 강조한다. 승리만을 위한 경쟁 스포츠가 아닌 도덕적인 자세로 임하며, 관용과 배려가 숨 쉬는 경기가 되기 위해서는 스포츠 윤리교육이 보다 더 강화되어야 할 때이다.

소수만 승자가 되고 다수가 패자가 되는 사회를 국민은 원하지 않는다. '인간성이 상실되는 경제 대국' 이 대한민국의 미래상이 되어서는 안 된다. 우리는 이젠 '경쟁' 보다는 '공생' 을 앞세울 때다. 이제 '새마음 운동' 이라도 해서 정신적 빈곤에서 벗어나야 할 때다.

이러한 사회적 문제는 스포츠문화에도 그대로 영향을 미칠 수밖에 없다. 지난해 말부터 불법 스포츠도박 사이트의 승부조작이나 프로스포츠의 승부조작, 그리고 근자의 태권도 승부조작 등이 문제가 된 바 있어서 정부는 클린스포츠 통합콜 센터를 오픈하여 운영을 하고 있다.

따라서 건전한 스포츠문화의 조성으로 스포츠를 통한 바람직한 사회를 만들기 위해서는 스포츠참가자를 대상으로 한 스포츠윤리 교육이 필요하다.

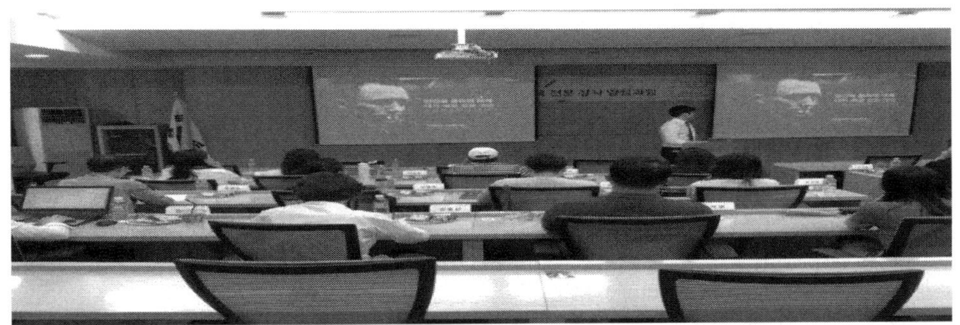

41. 2017년 정유년(丁酉年)에 스포츠계는 새롭게 태어났으면 좋겠다

올해 스포츠계는 '최순실 게이트'에 고개를 들지 못했다. 스포츠가 왜 정치에 좌지우지 되면서 휘청거려야 하는가? 그 신호탄은 작년 체육·스포츠 단체의 통합부터 시작되었다. 엘리트 스포츠를 맡은 대한체육회와 생활스포츠를 담당하는 국민생활체육회가 통합했지만, 양 단체의 통합 과정은 이해득실로 매끄럽지 못했다.

박근혜 정권의 소위 '비선 실세' 최순실 씨가 2018 평창 동계올림픽을 비롯 스포츠계 각종 이권 사업과 인사에 개입한 정황이 드러났다. 더욱이 최씨의 딸 정유라가 2014년 인천 아시안 게임국가대표 선발전에서 특혜 판정에 관여되었고, 정유라의 2020년 도쿄 올림픽 출전을 위해 대한승마협회 삼성을 통해 '맞춤 지원'을 추진하는 등 비리가 속속 터졌다. 이 과정에서 '스포츠계 대통령'으로 불렸던 김종 전 문화체육관광부 차관은 최순실의 사적 이익에 함께 동조하는 등 체육·스포츠 인들을 실망하고 비참하게 만들었다.

아일러니 하게도 김 전차관은 체육·스포츠 단체 통합을 주도하면서 체육·스포츠계에 만연된 각종 비리를 철폐하기 위해 '체육·스포츠계 4대악 척결'이라는 대책을 주도한 사람이었다. 이 과정에서 박근혜 태통령까지 나서게 하여 정직한 공직자의 목을 마음대로 치고 조이는 악역을 하게 만든 장본인이기도 하다.

한편, '마린보이' 박태환은 금지 약품 양성 반응으로 국제수영연맹(FINA) 징계를 마친 뒤 올림픽 출전을 고려했지만, '이중처벌' 성격의 규정을 내세운 대한체육회와 갈등을 빚다 결국 법원과 국제스포츠중재재판소(CAS)에 판단을 구한 끝에 간신히 리우 올림픽행에 몸을 실었다. 몸과 마음을 다친 박태환으로서는 새기는커녕 올림픽 예산 탈락이라는 쓴맛을 봤다. 뒤늦은 감은 있지만, 박태환은 전국체육대회, 아시아선수권대회에 출전해 건재를 과시했고, 쇼트 코스 세계선수권대회에서 3관왕에 올라 부활의 발판을 마련했다. 박태환선수가 도핑에 대한 구설수에 올라 마음고생은 했지만 죄 값(?)을 치르고 심신이 회복된 점을 찬사를 보냄과 동시에 많은 선수들에게 도핑에 대한 경각심을 불러일으키는 계기를 마련하였다..

또한 프로스포츠도 연이어 부끄러운 민낯을 드러냈다. 사상 최초로 800만 관중 시대를 연 KBO 리그에선 '승부조작'이 이어지며 팬들에게 실망감을 안겼으며,

해외 원정도박에 불법도박 사이트 개설, 음주운전 사건 등 스포츠맨십을 망각한 일탈행위가 끊이지 않았다. 게다가 메이저리거 강정호가 음주 운전으로 사고를 낸 뒤 도주하다 경찰에 붙잡히기까지 하는 등 있어서는 안 될 행동을 했다. 프로축구도 또다시 심판 홍역에 홍역을 앓았다. 심판 매수 사건이 연이어 터져 나왔다. 결국, K리그 전북 현대는 '승점 9 삭감' 솜방망이 징계를 받고 리그 우승까지 놓치는 씁쓸한 사건도 있었다.

모든 국민이 염원하는 가운데 세 번의 도전 끝에 유치한 2018 평창동계올림픽이 불과 1년 앞으로 다가왔지만 준비에 많은 차질을 빚고 있다. 올림픽을 통해 이권을 노리던 세력들의 농단으로 조직위원장이 교체되고 대기업들의 K스포츠재단 거액 출연 문제 등 '최순실 게이트'에 직격탄을 맞아 국가적 대사가 총체적 난국에 빠져 있는 것이다.

이렇게 철저하게 농락당하고 있는 체육·스포츠계를 알지도 못하면서 "스포츠 윤리교육이 보다 더 강화 되어야 한다"고 부르짖음과 "평창 동계올림픽은 효율적인 사후 대책과 배후 시설만이 성공한 올림픽이 될 수 있다"고 올림픽 푸어(Olympic Poor)를 걱정한 필자 기우(杞憂)는 초라함을 넘어 서글펴 통곡이라도 하고픈 마음이다.

올 연말은 유난히 쓸쓸한 마음을 넘어 참담함을 느낀다. 온 나라가 '최순실 게이트'로 패닉 상태에 빠져 있고 이 충격은 모든 이슈를 '블랙홀'처럼 빨아들여 국정이 마비될 지경이다.

2017년 정유년(丁酉年)에 스포츠계는 새롭게 태어났으면 좋겠다. 스포츠는 '페어플레이'를 강조한다. 정정당당히 자신의 실력으로 최정상에 오르는 것이 스포츠의 진정한 가치이다. 스포츠는 그 누구의 소유물이 아니다. 스포츠는 스포츠 그 자체로 생존해야 한다. 스포츠가 정치 수단에 이용된다면 한국 스포츠는 자멸하거나 퇴보할 뿐이다.[25]

42. 지금까지 학교 체육·스포츠 정책이 엘리트 스포츠의 기반 조성에 공헌한 부문은 인정해야 한다

1960년 5월 16일 사건을 계기로 우리나라 체육 · 스포츠는 일대 변혁을 가져 왔다. 군사 정부는 국민의 체력 증진 정책을 추진하고, 전국민에게 체육·스포츠의 중요성을 인식토록 하였다. 특히, 1962년 9월 17일 '국민의 체력을 증진하고 건전한 정신을 함양하며, 명랑한 사회생활을 영위함' 을 목적으로 하는 국민체육진흥법을 법률 제1146호로 제정 공포함으로써, 체육 발전의 획기적인 기틀을 마련했다. 이어서 국가 체육 정책 추진은 건민부국(健民富國)을 지향하고 있는 근대 선진 제국의 기본 정책과 맥을 같이 하면서 추진되어 왔으며, 1960~1970년대 우리나라는 '체력을 국력이다' 라는 구호아래 건민체육(健民體育)으로 국가 발전의 토대를 마련한 것은 주지의 사실이다.

이와 같이 제3, 4공화국으로 이어지는 동안 정부는 국위 선양을 위한 우수 선수 양성은 물론 국민 체육정책에도 노력을 기울려 괄목할 만한 성과를 이룩하였다.

특히 우리들이 제 3, 4공화국(1963~1980)에서 주목해야 할 내용은 전국 소년스포츠 대회를 개최하여 엘리트 선수 양성에 기반을 조성한 점과 대통령 이름을 딴 축구대회 등을 통하여 국가에 대한 애국심을 함양했으며, 각 시, 도별 각종 체육대회를 활성화시켜 체육 · 스포츠 발전에 새로운 전기를 마련했다는 사실이다.

1972년 5월 '몸도 튼튼, 마음도 튼튼, 나라도 튼튼' 이라는 표어아래 제1회 전국 소년스포츠대회를 서울에서 개최함으로써 많은 꿈나무 선수들을 배출하였다. 1986년 서울 하계 아시아경기대회, 1988년 서울 하계 올림픽경기대회의 주역은 물론 그 당시를 출발점으로 지금까지 다수 엘리트 스포츠선수로 성장해 가면서 1982년, 1990년, 1994년, 1998년, 2002년, 2006년, 2010년, 2014년 하계 아시아경기대회, 그리고 1984년, 1992년, 1996년, 2000년, 2004년, 2008년, 2012년 하계 올림픽경기에 참가했다. 또한 2018년 하계 아시아경기대회, 그리고 2016년 하계 올림픽경기에 선수로서 뿐만 아니라, 여러 분야에서 참가하게 될 것이다. 물론 시 · 도간의 과열 경쟁과 체육교육 정상화의 저해, 학교 스포츠선수 인권 문제 등의 역기능도 있었지만, 1~2만불 시대인 때에 그러한 학교 체육·스포츠 정책이 엘리트 스포츠의 기반 조성을 위한 공헌과 대한민국 위상을 세계에 알림으로 인해 발생된 시너지 효과는 인정해야 할 것이다.

미래 체육 정책의 이해를 돕기 위해 제1회 소년스포츠대회의 중3 선수를 기준으로 엘리트 스포츠와 관련해서 보다 더 구체적으로 정리해 볼 필요가 있다.

1972년 제1회 전국 소년스포츠대회 참가한 학생을 기준으로 살펴보면, 그 당시 참가 선수 연령을 14세~15세로 본다면, 1982년 아시아 하계경기대회 때 참가한 연령은 24세~25세, 1986년 서울 아시아 하계경기대회 때 참가한 연령은 28세~29세 였으며, 1984년 하계 올림픽대회 때 참가한 연령은 26세~27세, 1988년 서울 하계 올림픽대회 때 참가한 연령은 30세~31세로 추정할 수 있다. 따라서 제1회 선수부터 제5회까지 선수들이 1986년 서울 아시아 하계경기대회와 1988년 서울 하계올림픽대회에 출전했을 확률이 높다고 볼 수 있다.

또한, 종목마다 차이는 있지만 지도자의 연령을 추정해 보면, 1986년 서울 아시아 하계경기대회와 1988년 서울 하계올림픽대회 당시 45세~55세로, 지금은 69세~79세로 추산할 수 있다. 또한, 제1회 소년 스포츠대회 출전 선수 연령은 현재 52세~53세 정도로, 전국 소년스포츠대회 출신 40세~50세 지도자가 2012년, 2016년 하계올림픽대회와 2014년, 2018년 아시아 하계경기대회에 우리 대표 팀을 이끌 공산이 크다. 이와 같이 조기의 우수 선수 육성이 30년 후 아시아는 물론 세계 대회 출전 선수의 지도자 양성을 위한 밑거름이 된다는 것을 보여주는 사례라고 볼 수 있다.

이러한 과정을 통해서 많은 엘리트 선수 양성하고, 세계 각종 대회에 출전하여 우수한 성적으로 입상함으로써 한국을 세계에 알렸을 뿐만 아니라, 그 시대의 선수가 지도자로서의 기반을 조성 등 성장과 발전의 이중적 효과를 얻게 되었다. 이것이 압축적이고, 비약적으로 스포츠를 성장시켜 왔다 하더라도 국가 발전의 공헌으로 받아 들여야 한다고 본다.

43. 스포츠 탈사회화에 따른 정체성 혼란을 어떻게 극복할 것인가

그동안 학교스포츠는 학생 운동 선수들이 가지고 있는 기본적인 권리를 도외시한 채 승리만을 최우선 가치로 여기며 다소 기형적인 형태로 발전을 지속해 왔다. 하지만 최근에는 학생 선수들의 인권에 대한 관심이 지속적으로 증가하면서 학생 선수의 인권 침해 문제에 대한 심각성을 인식하게 되었으며 이를 개선하기 위해 체육학계, 정부 주무부처, 각 경기단체 등에서는 지속적 노력을 기울여 왔다. 그 예로 교육부와 문화체육관광부에서는 공부하는 학생선수 육성을 위한 학생선수 학습권 보장 제도를 도입하고자 '선진형 학교운동부 운영 시스템 구축'을 위한 입안을 마련하여 실행하고 있다. 또한 체육인재육성재단에서는 '공부하는 학생 선수'보다 한 걸음 더 나아가 '전인적 학생선수' 육성을 위한 통합 지원 센터를 운영하고 있다.

이처럼 학생선수의 인권에 대한 사회적 의식은 점점 성숙되고 관련 기관의 정책도 활성화되고 있는 단계에 있지만 그 관심은 운동선수의 폭력·성폭력, 학습권으로 다소 국한되어 있는 것이 사실이다. 하지만 절대 간과할 수 없는 사실은 현재 우리나라가 가지고 있는 기형적인 전문체육 육성시스템에서 학생선수들은 자신의 진로에 대해 자유롭게 선택할 수 없는 구조적인 환경에 놓여 있다는 점이다. 더군다나 대부분의 학생선수들은 자신의 경기력에 대한 평가가 자신의 진로를 보장해 줄 수 있을 것으로 믿고 있는 경향이 있는데, 이는 운동선수로서의 미래를 보여줄 수 있을지는 몰라도 향후 은퇴 이후의 진로에 대해 아무런 비전을 제시해 주지는 못한다. 때문에 학교 엘리트스포츠에 참여하는 학생선수들이 자신의 진로를 고민하고 개척할 수 있는 능력을 향상시켜 주어야 할 필요가 있다.

이러한 필요성 때문에 현재 대한체육회, 각 경기단체 등에서는 소극적으로나마 학생들의 진로에 대한 교육을 실시하고 있지만 학생선수들이 가지고 있는 다양한 배경 요인들을 고려하지 못한 채 진로교육이 이루어지고 있어 그에 대한 실효성은 다소 떨어지고 있는 것으로 판단된다. 즉, 학교 엘리트스포츠 체제 안에서 시행되고 있는 학생 운동선수 대상의 진로교육은 개인이 가지고 있는 목표의식 등과 같은 개인적 배경을 고려하여 이루어졌다기보다는 다소 형식적인 수준에서 통합적인 형태로 교육이 이루어지고 있다고 볼 수 있다.

특히, 다양한 진로를 탐색하고 은퇴 후 진로에 대해 많은 고민을 해야 할 시기에 있는 대학 운동선수들과 대학 선택이라는 기로에 놓여 있는 고등학생들은 이러한 진로교육의 실질적 대상이 되어 있지 못하다. 상당수의 우리나라 대학 운동선수들은 학생 신분임에도 불구하고 정규 대학 교육에서 구조적으로 배제되고 있는 경우가 빈번하게 발생하고 있을 뿐만 아니라, 학업과 운동 사이에서 심각한 갈등을 경험하고 있다. 더욱이 이들은 대학생으로서의 생활도 하고 있지만 운동선수로서의 정체성을 더욱 강하게 가지고 있기 때문에 운동에 더 많은 시간을 투자하게 되면서 진로교육을 포함한 대학에서 제공하는 교육 서비스의 대상에서 배제되고 있다. 이 때문에 대학 운동선수들은 운동선수로서의 성취나 경기력 향상에 대한 목표의식을 가지고 있을 뿐 은퇴 후 개인의 미래 진로 개발에 대한 준비는 상대적으로 간과(看過)하고 있다. 학창시절을 학업과 단절되어 운동에만 집중했던 대학 운동선수는 미처 사회에 적응할 준비도 하지 못한 채 스포츠 탈사회화 과정을 겪게 되며 이로 인한 심각한 정체성 혼란을 경험하기도 한다.

사람이 새로운 사회에 적응하기 위하여 기존 사회에서 배운 내용을 버리는 과정을 탈사회화라고 한다. 탈사회화는 재사회화 과정과 동시에 나타나기도 한다. 이때 탈사회화는 주로 재사회화의 앞선 단계로 나타난다. 재사회화를 위해서는 이전의 사회화 과정에서 학습한 모든 것을 잊어버리고 백지화하는 단계가 먼저 이루어져야 하기 때문이다.

이와 같은 현상은 대학생뿐만 아니라 대학 또는 팀에 대한 선택을 앞두고 자신의 미래 진로에 대한 결정을 하는 고등학생도 마찬가지이다. 따라서 현재의 대학 운동선수들이 스포츠 탈사회화 과정을 경험하는 시점, 즉 운동선수로서의 은퇴, 또는 학생 운동선수에서 일반 학생으로 전환되는 시점에서 야기될 수 있는 어려움과 그로 인해 발생할 수 있는 사회문제를 고려했을 때, 대학생 선수들과 고등학생 선수들의 은퇴 후 진로 개발에 대한 문제는 정책적 차원에서 그 해결책에 대한 논의를 지속할 필요가 있다.[26]

44. 올림픽 문화와 2018 평창동계올림픽의 정체성

올림픽이 갖는 가치는 올림픽 헌장에 제시되어 있는 것처럼 인류의 평화와 화합이라는 사상적인 측면에서 찾을 수도 있지만, 매 대회를 거듭하면서 점차 정치적, 경제적 측면과 함께 개최국의 문화 정체성이 부각되어 왔다는 사실은 간과할 수 없다.

근대올림픽은 1896년 아테네에서 제1회 대회를 시작한 후, 지난 세기동안 서방국과 자본국에 밀려 정치, 경제, 문화적 자존심을 재건하지 못하고 무시당해 온 중국이 2008년 베이징올림픽을 통해 중화주의의 부활을 알렸고, 영국은 2012년 런던올림픽을 통해 문화 올림픽을 표방하며 근대 산업과 문화의 범세계적 이식을 주도해 왔다는 대영제국의 자존심을 되찾게 되었다고 평가할 수 있다. 2016년 116년 만에 처음으로 남미에서 열린 리우데자네이루 올림픽은 '열정적으로 살자(Live your passion)' 는 슬로건으로 브라질의 이미지에 걸맞게 화려하면서도 다채롭게 마무리되었다.

1988년 서울올림픽은 한국사회의 근대화 및 민주화와 함께 올림픽운동을 성공적으로 확산시킨 대회였다고 평가할 수 있으며, 국제사회에 개발도상국으로서의 위상을 심었고 동서 냉전의 열기를 식히는 데에 기여했다고 볼 수 있다. 한국은 또한 다양한 메가 스포츠 이벤트를 통해 전 세계에 한국 문화의 우수성과 발전상을 표출해 왔으며, 2018년에는 전 세계인이 한국에서의 성공적인 개최를 통해 궁극적인 한반도의 통일과 평화를 이루기를 기대하는 평창동계올림픽 개최를 앞두고 있다.

한 집단의 문화가 집약되어 있는 만큼 올림픽에는 다양한 상징적 의미를 내포하고 있다. 해당 국가나 민족의 특징적인 이데올로기는 물론 과학기술의 발전을 드러내며 정치, 경제적 성장을 나타내기도 한다. 하지만 가장 주목해야 할 점은 대부분의 올림픽에는 해당 국가와 민족의 역사와 문화가 표현되어 있으며 이를 통해 자국의 문화적 정체성이 표출되고 있다는 것이다. 민족 정체성은 신화와 유물 등의 공통적 문화유산에 의해 형성된다고 한다. 그리고 국가의 정체성은 국민들의 일상생활에서 광범위하게 도출되는 공통된 유형무형의 것들에 의해 형성된다고 볼 수 있다.

올림픽은 역사를 통해서도 잘 드러나듯 고대 그리스와 로마를 지나 근대 유럽과 미국을 거쳐 현대적 발달과 꾸준한 성장을 거듭해 온 동아시아 등 대부분의 국가에서 정치적 목적이나 성향에서 벗어나 본 경우가 거의 없다. 올림픽이 이렇듯 고대로부터 정치적 파워게임이나 시대적 사상을 드러내는 도구로 존재했다는 것에 대부분 동의하는 바와 같이, 2차 세계대전 이후 뚜렷한 성장을 이루지 못한 국가에 자국의 정체성을 어떤 방법으로라도 보여주고자 했던 시기에 매우 강력한 국가 이미지와 정체성을 홍보하는 도구로 여겨졌던 것이 사실이다. 또한 올림픽은 타 산업이나 문화에 비해 막대한 투자가 필요한 분야인 동시에 개최 효과에 대한 과장된 기대가 있어 경제적 적자의 위험 요소가 있는 것도 사실이다. 그러나 그 긍정적인 효과는 대체로 지속 가능성이 높은 것으로 인식되어 왔기에 올림픽 개최의 파급 효과에 대한 긍정적 인식의 저변이 확대되어 전 인류의 꾸준한 관심의 대상이 되어 온 상징적이며 집약적인 문화 활동으로 자리매김한 것이다.

2018 평창동계올림픽 유치를 위한 다양한 전략 중 중요한 개념 또한 대회 개최를 통해 한반도 평화 정착과 궁극적으로 통일에 기여할 수 있는 역사적 전기를 마련한다는 것이었다. 따라서 평창동계올림픽을 통한 한민족의 전통적 정체성을 회복하고 나아가 이러한 문화의 동질성을 기반으로 새로운 한민족 문화 정체성을 생성해 나갈 수 있을 것으로 기대하고 있다.

결국 올림픽은 개최 당시의 시대의 문화적 환경과 특징을 고스란히 표출하는 문화사회의 집약적 활동으로 규정할 수 있다는 점에서 각 문화사회는 민족 고유의 전통성 회복, 민족적, 국가적 자긍심 회복, 새로운 정체성 형성 등의 관점에서 올림픽을 간절히 활용할 수 있을 것이다. 이러한 과정을 통해 인류의 문화 정체성을 더욱 풍부하게 할 수 있을 것이다.[27]

45. 유아 교육 신체활동이 놀이성과 창의성에 미치는 영향이 크다

과연 가장 효과적인 교육의 시기가 언제인지에 대한 질문은 과거나 현재 또는 미래에서도 그 대답을 찾기가 쉬운 문제는 아닐 것이다. 그러나 많은 교육학자들은 유아 시절 경험하고 학습하는 것들이 성장기 두뇌 발달에 효과적일 수 있다는 견해에 대해서는 그다지 많은 이의를 제기하지 않는다.

유아 시절 경험과 학습은 주로 놀이를 통해서 얻어질 수 있으며, 놀이는 신체의 움직임을 기본으로 하기 때문에 신체발달에 또한 영향을 미칠 수 있다. 유아 시절의 신체 발달과 심리적 발달은 밀접한 관계에 놓여 있는데, 그 이유는 유아는 놀이를 통해 자신의 감정을 표현하는 방법을 배우고 자신의 욕구를 충족시키면서 정서적 안정감과 성취감을 가질 수 있기 때문이다.

특히 유아교육 환경은 유아들에게 새로운 사회적 환경을 경험하게 만들고 그 속에서 점차 사회적 인간으로 변해가는 기본 개념과 관계를 배우게 된다. 이와 같이 사회적 적응력이 뛰어난 유아는 다른 또래들과 더 성공적으로 상호작용하기 때문에 인기가 많은 아이로 주변 친구들에게 인식이 되어 유아 스스로 행복감과 만족감을 느낄 수 있다. 그러나 그렇지 못한 유아들은 그 집단 속에서 또래들에게 거부당하거나, 외로움을 느껴 분노적 행동을 표출하기도 한다.

유아들의 생활은 놀이가 전부라고 할 수 있다. 이 말은 놀면서 성장하고 배우기 때문에 놀이 자체는 유아들의 삶 그 자체를 대변한다. 즉, 자신을 표현하고 배우는 가장 자연스러우면서도 효율적 교육 방식 가운데 하나가 놀이인 것이다. 유아가 놀이 속에서 얻는 경험을 능동적으로 만들어 가고 적응해 가는 과정에서 가장 자연스럽게 나타나는 행동 중의 하나가 놀이라고 정의할 수 있다.

유아는 놀이를 통해 신체적으로 건강을 유지 또는 증진시키고, 자신의 생각과 느낌을 표현하며, 이를 통해 또래와 사회적 관계 형성을 하며, 자신 및 주변 환경과 자연스럽게 적응할 수 있게 된다. 즉 유아에게 있어서 놀이는 새롭게 만들어지는 다양한 활동과 적응 속에서 자신과 타인의 정서를 인식하고 조절할 수 있는 경험의 장으로서 가치가 있다고 할 수 있다.

유아들마다 서로 다르게 나타나는 놀이 행동에 대해 놀이성이란 개념으로 설명해 보면, 놀이성이란 유아가 놀이를 할 수 있게 하는 잠재적 요인 또는 성향으로,

비교적 안정되고 내적인 성격적 특성이 있다. 놀이성이 즐거움을 더하기 위해 자신의 활동을 재미있는 활동으로 생각하거나 또는 그런 활동에 참여하는 성향이나 태도라고 정의하고 있다.

특히, 유아기는 상상력을 통한 창의력 발달이 가장 활발한 시기라 볼 때, 유아의 창의성을 신장시킬 수 있는 교육 중 한 가지는 일상생활 속에서 놀이 중심으로 이루어지는 것이다. 유아들이 놀이를 통해서 창의성을 발달시키는 이유는 자신과 외부 환경과의 관계 속에서 배우고 새로운 행동 양식을 경험하거나 새롭게 시도해 봄으로서 자신의 다양한 사상을 표현하고 느껴가는 과정과 문제점들을 해결하고 만들어가는 다양한 경험들을 갖기 때문이다.

창의성(initiativeness, 創意性)은 전통적인 사고방식에서 벗어나 새롭고 독창적인 것을 만들어 내는 능력이다.

1950년대 말과 1960년 초 미국의 심리학자인 길퍼드(Guilford)는 그의 저서(교육의 함축과 창조적인 지식)에서, 경험적 창의성과 이론적 창의성을 연구했는데, 창의성 요인에는 여덟 가지가 있다고 했으며, 신세호는 그의 논문에서, 창의성은 그 자체가 지적 능력이 아니라 문제에 임하는 개인적인 태도이며, 그것은 주어진 문제를 해결해 나가는 데 있어서 개인과 환경의 상호작용 속에서 보이는 자기표현의 과정이다고 한 바 있다.

창의성이 자유로운 사고 속에서 기존의 틀에 구속되지 않는 것이라 본다면, 놀이는 형식적이지 않으며, 자발적 행동이기 때문에 놀이는 결국 창의성 발달에 중요한 요인 가운데 하나라 가정할 수 있는 것이다.

이와 같은 개념에서, 유아의 놀이는 창의성의 초기 형태라 할 수 있으며, 놀이를 통해 유아들은 자발적인 행동과 새로운 환경에 모험적으로 도전하고 이를 즐기기 때문에 놀이는 단순하게 사실을 그대로 만들어 내기보다는 새로운 사실 속에서 과거의 경험을 재창조시키기 때문에 창의적이라 할 수 있을 것이다.[28]

46. 태권도의 활성화 정책이 시급한 시점에 와 있다

태권도는 1962년 대한체육회 가맹 경기단체가 됨으로서 본격적인 경기화가 시작되었다. 국제적으로는 월남전을 계기로 태권도가 해외 120여 개국에 알려지면서 민간 외교와 국위 선양에 이바지하고 있는 등 한국의 태권도 정신을 전 세계에 심어 왔다.

'국기 태권도' 라는 공식 명칭 내지 기록은 1971년 3월 20일 박정희 대통령이 친필휘호를 대한태권도협회에 하사하면서 시작되었다. 이 휘호의 복사본은 태권도 용품을 취급하는 가게에서 유행처럼 팔려나갔다. 이후 태권도 종주국 중앙도장 개념으로 서울 역삼동에 건립된 건물을 '국기원' 이라고 칭하면서 자연스럽게 한국의 국기는 '태권도' 라는 인식이 심어지게 되었다. 한국 정신문화연구원에서 펴낸 '한국민족문화대백과사전 23' 을 보면, "1971년 태권도의 우수성과 가치를 인정받아 국기로 인정받았다" 라고 되어 있다.

1986년 서울 아시아경기대회에서 정식 종목으로 채택되었고, 1988년 서울 올림픽대회와 1992년 바르셀로나 올림픽대회, 그리고 1996년 애틀랜타 올림픽대회에서는 시범 종목으로 선정되었으며, 2000년 제27회 시드니 올림픽대회에서는 정식 종목으로 채택되어 세계 속의 태권도로 자리 잡게 되었다.

이와 같이 태권도는 우리 민족의 무도에 대한 가치와 우수성을 전 세계에 알릴 수 있는 계기를 마련하였으며, 2004년 그리스 올림픽대회와 2008년 북경올림픽대회는 물론이고 2012년 런던올림픽대회에서는 퇴출 고비를 넘기면서, 2016년 리우데자네이루 올림픽대회를 마치고, 2020년 도쿄올림픽대회까지도 이어지게 되었다.

한편, 2000년부터 문화체육관광부는 한국을 대표하는 10대 문화 상징으로 한복, 한글, 김치, 태권도, 불고기, 불국사, 석굴암, 고려인삼, 탈춤, 종묘제례악 등을 선정하여 세계 속의 한국을 알리는 노력을 하고 있다. 이 중에서 태권도가 한국을 대표하는 문화 상징으로 선정된 점은 높이 살만한 일이지만 그 이면에 부족한 것이 많이 있는 것이 지금의 현실이다.

태권도는 우리나라의 고유 무술로서 올림픽 정식 종목으로 채택되어 세계적인 스포츠로 자리매김하였다. 또한 엘리트스포츠 종목으로서의 스포츠뿐만 아니라 생활체육 가운데서도 태권도는 세계적으로 널리 그 기능을 발휘하고 있다.

하지만 해외에 태권도 도장들이 점진적으로 세계 시장을 넓힌 것과는 대조적으로 국내 태권도 시장은 내부적 경쟁력을 잃고 있다. 태권도장은 하나 둘씩 문을 닫고 있는 실정이다. 따라서 우리 국기(國技) 태권도의 활성화 정책이 시급한 시점에 와 있다. 태권도에 있어 무도적 수련을 제외한 경기를 위한 수련 형태는 국제 스포츠화에 따른 스포츠적 승리 위주의 수련 방식과 경기 규칙의 새로운 개발과 제정 등 후기산업사회의 가치관 변화에 따라 이뤄지는 신체문화와 스포츠의 문명과정의 한 형태로서 일반적인 스포츠 형식과 형태로 변화되고 있는 실정이다.

오늘날 세계적인 스포츠로 성장한 우리의 태권도는 크게 신체적인 능력과 정신적인 능력이 서로 밀접하게 상호작용하는 스포츠 중의 하나로 아이들만 하는 운동이 아니라 남녀노소 누구나 쉽게 배울 수 있다. 그러나 '재미없는 경기'로 위기를 맞고 있는 태권도가 돌파구를 찾기 위해 프로화로 눈을 돌릴 필요가 있다.

강준호 서울대 교수는 국회문화정책포럼주최로 열린 '스포츠콘텐츠로서의 태권도 개발을 위한 공청회'에서 태권도가 재미있는 경기를 유도할 수 있는 룰을 보완한다면 프로화가 가능할 것이라고 전망했다. 강교수는 "세계적 저변을 갖고 있는 태권도가 해외 시장을 적극 공략한다면 충분히 스포츠 한류의 주역이 될 수 있다"고 주장하면서 "프로 태권도의 해외 진출은 국내 스포츠 사상 최초의 스포츠콘텐츠 수출로 스포츠 산업 활성화를 가져올 것"이라고 기대했다.

47. 스포츠와 도덕적 덕(德)의 본성은

스포츠는 경쟁을 수반하는 신체활동이다. 이러한 경쟁 속에서 승리를 위해 선수들은 힘든 훈련을 인내하고, 자기 자신과의 싸움을 마다하지 않는다. 그리고 경쟁에 임한 선수들은 그동안 갈고 닦았던 자신들의 기량을 선보이기 위해 저마다 최선을 다한다. 뜨거운 경쟁이 전제가 되는 스포츠 현장, 그리고 그 경쟁의 열기를 완화시켜 주는 경기 규칙, 여기에 더불어 스포츠맨십과 페어플레이를 실천하고자 하는 선수들의 노력은 경기규칙과 조화 속에서 하나의 미덕으로 간주되어 왔다.

만약 경기규칙이 존재함에도 불구하고 선수들이 그것을 준수하지 않는다면, 혹은 정정당당함 대신에 비윤리적인 방법을 통해 승리하고자 한다면 과연 스포츠가 오늘날과 같은 대중들의 지지를 받을 수 있을까? 오래 전부터 우리는 스포츠맨십이나 페어플레이와 같은 스포츠정신을 운동선수가 지녀야 할 하나의 부수적 요소로 간주해 왔다. 그래서일까? 우리는 선수들이 스포츠맨십을 발휘하여 경기에 임할 것을 암묵적으로 기대한다. 그리하여 우리는 선수들이 지닌 기술의 탁월성뿐만 아니라 경기규칙의 준수를 통해 일궈낸 승리에 더 큰 박수를 보낸다.

그렇다면 경기에 참가하는 선수라면 누구나 다 스포츠맨십을 발휘하는 것일까? 물론 그렇지 않다. 그렇다면 스포츠맨십을 지닌 선수와 그렇지 못한 선수는 어떻게 해석되어지는가? 보편적으로 우리는 그 양자 간의 차이를 도덕성의 유무로 판단해 왔다. 만약 도덕성의 요소가 중요한 변인이 된다면 과연 도덕성은 어떻게 형성되는 것일까? 그것은 인간이 태어날 때부터 지니게 되는 본성적인 것인가? 혹은 교육에 의해 이루어지는 후천적인 것인가? 이러한 의문에서 이 글이 시작되었다.

그동안 우리는 정정당당하게 경기에 임해야 한다는 사실은 너무나도 당연하게 받아 들여왔다. 그러나 사실 스포츠맨십이나 페어플레이와 같은 스포츠정신은 스포츠를 구성하는 필수조건이 아니다.

달리 말해, 경기에 참가한 선수가 반드시 스포츠맨십을 발휘해야 할 필요는 없다는 것이다. 그렇지만 우리가 스포츠 정신을 보존·발전시켜야 하는 것은 스포츠사회의 질서 유지를 위한 일뿐만 아니라 스포츠가 지닌 가치를 발현시키기 위해 최선의 노력일 것이다.

인간이 지닌 신체적·정신적 탁월함뿐만 아니라 도덕성까지도 선보일 수 있는 스포츠, 그럼에도 불구하고 비윤리적인 방법들이 동원되는 현대스포츠의 문제점을 통해 우리는 스포츠맨십과 같은 스포츠 행위자가 지녀야 할 도덕성에 관심을 가져 볼 필요가 있다.

스포츠경기에 있어서 스포츠맨십이나 페어플레이 정신은 스포츠사회의 질서를 유지하는 대표적인 도덕적 덕이다. 그러나 이러한 도덕적 덕은 경기에 참가하는 선수가 반드시 준수해야 될 절대적인 성격을 지니는 것이 아닌 듯하다. 승리를 향한 과정보다는 결과를 중시하는 오늘날 스포츠 현장은 도덕성의 필요가 요구되어지고 있음에도 불구하고 실제적으로는 도덕적으로 불일치되는 모습으로 상성(喪性)하기 때문이다.

고대 그리스의 철학자 아리스토텔레스(Aristoteles)는 덕을 지적인 덕과 도덕적인 덕으로 구분하고, 도덕적인 덕은 본성적인 것이 아니라 습관을 통해 완전한 것이 된다고 보았다. 또한 도덕성을 습관화하기 위해서는 개인의 노력에 의한 반복의 중요성을 강조하였다.

따라서 도덕성을 형성하기 위해서는 유덕한 행위가 선수들 개개인에게 습관화되어야 하고, 그 습관은 선수가 몸소 실천하는 반복의 과정을 통해 이루어지는 것이다.

48. 스포츠 선진국으로 나아가는 길을 찾아서

오늘날 스포츠는 우리들에게 무엇인가, 우리가 너무 가까이 보면서 접하고 있는 스포츠에 대해 이 같은 물음을 던지는 것이 매우 새삼스럽다. 대다수의 사람들의 생각은 그저 보고 즐기는 여가활동의 일부 정도라고 답할 것이다. 과연 그러한가?

하지만 국민들의 자부심을 키우고 자신감을 불어넣는데 스포츠만한 것이 있을까. 동・하계올림픽과 각종 국제대회에서 보여준 경쟁력, 올림픽과 월드컵을 개최하면서 얻은 운영 노하우는 물론 일상생활에 깊이 파고든 스포츠는 문화 그 자체가 돼 버렸다.

브라질 리우데자네이루 개최된 하계올림픽대회는, 2016년 8월 5일부터 21까지 17일 동안 열전 끝에 끝나고 수많은 선수 관객 등 70억 세계인이 보는 가운데 삼바 춤으로 화려한 폐막식을 가졌다.

국가별 획득한 메달을 살펴보면 미국 1위(금메달 43개・은메달 37・동메달 36, 총116개), 영국 2위(금메달 27・은메달 22・동메달 17, 총76개), 중국 3위 (금메달 26・은메달 18・동메달 26, 총70개), 러시아 4위, 독일 5위, 일본 6위, 프랑스 7위 다음으로 우리나라는 8위(금메달 9・은메달 3・동메달 9, 총21개)를 하여 4회 연속 10위권의 위치하고 있는 국가가 되었다.

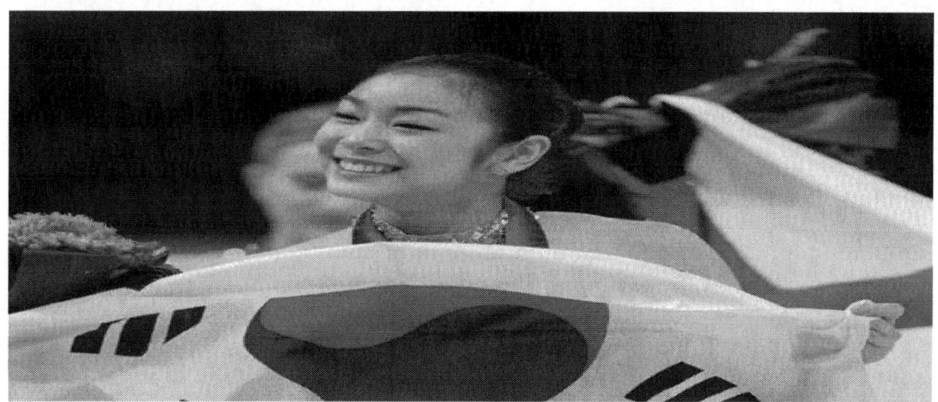

리우데자네이루 하계올림픽에서 금메달 10개 종합순위 10위 내인 소위 10-10을 목표로 했던 한국은 기대했던 종목의 부진으로 금 9개, 은 3개, 동 9개를 획득하면서 종합순위에서 8위를 달성해 절반의 성공은 거뒀다고 할 수 있지만 정부 차원의 엘리트스포츠에 대한 지속적인 지원이 절실한 것으로 지적받았다.

일본은 금메달 12개, 은메달 8개, 동메달 21개를 따내면서 6위에 올랐는데, 전문 스포츠선수를 키우는 엘리트스포츠에 투자해 온 결과였고, 영국도 금메달 27개, 은메달 23개, 동메달 7개를 따내면서 중국을 제치고 2위에 올라 괄목할만한 성과로 주목을 받았다. 이런 사례를 반면교사로 삼아 새롭고 장기적인 투자 육성 계획이 필요하다고 입을 모은다. 특히 기초부터 튼튼히 다져야 할 것이다. 전국소년 스포츠대회는 여러 가지 문제점이 드러나 시들해졌다. 운영상의 문제점을 보완하여 새롭게 태어나 관심을 높여야 한다.

전국체전으로 눈을 돌려보자. 전국체육대회는 우리나라 아마추어선수들의 최고를 향한 도전의 무대로 국가대표선수들도 고향이나 소속지역의 대표로 참가하고 매년 새로운 기록도 세워진다. 우리나라가 국제적 위상을 높이고 스포츠선진국으로 발돋움하게 된 것도 바로 전국체전 덕분이다.

전국체육대회는 각 시·도의 결실을 맺는 중요한 무대인만큼 금년에도 순위 향상을 목표로 동계 강화 훈련에 여념이 없다. 지난 추석 연휴 때도 올 설 연휴도 훈련장에서 보낸 그들이다. 그들에게 목표를 물어보면 “당장은 각종 종목별 대회와 전국체전이지만, 앞으로 국가대표로 올림픽 무대에 서는 것” 이라고 늘 그들은 말한다.

엘리트스포츠는 우수한 경기력을 가진 선수를 국위 선양을 위해 키우는 시스템이다. 이게 무너지면 우리 선수들이 우리나라에서, 나아가 국제무대에서 빛나는 성과를 올릴 기회가 사라지는 것이다. 교육부는 물론 아울러 시·도교육청에서는 조기에 선수를 선발하여 학교 엘리트스포츠를 활성화해야 한다. 선진국가의 계획과 투자를 참고하여 선수 육성 시스템을 재점검하여 우리의 현실에 맞는 치밀한 전략과 지속적인 투자를 해야 한다.

또한, 지역별로 엘리트 스포츠선수들에게 희망을 줄 수 있도록 꿈나무선수 발굴과 학교에서부터 실업팀으로 이어지는 체계적 육성 시스템이 마련돼야 하고, 자치단체와 기업, 주민들의 체육에 대한 관심과 지원이 뒤따라야 한다.[29]

49. 태권도 수련의 윤리적 가치는 터득(攄得)과 체득(體得)이다

옛날부터 인간은 공동체적 삶 속에서 자아를 실현하면서 존재해 왔다. 우리는 도덕적 인간을 육성할 수 있는 공동체의 환경을 창출하기 위해 유기체적 조직을 이루며 목표나 삶을 고유(告諭)하고 살고 있다.

우리의 삶이 경과하고 있는 생활 세계는 예외 없이 독특한 언어 공동체이고, 특정한 종교, 법률, 지식, 예술, 정치 체제, 경제적 등 여러 제도 등이 내재하며 시간적, 공간적으로 한정되어 역사적이며 구체적이다. 이러한 생활 세계에서 고도의 지능을 가질 수 있었던 인류의 출현과 함께 진화 과정 속에서 사유들이 존재하며 인간이 남겨 놓은 윤리적 행위들이 바로 진화의 산물이라 할 수 있다.

무의식적으로 진행되어 왔던 원시적 시대부터의 윤리는 인간만이 가진 본연의 특별함이며, 자연스레 마음으로 깨달은 터득으로서 몸의 실천적 행동인 체득의 형성으로 이루어져 왔다. 아무리 옳은 것이 무엇인가를 알아도 그것을 실천하지 않으면 윤리행위가 될 수 없듯이 이는 본래 윤리라는 것을 알고 있어서가 아니라 공동체적 생활 속에서 자연스럽게 나오는 실천적 윤리 행위 즉 체득으로 귀결되어 진화되어 왔다.

원초적인 존재 질서에 뿌리내려온 인간의 윤리는 근대 사회로 이행하면서 크게 변화하여 본연의 의미는 무너져가고 있다. 사회현상과 과학의 다양한 지식이 등장하고 있지만 정치, 경제, 사회 등 각 분야에서 시사가 되는 비윤리적 행위는 끊임없이 나타나고 있음을 우리는 잘 알고 있다.

대표적으로 잘 알려져 있는 표현들을 빌리자면, 기본 도덕이 지켜지지 않아 미풍양속이 사라져 가는 사회, 그릇된 가치관이 만연한 사회, 연고 우선주의 사회, 사회 조건을 이익에 연결시키는 이기주의 사회, 분배적 정의가 없는 빈부의 격차, 과소비 형태가 만연한 사회, 상업화 과정에서 환경이 파괴되어가고 있는 사회 등등의 표현이 그것이다.

이처럼 우리 사회의 여러 비윤리적인 상황들은 공동체 윤리 의식이 상실된 사회로 볼 수 있으며, 이러한 현상들은 현재까지도 원리 원칙이 무시된 채 고질적인 문제로 남아 있고 공동체 사회의 비윤리적 문제들이 적나라하게 드러나고 있는 현실이다.

비윤리적 문제들을 비판하고 지적하는 소리는 어느 곳에서든 들리어 오지만 적절한 대안 없이 비판에 머물고 있는 실정이다. 현실을 직시할 때 비윤리적 문제는 바로 인간 존재의 문제라고 볼 수 있다. 우리는 비윤리적 행위를 정확하게 직시할 수 있는 안목을 키워야 하며, 그에 따른 문제의식이 필요할 것이다. 또한 근본이 되는 사상을 바로잡기 위해 덕과 윤리를 존재만 알고 이해하는 문제보다는 인식하여 실천적인 의미로 보아야 보다 진실성 있는 사회를 향유할 수 있을 것이다.

이와 관련하여 태권도 수련의 윤리는 기예를 통해 자기 자신의 정신을 닦으며 습관처럼 자신을 인식할 수 있도록 하는 것이다. 그렇게 되어야 비로소 터득(攄得)의 단계인 '도(道)' 를 깨닫게 되며, 자연스럽게 자신을 인식할 수 있을 때 비로소 체득(體得)의 단계인 신체적인 능력으로서의 발현을 거듭할 수 있다.

또한 태권도 수련에서 윤리의 체득(體得) 단계인 '덕(德)' 습관이 가능해 지면서 올바른 정신적 능력을 향상시키게 된다. 이는 곧 올바른 윤리 가치관을 지니게 되며 상황에 적절한 윤리 행위를 정의할 수 있다. 그리고 터득(攄得)과 체득(體得)의 습득이 가능해졌을 때 공동체 사회에서 올바른 윤리 행위를 인식할 수 있게 되며 상황에 적합한 행동을 취할 수 있게 된다.

인간의 본질은 윤리적인 가치와도 연관이 있다. 인간은 도덕적인 판단을 내리고 윤리적인 행동을 취할 수 있는 능력을 갖추고 있다. 이는 인간이 사회적으로 상호작용하며 공동체를 형성하는 데 중요한 역할을 한다.

뿐만 아니라 인간의 본질은 사회적 관계와 연결되어 있다. 인간은 타인과의 관계를 형성하고 소통하며, 사회적으로 소속감을 느끼는 경향이 있다. 이러한 사회적 관계는 인간의 본질을 형성하는 중요한 요소 중 하나이다.

결론적으로, 인간의 본질은 다양한 측면에서 이해될 수 있으며, 인간을 인간답게 만드는 핵심적인 특성들로 구성되어 있다. 이는 인간의 이성, 감정, 윤리적 가치, 사회적 관계 등을 포함하고 있다.

50. 스포츠관광의 지속 가능한 성장을 위한 2018 평창동계올림픽의 이해와 적용

고대사회에서부터 제전경기로서 개최되던 올림픽은 근대 이후 인류의 화합과 교류, 그리고 증진을 목표로 하는 소중한 문화유산으로 자리 잡고 있다. 숭고한 올림픽 가치 및 이념의 구현과 올림픽 운동의 세계적 확산은 지구촌의 다양한 인종과 민족, 그리고 문화를 연결하는 매개체가 되며, 세계의 청년들이 서로 화합하고 함께 평화를 추구하는 인도주의적 문화를 증진하는 계기를 마련하고 있다.

이런 노력들은 우연히 이루어진 것이 아니라 국제올림픽위원회(IOC)를 중심으로 올림픽이 갖는 소중한 유산들에 대한 심각한 제고가 있었기에 가능했다. 올림픽 헌장을 중심으로 올림픽운동을 전개하는 국제올림픽위원회(IOC)는 대회로 인하여 창출되는 계획적, 비계획적, 긍정적, 부정적, 유형, 무형의 구조와 영향으로서 그 효과가 개최 도시 및 국가의 정치, 경제, 문화, 환경, 스포츠 등 사회 전반에 걸쳐 지속적으로 대물림되는 현상을 의미하는 개최도시의 '올림픽 유산(lagacy)' 에 대한 계획을 개최지 선정 단계에서부터 중요한 평가 기준으로 설정하기에 이른 것이다.

즉 IOC는 개최도시 및 국가의 삶의 질에 기여하는 긍정적 유산의 필요성을 명시한 14번째 강령을 IOC 헌장에 포함하면서 올림픽을 유치하고자 하는 도시는 '올림픽 유산' 을 어떻게 만들어 갈 것인가에 대한 구체적인 설명과 실천을 담보해야 하는 의무를 지게 되었다.

개최지의 '올림픽 유산' 에 대한 중요성은 최근 대회의 성공 여부에 대한 평가가 기존과 같이 개인의 명예, 국가 간 메달 경쟁에서의 우위 또는 경제적 효과 등에 의해 판가름이 나는 것이 아니라 정성적인 가치들로 구성된 가치 기준들에 의해 평가되어야 한다는 인식이 증대되었음을 의미한다.

2018년 평창동계올림픽을 위대한 올림픽으로 만들기 위해서는 준비 기간 동안 평창동계올림픽이 지켜야 할 원칙을 세우고, 어떠한 철학과 정신(Olympism)을 담아야 할 것이며, 올림픽 사후에 남겨질 유산을 정하여야 한다. 올림픽 헌장에 따르면 올림픽의 목적은 스포츠를 통하여 평화롭고 더 나은 세상을 이룩하는 것이며 이러한 것을 이루기 위해서 올림픽정신과 올림픽운동을 확산하는 것이다. 그리하여 2018 평창 동계올림픽유치위원회도 '사람' 과 '새지평(new horizon)' 이라는 이념적 가치 기준을 설정하여 올림픽 유산에 대한 의지를 표명한 바 있다.

하지만 대개의 경우 이러한 의지들은 개최 단계에서만 유효할 뿐 개최가 확정된 시점부터는 그 의미가 퇴색되는 경향이 농후하다. 최근 올림픽 개최지들의 재정적 문제들이 많아지면서 개최 단계에서부터 국가 및 지자체는 지역경제 활성화를 중심으로 한 경제적 안정화에만 초점이 맞추어지고 있는 형국인 것이다. 이런 현상은 국민들에게 제시되는 올림픽의 효과에 대한 자료들이 무형적 유산과 관련된 내용들이 아닌 경제적 효과에 집중되는 양상을 낳고 있다는 사실로부터 잘 드러난다.

물론 '평창 동계올림픽유치위원회' 에서 제시한 바와 같이 국가적 측면에서 한국의 세계적 위상 제고, 국내경제 활성화, 최첨단 산업 육성 및 세계 시장 주도, 국민 통합 및 자긍심 고양, 남북한 화해 협력 및 평화 증진 기여 등과 지역적 측면에서의 사회간접자본(SOC) 확충 및 지역발전 도모, 개최지역 이미지 및 브랜드 가치 제고, 지방의 국제화 촉진, 아시아 지역 동계스포츠의 확산 및 관광 허브로 자리매김 등과 같은 무형적인 이득에 대해 간과하기 어려운 것이다.

그러나 올림픽운동은 1994년 릴레함메르 동계올림픽대회에서 무공해 올림픽 선언 이후 하나의 사업재가 아닌 가치재로 인식되면서 동계올림픽에 대한 이해는 올림픽경기에 따른 유·무형적인 유산을 통해 지속적인 관광산업의 성장을 의미하게 되었다. 즉 직접적인 이득보다는 지속적인 성장에 관심이 집중되면서 과거의 올림픽 패러다임인 개발 중심적 접근은 그 의미가 퇴색되어 가고 있다는 것이다.[30]

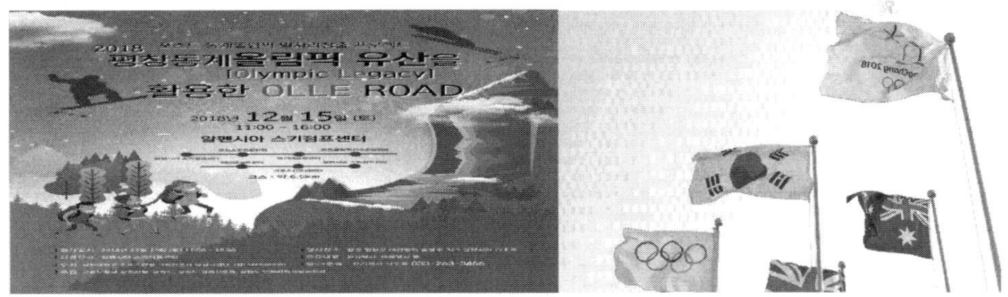

2018평창동계올림픽 유산의 계승 발전과 사후 활용의 일환으로 추진 중인 '평화 테마파크 조성사업' 이 올 하반기 본격화 될 전망이다.

평창군 대관령면 횡계리 일원에 조성 예정인 '평화 테마파크' 는 평창동계올림픽 당시 올림픽 메달플라자로 사용됐던 58,835㎡의 부지에 총 사업비 245억원을 투입해 지상 2층 연면적 4,300㎡ 규모의 평창평화센터를 건립하고 기념공원을 조성한다.

51. '태권도 종주국'에서 '태권도 모국'으로

문화체육관광부에서는 '한복, 한글, 김치, 불고기, 불국사, 석굴암, 태권도, 고려인삼, 탈춤, 종묘제례악, 설악산, 세계적인 예술인' 등을 대한민국의 대표하는 10대 문화의 상징으로 선정하여 규정하고 있다.

이처럼 문화체육관광부가 태권도를 한국의 문화 상징 Best 10으로 선정한 주된 이유는 가장 한국적이라는 것이며, 태권도가 민족문화로서 대표성을 띠고 있다는 것을 세계에 공식적으로 표방한 것이라 할 수 있다. 실제로 외국인들에게 있어 태권도가 차지하고 있는 위상은 국내 인들이 생각하고 있는 것보다 훨씬 높은 위치를 점유하고 있다.

이 같은 양상은 태권도의 회원국 수치를 통해서도 쉽게 확인 할 수 있는데, 수치가 가장 명확하게 나타나 있는 세계태권도연맹(WTF)의 회원국을 살펴보면, 태권도는 현재 205개국의 회원국을 보유하고 있으며, 약 9천만 명의 인구가 전 세계에서 태권도를 수련하고 있는 것으로 나타나고 있다.

특히 태권도가 1994년 국제올림픽위원회(IOC)에 정식 종목으로 채택되어 한국어가 IOC 4대 공식 언어(영어, 불어, 일본어, 한국어)로 선정되면서 한국의 문화와 전통을 세계 속에 자리 잡을 수 있는 계기를 마련하였다. 이러한 태권도의 세계화는 '한국하면 태권도, 태권도 하면 한국'이라는 인식이 전 세계인들에게 인지될 정도로 그동안 수많은 민간 외교적 차원에서 큰 역할을 했다고 평가받고 있다. 즉 태권도는 이제 대한민국의 무예·스포츠가 아닌 세계적인 무예·스포츠로서 하나의 스포츠 문화로 자리 잡게 된 것이다.

그러나 태권도 관련 문헌은 물론 신문, 잡지, 방송 등 각종 언론매체 등을 살펴보면, 대한민국의 태권도를 표현함에 있어 '태권도 종주국(宗主國)'이라는 말은 많이 사용함에 따라 그 문제점이 대두되고 있다. 이러한 문제점은 스포츠 인들에 의해 대두되었고, 그에 대한 대체 용어로써 '태권도 모곡'이란 용어를 제안하였다.

국립국어원 표준국어대사전에 따르면, 종주국(宗主國)이란 첫째, 자기 나라에 종속된 다른 나라의 대외 관계에 대한 일부를 처리하는 나라, 둘째, 문화적 현상과 같은 어떤 대상이 처음 시작한 나라라는 사전적 의미를 가지고 있으며, 국내법상 국가의 일부가 자치(自治)를 인정받고, 대외적으로도 반독립을 인정받아 국제적으로 반주권국가로서의 지위를 얻었을 경우 이것을 종주국이라 하는데, 그것과의 관계에서 본래의 국가를 '종주국' 이라 표현하고 있다. 즉 종주국 자신은 보통의 독립주권국가이다.

반면 모국(母國)은 조상 때부터 살아온 나라, 또는 국적에 속에 있는 나라를 의미한다. 특히 서유럽과 영어 문화권에서는 할아버지의 나라 혹은 아버지의 나라라는 조국(祖國)을 더 많이 사용하기도 하는 데, 이는 모국(mother country)이라는 표현이 아버지의 나라라는 말보다 더 정서적이고 문화적으로 여겨지기 때문이다.

이처럼 '태권도 종주국' 용어 사용은 위의 내용과 같이 종주국의 첫 번째 의미를 해석하는 과정에서 태권도의 발원지이자 모국(母國)인 한국이 가입 회원국인 전 세계의 타국가를 종속국인 식민지으로 여기는 잘못된 표현으로 해석되어 질 수 있다. 즉 '종주국' 강조가 과도해지면, '국위선양' 의 자부심을 넘어 오히려 안하무인(眼下無人)격의 용어가 될 우려가 있는 것이다. 따라서 태권도 발원지로서의 의미를 유지하기 위해서는 태권도 '종주국' 을 '태권도 모국' 이라 부름으로써 태권도 세계화에 한 발 앞서 나아가야 할 것이다.

전라북도 무주군 설천면 청량리 태권도원(跆拳道園, Taekwondowon)은 서울 월드컵 경기장의 10배, 여의도 면적의 1/2배, 18홀 골프장의 2개, 뉴욕 센트럴 파크의 70% 전 세계 태권도인을 위한 최대 규모의 수련공간이에요. 태권도 모국의 자부심에 걸맞은 규모를 자랑하네요. 전 세계인이 태권도를 통하여 한국을 느끼고 한국의 얼에 감동받을 수 있는 우리 시대의 살아있는 문화유산이랍니다.

52. 19대 대통령은 체육청을 신설하여 스포츠 인재를 육성해야 한다

스포츠는 국력과 비례한다. 부강한 국가일수록 스포츠가 발전되어 있으며, 경제 또한 부강하며 강력한 국력을 갖고 있다. 스포츠는 돈이며, 국가 경제이다. 부강하고 잘사는 나라로 가기 위해서는 체육청을 신설해야 한다.

2016년 8월, 세계 70억 인구가 브라질 리우데자네이루 올림픽을 지켜보면서 폭염만큼이나 뜨겁게 세계가 들썩였다. 우리 동네 조그마한 경로당에 모인 노인들도 모든 일을 뒤로 밀쳐놓고 올림픽 경기중계 TV 시청에 열중했다.

208개국 1만 9백 3명의 선수가 참가해서 306개의 금메달을 따기 위해 기량과 기록을 겨루었다. 브라질 리우데자네이루 올림픽의 959개 메달 중에서 금메달 308개를 획득한 나라를 살펴보아야 한다.

메달 취득은 운동하기 좋은 체육 시설이 비치되고 그 시설 위에서 과학적인 방법으로 기량과 기술을 다지는 지도자의 지도력이 뒷받침되고, 선수의 뛰어난 자질과 능력을 배양하고 피나는 연습과 훈련으로 강인한 체력을 다져 실전에서 승리의 영광을 갖는다는 교훈을 몸소 느껴본다. 이렇게 얻어진 금메달의 영광은 선수 자신은 물론 자기 나라의 측정할 수 없는 국위가 선양되어 국가의 발전과 더불어 부강하고 잘사는 나라가 된다고 확신한다.

우리나라가 체육 강국이 된 기반 조성은 1966년 태릉선수촌 건립에서 출발되었다. 정부의 전폭적인 지원과 대회체육회의 집념어린 땀의 결실에서 나왔다고 봐도 틀림 말이 아니다. 그 후 학교체육의 활성화를 위하여 전국소년스포츠대회 그리고 전국체육대회를 보다 더 활성화함으로써 비약적인 발전을 하는 계기가 되었던 것이다. 교육부와 시·도교육청에서 조기에 선수를 발굴하여 스포츠 환경을 개선하고 과감한 예산을 투입으로 학교체육을 더욱 더 발전시켰다. 따라서 초·중학교 체육의 스포츠 경연장인 소년스포츠대회 바탕 위에서 기초를 다져나갔기 때문에 장차 훌륭한 올림픽 선수가 양성되어 국가의 위상을 드높였다.

일본은 12년 만에 금메달 12개·은메달 8개·동메달 21개, 총41개를 따고 6위로 대약진을 가져왔다. 그 이유는 일본은 체육청을 신설하고 과학적으로 기초 종목에 투자한 결과라는 사실을 알아야한다. 특히 치밀한 준비와 과감한 투자로 종목 별 유망선수를 선발해 유학을 보내는 등 전략 종목을 집중 육성하고 있다. 일본 도쿄지사는 오륜기를 들고 4년 후 2020년 제32회 일본 도쿄 하계올림픽대회 준비에 벌써부터 박차를 가하고 있다.

우리도 국위를 선양하고 수출 증진과 부강한 국가 발전을 위해는 체육청을 신설해야한다. 하루 속히 신설해서 지도자의 지도력을 배양하고 과학적이고 체계적인 훈련을 하며 질서 있는 추진을 위해 만전을 기해야 할 때이다. 이제부터라도 체계적으로 체육을 발전시키고 진흥하기 위해 과학적으로 체육과 스포츠를 관리하고 추진할 수 있는 체육청이 발족되어야 한다고 필자는 강력히 주장한다. 너무 늦은 감이 없지 않지만 지금이라도 빨리 체육청이 신설되기를 체육·스포츠 인들은 논의를 구체화시켜 한 목소리를 내야한다.

지난 2016년 8월 5일부터 21일까지 리우데자네이루 하계올림픽 결과를 냉철히 봐라. 체력은 국력이며 경쟁력이다. 올림픽 메달 순위는 국력과 비례되고 있으며, 강한 국가의 자산이다. 스포츠는 국력이며, 스포츠는 경제임을 보여 주고 있지 않은가. 부강한 나라가 되어야 경쟁에서 승리한다.

동방의 조그마한 나라, 대한민국, 금메달의 태극기가 하늘 높이 펄펄 올라가는 저 대한 건아의 기상을 보아라. 언제까지 효자 종목에 기대어 선수들의 열정과 애국심에만 호소할 것인가. 2022년부터 출발하는 윤석열 정부는 신속히 체육청을 신설하여 스포츠 인재를 육성하고, 체육·스포츠를 보다 활성화 하여 부강한 나라, 잘사는 대한민국을 만들어 가야 한다.

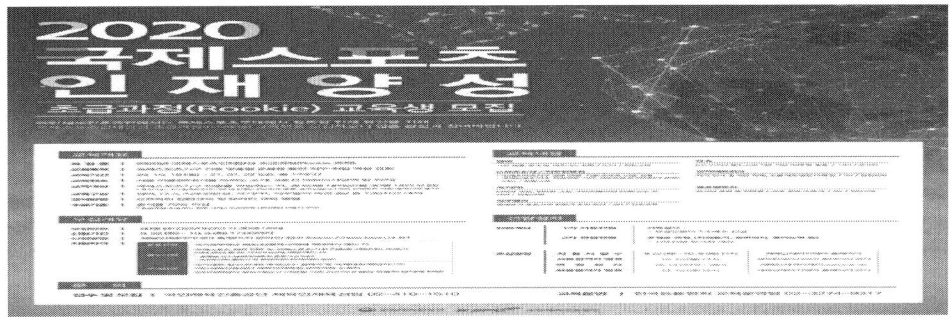

53. 올림픽 스포츠 유산 정책의 담론

올림픽은 국가 간의 스포츠 경쟁을 넘어 정치 · 경제 · 사회 · 문화를 아우르는 종합 이벤트의 상징일 뿐만 아니라, 스포츠의 경계를 초원하여 사회의 다양한 분야인, 정치, 경제, 철학, 역사, 예술 등과 연계되는 문화이벤트의 총체로 변모해 왔다.

올림픽과 같은 초대형 스포츠 스포츠이벤트는 스포츠 경쟁이란 핵심 콘텐츠를 기반으로 정치, 경제, 사회, 문화 등 다양한 분야와 연계되어 유 · 무형의 가치를 창출하고 있다. 나아가 "숭고한 올림픽 가치 및 이념 구현과 올림픽 문화의 전 지구적 확산을 통하여 지구촌의 다양한 인종과 민족, 문화를 융합하는 촉매 역할을 수행하며, 차세대를 위한 독특하면서도 지속가능한 유산을 창출한다."

이와 같은 올림픽의 가치로 인해 많은 나라들은 국가의 물적 · 인적 자원과 사회적 · 경제적 자본을 활용하여 올림픽 유치를 위한 치열한 경쟁에 뛰어들고 있다. 이는 올림픽 유치가 개최 도시 및 개최국에 미치게 될 직 · 간접의 긍정적 파급 효과를 기대하는 믿음에서부터 출발한다고 할 수 있다. 이러한 믿음에는 올림픽 개최가 가져올 유 · 무형의 가치와 파급 효과가 사회 · 경제 · 문하 등과 연계되어 유 · 무형의 올림픽 유산(legacy)을 창출하는 것을 반영하고 있기 때문이다.

실재로 2000년대 들어서면서 올림픽 유산에 대한 필요성과 중요성이 부각되었고, 국제올림픽위원회(IOC)는 2002년 11월 올림픽헌장(Olympic Charter) 수정을 통해 올림픽 개최 도시 및 개최국에 남게 되는 긍정적 유산 촉진의 필요성과 중요성을 명시하는 강령을 포함시켰다.

IOC는 올림픽 유치신청서(Bid file)의 첫 번째 항목(theme)을 '올림픽의 컨셉과 레거시'(Olympic Games concept and legacy)로 설정하고 유치 희망 도시로 하여금 유치 신청서에 올림픽 유산 계획을 포함하여 제출할 것을 요구하고 있다.

이러한 IOC의 올림픽 유산에 대한 중요성 인식과 조치는 자크 로게 전 IOC위원장이 런던올림픽 개막을 앞두고 국내 한 언론사에 기고한 사설에서도 잘 드러내고 있다.

"올림픽 유산이 항상 올림픽의 최전선에 있었던 것 아니니다. 예전에 올림픽 유산이란 올림픽이 끝나면 생각해 볼 거리에 불과했다. 우연에 맡기는 경우가 많았다. 하지만 IOC는 개최 도시가 올림픽 후에도 지속 가능한 발전을 하기 위해서는 일종의 촉매제가 필요하며, 이는 올림픽 준비 단계부터 마련돼야 한다고 판단했다. 그렇기에 IOC가 모든 후보 도시들에게 개최 목표와 함께 장기 계획을 함께 제출하도록 할 것이다."

이와 같이 올림픽 유산은 개최 도시 및 개최국에 있어 유치 단계에서부터 개최 이후의 시점까지 장기적인 관점에서 대회의 성공적 개최를 담보하는 하나의 중요한 요소가 되었다. 이에 유치 후보 도시와 개최를 준비하는 개최 도시 및 개최국 입장에서는 올림픽을 통해 어떠한 유산을 남길 것인가에 대한 고민과 장기적 비전 제시를 위한 계획이 중요한 문제로 자리하게 되었다.

'유산(legacy)은 정치, 경제, 사회, 문화, 환경, 스포츠 등에 고루 영향을 미치는 장기간에 걸친 지속적 대물림 현상이다.' 또한 '올림픽 유산은 올림픽 대회로 인해 창출되는 계획적·비계획적, 긍정적·부정적 유·무형의 구조와 영향이기도 하다.' 이렇듯 올림픽 유산은 과거 경제적 파급 효과나 시설과 같은 인프라로서 유형적이거나 물질적인 측면에 초점이 맞추어졌다. 그러나 2000년대 이후 올림픽 유산을 바라보는 시각과 관점은 유형적이거나 물질적인 측면을 넘어 무형적이거나 소프트 유산의 개념까지 그 범위를 확장해 왔다.

올림픽 유산정책은 올림픽 유산의 개념이 인프라적 측면에만 머물러 있지 않도록 해야 한다. 올림픽 유산 계획 단계에서부터 실행 단계를 거쳐 성과 평가에 이르기까지 과정적인 관점에서 단계적이고 구체적인 실행 전략이 담보되어야 한다. 따라서 스포츠 유산 계획 실행 성과 평가를 위한 프레임워크를 개발해야 한다.[31)]

54. 인성적 측면에서의 체육교육의 필요성

급변하는 현대 사회에서 훌륭한 인격을 갖춘 사람다운 사람이 되기 위해서는 심리·사회적으로 성숙한 인성을 갖추어야 한다. 이와 같이 사람됨의 기본인 성숙한 인성을 갖추기 위해서는 교육이 가장 중요한 역할을 하는데, 인성교육보다 중요한 교육은 없다고 할 수 있다.

최근에 들어 인성교육은 이전보다 더욱 중요한 교육적 아이콘으로 떠오르고 있으며, 초·중등 교육에서는 물론 고등교육에서도 인성교육의 필요성에 대한 공감대가 점점 확장되고 있다.

하지만 학교현장에서는 이러한 인성교육의 필요성에 대한 공감대가 실질적으로 이루어지지 않는 것이 현실이다. 오히려 학교현장에서는 경쟁의 원리를 도입해 학교의 서열화와 차별화를 다시 구축하고 그것에 정통성을 부여하여 더욱더 학력경쟁을 부축이고 있는 것이 지금의 현실이다.

이러한 학력경쟁에서 더욱 중요시되어야 할 체육 과목은 주변교과의 한 부류로 분류되어 그 위상이 크게 떨어지고 있으며, 실제로 학교 현장에서는 이와 같은 분위기를 실감할 수 있다. 고등학교는 대학입시와 맞물려 일류대학 진학이 교육의 가장 중요한 목표가 되어 중요 과목 위주로 교육과정이 편성되어 운영되고 있는 실정이다. 따라서 학생들의 인성교육, 전인교육은 학교의 명목상 유지되는 형국이다. 중학교 또한 다를 바 없는 것이 현실이다. 특목고나 명문 자율형 사립고에 진학시키기 위해 학교는 물론 학부모까지 합세해 오직 학력 향상에만 관심을 나타내고 있다.

이러한 영향으로 일부 학생들에게는 성적과 관련이 없는 과목은 등한시 하는 현상도 볼 수 있다. 실제로 국어, 영어, 수학과 같은 주지 과목만 잘하면 되는 것으로 알고 있으며, 심지어 이러한 상황을 학교가 부추기는 현상도 나타나고 있다. 따라서 전인교육을 표방하는 체육은 설 자리를 잃어가고 있다.

왜 이러한 현상이 나타나고 있을까? 가장 큰 이유는 학력경쟁이다. 학력경쟁만이 명문고등학교, 명문대학교를 진학할 수 있으며, 이것이 좋은 직장과 안정된 직업을 가질 수 있다는 아주 보편적인 생각 때문인 것으로 보인다. 보편적인 생각, 아마도 교육수요자인 학부모들의 생각이다. 학생들의 인성적인 측면은 전혀 고려하지 않은 채 말이다.

지금의 교육시스템, 인성교육이 부재한 교육환경에서 자라난 학생들이 사회의 일원으로 되었을 때를 가정해 보자. 우리는 삭막한 사회의 모습을 어느 정도 예견할 수 있을 것이다. 물론 경쟁의 시대이다. 경쟁에서 패하게 되면 실패하게 된다. 하지만 학교라는 곳은 경쟁에서 이기는 법을 가르치는 곳이 아니라 전인을 육성하는 신성한 곳이다. 전인의 상태로 사회의 일원이 되었을 때를 상상해 보자. 경쟁에서 이기는 것은 물론이고 경쟁에서 패한 이에게 배려와 위로, 반면에 패한 이로서 승자에 대한 축하의 말과 박수로써 함께 기뻐하는 차가운 곳에서의 따뜻함이 있을 것이다. 체육이라는 교과의 가장 큰 장점이자 지향하는 것이 바로 따뜻한 마음을 가진 전인을 육성하는 것이다. 학력경쟁이 난무하고, 그로인해 학생들의 정서가 삭막해지는 현실에서 더욱 중요시 되어야 할 과목은 다름 아닌 체육교과이다. 이러한 이유로 학교에서의 체육교육은 무엇보다 중요하며, 따라서 올바른 체육교육이 이루어져야 한다. 지식, 기능, 인성이 통합된 체육교육이 이루어져야 학생들의 밝은 미래를 기대할 수 있다.

따라서 교육 내용으로서의 체육 활동이 기능적 차원과 안목적 차원이 제대로 그리고 동시에 학습되어질 때 체육교육이 궁극적으로 추구하는 전인교육 구현이 가능하게 되는 것이다.

55. 태권도를 통한 인성교육이 절실하다

태권도를 통한 인성교육의 시도는 21세기에 부각된 '문화'의 위상을 고려할 때 교육적 측면에서 시사 하는바가 크다

태권도는 인성교육의 필요성이 구체화되기 이전부터 이미 반복적인 예절교육을 통해 자아 완성에의 의지 실천을 지향하는 교육적 수단으로, 태권도 수련을 통해 체득하는 평화지향적인 기술 원리와 전인교육의 중요성을 강조해 왔다. 그것은 바로 "민족적 주체성과 정체성을 유지하고 오히려 대외 침투의 역할을 수행하여 '역 문화종속'을 이룩한 유일한 한국문화" 라는 사실에 태권도의 사상적 기반을 두고 있기 때문이다.

또한, 1996년 문화관광부가 한국의 10대 문화 상징에 우리 민족의 정체성과 역동성을 표현하는 대표적 상징으로 태권도를 선정하였다. 2007년 11월 22일 '태권도 진흥 및 태권도 공원 조성 등에 관한 법률'이 제정되고 2008년 6월 22일 시행되어 법제화됨에 따라 태권도는 한국을 대표하는 명실상부한 문화적 가치임과 아울러 한국적 신체교육의 수단으로써의 입지를 동시에 확보하게 된 것이다.

현재 태권도는 세계 180여 개국의 가맹국과 단기간 올림픽 입성이라는 성과와 더불어 다양한 측면에 있어 발전을 거듭하고 있다. 그러나 이러한 압축 성장에 따른 병폐로 태권도의 학문적 작업에서도 양적인 발전을 이룬 반면, 본질에 깊이 있는 탐구는 상대적으로 소홀한 것이 현실이다.

특히 태권도를 수련함에 있어 획득할 수 있는 가치 또는 그 자체로써 가지는 가치에 대한 논의도 밝히고 있는 일반적인 내용을 차용하는 수준에 머무르고 있는 실정이다. 체육의 맥락에서 완전히 독립된 형태로 태권도를 이해하는 것은 무리가 있을 수 있지만, 태권도가 추구하는 본질적 가치에 대한 심도 있는 연구들이 지속적으로 이루어져야 함은 분명하다.

태권도의 교육적 가치를 탐색하는 것은 태권도를 배우고 수련하는 이들에게 이상과 목표를 제시하는 것이며, 그 속에 내재되어 있는 독창성과 보편성을 일반화하는 작업이다. 이러한 노력은 태권도가 우리의 것이지만, 우리만의 것이 아니며, 세계 속의 우리 문화로 성장·발전하게 되는 중요한 전환점이 될 것이다.

공교육에서 태권도를 매개로 실천하는 체육교사의 인식을 통해 태권도 속에 내재되어 있는 가치를 도출하고 그 의미들이 함의하는 내용을 구체화 하여 공교육 속의 태권도의 가치를 확립하여 교육적 정당성과 태권도의 우수성을 학생들에게 전수해야 한다.

인성교육(人性教育)은 사람이 되기 위해서는 배워야 하는 교육이다. 주로 인격적으로 성숙되기 전인 어린아이들 위주로 학습한다. 그 중요성과는 달리, 학문 중심 교육을 하고 있는 학교 현장에서는 잘 강조되지 않고 있다.

또한 인성교육에 관한 구체적인 프로그램이 미흡하며 변화하는 현대사회에 기존의 인성교육이 맞지 않아 너무 고리타분하고 규범적이기 때문에 별거 아닌 교육으로 인식이 되고 있다는 문제점도 있다.

2015년부터 태권도 인성교육은 대한태권도협회 주관으로 '태권도 인성교육' 프로그램이 개발되어 일선 태권도 체육관과 중·고등학교에 인성교육 프로그램을 적용하여 시범적으로 운영되고 있다.

그러나 이 과정에서 개발된 인성교육 프로그램들은 서양의 심리학을 이용한 사회과학적 접근을 통해 인성교육을 바라봄으로써 그 실용적 장점에도 불구하고 한국이라는 지역적 특성과 한국 전통의 사상적 특성은 도외시한 경향이 있어 한국무도로서의 태권도만의 고유성을 부각시키지 못한 한계가 보인다. 인성교육을 하고자 할 때는 어떤 덕들을 기르고자 하는지를 먼저 명확하게 설정하고 임하는 일이 중요하다.

따라서 동양학의 이론적인 토대 위에서 인성으로 추출할 수 있는 태권도의 덕목을 탐색하여 그 의미를 파악하고 인성교육에 대한 이해를 확장하고자 하는 시론적인 연구가 요구되고 있다.

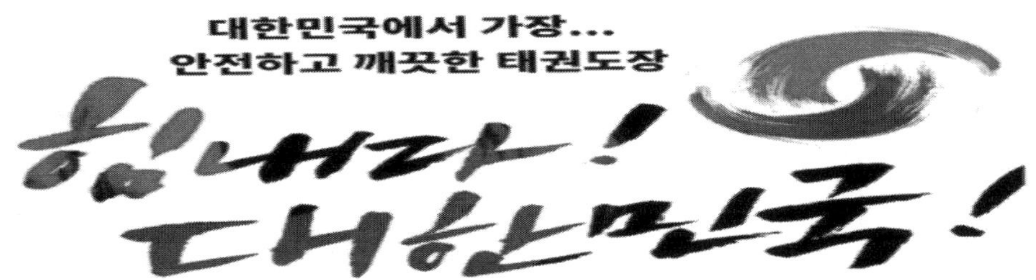

56. 인성을 강조한 체육 수업을 통하여 이미지를 바꾸어라

우리나라는 사회적, 경제적, 문화적으로 빠르게 발전하게 되면서 청소년의 범죄와 비행은 심각한 문제로 대두되고 있으며 집단 따돌림, 금품갈취, 협박, 폭행 등과 같은 학교 폭력이 심각한 문제로 제기되고 있다. 이러한 현상은 빠르게 변화된 산업화와 지식정보화 사회로 진행되는 과정에서 나타나는 사회적 현상으로 해석될 수 있지만 청소년의 인성에 대한 문제와 사회적 병리는 심각한 수준이다. 또한 스마트폰이 보편화되면서 청소년들에게 미디어의 과다 노출로 인하여 신체, 언어, 정신적 폭력에 대한 문제가 심각하게 대두되고 있다.

우리나라 청소년의 우울감 경험률은 최근 5년 사이에 8.7%로 크게 상승하였으며, 청소년기 이후 자살 사망률도 크게 증가한 것으로 나타났다. 또한 우리나라 청소년들의 '지적 역량'은 OECD에 가입한 36개국 중 2위로 나타난 반면, 공동체 의식과 참여, 사회적 협력성을 나타내는 '사회적 상호작용 역량'은 35위로 가장 낮은 수치로 나타났다

이런 문제를 해결하기 위하여, 교육부는 창의·인성을 강조한 '인성교육 강화 기본 계획'을 발표하였다. 이에 따라 창의성과 인성을 강조한 체육수업에 대한 역할이 중요하게 부각되었으며, 다양한 교수·학습 방법을 활용한 인성교육의 필요성이 대두되었다. 또한 2013년 한국직업능력개발원의 연구에 의하면, 학창 시절 학업 성적이 뛰어났던 학생들은 성인이 된 후의 삶의 만족도가 11.3%로 나타난 반면, 체육에 흥미를 가졌던 학생들은 성인이 된 이후 삶의 만족도가 67%로 더 높게 나타났다. 이는 스포츠 활동이 삶의 만족도에 영향을 미쳤다고 해석할 수 있으며, 특히 스포츠 활동을 통한 인성의 발달은 학생 개인의 삶을 윤택하게 만들 수 있다는 의미를 내포하고 있다고 해석할 수 있다.

한국과학창의재단은 인성이란 인간관계 중심의 덕목인 정직, 양속, 영서, 책임, 배려, 소유 등과 인성의 판단 능력인 도덕적 예민성, 도덕적 판단력, 의사 결정 능력, 행동 실천력 등으로 정의하였다.

현대사회에서 인성은 아주 중요한 부분이며, 교육현장에서도 지속적으로 강조되어 왔다. 특히 개정교육과정에서는 시대적 흐름을 이끌어 갈 미래 사회의 인재들이 지녀할 능력으로 '글로벌한 창의적 능력'과 '나눔과 배려의 인성'을 핵심 덕목으로 선정하였다. 학교를 따뜻한 배려의 공동체로 강조하며 학교는 윤리적인 이상을 고취할 수 있는 최적의 장소로 학교에서의 인간관계, 일상생활, 교과활동 등을 통해 학생들의 윤리적인 이상을 고취시킬 수 있다.

우리나라의 학생들은 개별적 능력이 우수하나, 공동체 일원으로서 함께 생활하는 능력은 매우 부족한 현실이며, 이는 인성교육이 학교 현장에서 잘 이루어지지 않고 있다는 의미로 해석할 수 있다. 즉 주지교과의 학습에 주력하는 교육적 현실에서 갈수록 학생들은 학교교육 참여에 소극적이며 학습에 대한 의욕이나 동기가 상실되고 지나친 경쟁심으로 인한 좌절감이 증폭되어 학습자들은 점차 병들고 죽어가고 있다고 해도 과언이 아니다.

체육이라는 교과는 지식을 전달해야 하는 특성을 가진 다른 교과에 비해 유연성을 가지고 있어 다양한 인성교육에서 가장 중요한 역할을 담당할 수 있다. 이와 관련하여 인성을 강조한 체육 수업의 활성화를 위한 시사점을 제시하면 다음과 같다.

첫째, 현직교사들이 체육수업에서 인성교육을 효과적으로 운영할 수 있도록 다양한 교수·학습 방법과 수업 자료가 개발되어야 할 것이다.

둘째, 체육수업에서 인성교육을 할 수 있는 전문적이고 다양한 예비 체육교사 및 현직 체육교사를 위한 교육 프로그램의 개발과 활용이 이루어져야 할 것이다.

셋째, 체육수업에서 인성교육에 대한 가치를 중요시 하는 인식의 개선과 문화의 정착과 이를 뒷받침할 수 있는 제도적 기반이 마련되어야 할 것이다.

57. 국민의 스포츠 향유라는 가치가 실현될 수 있어야 한다

스포츠권의 개념을 도출하기 위해서는 “스포츠를 어떻게 정의하는가?” 가 중요하다. 스포츠를 정의하는 방식에 따라 스포츠권의 개념이 달라지기 때문이다. 가령 우리가 스포츠를 ‘경쟁과 유희성을 가진 신체운동경기의 총칭’ 으로 규정한다면 스포츠권의 주체는 스포츠경기를 하는 체육인으로 한정되게 된다.

그러나 스포츠를 ‘인간이 자발적으로 자아실현, 건강, 행복을 추구하기 위한 신체활동이자 문화행위의 총체’ 로 정의한다면 스포츠는 개별적인 스포츠경기 종목뿐만 아니라 인간의 신체적 활동, 신체를 통한 문화까지 확대된다. 따라서 스포츠는 보다 넓은 관점에서 보편적으로 모든 국민들이 다양한 체육활동 참여의 보장을 요구할 수 있는 권리로 이해되어야 한다.

즉, 스포츠권은 학자에 따라 견해를 달리할 수 있겠지만 ‘모든 사람이 스포츠를 향유하기 위해 보장받아야 할 기본적 권리’ 로 규정할 수 있다. 스포츠권은 인간이 자발적으로 의지로 스포츠를 향유하는 자유권 측면과 건강증진, 여가선용, 자아실현, 행복추구 등 사회권 측면을 모두 포함하는 기본권이며 인권의 한 영역이 되는 것이다.[32]

학교는 교육의 주요 기능을 수행하는 기관으로써 학생 개개인 또는 사회적으로 바람직한 것을 학교생활을 통해 배우도록 기본 목표를 설정하고 있다.

학교체육은 교육의 일환으로서 개인적 인격의 완성을 궁극적인 목표로 하는 교육적 노력이지만 방법론적 입장에서 볼 때 인간성의 계발을 지도하는 교육이라고 말할 수 있다. 따라서 생명체로서의 신체 그 자체의 교육인 동시에 신체활동을 수단으로 하는 유능한 국민적 사회인양성을 위한 교육이 되어야 한다.

학교체육의 정상적인 운영과 운동선수들의 올바른 성장을 위해 선수들의 면학분위기 조성과 폭넓은 학교생활을 위한 교육적 배려는, 교육적 차원이나 스포츠 고급 인력의 육성 및 선수 보호 관리 측면에서 가장 중요한 과제이다.

우리나라는 아직 클럽스포츠가 활성화되지 않아 스포츠 활동의 시작부터가 학교 엘리트 체육에 전적으로 의존하고 있는 현실이다. 학교체육을 담당하고 있는 상급 기관인 교육청이 체육교사의 능력과 인사 이동시 선수 지도에 의한 전국대회 성적 등을 인사고과에 반영시킴으로서 팀을 관리하는 체육교사는 운동선수들이 학업으로 인하여 경기력이 떨어지는 것을 원치 않으며, 운동선수들이 경기력 향상과 훈련을 위한 숙소에 집단으로 기숙시킴으로써 일반 학생들과 폭 넓은 교우관계를 형성하는 데 커다란 장애가 되고 있다.

스포츠에 참가하는 선수의 경기에 대한 가치 성향을 크게 공정한 경기를 강조하는 성향과 기능 및 승리를 강조하는 성향으로 구분된다. 공정성을 강조하는 성향은 경쟁력 활동으로서 스포츠가 성립되기 위한 기본적 조건이며, 스포츠맨십과 공평을 최고의 가치로 수용하는 참가자의 태도를 말한다.

페어플레이는 어떠한 희생을 무릅쓰더라도 승리를 쟁취해야 한다는 사고방식에 대한 단호한 거부이다. 이처럼 페어플레이는 스포츠맨십의 구성요소로서 정정당당하게 경기에 임하는 태도를 의미하며 승리를 위한 비겁한 행위나 책략을 배격함으로써 상대방에게 유감없이 자신의 실력을 발휘하여 후회 없이 경쟁한다는 가치 태도의 체제를 포함한다.

공정과 규칙의 준수를 본질로 하는 페어플레이 정신을 강조하는 선수의 가치 태도를 아마추어리즘이라 할 때, 수단과 방법을 가리지 않고 무조건 승리해야 한다는 태도나 가치관을 심어주는 대신에 자신의 능력을 최대로 발휘하여 공정하게 경쟁하며 경쟁의 결과보다는 과정을 더 한층 중요한 가치로 수용하게 하는 것이 필요하다. 따라서 승리를 위해서 수단과 방법을 가리지 않는 문화에서 스포츠맨십을 강조하는 문화로 전화되어야 한다.

우리나라 체육의 미래는 운동선수인 엘리트선수들에게 있는 것은 아니다. 학창 시절부터 일반 학생들이 참여하는 개방적인 형태의 운동부가 활성화되어야 한다. 운동을 하고 싶은 학생이면 누구나 자기가 하고 싶은 종목의 운동부를 만들고 참여함으로써 즐길 수 있어야 한다.

학창 시절의 스포츠에 대한 경험과 말하기가 일반화되어야만 하며, 그 과정에서 일반 학생들은 진정으로 스포츠를 즐기고 향유할 줄 아는 체험을 할 것이다. 그렇게 교육 받은 학생들이 대학의 일반학과와 사회 각 분야에 진출할 때 전 국민의 스포츠 향유라는 가치가 실현될 수 있다.[33)]

58. 스포츠 윤리교육이 보다 더 강화되어야 할 때이다

인간의 행동은 개체와 환경의 상호작용에 의하여 인간성이 유발되기 때문에 사회적 영향이라는 관점에서 고려해 볼 수 있다. 스포츠 환경의 사회적 영향이라는 관점에서 접근해 보면, 스포츠 활동에 있어서 윤리적 문제는 학교체육, 생활스포츠, 전문스포츠, 재활스포츠를 중심으로 심판, 지도자, 선수, 관중을 대상으로 한 윤리적 문제는 물론, 체육 산업, 체육정책, 체육연구 등 각 영역에서 발생하고 있다.

중학교 축구부 감독들에게 스카우트 대가로 5000여만 원을 교부한 지방자치단체 체육회 전직 사무국장과 청탁 명목으로 해당 금액을 받은 축구감독들에게 징역형이 선고됐다. 춘천지법 형사 1단독 이0세 부장판사는 배임중재 혐의로 기소된 강원도내 모 군체육회 전직 사무국장 A씨와 배임수재 혐의로 기소된 축구부 감독 B씨에게 각각 징역 6월에 집행유예 2년을 선고했다고 10일 밝혔다.

배임중재, 배임수재, 사기 등의 혐의로 기소된 축구감독 C씨에게는 징역 10월에 집행유예 2년을 선고했다. 또 A씨와 B씨에게는 추징금 2200만 원과 3540여만 원을 각각 추징했다.

강원도내 모 군체육회 전직 사무국장 A씨는 지난 2008년 2월 말부터 2014년 2월 초까지 18회에 걸쳐 수도권 지역 중학교 축구감독인 C와 D씨에게 학생 스카우트 대가 명목 등 부정한 청탁을 하며 5640만 원을 교부한 혐의로 기소됐다. 축구감독들은 A씨로부터 해당 금액을 받고 학생들을 스카우트 형식으로 진학시킨 혐의다.

최근에 약물복용, 프로스포츠의 승부조작, 런던올림픽대회 여자 펜싱 에페경기 신아람 선수의 개인전 준결승에서의 심판 오심과 축구 경기 박종우 선수의 독도 세리머니, 스포츠스타 선수의 표절 논문, 선수에 대한 폭력과 성폭력, 운동선수의 학습권, 특기자 입시 부정, 그리고 스포츠토토 운영 비리 등 다양하게 발생하였다. 이것은 일반적으로 약물 복용, 폭력, 부정행위 등으로 구분될 수 있다. 이러한 스포츠에서의 윤리적 일탈행위는 스포츠는 물론 개인과 사회, 그리고 국가의 발전에 부정적 영향을 미치는 요소로 작용할 수 있다. 특히 스포츠는 강한 공개성을 지니고 있어서 청소년의 성장에 큰 영향을 미칠 수 있기 때문에 스포츠 현장에서 페어플레이 정신을 바탕으로 한 스포츠맨십의 정립은 필수적 요소이며, 이것은 스포츠에 있어서 생명과도 같다고 할 수 있다.

예컨대 지금까지 승부 조작에 대한 정부의 대응이 사건 발생 후의 규제 중심이었다면 앞으로는 예방을 목적으로 하는 교육중심으로 전환되어야 할 것이다. 즉 스포츠맨십과 페어플레이 정신을 길러주는 체계적인 교육 프로그램이 필요하다는 것이다. 이러한 교육 프로그램은 스포츠 참가자는 물론 장차 스포츠 참가를 희망하는 청소년, 스포츠를 좋아하는 팬, 그리고 일반 대중들에게 큰 영향을 미칠 수 있을 것이다.

스포츠 윤리는 스포츠맨십과 페어플레이 정신을 강조한다. 승리만을 위한 경쟁스포츠가 아닌 도덕적인 자세로 임하며, 관용과 배려가 숨 쉬는 경기가 되기 위해서는 스포츠 윤리교육이 보다 더 강화되어야 할 때이다.

소수만 승자가 되고 다수가 패자가 되는 사회를 국민은 원하지 않는다. '인간성이 상실되는 경제 대국' 이 대한민국의 미래상이 되어서는 안 된다. 우리는 이젠 '경쟁' 보다는 '공생' 을 앞세울 때다. 이제 '새마음 운동' 이라도 해서 정신적 빈곤에서 벗어나야 할 때다.

이러한 사회적 문제는 스포츠문화에도 그대로 영향을 미칠 수밖에 없다. 지난해 말부터 불법 스포츠도박 사이트의 승부조작이나 프로스포츠의 승부조작, 그리고 근자의 태권도 승부조작 등이 문제가 된 바 있어서 정부는 클린스포츠 통합콜 센터를 오픈하여 운영을 하고 있다.

따라서 건전한 스포츠문화의 조성으로 스포츠를 통한 바람직한 사회를 만들기 위해서는 스포츠참가자를 대상으로 한 스포츠윤리 교육이 보다 더 필요하다.

스포츠권을 공론화하여 법률적인 지위를 확보하는 것은 스포츠참여를 활성화하고, 궁극적으로 인간의 삶의 가치를 높이는 정책적 대안을 모색한다는 측면에서 가치가 있다. 스포츠권의 법제화로 스포츠는 개인이 스스로 해결해야 하는 사적인 영역이 아니라 공적인 영역으로 변화하게 된다. 스포츠를 복지차원의 시혜 개념이 아닌 개인의 권리이자 국가의 의무로 규정하는 것이다. 스포츠권의 법제화는 스포츠를 국민들의 삶에 있어 향유해야 하는 권리로 인정하여 그 권리를 국가정책을 통해서 실현할 수 있게 한다.

이와 같은 스포츠권의 법제화는 스포츠정책의 방향을 설정할 수 있다는 점에서 한국체육의 혁신을 가져올 수 있다. 스포츠가 개인의 행복과 삶의 질 향상에 있어 부수적인 역할을 하는 데 머물지 않고 주체적이고 주도적인 역할을 하겠다는 선언과 같은 것이다. 대한민국 체육 100년을 기점으로 스포츠권의 법제화를 과감하게 시도해 볼 필요가 있다.[34]

59. 태권도의 수련생 관리 방안을 강구해야 한다

한국에서 기원한 격투기. 1960년대에 현대적인 격투기로 정립된 스포츠로 겨루기와 품새, 격파 등 다양한 기술적인 구분이 있으나 올림픽에서는 겨루기만을 치르고 있다. 1970년대 초 전 세계로 보급되어 세계적인 스포츠가 되었으며, 1973년 세계 태권도 선수권 대회 및 세계 태권도 연맹이 창립되며 국제적인 경쟁력을 갖춘 스포츠로 성장하였다. 본래 남녀 각각 8체급이 있으나 2000년 시드니 올림픽에 정식 종목으로 지정되며 올림픽에서는 남녀 각각 4체급만 치러오고 있다.

1965년 대한태권도협회 창립 이후 태권도는 180여개 국가 8천만 명이 참가하는 전세계인의 스포츠로 자리매김하였으나 우리나라의 경우 태권도장의 양적인 팽창과 더불어 저출산에 의한 절대인구 감소, 경기 침체로 인한 사교육 투자 감소, 레저스포츠 중심으로서의 체육인구 이동, 태권도가 갖고 있는 사회적 이미지의 가치 하향, 반복 숙달을 싫어하는 청소년의 성향 변화 등으로 태권도 수련생의 수가 감소하는 추세이다.

현대사회의 흐름 속에서 신체활동에 대한 중요도와 관심 그리고 삶의 질 향상을 위해 최근 들어 다양한 체육관 무술·무도장 그리고 소규모 민간 상업 스포츠 시설이 감소하는 시설이 보이고 있다.

오늘날 무술·무도장은 경영적인 측면에서 하향 곡선이 지속되고 있어 우려의 목소리가 높이지고 있다. 이는 사회 전반적인 경기 침체현상과도 직접적인 관계가 있지만 무술·무도장의 교육적 내용이 부실하다는 지적과 함께 행정적, 제도적 측면 등 무술·무도계 자체에 그 문제점이 다양하게 나타나고 있다.

현재 무술·무도장의 운영은 출생 인구의 감소로 인한 취학연령의 지속적인 감소, 세계 경제의 불황 등으로 인해 과거에 비해 많은 어려움에 처해 있다. 이러한 어려움 외에도 무술·무도장 운영이 체계적인 방식이 아닌 과거의 경험에 의한 주먹구구식으로 이루어지고 있으며, 대학 무술·무도학과 졸업생들이 도장을 운영에 참여하게 됨으로써 무술·무도장의 운영은 점점 더 어려운 현실이다.

위기 극복을 위한 제도 개선과 역사관 정립, 도장 수련 체계의 확립, 지도자 양성 시스템의 선진화, 태권도 전당 건립 등은 이상일 뿐 아직 실천 단계에는 이르지 못하고 있는 실정이다. 세계 189개국 이상 국가에서 수련하고 있는 해외 수련생을 위한 지도 체계와 국책 사업인 태권도 공원 조성도 도장 활성화에 긍정적인 영향을 미칠 수 있도록 강구되어야 할 중요한 과제이다. 또한 경쟁적인 시장 환경 속에서 살아남고 성공하기 위해서는 무술·무도장을 이용하는 소비자의 가치관과 용구가 다양해지면서 고객이 원하는 제품의 차별화가 필수적으로 요청된다.

실제로 태권도 발전을 위해서는 모든 연령에서 쉽게 참여하여 수련할 수 있는 프로그램이 필요하지만, 프로그램이 다양하게 제시되지 못하고 이러한 문제들은 결국 무술·무도장의 운영을 어렵게 하고 있다. 다른 조직의 경영과 마찬가지로 무술·무도장 운영의 새로운 수련생의 확보뿐만 아니라 기존 수련생의 지속적인 참여와 구전광고를 위하여 서비스 개념의 경영을 도입하여 이익을 극대화해야 함은 물론 다양한 프로그램의 개발이 절실한 실정이다.

성공적인 무술·무도장을 위해서는 많은 중요한 점들이 있지만 그 중에서도 사범 고용에 관한 문제가 가장 중요한 것으로 생각된다. 훌륭한 사범의 고용은 무술·무도장의 이미지 향상은 물론 많은 수의 관원들이 늘어날 여지가 충분히 있기 때문이다.

태권도 참여 인구의 감소의 원인 중 하나는 그동안 태권도가 무도로서의 가치만을 강조한 반면, 수련인의 입장을 고려하지 못하였기 때문이라 생각되며 따라서 수련자의 욕구를 충족시켜 지속적으로 태권도에 참여할 수 있는 방안을 강구해야 한다.

60. 체육회장은 진정한 스포츠인에게 돌려줘야

요즘 민선 체육회장 선거로 체육계가 술렁이고 있다. 지방자치단체장의 체육회장 겸직 금지법(국민체육진흥법 43조 2항)에 따라 "이 한 몸 바쳐 최고의 체육회로 키워보겠다" 며 다양한 계층에서 출사표를 던질 것 같다. 그야말로 광풍(狂風) 수준이 될지도 모른다. 하지만 자칫하면 "체육회장이 퇴직 후 직업(職業)이나 사업상 직책(職責)이 돼버린 것 같다" 는 씁쓸한 목소리가 들릴 수도 있다.

한국 스포츠계는 오래전부터 정치인들과 인연을 맺어왔다. 가맹 단체를 둔 대한체육회장의 역사만 살펴봐도 알 수 있다. 역대 대한체육회장 가운데 정치인이 가장 많았다. 교육자, 기업인, 관료 순이었다. 경기인 출신은 1~2명뿐이다. 정치인 출신 대한체육회장 중에는 스포츠 발전에 이바지해 존경받는 인물이 있는가 하면 "그 양반 때문에 한국 스포츠 발전이 10년은 늦어졌다" 는 비난을 받는 이도 있다.

예전에는 종목별 단체가 팍팍한 살림에 도움을 줄 수 있는 돈줄(?)인 기업인 회장을 추대하는 경우가 많았다. 하지만 지원금이 나오고 저마다 마케팅 능력을 조금씩 갖추면서 '회장님 선택' 기준도 바뀌기 시작했다. 경기장 건립 등 정책적으로 풀어야 할 현안에 영향력을 발휘할 수 있는 정치인들에게 눈을 돌리기 시작한 것이다.

정치인 입장에서도 스포츠 단체장 자리를 마다할 이유가 없었다. 스포츠 분야 활동을 통해 인지도를 높이고 해당 스포츠 단체와 동호인까지 자기 지지 세력으로 만들 수 있기 때문이다. 그러다 보니 "재미가 쏠쏠하다" 는 소문이 났고, 선거철에 정치인이 대거 몰리는 진풍경이 벌어지기도 하였다.

정치인이 스포츠 단체를 맡겠다고 나서는 걸 싸잡아 비난할 생각은 없다. 해당 종목 경기인 못지않은 열정으로 선수들을 격려하고 협회 지원을 위해 열심히 뛰었던 모범 사례도 많았다. 문제는 '잿밥' 에만 관심이 있는 '쭉정이' 정치인들이다. 해당 종목 관계자들에게 "이번 선거 때 도와달라" 는 식의 스팸 문자만 보낸 케이스도 있었고, 협회 내분만 키운 '사고뭉치 회장' 도 있었다. 선거판에 뛰어든 정치인 중에도 "정말 회장이 되고 싶어서가 아니라 다른 후보의 당선을 막기 위해서 출마한 것 아니냐" 는 구설에 올랐던 인사도 있다.

국회의원, 시·도의원 출신은 물론 그 누구라도 소신과 능력이 있는 인물이라면 체육회장 자리에 앉을 수 있다. 하지만 "스포츠를 발전시키겠다" 는 희생과 봉사의 각오도 없이 개인적인 욕심을 채우기 위해 엉덩이를 들이미는 '얌체' 들은 더 이상 없어야 한다.

체육인들도 정신 차려야 한다. 정치인과 권력의 힘에 기대던 시대는 지났다. 주인의식을 갖고 체육회를 이끌어갈 내부 역량을 키울 때가 됐다. 자기들 밥그릇 지키기에 눈이 멀어 경기장 한 번 찾은 적이 없는 정치인들을 '바람막이' 로 끌어들이는 구태(舊態)는 청산해야 한다.

IOC(국제올림픽위원회) 헌장(憲章)에는 '국가올림픽위원회는 정치·법·종교·경제적 압력을 비롯한 어떠한 압력에도 굴하지 않고 자율성을 유지해야 한다' 고 명시돼 있다. IOC 헌장에 이런 내용이 있는지조차 모르면서 "올림픽의 스포츠 강국, 시·도 각종 체육대회의 상위 입상 도약을 내가 만들었다" 며 어깨에 힘주고 다니는 건 정말 꼴불견일 수 있다.

미국 초대 대통령 워싱턴(George Washington)은 사냥과 승마 광이었다. 2대 애덤스(John Adams)는 세일링, 레슬링, 수영, 스케이팅 애호가였다. 제퍼슨(Thomas Jefferson)은 "건강한 신체에 건전한 정신" 이라는 존 로크((John Locke)의 충고를 예로 들며 국민에게 체육·스포츠의 중요성을 일깨웠다.

이번 민선체육회장은 삶의 질과 직결된 국민의 건강과 행복 걱정도 해야 하는, 그리고 엘리트체육과 생활체육, 학교체육, 상생의 길을 모색할 수 있는 진정한 스포츠인에게 돌려줘야 한다.[35]

61. 학교 밖 청소년들에게 관심을 갖자

학교 밖 청소년 문제는 일찍부터 관심을 가져 온 미국 등 서구에서는 다양한 프로그램을 도입하여 선도에 나서고 있다. 우리나라도 학교 밖 청소년 지원에 관한 법률(제12700호) 제3조에 "국가와 지방자치단체는 학교 밖 청소년에 대한 사회적 차별 및 편견을 예방하고 학교 밖 청소년을 존중하고 이해할 수 있도록 조사 · 연구 · 교육 및 홍보 등 필요한 조치를 하여야 한다"로 명시되어 있다.

2016년도에도 20만이 넘는 강원도 총 학생수에서 2,000명 정도가 학교 밖으로 나올 수밖에 없는 교육환경 여건이다. 학교 밖 청소년들은 '학교 밖 패밀리'를 이뤄 매춘, 절도, 갈취 등의 범죄행위로 생활을 이어가고 있다. 대부분의 학교 밖 청소년에게는 돌아갈 가정이 없거나 있다 해도 상상하기 힘든 곳이다.

'학교 밖 청소년지원센타'는 문제 해결에 필요한 제도적 여건을 조성하고, 학교 밖 청소년들이 미래 세계에 대한 꿈과 희망을 확고히 할 수 있는 방향을 올바르게 제시하는 데 의의가 있다. 우선 학교를 떠난 학업 중단 학생들이 학교 밖에서 마음을 편하게 고민을 털어 놓으며 지속적으로 상담과 휴식을 취할 수 있는 공간이 마련되어야 한다. 그리고 예 · 체능 활동과 자연과 사물을 직접 접하는 노작교육 및 수련활동, 그리고 현장 체험학습의 기회를 제공하면서 인성을 함양해야 한다. 또한 학교 복귀를 위한 도움 정보 제공 및 작은 배움터를 통한 학업 프로그램도 제공돼야 한다.

원칙적인 문제를 고치지 않고 학교 밖 청소년들을 범죄자처럼 취급하면서 공권적 해석을 통해 문제를 해결하려고 하는 건 미봉책에 불과하다. 학교 밖 청소년에 대한 지속적인 상담, 도움 정보 제공, 복지 지원, 기관 연계 등을 통해서 학업 복귀를 도모하고 자존감을 향상시켜 주어야 한다. 근본적 해결을 위해서는 공권력을 투입하는 것이 아니라, 청소년을 귀중한 인격체로 존중하는 사회 분위기를 조성하는 것도 서둘러야 한다. 처음에는 비협조적이라 어렵겠지만 꾸준하고 지속적인 관심과 배려 속에서 성과를 얻을 수 있을 것이다.

이들의 일탈 행위와 관련해서는 부모의 인성과 환경 조건이 매우 중요하다. 통계에 의하면, 학교 밖 청소년의 일탈과 고뇌는 대부분 부모와의 갈등과 상관관계가 매우 높은 것으로 나타났다. 따라서 학교 밖 청소년 문제는 당사자보다는 부모의 인성과 환경적 배경부터 세심히 살펴 지역사회와 연계하여 지원을 강화해

나가야 한다. 우리가 청소년에 예민하게 대응해 오지 못하는 사이에 학교 밖 청소년의 폭력은 중학교로 점점 연령이 낮아지고 있다. 폭력 연합조직이 공공연하게 행사를 가질 만큼 조직화되었으며, 그 조직성을 과시하기 위해서 잔인, 악랄, 참혹으로 폭력을 끝도 없이 끌고 간다. 이제 더 이상 학교 밖 청소년을 그대로 방치할 수는 없다.

청소년이 건전해야 사회가 건강하고 국가의 미래가 밝아진다는 것을 모르는 사람은 없다. 청소년의 비행은 날로 심각해지고 있는데, 법과 제도를 비롯해서 학교 밖 청소년을 위해 시설을 설립하고 추진하려는 노력은 아직 관심 밖의 일로 보인다. 사후 약방문이 아닌 우리 모두 관심을 갖고 학교 밖 청소년 문제를, 이제는 다른 각도에서 그들의 고민을 찾아 해결해 줘야 할 때다.

강원도내에서 한해 400명이 넘는 가출 청소년이 발생하고 있지만 위기청소년들이 안전하게 기거할 수 있는 사회적 안전망인 청소년 쉼터는 턱없이 부족한 것으로 나타났다. 26일 도와 강원경찰청 등에 따르면 도내 청소년 가출발생 건수는 2014년 474건,2015년 410건,2016년 437건 등 매년 400건 이상 발생하고 있다. 올들어 이날 현재까지 151명의 청소년이 집을 나간 것으로 집계됐다.
쉼터에 입소하지 못한 일부 가출청소년들은 서울 등 대도시로 나갔다가 절도 등 각종 범죄의 유혹에 빠지고 있다. 도내 청소년 범죄 발생건수는 매년 2000건을 웃돌고 있는 반면 이들의 자립을 돕는 도내 청소년 보호기관은 부족해 가출 청소년들이 또 다시 거리를 배회하고 있다.

강원도에 따르면 도내 청소년 보호기관은 춘천에만 5곳(일시 1곳·단기 2곳·중장기 2곳)이 운영되고 있다. 나머지 17개 시·군에는 청소년 쉼터가 없다. 지난해까지 원주에서 운영되던 1곳은 예산과 전문인력 부족 등을 이유로 폐쇄됐다. 청소년 쉼터는 가출 청소년이 사회로 복귀할 수 있도록 보호하고 상담과 주거 등을 지원한다. 다만 9~24세의 청소년들이 쉼터 유형에 따라 7일에서 최장 9개월까지 이용할 수 있다. 하지만 강원도내 쉼터의 가출 청소년 정원은 8~15명으로,5곳을 모두 더해도 최대 수용인원은 75명에 불과하다.

강원도내 한 청소년단체 관계자는 “최소한의 사회적 안전망인 청소년쉼터가 예산과 전문인력 부족 등의 문제로 현재 도내에서는 불균형한 형태로 운영되고 있다” 고 밝혔다. 이에 대해 강원도 관계자는 “청소년 쉼터는 국비지원이 열악한 부분이 있어 다른 복지시설과 달리 운영하겠다고 나서는 업체가 없는 상황” 이라며 “올해 신설계획 수요조사를 실시했으나 신청한 곳은 단 한 곳도 없었다” 고 말했다.

62. 체육발전을 위한 체육재정의 효율적 지원 방안

우리나라는 '86서울아시안게임, 88서울하계올림픽대회, 2002년 한·일 월드컵 대회, 2002년 부산아시안게임, 2014년 인천아시안게임, 2018년 평창동계올림픽 등의 메가 스포츠이벤트를 개최하였으며, 이를 통해 세계 10위권의 전문체육 경기력을 갖추게 되었고, 월드컵 4강의 위업을 달성하였다.

이러한 국제적 스포츠이벤트의 개최는 지역의 사회간접자본(SOC) 개선과 단기적인 경제 생활화에 이바지한다는 측면에서 긍정적인 면이 있기도 하지만, 대회 이후 경기장 활용이 적절히 되지 않을 경우 지역 주민들은 더 많은 세금을 내야 하는 문제점을 나타내고 있다.

2014년 인천아시안게임의 경우 주경기장의 새로운 건설과 기존 경기장의 증축을 놓고 중앙정부와 인천광역시는 오랜 줄다리기를 했고 결과적으로 새로운 경기장을 건설하게 되었으며, 2018년 평창동계올림픽대회의 개·폐회식장 위치를 놓고 중앙정부와 강원도 및 평창군은 대립을 하였다가 결과적으로 평창으로 확정을 하였다. 이와 같이 지방 정부가 개최하는 메가 스포츠이벤트에 중앙정부가 개입하는 근본적인 이유는 재정 조달이 문제가 되기 때문이다. 따라서 중앙정부의 지원 여부에 따라 경기장의 위치나 규모가 달라질 수밖에 없다.

체육재정은 정부의 체육에 대한 관심을 직접적으로 반영하는 것으로, 정부의 수많은 정책에서 체육이 차지하는 비중을 의미한다. 2015년 중앙 정부 전체 예산은 지난해 대비 19조 6청억원이 증가된 375조로 편성되었는데, 이 가운데 체육 예산은 1조 2947억 원으로 2014년 대비 23.7%가 늘어 다른 예산 가운데 가장 큰 증가율을 나타내었다. 이는 평창동계올림픽을 준비하는 데 필요한 예산이 대폭 반영된 것으로 중앙정부가 평창동계올림픽을 중요하게 생각하고 있다는 것을 의미한다.

문화체육관광부의 체육국 재정은 크게 국고와 기금이 동시에 투입되는데 국고의 측면에서 중앙정부 전체 예산 대비 체육 예산이나 문체부 전체 예산 중 체육 예산이 차지하는 비중은 다소 적은 것으로 평가되고 있다. 이러한 현실은 지역 체육의 발전을 저해하는 하나의 요인이 될 수 있다.

문체부 예산 가운데 지역 지원 예산은 약 1조원 수중으로 문체부 전체 예산의 약 25~35%이상을 지원하고 있음에도 불구하고 여전히 지자체는 부족함을 토로

하고 있다. 이는 지방 정부는 국가의 예산 보조 없이는 재정적으로 지역 체육사업을 추진할 수 없는 실정이기에 결과적으로 체육행정의 지방 자치는 제대로 이루어지지 않고 있다.

이러한 어려움 속에서도 전문체육의 경기력은 2014년 인천아시안게임 2위, 2012년 런던하계올림픽대회 5위, 2008년 북경하계올림픽 7위 등 금메달 순위로는 최상의 성적을 나타내고 있다. 특히, 올림픽 메달리스트들은 대부분이 지방 정부 소속이라는 측면에서 지역 체육발전의 근간이 되어 국가의 체육 경쟁력이 발현된다는 것을 알 수 있다.

최근 고용불안과 경기불황 등으로 생활체육 참여 인구가 27.5%에 불과하고, 참여 계층 떠한 저소득층보다 고소득층에 편중되는 양극화 현상이 나타나고 있으며, 전문체육에서도 비인기봉목 중 일부 종목은 큰 재정적 뒷받침 없이도 우수한 성적을 거두었으나, 메달을 획득하지 못한 비인기종목의 선수들은 어려운 여건 속에서 운동을 하고 있는 실정이다. 이와 같이 전문체육 예산조차도 충분하지 못한 가운데 생활체육, 국제교류, 스포츠산업 그리고 장애인체육까지 지금의 체육재정으로 이를 뒷받침하기는 예산이 부족한 것이 현실이다.

그동안 중앙정부 예산에서 체육부문이 차지하는 비율은 2005년 0.08%에서 2008년 0.13%까지 증가하다가 2009년 0.11%, 2010년 0.07%로 감소하였고 이후 2013년까지 4년 동안 0.07%의 점유율이 그대로 유지되었다. 또한, 우라니라 중앙정부 예산 중 문체부가 차지한 비율이 최근 10년 동안 0.66~1.30%였고, 중앙정부예산 가운데 체육부문이 차지한 비율은 0.07~0.13%였다. 특히, 2010년부터 2013년 동안의 체육부문 예산은 문체부 예산의 10%조차 되지 못하고 있는 실정이다.

따라서 체육발전을 위한 체육재정의 효율적 지원 방안을 다음과 같이 제안한다.

첫째, 체육진흥 기금 중 수익금 배분의 개선을 통한 체육재정의 추가적 확보가 요구된다. 둘째, 재정 자립도를 기준으로 스포츠이벤트 개최 이후에 활용도를 높일 수 있는 충분한 지원이 필요하다.

셋째, 각 단체를 평가할 수 있는 공정한 평가 기준을 확립하고 이에 따른 전략적 지원과 체육재정의 확보가 요구된다.

넷째, 각 지역에 대한 충분한 사전 조사를 통해 양적 지원을 벗어나 실제 사용가치를 높일 수 있는 질적 자원이 이루어지도록 해야 한다.

다섯째, 체육부문의 지원 규모에 대한 심층 연구를 통하여 다양한 사업에 대한 공정한 분배가 이루어져야 한다.

63. 학교 체육정책 엘리트 스포츠에 공헌

제30회 런던 하계올림픽 대회가 막을 내렸다. 대한민국은 12개 종목에서 28개의 메달을 획득하며 올림픽 참가 사상 최고 성적인 5위를 거두었다. 64년 전 신생 국가 대한민국의 67명의 젊은이들이 조그만 불빛으로 시작했던 시점을 되돌아 보면서 올해 245명의 젊은 선수들이 영국에서 이뤄낸 빛나는 결실을 역사적 관점에서 짚어볼 필요가 있다고 본다.

1960년 5월 16일 사건을 계기로 우리나라 체육·스포츠는 일대 변혁을 가져 왔다. 군사 정부는 국민의 체력 증진 정책을 추진하고, 전국민에게 체육·스포츠의 중요성을 인식토록 하였다. 특히, 1962년 9월 17일 '국민의 체력을 증진하고 건전한 정신을 함양하며, 명랑한 사회생활을 영위함'을 목적으로 하는 국민체육진흥법을 법률 제1146호로 제정 공포함으로써, 체육 발전의 획기적인 기틀을 마련했다. 이어서 국가 체육 정책 추진은 건민부국(健民富國)을 지향하고 있는 근대 선진 제국의 기본 정책과 맥을 같이 하면서 추진되어 왔으며, 1960~1970년대 우리나라는 '체력은 국력이다'라는 구호 아래 건민체육(健民體育)으로 국가 발전의 토대를 마련한 것은 주지의 사실이다. 특히 우리들이 제 3, 4공화국(1963~1980)에서 주목해야 할 내용은 전국 소년스포츠 대회를 개최하여 엘리트 선수 양성에 기반을 조성한 점과 대통령 이름을 딴 축구대회 등을 통하여 국가에 대한 애국심을 함양했으며, 각 시도별 각종 체육대회를 활성화시켜 체육·스포츠 발전에 새로운 전기를 마련했다는 점을 상기할 필요가 있다.

1972년 5월 '몸도 튼튼, 마음도 튼튼, 나라도 튼튼'이라는 표어 아래 제1회 전국 소년스포츠대회를 서울에서 개최함으로써 많은 꿈나무 선수들을 배출하였다. 1986년 서울 하계 아시아경기대회, 1988년 서울 하계 올림픽경기대회의 주역은 물론 그 당시를 출발점으로 지금까지 다수 엘리트 스포츠선수로성장해 가면서 하계 아시아경기대회와 하계 올림픽경기에 참가했다. 물론 시·도간의 과열 경쟁과 체육교육 정상화의 저해, 학교 스포츠선수 인권 문제 등의 역기능도 있었지만, 1만~2만불 시대인 때에 그러한 학교 체육·스포츠 정책이 엘리트 스포츠의 기반 조성을 위한 공헌과 대한민국 위상을 세계에 알림으로 인해 발생된 시너지 효과는 인정해야 할 것이다. 이와 관련하여 미래 체육 정책의 이해를 돕기 위해 제1회 소년스포츠대회의 중3 선수를 기준으로 엘리트 스포츠와 관련해서 보다 더 구체적으로 정리해 볼 필요가 있다.

1972년 제1회 전국 소년스포츠대회에 참가한 학생을 기준으로 살펴보면, 그 당시 참가 선수 연령을 14세~15세로 본다면, 1982년 아시아 하계경기대회 때 참가한 연령은 24세~25세, 1986년 서울 아시아 하계경기대회 때 참가한 연령은 28세~29세였다. 1984년 하계 올림픽대회 때 참가한 연령은 26세~27세, 1988년 서울 하계 올림픽대회 때 참가한 연령은 30세~31세로 추정할 수 있다. 따라서 제1회 선수부터 제5회까지 선수들이 1986년 서울 아시아 하계경기대회와 1988년 서울 하계올림픽대회에 출전했을 확률이 높다고 볼 수 있다.

또한, 종목마다 차이는 있지만 지도자의 연령을 추정해 보면, 1986년 서울 아시아 하계경기대회와 1988년 서울 하계올림픽대회 당시 45세~55세로, 지금은 69세~79세로 추산할 수 있다. 또한, 제1회 소년 스포츠대회 출전 선수 연령은 현재 52세~53세 정도로, 전국 소년스포츠대회 출신 50세~60세 지도자가 2014년, 2018년 아시아 하계경기대회와 2016년, 2020년 하계올림픽대회에 우리 대표 팀을 이끌 공산이 크다. 이는 조기의 우수 선수 육성이 20년 후 아시아는 물론 세계 대회 출전 선수의 지도자 양성을 위한 밑거름이 된다는 것을 보여주는 사례이다. 이러한 과정을 통해서 많은 엘리트 선수를 양성하고, 세계 각종 대회에 출전하여 우수한 성적으로 입상함으로써 한국을 세계에 알렸을 뿐만 아니라, 그 시대의 선수가 지도자로서의 기반 조성 등 성장과 발전의 이중적 효과를 얻게 되었다. 이것이 압축적이고, 비약적으로 스포츠를 성장시켜 왔다 하더라도 국가 발전의 공헌으로 받아 들여야 한다고 본다. 따라서 지금까지 학교 체육·스포츠 정책이 엘리트스포츠의 기반 조성에 공헌(貢獻)한 부문은 인정해야 한다.

이를 고려하였을 때 앞으로 오늘날과 같은 스포츠 강국으로서의 위치를 계속 유지하기 위해서는 지금까지의 스포츠 정책의 우수한 점을 받아들이고 여러 가지 역기능의 단점을 보완함으로써 미래를 위한 새로운 체육·스포츠 정책 의지를 구현하고 추진 여건을 조성하며 재정 기반을 마련하여 가시화될 수 있는 미래의 체육·스포츠 정책안 마련이 시급하다.[36]

64. 스포츠 윤리교육이 강화되어야 할 때이다

스포츠 시즌이다. 이즈음에는 늘 발생하는 스포츠 관련 추문이 언론에 보도 되곤 한다. 경찰청 지능범죄수사대는 레슬링과 스키, 씨름 등 각 종목에서 횡령 및 사기에 연루된 스포츠 관계자 4명 등 총 9명을 총 9명을 불구속 입건했다고 18일 밝혔다. 얼마 전 강원도에서는 강릉시청 쇼트트랙 팀에서 훈련비 및 스카우트비 횡령 사건이 적발됐다. 이제는 한 발 나아가 사전에 스포츠윤리 교육이 필수적으로 요구되고 있다.

오늘날 스포츠현장에서 폭력, 승부 조작, 성폭력, 약물복용, 입시부정, 선수의 학습권 문제, 연구윤리 문제, 산업윤리 문제, 조건적 귀화 등 다양한 윤리적 문제가 발생하고 있다. 이와 관련해서 스포츠 윤리교육과 제도적 개선 없이는 해결될 수 없는 현실에 직면했다. 그렇다면 왜 '스포츠 선수는 왜 도덕적이어야 하는가?에 대한 답변으로 윤리교육과 연관시켜 세 가지 측면을 제시하고자 한다.

첫째, 스포츠 선수가 도덕성을 갖추면 자신에게 유익하게 된다는 점이다. 오늘날 스포츠는 선수의 도덕성을 시험하는 하나의 시험대로써 자신의 이미지와 상품적 가치, 그리고 연봉에도 영향을 미치는 중요한 요소로 작용하고 있다. 따라서 지속가능한 훌륭한 선수가 되기 위해서는 운동 능력뿐만 아니라, 인성도 중요하기 때문이다.

둘째, 스포츠 인으로서의 도덕적 책임감을 갖고 스포츠 활동을 해야 한다. 오늘날 스포츠는 단순한 취미를 넘어서 중요한 생활의 일부분이고 사회적 영향력을 가진 하나의 문화로써 스포츠 선수들은 때론 국가 영웅이 되어 청소년의 롤 모델, 즉 역할 모형이 되고 있다. 이러한 사실은 공인은 아닐지라도 전공 또는 인기 있는 스포츠 인으로서 다른 사람보다 더 큰 도덕적 책임감을 요구하게 한다.

셋째, 스포츠의 존립과 발전을 위하여 스포츠 선수는 보다 윤리적이어야 한다는 사실이다. 스포츠의 가치는 스포츠를 수행하는 사람에 의해서 표현되기 때문에 스포츠는 사회적 축소판으로서 스포츠가 지닌 도덕적 가치를 배울 수 있는 효과적인 수단이 될 수 있다. 따라서 스포츠 선수의 비윤리적 행동은 스포츠의 가치를 저하시킴과 동시에 스포츠의 존립 자체에 부정적 요인이 될 수 있다.

이러한 세 가지 요인을 고려해 볼 때, 스포츠 윤리교육의 필요성은 물론 필연성마저 갖게 된다. 좀 더 폭넓은 차원에서 살펴보면, 인간의 행동은 개체와 환경의 상호작용에 의하여 인간성이 유발되기 때문에 사회적 영향이라는 관점에서 고려해 볼 수 있다. 사회적 환경의 스포츠에 대한 영향이라는 측접에서 접근해 보면, 오늘날 우리 사회는 경쟁과 물질 만능주의로 인하여 인간성이 상실되고 가정이 파괴되고 사회가 무너지는 위기를 맞고 있다. 이는 정신적 가치보다 물질적 가치를 존중함으로써 삶의 진정한 의미를 상실해 가고 있는 것이다. 오늘날 자살률 세계 1위, 성폭력 증가, 빈익빈 부익부 현상 초래, 행복 지수 저조, 개인주의 팽창 등은 이러한 실태를 잘 설명해 주고 있다.

이와 같은 물질만능의 사회적 현상은 스포츠 문화에도 그대로 영향을 미쳐 스포츠가 사회적 역기능을 수행하도록 할 수 있다. 그러므로 건전한 스포츠문화를 조성하기 위해서는 선수나 지도자는 물론 모든 스포츠 참가자들이 바람직한 스포츠맨십과 페어플레이 정신을 가질 수 있도록 윤리 의식을 함양시켜야 한다. 특히 부정적인 사회적 환경의 영향을 받지 않도록 차단하기 위해서는 스포츠윤리 교육이 반드시 필요하다. 그런 측면에서 지금은 스포츠 윤리교육이 보다 더 강화되어야 할 때이다.[37)]

윤리 교육(倫理敎育)은 인간의 행위 규범을 가르침으로써, 사람으로서 마땅히 행하거나 지켜야 할 도리를 갖추게 하는 교육이다.

스포츠윤리교육이란 7개 프로 단체 선수, 코칭스태프, 사무국 직원 등 종사자를 대상으로 승부조작, 불법도박, 음주운전, 폭력/성폭력 등을 내용으로 공정하고 깨끗한 프로스포츠 환경 조성을 위해 진행하는 교육이다.

교육과정은 윤리교육 목적 및 취지, 스포츠윤리 기본 지식 함양, 프로스포츠 선수 및 환경에 대한 배경지식, 프로스포츠 규정과 법, 교수법, 스포츠윤리교육 교육과정 강의 교안 학습, 프로스포츠 윤리 규정 위반 사례 학습, 강의 시연 등으로 구성된다.[38)]

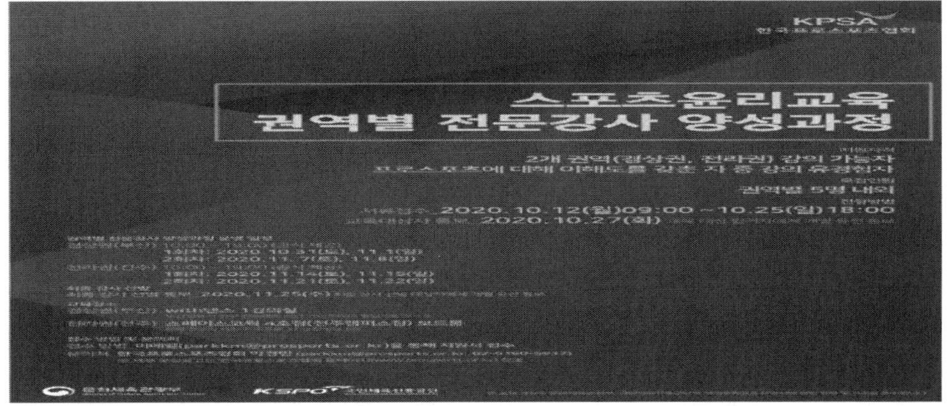

65. 경제 성장 속에서의 스포츠 발전과 앞으로 엘리트스포츠 발전을 위해

경제성장에 따른 국민들의 물질적 풍요와 여가시간의 증가는 프로스포츠가 여가수단으로 활용되는 계기를 마련했고, 국민소득의 증가에 따른 대중매체의 보급으로 프로스포츠는 관람스포츠로 정착하게 되었다. 프로스포츠는 거대 자본을 갖춘 민간기업과 국민들의 관심으로 성장한다.

80년대 이전까지 프로복싱과 프로레슬링이 프로스포츠의 명맥을 유지했다면, 82년 출범한 프로야구를 시초로 프로스포츠가 본격적으로 활성화되었다. 프로스포츠의 특성상 대중의 관심, 경제적 여유, 여가시간이 확보되지 않는다면, 국가정책, 기업의 참여, 수준 높은 경기력을 갖춘다 해도 프로스포츠는 성장할 수 없다. 따라서 경제력과 여가시간의 증가가 프로스포츠 성장에 기저가 되었음을 부정할 수 없다.

경제성장과 더불어 스포츠가 급속한 성장과 발전을 해왔지만, 98년 IMF체제를 전후로 경기침체가 도래하면서 스포츠 각 분야에 부정적인 영향을 미쳐 다소 침체된 모습을 나타냈다.

98년 IMF사태로 기업이 도산하고 재정이 악화되면서 실업팀이 해체되고 생활체육예산이 감소하였으며 골프장 내장객이 감소하였다. 그리고 경기장 관람객의 감소, 프로씨름구단의 해체와 상금의 감소, 프로골프대회 및 상금의 감소 등을 나타내며 스포츠 전반에 악영향을 미쳤다. 한국에서 스포츠는 경제성장에 많은 영향을 받아왔다.

60년대와 70년대 정부가 엘리트스포츠 진흥을 주도했지만 가시적 성과를 거두지 못했고, 생활체육은 사회적으로 확산되지 못했다. 80년대 정부의 엘리트스포츠 육성의지와 경제력이 뒷받침되면서 크게 성장하고, 프로스포츠가 활성화되었으며, 생활체육의 참여욕구가 싹트기 시작했다. 90년대 고도 경제성장기에 생활체육과 프로스포츠가 활성화되었다.

이와 같이 경제의 급속한 성장 속에서 한국의 스포츠계는 비약적인 성장과 발전을 하면서 국내·외적으로는 그 위상과 가치를 인정받아 왔다. 엘리트스포츠는 스포츠 정책의 수립과 재정의 확충으로 경기력을 향상시켜 국제사회에서 한국의 위상을 높여 왔으며, 2010년 벤쿠버 동계올림픽에서 종합 5위, 2012년 런던 하계올림픽에서 종합 5위, 2014년 소치 동계올림픽에서 13위, 2016년 리우데자네이루 올림픽에서 종합 8위 쾌거는 우리 국민에게 자부심을 안겨주었다. 또한 생활체육은 경제 성장으로 국민 복지를 중시하면서 건강 및 여가 선용의 방법으로 참여하는 스포츠로 그 가치를 인정받고 있다.

하지만 엘리트스포츠의 근간이 되는 학교운동부의 여건은 어느 학교나 대동소이할 정도로 열악한 실정이다. 이는 편중된 종목에 따라 학교 운동부에 대한 지원 예산이 턱없이 부족한 것이 근본적인 원인에 있다. 이와 같이 부족한 예산은 학교 운동부 시설을 포함해서 지도자의 능력과 자질에도 역할을 미치게 한다. 운동부에 대한 예산이 부족한 탓에 이를 확충하기 위한 편법이 동원되는데, 이 과정에서 학부모들이 가장 큰 부담을 떠안게 되며, 때로는 코치, 감독, 학부모, 학교 간 갈등이 빚어지기도 한다.

대부분 학교 예산을 통해 지원 받는 재원과 학부모들의 후원금으로 학교 운동부를 운영하고 있다. 학부모 후원금의 일부는 코치의 인건비로 지출되며, 출전비, 시설 및 장비 구입비 등의 비용으로 지출된다. 또한 학부모는 출전을 위한 합숙훈련과 관련된 추가 비용을 추렴해야 한다.

한편, 학부모들은 매월 일정 금액을 후원해야 하는 금전적 부담을 안고 있는 것은 물론 선수들의 식사, 세탁 등 훈련과 합숙에 관련된 여러 자질구레한 일까지 떠맡고 있다. 많은 재원이 필요한 합숙소 시설 개선, 운동부 시설의 수선, 수리 및 관리 등이 제대로 이뤄지지 못한 상황에서 학생들은 운동하게 된다.

여러 가지 이유로 엘리트스포츠는 다소 침체되긴 했지만 그 동안 경제성장과 더불어 성장하고 발전하였다. 스포츠는 경제력과 국가정책이 뒷받침되어야 성장할 수 있다. 앞으로 우리가 선진 국가를 지향한다면 현실성 있는 스포츠정책을 수립하고 실정에 맞는 스포츠예산을 편성해야 한다.

66. 평창동계올림픽 사후 시설 활용에 대한 한 마디

국민생활의 수준 향상과 함께 신체활동에 대한 국민의 관심이 날로 증가하고 있다. 현대생활에 있어서 공공 체육의 필요성이 더욱 크게 강조되고 있는 것은, 각박한 현대인의 삶에서 공공체육은 신체적·정신적 건강함을 유지·발전시키는 데 있어 중요한 역할을 한다는 인식 때문이다. 이에 체육 시설은 지역 주민들의 체육활동을 위한 동기 유발로 실제적인 이행을 일으키는 기본 요건이 된다.

대도시 인구 집중현상, 국민소득의 증가, 여가생활 증대 등 사회적 변화에 따라 체육시설물이 증축되어야 하는데, 정부 지원정책의 비현실성으로 인해 적정한 예산 확보가 어려워 실제 건설비의 10%내외의 지원율에 지나지 않아 형식적인 수준에 머무르고 있다. 지원 분야에서도 전문체육 위주의 시설 확충에 치중하여 지역 주민이 선호하는 생활체육 시설의 보급이 아주 저조한 실정이다. 게다가 우리나라의 체육 시설은 선진국에 비해 수가 부족할 뿐만 아니라 설치된 시설도 지역적으로 편중이 심한 편이다.

이러한 측면에서 평창동계올림픽 개최를 위해 만들어진 공공체육시설물들이 지역사회의 생활체육 공간, 문화의 공간으로 운영·관리가 잘 된다면 지방 자치단체는 시설 유지 및 관리로 인한 운영비 충당 및 수익 사업이 될 수 있으며, 지역 내의 시민들에게 부족한 공공체육 시설로 그리고 엘리트체육을 위한 전문적인 스포츠시설로 활용될 수 있을 것이다.

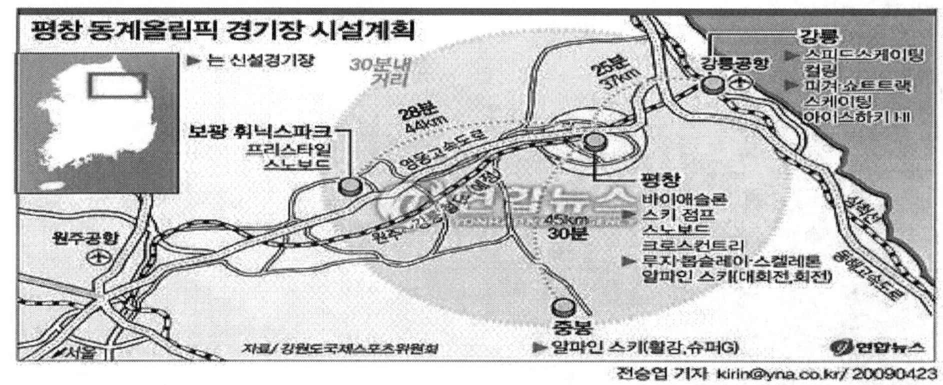

2018평창동계올림픽은 정치, 사회, 문화, 경제 등 모든 분야에서 매우 큰 의미와 가능성을 담고 있다. 특히 평창동계올림픽과 관련하여 이루어진 전용 경기장의 건설과 교통, 숙박 등의 지원 시설, 대규모 문화 행사 개최, 관광 산업의 진흥,

지역 환경의 개선 등 지역사회 발전에 기여하는바 또한 엄청날 것이다. 하지만 이러한 경제적, 사회문화적 기대 효과가 일회성이 아닌 지속적으로 나타나기 위해서는 경기 이후 경기장 주변 개발 사업과 연계하여 부가적 생산성 향상과 더불어 국제 초청 경기대회, 국내 경기대회, 대규모 이벤트, 집회, 콘서트, 각종 전시회 개최 등의 행사와 서민들의 생활체육장으로서의 역할을 수행하는 것 등 다양한 경기장의 활용 방안에 대한 대책이 세워져야 한다.

평창동계올림픽 개최를 위해 건립된 공공 체육시설물들의 사후 운용의 효율성을 높일 수 있는 개선 방안으로는 다음의 내용을 고려해 볼 수 있겠다.

첫째, 공공체육시설의 운영 효율화를 기할 수 있는 운영체제는 민영화나 민간위탁을 일괄적으로 선택하기 보다는 시설의 성격과 조직의 운영 상태, 그리고 유사 시설의 실적 등을 충분히 파악하여 결정해야 한다.

둘째, 시민들의 이용 효율성을 높이기 위해 체육시설의 리모델링 및 시설 복합화를 추진해야 한다.

셋째, 공공 체육시설에서 운영되는 다양한 스포츠 종목의 특성을 인지하고 이용자들의 만족도를 파악하여 차별화된 서비스를 제공해야 할 것이며, 각종 시설의 효율적 활용과 연계성 확립, 지역 실정에 적합한 프로그램 보급과 지도 및 관리 능력이 뛰어난 지도자의 배치 등이 요구된다.

넷째, 지역사회 및 공동체로서의 역할을 수행하는 문화 교류의 장소로서의 역할을 할 수 있어야 한다.

다섯째, 홍보활동은 공공 체육시설이 지역사회의 유기체로서 존재할 수 있도록 시설, 지도자, 프로그램, 동호인 조직, 교육 등의 다양한 내용의 홍보를 체계적인 방법으로 상시해야 할 것이다. 그리고 지역정체성 형성에도 도움을 줄 수 있도록 공공 체육시설의 역할 및 기능에 관한 홍보가 필요하다.[39]

67. 스포츠클럽으로 말하는 모성(母聲)

엘리트스포츠의 대안으로 논의되기 시작하면서 스포츠클럽은 많은 관심을 받아왔다. 물론 우리가 접하는 지금의 클럽이 진정한 의미의 스포츠클럽 형태로 완성되지 못했지만 말이다. 그럼에도 많은 영역에서 학교체육과 엘리트스포츠 부족한 점을 메우기 위한 대안으로서 클럽 형태의 제도가 활발해지는 현상은 매우 고무적이다. 또한 이와 같은 사회적 변화가 일어난다는 일도 우리에게 중요한 시사점을 준다.

이 중 주목해야 할 종목은 우리나라 동호회나 클럽 수준에서 가장 활성화된 축구다. 아직 완벽한 시스템은 아니지만, 생활체육 동호인 클럽 중에서 축구로 가장 많다. 참가 인원수도 유소년을 대상으로 운영 중인 축구클럽 역시 등록 자료에 의하면 전국적으로 다른 종목에 비해 월등한 비율로 확산되어 있다.

특히 한국사회에서의 축구클럽은 독특한 위상을 보여준다. 그 확산이 스포츠메가이벤트로 야기되었다는 점에서부터, 참여 인구가 유소년에서부터 장년에 이르기까지 다양하기 때문이다. 뿐만 아니라 학교 운동장에서 최근 가장 인기 있는 종목은 당연 축구로서, 방과 후 체육활동에서도 축구는 언제나 인기를 누린다. 많은 부모가 자신의 자녀 중 남아는 축구교실, 여아는 무용학원에 보내야 한다고 믿는다. 미국에선 이미 이러한 현상을 '싸커 맘(soccer mom)'으로 규정하며 사회적으로 공론화시켰다.

부모와 아동의 스포츠 참가 관계는 우리에게도 의미가 있다. 유소년에서부터 청년기에 행하는 스포츠 참가 대부분이 부모에 의해 이루어짐을 고려한다면 말이다. 방과 후 체육활동 뿐 아니라 학교에서 만연한 왕따 및 폭력 사건으로 인해 부모들은 최근 아이들이 신체활동에 많은 관심을 보이고 있다는 점은 사실이다. 따라서 스포츠와 관련하여 자식에게 쏟는 부모의 애정은 최근 들어 더욱 두드러진 듯하다.

"역사와 개인의 일생, 그리고 사회라는 테두리 안에서 이루어지는 이 양자 간의 관계를 파악하라" 는 미국의 사회학자인 밀즈(Mills)의 사회학적 상상력 테제에 입각하여 스포츠클럽 참가라는 개인적 행위가 전체 사회문화적 구조 내에서 어떻게 이해될 수 있는가? 그 사회적 동기를 모성(母聲)의 차원에서 들어본다면 다음 세 가지가 아닐까 생각한다.

첫째로는 바로 '획득(Acquirement)'의 동기이다. 이는 스포츠클럽에 자녀를 참가시키는 이유가 아이의 건강함과 사내다움을 획득하여 또래 간의 관계에서 우위를 차지하려는 목적에 있다는 명제로 구성된다.

두 번째는 '어울림(Band)' 동기로서, 이는 스포츠클럽 참가가 학교에서의 적응을 용이하게 하고, 또래 집단에 들어가 어울림으로써 궁극적으로는 왕따와 같은 사회적 문제에 휘말리지 않게 하려는 일종의 보험으로 이해됨을 우리에게 보여준다.

마지막으로 사회적 동기는 '삶의 기회(Chance)'로서 명명되는데, 이는 스포츠클럽에 참가함으로써 학교에서 충족되지 못한 신체활동의 기회를 확보하여 미래에 자녀의 보다 나은 삶의 기회를 확보해 주는 신자유주의적 사고방식으로 명제화 된다.

따라서 스포츠클럽으로 아이를 보내는 엄마의 목소리는, 세 가지 동기에 도달하고, 신체활동에 대한 세 가지 사회적 동기의 범주는 복잡한 방식으로 상호관련성을 맺으면서 발전하면서 변화하게 될 것이다.

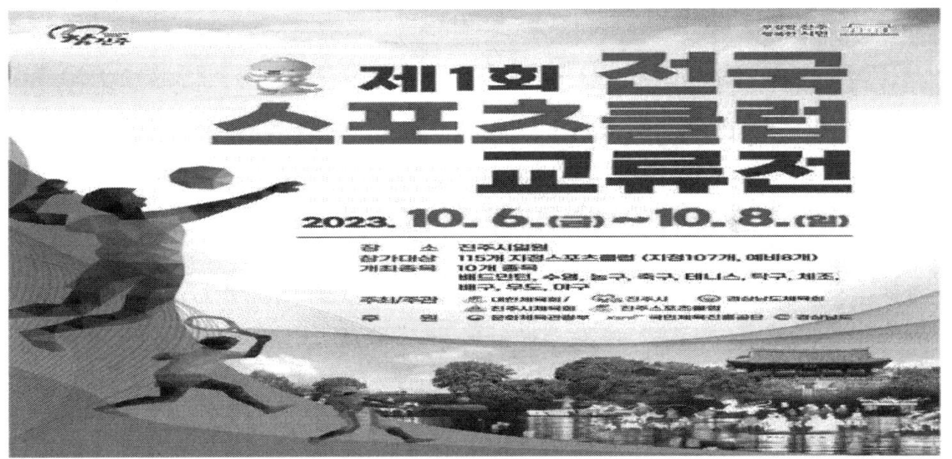

스포츠 클럽은 체육 활동을 목적으로 마음이 맞는 사람들끼리 모여 형성한 집단. 클럽마다 특정 종목을 즐기는데, 최근에는 유소년을 주축으로 하여 만들어진 클럽이 많다.

대한민국에서는 복수 종목에 진출한 스포츠 클럽이 E스포츠에만 있다. E스포츠 외 다른 스포츠들은 인프라와 장비 비용, 인건비, 수도권에 쏠린 인구 여건상 찾아보기 어렵다. 국내 기업에서 운영하는 팀들의 경우 비슷한 형태를 취하긴 하나 팀명도 제각각이고 연고지도 다르기 때문에 같은 정체성을 공유해야 한다는 의미가 퇴색된다.

68. 민족주의에 입각한 스포츠에 대한 사고(思考)

2002년의 유월은 어떻게 기억해야 할까? 그 일사불란했던 박수소리와 지축을 뒤흔들었던 '대-한민국'이라는 함성은 한 치의 가감도 없이 민족적 엑스터시였으며, 전 국민을 하나로 묶는 주술이었다.

시퍼런 서슬의 군사정권 시절에도 불러 모으지 못했던 방방곡곡의 군중이 태극기를 두르고 광장으로 몰려드는 광경에서 어느 외신은 '전체주의 광기'라는 시대착오적인 기사를 타이핑하기도 했다. 도대체 현실의 영역에서 축구공 하나의 행방이 그토록 보는 사람의 애간장을 태우는 일이 가능한 것일까. 그러나 그것은 수만 명의 스틸 사진과 영상 속에 엄연한 역사적 사실로 존재하며 지금도 뜨거웠던 2002년의 초여름은 신화로 기억되고 있다.

연령과 계층, 혹은 개인에 따라 당시의 추억을 떠올리는 내용의 편린은 다를지라도 우렁찬 함성의 밑바닥으로부터 솟구쳤던 감정은 동일하였을 것이다. 그리고 그 감정의 실체는 '민족'이라는 단어 이외에 표현할 다른 방도가 없다.

민족주의(民族主義)는 독립이나 통일을 위하여 민족의 독자성이나 우월성을 주장하는 사상이다.

2002년의 월드컵은 극동의 작은 변방이었던 '코리아'를 일거에 세계의 중심으로 도약시킨 역사적 기폭제였다. 이에 대한 사실의 여부는 물론 후대 역사가의 몫이겠지만 적어도 현재의 우리는 그렇게 믿고 있다. 이 굳건한 믿음은 어디서 연유하는 것일까? 차라리 우리가 수시로 반추하는 그 때의 감동은 4강의 기적이 아니라 온 국민을 하나로 묶어 두었던 미증유의 공동체적 감정은 아니었던가. 이러한 물음은 곧 스포츠와 민족주의가 어느 좌표에서 만나는지를 추궁하게 만든다.

스포츠와 민족주의의 화려한 선례는 비단 2002년에 한정되지 않는다. 1966년 최초의 프로 복싱 세계 챔피언이 된 김기수로부터 1998년의 골프선수 박세리, 가깝게는 2010년 밴쿠버 동계올림픽 2014년과 소치 동계올림픽의 피겨스케이팅 선수 김연아, 스피드스케이팅선수 이상화의 금메달까지 당대의 시대적 상황과 결부되어 스포츠이벤트는 신체적 퍼포먼스를 넘어 자연스럽게 민족의 긍지로 치환되어 왔다. 역사를 더 거슬러 올라가면 근대스포츠가 우리나라에 유입된 이후부터 스포츠는 늘 민족적 저항, 혹은 민족 기상의 코트와 일치하였다. 이 땅에서 스포츠와 민족주의의 결합은 너무도 자연스러워 마치 스포츠의 선험적 조건처럼 여겨질 정도이다. 민족이 개인에 선행하는 까닭에 개인의 신체적 능력이 민족의 능력으로 수렴되어지는 논리는 어쩌면 당연한 일인지 모른다.

그러나 당연함이란 익숙한 감정의 형태일 뿐 필연을 뜻하는 것은 아니다. 다시 말해 스포츠와 민족주의 근친성은 만들어진 관계에 불과한 것으로 반드시 결합되어야 할 필연적인 이유를 가지지 않는다. 그 만큼 스포츠와 민족주의 공존은 오랜 시일에 걸쳐 내면화 과정을 거치면서 기정사실로 고착되어 객관적이고 정확한 인식을 어렵게 만든다. 더욱 문제를 어렵게 만드는 것은 그것에 대한 비판 자체가 애초에 봉쇄되어 있다는 것이다.

스포츠 민족주의에 대한 비판은 비판의 주체에게 민족적 소속을 되묻거나 민족 전체에 대한 의도적 악의의 혐의를 뒤집어씌운다. 그 단적인 예가 2006년 독일 월드컵 때의 모 방송국 해설위원이 옹호한 오프사이드 판정에 대한 네티즌들의 비난과 자진사퇴일 것이다. 요컨대 스포츠에 내재하는 명확한 승패의 구조는 피아(彼我)의 선명한 구분을 동반할 수밖에 없고 이 때 한 목소리로 토해내는 '대-한민국' 혹은 '오! 필승 코리아' 라는 응원의 함성은 오로지 아(我)를 응집시키는 폭발적인 힘을 갖는다. 이를 이유로 국가를 대표하는 스포츠선수는 일순간 전사(戰士)가 되어버리는 것이다. 이처럼 스포츠 퍼포먼스는 너무도 손쉽게 상대편과 패배를 부정하고 승리와 우리를 강요하는 비장한 전투의 이미지와 결합하게 된다.

그렇다면 스포츠의 민족주의적 열광은 우리만의 특수한 것인가, 아니면 보편적인 현상인가? 만일 보편적인 것이라면 코리아를 대표하는 '붉은 악마' 는 우리만의 독특한 응원문화이자 민족적 표현일 것이고, 특수한 것이라면 그것을 만들고 유포한 이데올로기적 작용을 의심해 보아야 한다. 이러한 물음은 궁극적으로 민족주의, 혹은 그것의 중핵이 되는 '민족' 자체가 항구(恒久)적 실체인가 아니면 만들어진 관념인가를 묻는 작업과 맞닿아 있다.[40]

69. 인성을 강조한 체육 교수·학습으로 이미지를 바꾸어라

우리나라는 사회적, 경제적, 문화적으로 빠르게 발전하게 되면서 청소년의 범죄와 비행은 심각한 문제로 대두되고 있으며 집단 따돌림, 금품갈취, 협박 폭행 등과 같은 학교 폭력이 심각한 문제로 제기되고 있다. 이러한 현상은 빠르게 변화된 산업화와 지식정보화 사회로 진행되는 과정에서 나타나는 사회적 현상으로 해석될 수 있지만 청소년의 인성에 대한 문제와 사회적 병리는 심각한 수준이다. 또한 스마트폰이 보편화되면서 청소년들에게 미디어 과다 노출로 인하여 신체, 언어, 정신적 폭력에 대한 문제가 심각하게 대두되고 있다.

우리나라 청소년의 우울감 경험률은 최근 5년 사이에 7.6%로 크게 상승하였으며, 청소년기 이후 자살 사망률도 크게 증가한 것으로 나타났다. 또한 우리나라 청소년들의 '지적 역량' 은 OECD에 가입한 36개국 중 2위로 나타난 반면, 공동체 의식과 참여, 사회적 협력성을 나타내는 '사회적 상호작용 역량' 은 35위로 가장 낮은 수치로 나타났다

이런 문제를 해결하기 위하여, 교육부는 창의·인성을 강조한 '인성교육 강화 기본 계획' 을 발표하였다. 이에 따라 창의성과 인성을 강조한 체육수업에 대한 역할이 중요하게 부각되었으며, 다양한 교수·학습 방법을 활용한 인성교육의 필요성이 대두되었다. 또한 한국직업능력개발원의 연구에 의하면, 학창 시절 학업 성적이 뛰어났던 학생들은 성인이 된 후 삶의 만족도가 11.3%로 나타난 반면, 체육에 흥미를 가졌던 학생들은 성인이 된 이후 삶의 만족도가 67%로 더 높게 나타났다. 이는 스포츠 활동이 삶의 만족도에 영향을 미쳤다고 해석할 수 있으며, 특히 스포츠 활동을 통한 인싱의 발달은 '학생 개인의 삶을 윤택하게 만들 수 있다는 의미를 내포하고 있다' 고 해석할 수 있다.

인성(人性)은 사람의 성품이며, 인성 교육(人性教育)은 마음의 바탕이나 사람의 됨됨이 등의 성품을 함양시키기 위한 교육이다.

현대사회에서 인성은 아주 중요한 부분이며, 교육현장에서도 지속적으로 강조되어 왔다. 특히 개정교육과정에서는 시대적 흐름을 이끌어 갈 미래 사회의 인재들이 지녀할 능력으로 '글로벌한 창의적 능력'과 '나눔과 배려의 인성'을 핵심 덕목으로 선정하였다. 넬 나딩스(Nel Noddings)는 학교를 "따뜻한 배려의 공동체"로 강조하며, 학교는 "윤리적인 이상을 고취할 수 있는 최적의 장소로 학교에서의 인간관계, 일상생활, 교과활동 등을 통해 학생들의 윤리적인 이상을 고취시킬 수 있다"고 주장하였다.

우리나라의 학생들은 개별적 능력이 우수하나, 공동체 일원으로서 함께 생활하는 능력은 매우 부족한 현실이며, 이는 인성교육이 학교 현장에서 잘 이루어지지 않고 있다는 의미로 해석할 수 있다. 즉 주지교과의 학습에 주력하는 교육적 현실에서 갈수록 학생들은 학교교육 참여에 소극적이며 학습에 대한 의욕이나 동기가 상실되고 지나친 경쟁심으로 인한 좌절감이 증폭되어 학습자들은 점차 병들고 죽어가고 있다고 해도 아언이 아니다.

체육이라는 교과는 지식을 전달해야 하는 특성을 가진 다른 교과에 비해 유연성을 가지고 있어 다양한 인성교육에서 가장 중요한 역할을 담당할 수 있다. 이와 관련하여 인성을 강조한 체육 수업의 활성화를 위한 시사점을 제시하면 다음과 같다.

첫째, 현직교사들이 체육수업에서 인성교육을 효과적으로 운영할 수 있도록 다양한 교수·학습 방법과 수업 자료가 개발되어야 할 것이다.

둘째, 체육수업에서 인성교육을 할 수 있는 전문적이고 다양한 예비 체육교사 및 현직 체육교사를 위한 교육 프로그램의 개발과 활용이 이루어져야 할 것이다.

셋째, 체육수업에서 인성교육에 대한 가치를 중요시 하는 인식의 개선과 문화의 정착과 이를 뒷받침할 수 있는 제도적 기반이 마련되어야 할 것이다.

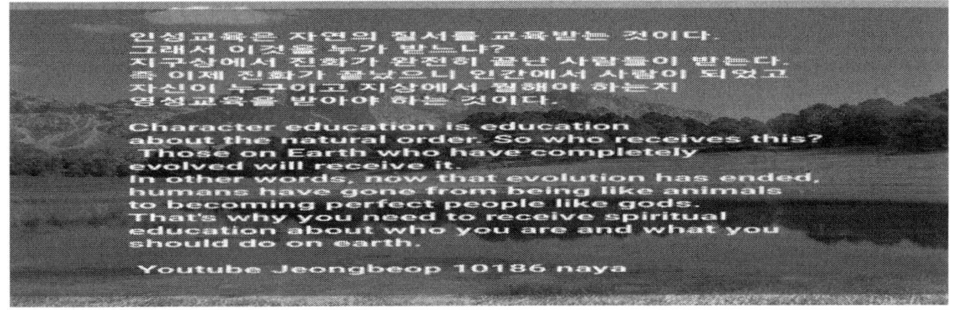

70. 학습활동과 운동수행을 병행하고 있다는 진실과 거짓 속에서

학습활동(學習活動)은 학습의 목표를 달성하기 위한 학습자의 활동이다. 운동수행(運動遂行)은 운동과 관련된 목적을 가지고 자발적으로 형성된 운동 동작으로, 이것은 신체적 · 심리적 · 정서적인 변화에 영향을 받는다.

과연 학생선수들은 학업에 대해 어떻게 판단하고 있을까? 공부가 운동에 도움이 된다고 생각할까? 아니면 방해가 된다고 생각할까?

우리나라는 올림픽, 월드컵, 아시안 게임 등 각종 국제경기 개회에서 경이로운 성적을 거두어내며 전 세계에 '한국은 스포츠 강국'이라는 이미지를 심어주었다. 이처럼 우리나라의 엘리트스포츠는 지난 시간 동안 우수한 성적을 바탕으로 국가 이미지와 브랜드를 높이는데 크게 기여해왔으며, 국민들에게 감동과 기쁨, 그리고 꿈과 희망을 선사하는 데 앞장서 왔다. 이는 적은 인구, 스포츠인프라와 시스템 등의 스포츠 자원이 부족한 상황에서 이루어낸 거의 기적에 가까운 일이라고 할 수 있다.

그러나 국내 엘리트스포츠는 이와 같은 긍정적인 측면과 더불어 부정적인 측면 또한 지니고 있다. 그동안 엘리트스포츠는 승리지상주의에 편승하여 해가 거듭될수록 파행적으로 운영되었고, 이로 인해 학생선수들의 학교생활은 비교육적 형태로 관행화되었다. 선수들의 성장 잠재력보다는 대회 입상을 우선시 하게 되었다. 이로 인해 비인격적인 폭언과 폭력이 반복적으로 이루어져왔다. 그 결과 학생선수들은 선수 이전의 학생으로서 기본적으로 누려야 할 학습권과 행복추구권이 박탈되었다.

또한 교육직 차원에서의 체육특기자 제도는 학생선수들이 대부분의 수업시간을 오직 경기력 향상을 위한 운동 기능 증진에만 치중함으로써 학업 및 교우관계 등 학교생활의 적응 면에서 부정적인 결과를 초래하였다. 뿐만 아니라 선수들이 상급학교 진학이나 사회 진출 과정에서도 큰 장애를 갖게 되어 사회 적응의 어려움을 겪는 등 많은 문제점들이 야기되고 있다. 이러한 상황 속에서 학생선수들은 학생으로서의 의무와 선수로서의 의무 사이에서 정체성 혼란을 겪으며, '반쪽 학생, 운동 기계'라는 소리를 들으며 교복 없는 학생으로 전락하였다.

제도적인 문제점 이외에도 운동만이 전부라는 오랜 관행으로 인해 스포츠현장의 실질적 주체인 선수와 지도자 간에도 학업은 운동선수에게 불필요한 것으로 여겨지게 되었다. 또한 선수 스스로의 학교 학습 참여 필요성에 대한 인식의 부재, 학습에서의 소외 현상, 학습 참여에 대한 심리적 제한과 학업 성취에 대한 벽, 새로운 시작에 대한 기대와 어려움 등으로 인해 운동선수에 대한 학업 병행이 제대로 이루어지지 않는 것이 현재의 실정이다.

이와 같은 문제의 심각성을 인식하고 정부와 체육계에서도 엘리트스포츠의 정상화를 위한 많은 노력을 기울이고 있다. 그동안 소수의 학자들에 의해 거론 되어왔던 학생선수들의 학습권 문제가 거대담론으로 부상하여 학생 선수 수업 정상화 촉구를 위한 국회 결의안이 국회 본회의에서 의결되었고, 교육부와 문화체육관광부에서 선진형 학교운동부 운동시스템 구축 계획을 발표하였으며, 종목별 주말 리그제 도입, 그리고 일부 일선학교에서 운동선수 학업 정상화를 위한 변화들이 일어나고 있다.

이러한 변화들은 분명 학생선수의 인권 성장에 대한 사회적, 제도적 합의를 이끌어내어 학생 선수 삶의 질적인 부분에 긍정적인 영향을 미칠 것으로 보인다. 이러한 노력들이 빛을 발했을 때, '공부하는 학생선수상'을 정립할 수 있음은 물론 나아가 학생 선수가 사회의 한 구성원으로서 심동적, 정의적, 인지적 영역을 골고루 발달시켜 전인적 인간으로 성장하는 데 도움을 줄 수 있을 것으로 판단된다. 그리고 이를 위해서는 우선적으로 학생 선수들이 학업에 대해 어떻게 생각하고 있는지를 이해해야 한다. 그래야만 이에 맞는 효과적인 정책 수립에 대한 방안을 모색할 수 있기 때문이다. 따라서 학생선수들의 학습활동이 연습이나 시합 상황에서 운동 수행에 어떠한 영향을 미치고 있는지 살펴보는 과제가 선결되어야만 한다.[41]

71. 지속적이며 학생에게 적합한 토요스포츠데이를 실행하자

학교가 병들어 가고 있다. 학교 폭력과 집단 따돌림 등의 청소년 문제가 심각한 사회문제로 대두되고 있다. 가해자의 폭력 행위뿐만 아니라, 폭력의 원인이 되었던 게임 중독에 의한 괴롭힘과 갈취, 그로 인해 겪었던 고통스러운 심정을 부모나 교사, 친구 어느 누구에게도 표현하지 못하고 힘겨워하는 모습들이 여실히 보여 진다. 빈번이 발생하는 학교폭력의 문제가 더 이상 방임할 문제가 아님을 시사하고 있다.

오늘날 학교폭력은 이전에 볼 수 없었던 양상으로 확산되고 있으며, 집단, 저연령화, 조직화되고 있다. 더욱이 이러한 학교폭력이 반인륜적인 형태를 띠고 있어 사회적 관심과 공감대가 형성되고 있다. 이에 학교폭력에 대응하여 학생을 효과적으로 지도할 수 있는 수단과 제도적인 미흡문제로 인한 학생 지도 교육 여건의 문제 및 한계점의 개선이 요구되고 있는 실정이다.

이렇듯, 학교폭력이 심각한 사회문제로 가시화되면서, 정부는 '학교폭력 없는 행복한 학교'를 목표로 내세우며 '학교폭력근절 종합대책'을 발표하고, '학교폭력 근절 7대 실천 정책'을 제시하면서 대대적인 대책마련이 팔을 걷어붙였다. 그 중심에는 학교 스포츠클럽 개설과 관련하여 체육수업 확대 추진했다. 입시위주의 교육에서 벗어나, 학교폭력, 게임 및 인터넷 중독 등 청소년 일탈문제를 해결하기 위해서는 체육활동의 확대가 필요하다는 데 의견을 모은 결과라 하겠다.

이와 관련하여 학계에서는 학생들의 스포츠 활동으로부터 비롯되는 신체적, 사회직, 심리적, 교육적 등 다양한 이익 창출에 관하여 경험적으로 꾸준히 입증하면서, 학생들의 스포츠 활동 중요성을 강변해 왔다. 학생들의 운동 부족으로 야기된 건강 및 체력 저하, 아동 비만 등의 신체적 문제와 더불어 사회성 부족, 인성 결여, 그릇된 자아정체성 등의 사회심리적 문제를 신체활동으로 예방 및 치유하자는 목소리가 강조되고 있다. 이러한 학생들의 신체활동에 내재된 가치를 실현함과 동시에 학교폭력 근절 종합대책 취지를 달성하고자 각 학교현장에서는 토요스포츠데이를 적극 운영하고 있다.

주5일 수업제가 단순히 하루의 휴식 의미가 아닌 삶의 질을 제고하고 자기 주

도적 학습 능력을 배양하자는 교육의 내적 요구를 포함하고 있음에 학교측에서 토요스포츠데이를 적극 장려하는 것으로 이해된다. 현재 토요스포츠데이는 스포츠클럽 강습, 스포츠리그제 형식으로 토요일 4시간 32주 프로그램으로 운영되고 있다.

토요스포츠데이가 현 사회 구조의 맥락에서 볼 때, '돌봄'의 사회적 가치가 있으며, 단지 학교 제도적 정착이 아닌 스포츠 분화 현상에 따른 학생들의 놀이 문화 체계의 변화로 인식되어야 한다. 특히 사회 구조에서 비롯되는 놀이 문화의 부재 맥락에서 볼 때, 토요스포츠데이는 학생들의 놀이 문화로서 인식되어야 하며, 현 사회 구조와 관련하여 재해석할 개연성이 존재한다. 분명, 오늘날 게임, 인터넷 등과 같은 청소년들의 사이버 놀이 문화에 대한 저적과 더불어 친구 및 가족 간의 놀이적 상호작용이 제약되어 왔다는 것은, 이를 반증하는 것으로 이해할 수 있다.

토요스포츠데이가 방과 후 스포츠 활동의 성격을 지니고 있으며, 학생들의 체육활동에 대한 기대 심리가 잘 반영되고 있다. 또한 학생들에게는 직접 참여뿐만 아니라 경기 관람을 통해 다양한 스포츠 문화 학습이 필요하다. 따라서 토요스포츠데이의 활성화를 위해서는 지속적인 학교체육시설 확충과 개선, 전문적인 스포츠강사의 육성 체계와 배치, 그리고 학생들의 요구와 필요에 맞는 다양한 이벤트의 도입 등이 우선시 되어야 할 것이다.

72. 국가, 기업과 축구가 함께 나아가자

기업과 축구는 우수 인재에 의해서 성패가 결정되는 공통점을 지니고 있다. 유소년 시절부터 교육과 훈련을 통해 기술과 체력을 갖춘 우수한 인재들을 공정하고도 차가운 경쟁에 의해 선발해야 국가와 축구가 발전할 수 있다.

축구 감독의 성패는 경기마다 출전선수 명단을 어떻게 작성할 것인가에 달려 있다. 선수층이 넓어지는 대학팀 감독만 해도 학부모의 집요한 청탁과 협박에 시달리게 되고 금품 수수를 고발하는 투서가 난무한다. 감독의 공정하고 효율적인 선수 선발을 담보하기 위해서는 감독의 임면과 보상을 경기의 승패와 철저히 연계시키는 수밖에 없다.

국가의 경우도 연고에 의한 정실인사를 일삼는 기관은 실패하고, 유능한 인재를 널리 모아서 적재적소에 배치하는 국가는 성공한다. 인사권자가 인사권을 전횡한다는 뜻이 담긴 '문고리 3인방, 7인회' 란 단어는 국내 경제 활성화와 국가 간 치열한 경쟁에서 살아남아야 하는 국가 환경을 간과한 우스갯소리다.

축구를 망치는 가장 손쉬운 방법은 선수를 똑같이 골고루 기용하고 프로선수에게 동일한 연봉을 주도록 선수들이 조직을 만드는 것이다. 선수들이 투표에 의해 출전선수를 선발하거나 권력 청탁에 의해 낙하산 선수를 기용하는 것도 축구를 손쉽게 망가뜨릴 수 있다. 국가도 축구와 다를 바 없다. 자신이 올린 성과와 공로 등과 무관하게 직책과 보수를 받고 연한이 차면 똑같이 승진하는 시스템이 작용한다면 그 국가는 필히 망할 수밖에 없는 것이다.

기업과 축구는 시너지 효과의 대표적 사례이다. 세계 최고의 축구 선수 '메시' 와 중소기업을 비교한다. 크기가 작아보일지라도 저마다의 특기와 비전을 가지고 있다는 점에서 중소기업과 메시의 공통점을 발견할 수 있다. 기업들의 경제적 지원 없이는 오늘의 축구강국 코리아는 불가능했을 것이다. 1988 서울올림픽과 2002 한·일월드컵의 유치에는 현대그룹을 배경으로 하는 정주영, 정몽준 부자의 '현대식' 추진력이 결정적 역할을 했다. 2006년 독일월드컵, 2010년 남아공아프리카월드컵, 2014년 브라질월드컵에서 그랬듯이 2018 러시아월드컵 또한 현대 계열사를 비롯해 삼성, 포스코, GS, SK 등의 수지를 따지지 않는 재정 지원 없이는 프로축구 유지가 어렵다.

월드컵의 열기를 프로축구에 확산시켜야 한국축구의 미래를 펼쳐 나갈 수 있다. 프로축구의 열기를 높이기 위해서는 2002년 한·일월드컵에서 높은 기량을 발휘해 4강의 신화를 이룬 그 당시 안정환, 박주영, 이영표, 차두리 선수와 같은 젊은 피의 지속적인 공급이 필요하다. 이를 위해 기업들과 프로구단의 유소년 축구를 비롯한 중·고교 및 대학축구에 대한 좀 더 적극적인 지원이 요구된다.

국제무대에서 우리 기업의 축구와의 연결도 성공적이다. 삼성전자와 첼시, LG전자와 독일 대표팀 간의 후원 계약 및 현대차의 독일 월드컵 공식 후원도 '코리아'의 브랜드 가치를 높이고 있다. 따라서 국가, 기업과 축구가 함께 '오 필승 코리아'를 외치며 나아가야 한다.[42]

73. 현대의 삶에서 스포츠는 청량제이며 활력소인가

"오늘날 스포츠란 우리에게 무엇인가?" 사실 우리가 너무나 가까이 보면서 접하고 있는 스포츠에 대해 이 같은 물음을 던지는 것이 매우 새삼스럽다. 그러나 가만히 따지고 보면 우리가 매일 TV나 신문지상, 혹은 직접 관람하며 익숙하게 접하고 있는 스포츠에 대해 과연 보고 즐기는 것 외에 그다지 심도 있는 물음을 던져본 것 같지 않다. 아마도 스포츠에 대해 갖는 대다수 사람들의 생각은 그저 보고 즐기는 여가활동의 일부 정도일 것이다. 그러나 과연 그러한가?

지난 2006년, 2010년과 2014년 월드컵 때 길거리로 몰려나온 수백만의 시민들, 그리고 이 같은 호기를 놓치지 않고 끼어드는 자본의 손길, 매스컴의 상술 등 스포츠로서의 월드컵은 그저 현대사회에서 보고 즐길 수 있는 여가활동 정도로 한정시키기에는 너무나 막대한 영향력을 행사하고 있다. 뿐만 아니라 올림픽을 비롯하여 연중 끊임없이 매스컴을 넘나드는 각종 대회의 소식과 스포츠 스타에 대한 뉴스들은 그저 일상적 사건들로만 바라보기 어려울 정도로 우리의 삶과 밀착되어 있다. 물론 일상적인 것에 대해 불필요한 심각한 물음을 던지는 것이라고 반문할 수 있으나, 우리는 너무 익숙해져 있기 때문에 그것의 본질을 보지 못하고 그것에 얽매여 있는 경우를 볼 수 있다. 어쩌면 우리의 삶에 일상적으로 밀착되어 있는 스포츠가 우리의 삶을 그 자신에게 종속시키고 있는 기재일 수 있다.

미디어와 고도의 정보기술이 지배하는 현대사회는 권력독재에 항거하고 민주화를 열망하는 선구자들의 희생에 힘입어 객관적인 억압기재들이 거의 완전히 해체된 사회이다. 그러나 눈에 보이는 객관적 억압기재들이 사라졌다한들 진정한 자유가 도래한 것이라 할 수 없다. 우리가 자유로운 시민사회의 일원으로서 살아가기 위해서는 이제 우리의 일상을 억압하고 있는 기재에 대해 반성하지 않으면 안

된다. 그러나 일상을 돌아보기 어려운 것은 인간이 지극히 일상적인 것에 안주하기를 원하기 때문이다.

우리의 일상과 밀착되어 있는 스포츠에 대한 사회학적 측면의 반성적 성찰이 요구되는 시점에 와 있다. 바로 그런 점에서 너무나 일상적인 것이었기 때문에 그동안 당연한 것으로 받아들여 왔던 스포츠에 대해 새로운 관점에서 재음미할 수 있는 계기를 마련해야 한다.

60년대와 70년대를 살면서 TV에 비쳐진 스포츠에 대한 흥분과 열정의 반면에 80년대의 암울한 시기를 보내면서 군사 독재 정권의 대표적 우민화 정책의 수단이라는 스포츠에 대한 이미지가 교차되는 이율배반적인 태도를 극복하고 체험을 통해서 스포츠를 일상의 생활처럼 향유할 수 있어야 한다. 아마도 80년대에 민주화 과정을 경험했거나 보아왔던 사람들의 경우에 스포츠에 대한 이미지가 필자의 경우와 크게 다르지 않을 것이다.

현대의 삶에서 스포츠란, 현대인들이 스포츠에 열광하는 이유에 대해 캐시모어(Ellis Cashmore)의 '왜 스포츠는 우리를 매혹시키고 사로잡는가(Making sense of sports)'의 이론을 빌어 스포츠의 예측불가능성이 너무나 뻔한 현대 사회의 예측가능한 삶에 청량제가 된 측면, 지나치게 예의바른 현대사회에 인간의 동물적 본성을 발산할 수 있는 장치로서의 측면, 너무 안전한 현대사회에 모험에 대한 인간의 욕망을 충족시켜 준다는 측면 등이 산재해 있다는 점이다.

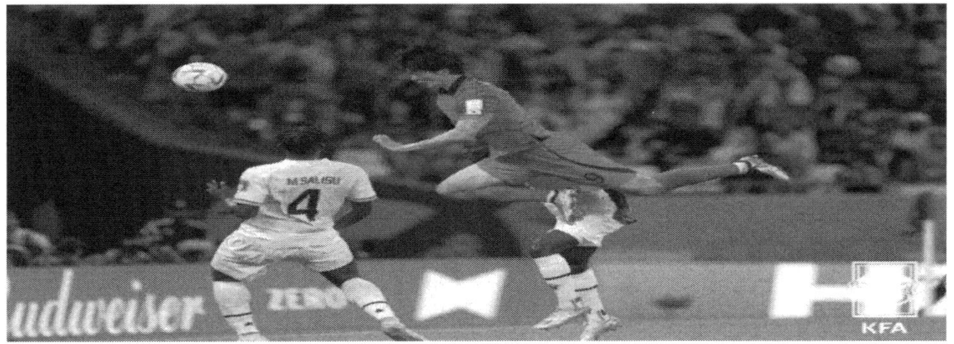

74. 비판적 관점에서 스포츠란 우리에게 무엇인가?

캐시모어(Eliss Cashmore)는 스포츠의 기원을 수렵채취적 삶의 양식에서 찾는다. 즉 우리 본성에 스포츠가 존재하는 것이다. 즉 스포츠는 삶에 사냥의 흥분과 스릴을 재도입하려는 시도의 결과로 발전한 것이다.

캐시모어(Eliss Cashmore)의 이론이 스포츠 수요자의 관점에서 설명되고 있다는 점을 비판하면서 스포츠 공급자의 관점에서 살펴보면, 우선 스포츠가 훌륭한 사회 통제의 도구가 될 수 있다는 점이다. 스포츠의 규율은 공정성과 공평성에 대한 신뢰성을 받아들이도록 한다.

그러나 대부분의 스포츠 규율은 과학적 원리와 상관없이 자의적으로 만들어진 것들이다. 그리고 이러한 규율이 자의적인 것들이라 하더라도 '스포츠 활동에 참여하려면 먼저 규칙에 절대 복종' 해야 하는 것이다. 이렇게 '규율에 순종하는 태도는 스포츠를 통해 형성되는 신체 속에 각인' 된다. 흔히 특정 스포츠에 적합한 신체 구조를 갖추어야 한다는 것, 즉 '몸을 만든다' 는 말은 특정 스포츠에 참여하기 위한 과정에서 근육의 통증이나 고된 고통의 과정들에 순응할 것을 요구하는 것이다.

이것은 한편으로 스포츠의 표준화와 관련되는데 마치 신입 사원의 용모 기준에 맞춰갈 수밖에 없는 입사 지망생의 경우처럼 현대인들은 개인의 특질을 무시한 채 스포츠의 일반화된 표준화에 의해 규정된 신체의 규율에 복종하는 존재로 탈바꿈한다는 것이다. 또한 스포츠는 참여자들에게 즐거움을 부여해줌으로써 '사회 비판의 칼날을 무디게 하는 데도 효과적' 이라고 한다. 즉 매일 쏟아지는 스포츠 소식이나 활동의 즐거움에 빠져 '일희일비하다보면 정작 중요한 사회 문제에 관심을 제대로 쏟지 못하게 된다' 는 것이다.

한편 스포츠는 현대 자본주의 체제의 상업주의와 밀접한 관련을 맺고 있다. 즉 오늘날 스포츠는 거대한 산업이 되고 있다는 것이다. 현대인이 열광적으로 스포츠를 즐기게 된 데에는 더 많은 스포츠를 끊임없이 제공해줌으로써 그들의 소비를 부치긴 산업의 역할이 적지 않았다. 이 같은 스포츠 공급의 확대는 결국 스포츠 활동의 기회를 증가시켰고, 이에 따라 높아진 수요의 결과로 인한 전문 스포츠 선수들의 몸값이 치솟아 사회적 유명 인사의 반열에 오르게 된다. 이는 결국 스포츠를 통한 사회 이동의 기회라는 인식을 가져와 특히 하층 계급에게 효과적 사회 이동의 길로 인식되게 된다. 이렇듯 스포츠 공급자의 측면에서 보더라도 스포츠는 인기를 구가할 수밖에 없는 것이다.

스포츠는 일종의 사회문화적 현상으로 인간 사회의 다양한 영역들과 복합적으로 관련을 맺고 있다. 즉 스포츠는 인류가 발생하고 진화하는 과정 속에서 시대별로 다양한 관점을 반영하면서 발전하였다. 또한 대중매체의 발달은 대중문화 발전의 중요한 요소가 되었으며 그 중 스포츠는 최근에 가장 주목받는 대중문화 요소 중의 하나가 되었다. 스포츠 문화는 사회제도 내에서 대중문화의 특성을 강하게 나타내면서 다양한 형태로 현대사회 속에서 그 영향력을 발휘하고 있으며 대중매체의 발달과 더불어 스포츠 문화는 대중문화로 더욱 발전을 거듭해 나아가고 있다. 그러나 지나친 스포츠 상업화는 승리 지상주의를 발생시켜 도박이나 불법 내기, 승부 조작 등의 사회적인 문제를 일으켜 순수한 아마추어리즘을 위협하고 있다. 따라서 스포츠 상업화의 폐해를 줄이고 건강한 스포츠 산업을 육성하려는 노력이 더욱 중요해지고 있다.

현대사회에서의 스포츠에 의한 세련된 사회 통제 수단으로서의 측면을 헉슬리(ALDOUS HUXLEY)가 그의 소설 『멋진 신세계(Brave New World)』에서 묘사한 "쾌락에 의한 지배" 사회에 모든 인간의 존엄성을 상실한 미래 과학 문명의 세계를 신랄하게 풍자하고 있는 의미와 비유하게 된다.[43]

『멋진 신세계(Brave New World)』는 올더스 헉슬리(ALDOUS HUXLEY)가 1932년 발표한 디스토피아 소설이다. 1984 및 우리들과 함께 디스토피아 소설의 3대 고전이다. 과학 문명이 극도로 발달한 가상의 미래를 배경으로 하고 있다. 어떻게 보면 전체주의 하에 통제된 세속적 인본주의라 볼 수 있다. 소설상 시간은 A.F. 632년인데(After Ford), 헉슬리는 과학의 발전의 역사를 보자면 약 600년 후 미래는 "멋진 신세계" 와 같은 세상이 올 거라고 생각하고 만들어낸 연도다. 작품에 묘사된 디스토피아에 훨씬 빠른 속도로 가까워지는 현대 사회 덕분에 예언서쯤의 고전문학이 되면서 SF소설의 바이블에 올랐다.

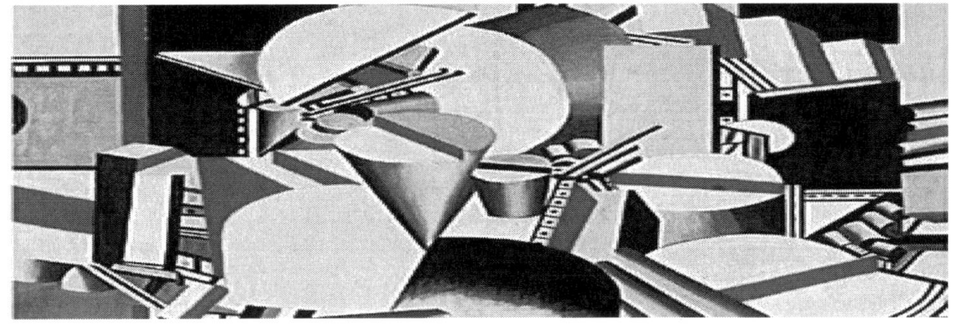

75. 아동들의 스포츠 활동을 적극 권장하자

급격한 과학문명과 경제 발달로 인해 사회로의 창조적인 통합이 매우 어려운 현대사회에서 스포츠는, 아동이 집단에 잘 적응할 기회의 행동 규범을 준수하며, 사회의 규칙들을 이행할 수 있는 능력을 심어주게 되어 청소년의 사회와에 매우 중요한 역할을 한다. 다시 말하면, 아동의 스포츠 활동은 개인의 심신 성장과 발달을 촉진하고, 공통의 욕구를 조절하며, 운동을 중심으로 사회생활에 필요한 행동양식, 규범, 사고방식 등을 제공하는데, 이는 집단적인 형태를 통해서 이루어진다고 볼 수 있다.

아동기는 약 6세부터 11세경에 이르는 시기로서 초등학교에 다니는 시기이다. 이러한 아동기의 신체 및 운동발달은 중요한 의미를 갖는다. 아동기의 아동은 환경에 대해 점차 보다 현실적인 개념을 획득함에 따라 자아개념의 한 측면인 신체상(body image)을 갖게 된다. 이 시기의 아동은 자기 자신의 신체적 특징과 또래를 비교하여 신체상(身體像)을 형성한다.

한편, 이 시기의 아동들은 스스로 운동 기술을 다른 아동의 운동 기술과 비교해서 평가하므로 운동발달은 자아 개념과 자존심 형성에 영향을 미친다. 또한 운동발달은 아동의 또래와 어울려 노는데 중요한 역할을 한다. 나아가 신체 및 운동발달은 뛰어난 아동은 자기 유능성이나 적극적인 사고방식에서 그렇지 못한 아동보다 뚜렷한 차이를 보인다.

아동들이 환경에 의해 신체상과 자아개념이 형성되는 것을 인식할 때 현대와 같은 환경의 여건에서 아동들은 점점 자연과 함께 할 수 있는 놀이 공간은 좁아지게 되고, 신체적인 활동보다는 정적인 활동으로 바뀌어 가고 있으며, 아동들에게 나타나는 우울, 불안, 심리적 긴장이나 갈등, 욕구불만, 그리고 스트레스를 해결해 줄 수 있는 방법을 제시해 주고 있지 못하고 있다.

'신체를 통한 교육' 이란 관점을 주장해온 학자들은 체육이 단순히 신체발달만 영향이 있는 것이 아니라 인간의 정신발달 내용을 포함한 광범위한 목표로서 신체활동을 통한 전인교육을 성취한다는 의미로 확정되었다. 나아가 스포츠 활동 참여가 아동들에게 신체적, 사회적, 정신적 효과 및 가치를 제공해 준다.

아동들의 증가된 스포츠 참여 속에서 스포츠 심리학자들은 아동들의 스포츠 참여에 대한 심리적 중요성을 인식하기 시작하였다. 즉 아동들의 스포츠 참여 동기는 무엇이며 경쟁적인 스포츠가 그들에게 너무 많은 스트레스를 주는 것은 아닌가? 왜 많은 아동들이 스포츠를 지속하지 못하고 그만 두는가?

아동들은 과외자율 스포츠 활동을 통해 '탈자기 중심화' 가 되면서 여러 가지 풍부한 사회적 관계를 맺게 되고, 자긍심이나 스트레스 해소, 자신감과 같은 심리적인 혜택은 물론 스포츠 활동을 함께 하는 또래와 협동적 관계 및 경쟁적 관계를 맺게 된다.

아동의 스포츠 활동 참여는 아동들의 스포츠 가치관을 형성시키고, 자아 정체감을 확립하는데 도움을 준다. 따라서 아동기 지속적인 스포츠 활동이 신체적 자기개념의 운동관련 요인을 향상시켜주고 긍정적 정서변화에 영향을 준다는 점에서 스포츠 활동을 적극 권장해야 할 필요가 있다.[44]

다른 사람을 위한 봉사 활동이 이 땅에 쉼표를 치고 있다. 꿈을 위해 힘든 삶을 겪는 저소득층 어린이들을 위해 새로운 시련이 펼쳐지고 있다. 저소득층 어린이들과 함께 토끼띠 해를 앞둔 지역 아동센터에 전해지는 희망과 꿈, 따뜻한 사랑과 소중한 봉사의 사랑이 곳곳에 뿌려지는 예로 보여져 따뜻한 인간의 사랑을 알고 있다. 그러한 봉사활동을 통해 우리는 사랑과 관대, 사랑과 기대의 인생 이야기를 이어나갈 수 있다.

건협은 지난 2021년부터 3년째 소외아동들의 스포츠 활동을 후원하고 있다. 이번 후원은 야구에 관심 있고 참여를 희망하는 아동들을 대상으로 지원되며, 기초체력운동 및 전문교육 등을 통해 아이들의 다양한 진로체험과 함께 건강한 정서 및 신체 발달을 돕는다.

건협 김인원 회장은 "어려운 환경에 처한 아이들이 스포츠가 제공하는 많은 장점을 경험하며 밝게 자라기를 바란다" 며 "앞으로도 아이들에게 다양한 꿈을 향해 나아갈 기회가 주어질 수 있도록 적극적으로 지원해 나가겠다" 고 말했다.

한편 건협은 올 한해 저소득층 여성청소년 보건위생물품 지원, 학대피해아동 지원 등 공헌활동을 이어가며 아동·청소년의 건강한 성장과 자립을 지원하는 따뜻한 사랑나눔을 실천하고 있다.[45]

76. 국기(國技) 태권도의 산업화 기대

전 세계 57개국 약 5,000명의 선수가 참가하는 세계태권도인의 대축제가 평창에서 닷새간 열렸다. 태권도는 우리나라를 대표하는 국기(國技) 스포츠다. 한국에서 발생하여 전통 무예의 형태로 발전한 태권도는 한국인의 몸짓과 한국의 혼(魂)을 세계인들에게 자랑할 수 있는 우리의 중요한 문화유산이다. 1944년 주로 무도 수련을 하였던 사람들이 중심이 되어 태권도를 배울 수 있는 태권도장을 만들기 시작하면서 구체적인 형태를 보이기 시작하였다.

1961년 '체력은 국력'이라는 슬로건 아래 정책적으로 지원되면서 태권도가 활성화가 시작되었다. 1962년 대한체육회 가맹 경기단체가 됨으로서 본격적인 경기화가 되었다. 국제적으로는 월남전을 계기로 태권도가 해외 120여 개국에 알려지면서 민간 외교와 국위 선양에 이바지하고 있는 등 한국의 태권도 정신을 전 세계에 심고 있다.

태권도는 아이들만 하는 운동이 아니라 남녀노소 누구나 쉽게 배울 수 있다. '국기 태권도'라는 공식 명칭 내지 기록은 1971년 3월 20일 박정희 대통령께서 친필휘호를 대한태권도협회에 하사하면서 시작되었다. 이 휘호의 복사본은 태권도 용품을 취급하는 가게에서 유행처럼 팔려나가 이후 태권도 종주국 중앙도장 개념으로 서울 역삼동에 건립된 건물을 '국기원'이라고 하면서 자연스럽게 한국의 국기는 '태권도'라는 인식이 심어지게 되었다. 한국 정신문화연구원에서 펴낸 『한국민족문화대백과사전 23』을 보면 '1971년에는 태권도의 우수성과 가치를 인정받아 국기로 인정받았다'라고 되어 있다.

그 동안 태권도 내부적으로도 WTF와 대한태권도협회, 국기원, 태권도진흥재단 등으로 나뉘어 힘을 하나로 모으지 못한 데 대한 자성의 목소리가 높다. 태권도 종목 잔류를 위해 총력을 펴야 하는 상황에서도 일부 단체는 '밥그릇 싸움'에 열을 올리며 눈살을 찌푸리게 했다. 대한태권도협회는 협회장 선거 과정에서 태권도 인끼리 고성이 오가고 핏대를 세우는 촌극을 연출한 적도 있다.

1986년 서울 아시아경기대회에서 정식 종목으로 채택되었고, 1988년 서울 올림픽경기대회와 1992년 바르셀로나 올림픽대회에서는 시범 종목으로 선정, 2000년 호주 시드니올림픽에서는 정식 종목으로 채택되어 세계 속의 태권도로 자리 잡는 계기가 되었다. 그리고 2000년 문화체육관광부는 한국을 대표하는 10대 문화 상징을 선정하였는데, 여기에 한복, 한글, 김치, 태권도, 불고기, 불국사, 석굴암, 고려인삼, 탈춤, 종묘제례악 등을 선전하여 세계 속의 한국을 알리는 노력을 하고 있다. 이 중에서 태권도가 한국의 대표하는 문화 상징으로 선정된 점은 높이 살 만한 일이지만 그 이면에 부족한 것이 많이 있는 것이 지금의 현실이다.

하지만 태권도의 활성화 정책으로 태권도 국기 스포츠를 재미있는 경기를 유도할 수 있는 룰을 보완한다면 프로화가 가능할 수 있다. 세계적 저변을 갖고 있는 태권도가 해외 시장을 적극 공략한다면 충분히 스포츠 한류의 주역이 될 수 있다. 태권도 활성화 정책의 일환으로 프로 태권도의 해외 진출이 요구되는 시점이다. 국내 스포츠 사상 최초의 스포츠콘텐츠 수출로, 국기 스포츠 태권도 산업화를 가져올 것을 기대해 본다.[46)]

'원조 한류' 태권도의 기세는 지구촌 곳곳에 퍼져있다. 미국 로스앤젤레스(LA)의 주요 공립학교와 독일과 영국, 폴란드 등 유럽 일부 국가의 초·중·고교에서는 태권도를 정식과목으로 운영중이다. 지덕체(智德體)를 강조하는 수련 철학이 가족 중심의 현지 문화와 시너지를 낸 덕분이다.

실전 무도로서 위상도 높다. 필리핀과 인도네시아 등 동남아시아 일부 국가에서는 태권도 종목을 국립경찰학교의 정식 이수 과목으로 채택하고 있다. 실전용 무예로 교육적 가치를 인정 받은 결과다. 전 세계 약 100여개 국가의 경찰들로 구성된 세계경찰태권도연맹이 생겨났을 정도다.

주도권을 잡기 위한 각국의 견제는 풀어야 할 과제다. 1992년 태권도가 처음 보급된 중국은 수련 인구만 약 5000만명 이상으로 추산된다. 태권도를 초등학교 체육의 필수과목으로 채택한 성만 5곳 이상이다. 글로벌 태권도산업계에서 중국과 친중국계 국가들의 입김이 점점 커지는 이유다.

유럽의 상황도 다르지 않다. 유럽내 51개국이 활동중인 유럽태권도연맹(ETU)은 자체적인 단증 발급 등 독립적 운영 체계를 주장하고 있다. 최근 10년여간 종주국인 한국의 위상을 호시탐탐 위협하는 한편 아프리카 대륙 등의 지지세를 앞세워 세계태권도연맹의 회장국 지위도 넘보고 있다.

이동섭 국기원장은 "민간외교의 파수꾼이자 세계 2억명의 수련생을 통해 한국어 전파의 초석을 놓은 태권도가 자랑스런 문화유산으로써 산업적 효과를 더 크게 발휘할 수 있도록 혜안을 모아야 할 때"라며 "글로벌 트렌드를 반영한 제2국기원 건립 등도 조속히 이뤄져야 한다"고 주장했다. 한남희 고려대 교수(국제스포츠학부)는 "급변하는 시장 상황 등을 고려해 시설의 운영 목적과 역할 등에 대한 수정 검토가 필요하다" 고 조언했다.[47)]

77. 올림픽지역 개발청, 대형 노인요양시설, 국제 수준 카지노를 설치하라

올림픽의 진정한 레거시는 올림픽을 계기로 만들어지는 문화관광 콘텐츠다. 정부는 앞으로 강원도를 레저스포츠의 중심지로 집중 육성해야 한다. 올림픽 개최지인 3개 시 · 군의 특성을 반영한다는 '올림픽 특구 종합계획' 으로 그치는 것이 아니라 관련 예산을 확보하고 문화관광 콘텐츠를 실천해야 한다.

평창동계올림픽은 오랜 지역의 문제와 국가적 과제를 동시에 해결하고 미래의 비전을 담아야 한다. 그리고 그것은 평창 동계올림픽에 대해 유보된 가치 창출이 아니라 차근차근 실천에 옮겨 계속적으로 연결되어야 할 일로, 올림픽 개최보다도 중요한 당면 과제였다.

그런 점에서 정부 및 강원도 관계자에게 감히 동계올림픽 배후 대책과 관련하여 몇 가지 간략하게 돈키호테적인 의견을 제안하고자 한다.

첫째, 정부에 관리하고 운영하는 각 공단과 공사 수준의 '올림픽지역개발청(Olympi Regional Development Authority)' 을 설치해라. 그리고 지금부터 빠르게 유수대학과 관련학회 연구기관에 배후 시설 문제에 대해 용역비를 주고 프로젝트를 추진해라. 해방 이후 우리나라에서 내적으로 성공한 국제대회는 88서울올림픽밖에 없다. 그 성공의 비결은 그 당시 민간 전문직 종사자들과 자원봉사 요원을 경기 후 당시 인력을 올림픽 기념 '국민체육진흥공단' 으로 창설하여 활용했다는 점이다. 그래야만 민간 전문직 종사자들과 자원봉사자들이 적극적이면서도 창의적인 활동이 이루어질 수 있다. 1988년 이후 지금까지도 대한민국 '국민체육진흥공단' 은 대한민국 생활 체육 · 스포츠 발전을 위해 기여한 바가 크며 성공한 케이스다.

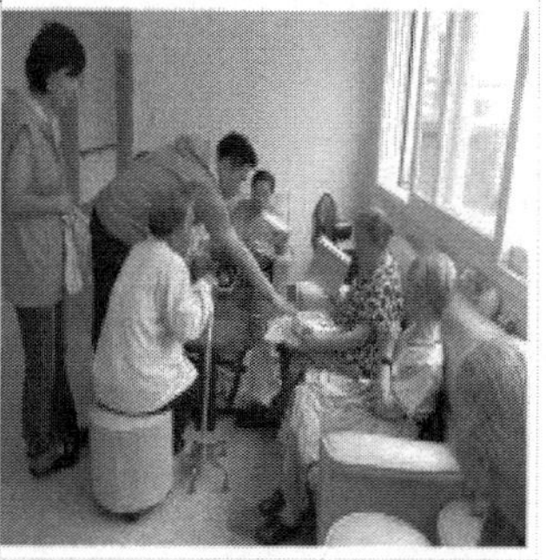

둘째, 평창을 중심으로 대한민국 최대의 노인 요양시설을 건립해라. 지금 평창의 3곳의 노양요양시설과 6개의 노인의료 복지시설은 시골 수준이다. 제주도 서귀포시의 14곳인데 이곳 요양소의 2배 정도의 국가 수준 시설과 장비를 설치해야 한다. 우선 경인지역과 접근성에서 다른 지역보다 유리하다. 가까운 강릉 사천과 원주에 최신식 병원이 유치되어 있기는 하지만 건립 위치에 따라 종합병원도 필히 설치 계획에 넣어야 된다.

셋째, 가장 어려운 난제지만 꼭 필요한 대목은 국제 수준의 '카지노' 설치이다. 물론 엄청난 반대에 부딪치겠지만 도지사가 직접 나서고, 대통령이 지원해야 가능하다. 올림픽 후 알펜시아와 함께 불어나는 수백억 원의 계속되는 누적 적자의 혈세와 강원도의 파산을 막기 위해서는 필수적이다.

문화체육관공부의 설악산에 친환경 케이블카가 설치, 평창・강릉・정선 등에 '레저스포츠 메가시티' 로 재탄생, 그리고 강원도 관광을 활성화하기 위해 평창에는 대관령 가족 휴양지를 개발하고, 강릉에는 전통 한옥촌, 산과 계곡이 발달한 정선은 '에코 익스트림 파크' 를 조성해 체험형 관광지로 육성한다는 것은 탁상공론에다 사탕발림 수준이다. 그럴 바에는 평창과 강릉을 중심으로, 광범위하게 국제적인 설상·빙상의 메카 도시로 올림픽 공원(PyeongChang & Gangneung Olympic Park)설립하여 '올림픽지역개발청(Olympi Regional Development Authority)' 에 운영권을 주는 것이 효율성 측면에서 더 가능성이 높다.

2002년 한·일 월드컵을 비롯해서 2014 인천아시안게임, 2018년 평창동계올림픽 등 모두 지금까지 적자에 허덕이고 있는 점을 반면교사와 타산지석으로 삼아야 한다. 올림픽은 강원도, 평창뿐만 아니라 국가 중대사이이다. 때문에 대한민국 국민이며, 강원도민의 한 사람으로서 닥아 올, 그리고 아무도 책임지지 않을, 몰려올 적자의 거센 폭풍을 피할 수 있는 방안인 나름대로 필자의 3가지 제안 중 1 가지만이라도 성취되기를 간곡히 기대해 본다.[48]

78. 모두를 위한 스포츠, 어떠한 모습으로 우리에게 다가올 것인가

우려(憂慮)와 자성(自省)의 목소리가 높았던 민선 체육회장 선거가 막을 내렸다. 후보들은 제각기 체육 운영능력과 도덕적 신뢰감을 돋보이게 할 묘안 찾기에 바빴으며. 후보 주변의 전문가 그룹은 선거인단 사람들의 표심을 자극하는 포퓰리즘(Populism) 공약을 쏟아냈다. 하지만 정치선거로 변질돼 실패한 민선 체육 선거라는 평도 나온다.

전국 각 시·도 체육회장과 시·군은 그동안 지자체장이 겸직하던 체육회장이 민간인으로 바뀌는 역사적인 선거여서 체육회장 선출을 놓고 경쟁이 과열, 체육계 분열, 정치권의 대리전, 미니 정치판 등으로 이어져 법 개정 취지와는 정반대 현상이 벌여졌다는 목소리도 컸다.

일반 시민 또한 자신의 삶과 직결된 공약에 깊은 관심을 갖게 마련이며, 체육인이 체육정책 공약에 관심을 갖는 것도 자연스러운 일이다. 그러나 부각된 체육정책이나 스포츠 복지정책 공약은 잘 보이지 않았다. 체육회장 후보군에 스포츠 애호가가 없는 탓일까? 참모진에 체육의 중요성을 인식하는 자의 부재 탓일까?

선진국의 지도자들은 스포츠 애호가가 많았고, 일찍이 체육 진흥 정책과 스포츠 문화 창달 정책을 펼쳤다. 영국 국왕 헨리 8세와 제임스 1세는 탁월한 스포츠맨이었던 탓에 스포츠를 적극 권장했다. 특히 17세기의 국왕 제임스 1세는 『왕의 스포츠 교서』를 내리고, 국민의 건전한 스포츠 참여를 적극 권장했다. 왕실의 운동경기애호주의(athleticism) 전통은 19세기 '영국 스포츠 혁명'으로 이어졌고, 스포츠 교육을 통해 형성된 영국 젊은이들의 역동적인 기질은 대영제국 건설의 자양분이 되었다. 섬나라라며 늘 깔보았던 영국이 세계 최강이 된 배경에 스포츠가 있었다는 것을 간파한 프랑스 지도층은 영국 스포츠를 교육체계 속에 적극 수용하는 개혁을 단행했다.

영국이 아닌 프랑스에서 올림픽이 제창되고, FIFA가 탄생한 것도 역사적으로 같은 맥락이다. 20세기 최강국 미국의 대통령들도 스포츠를 더욱 즐겼으며, 체육의 중요성을 깊이 인식하고 있었다. 가장 뚜렷한 체육 가치관을 지닌 대통령은 케네디(J. F. Kennedy)였을 것이다. 그는 "연약한 미국인(Soft American)"이란 기고문에서 대통령을 비롯한 모든 부처는 체육 진흥과 체력 증진이 미국의 기본적이고 일관된 정책임을 분명히 알아야 한다고 했다. 그리고 국가 건설에 있어서 정신적, 지적 자질에 건강과 신체적인 활력이 필수적으로 뒷받침 되어야 한다는 신념이 진리라는 것은 어떤 다른 나라의 역사보다 미국의 역사가 생생하게 증명하고 있다고 했다.

조선의 문약(文弱)한 전통이 계승되어졌던 대한민국이 1960년대부터나마 체육의 중요성을 깊이 인식하게 된 것은 다행스러운 일이었다. 군부 정권이 탈정치화 수단으로 스포츠를 이용했다는 비난도 있다. 하지만 거시적 관점에서 보면 체육과 스포츠의 진흥은 국가발전과 국민의 건강, 그리고 국민의 행복지수 제고에 큰 영향을 미쳤다는 것을 부인할 수 없으며, 미래에도 체육과 스포츠의 순기능이 유지될 것이라는 점에서 체육회장은 체육의 중요성을 제대로 인식하는 인물이 대도록 노력해야 한다.

21세기 체육진흥정책과 스포츠 복지정책은 국민성 강화 운동이며, 국민 건강 증진 운동이자 국민의 행복 추구 운동이다. 체육회장은 우선적으로 학교체육, 생활체육, 엘리트체육의 상생을 걱정을 해야겠지만 삶의 질과 직결된 국민의 건강과 행복을 우선시 해야 한다.

민선 체육회장은 국민체육진흥법 일부 개정의 명분을 살리기 위해서는 지방체육계의 목소리를 반영해 안정적인 재정지원 방안 마련과 지방체육회의 자율권 및 독립권, 자생권을 보장하는 제도적 장치 마련이 선행돼야 할 것이다.

또한, 과연 우리에게 스포츠는 그동안 어떤 의미였는가?", "미래 세대에게 어떤 사회를 물려줄 것인가?", 그리고 "모두를 위한 스포츠는 과연 언제쯤, 어떠한 모습으로 우리에게 다가올 것인가?" 를 늘 염두(念頭)에 두어야 한다.[49]

〔매년 4월 마지막 주는 모두를 위한 '스포츠 주간', 아쉬운 현실〕

모든 국민은 스포츠 및 신체활동에서 차별받지 않고 자유롭게 스포츠 활동에 참여하며 스포츠를 누릴 수 있는 권리를 갖고 있으며, 매년 4월의 마지막 주간은 스포츠 주간으로 정하고 있다.

79. 학교체육, 생활체육, 엘리트스포츠가 상생의 길을 모색할 때다

우리나라의 체육·스포츠는 크게 학교체육, 엘리트스포츠, 생활체육의 세 갈래로 나뉜다. 한때 엘리트스포츠의 관문으로 여겨졌던 학교체육은 학생의 인권보장이 되지 않는 입시위주의 체육이라는 문제점 때문에 현재 많이 위축되어 있는 형편이다.

먼저 학교체육은 교육 기관의 책임하에 학교에서 학생들을 대상으로 조직적·계획적으로 시행하는 체육으로, 교과로서의 체육과 체육 활동이 포함된다.

엘리트스포츠는 전문적인 체육활동을 말하며 우수선수의 발굴, 육성을 통해 대회의 성적달성 목표가 있는 순위를 위한 운동이라 정의할 수 있다. 자국선수를 세계적인 수준으로 끌어올리기 위해 막대한 인적 자원과 자본을 스포츠에 투입하며 첨단 과학과 체계적인 훈련을 지원함으로 체육을 전문으로 하는 선수가 아니라면 평소에 접하기 힘든 운동이라 하겠다.

엘리트스포츠 국민의 사기를 진작시키고 국위를 높인다는 점에서 큰 영향력을 가지고 있다. 2010년 동계올림픽의 경우 역대최고 메달수를 획득하여 20조원의 경제적 효과를 가져온 것은 물론, 김연아 선수가 피겨의 여왕이라 각광받으며 단번에 대한민국이라는 국가 브랜드의 가치를 드높였고, 월드컵 4강 신화를 일군 국가대표팀, 박찬호·박세리, 김연아 선수 등 세계인이 주목하는 해외무대에서 좋은 성적은 곧바로 나라의 위상과 연결되며 국민이 스스로 소속감과 높은 자긍심을 일으킴으로써 국가발전의 동력으로 작용한다. 스포츠로 인해 온 국민을 하나로 묶어 통합하는 것은 엘리트 체육의 저력이라 할 수 있겠다.

하지만 전문체육인 육성중심에 지나치게 치우친 체육구조의 부작용에 대한 문제점도 지적되고 있다. 지나친 성적위주의 잔혹한 시스템이라는 비판의 목소리가 높아지고 있고, 국민은 대리만족으로서 소수 중심의 스포츠라는 평가를 받고 있기 때문에 엘리트 체육만으로 국민의 건강증진과 지속적인 복지향상에 직접적인 효과를 기대하기 어렵다.

반면 생활체육은 일상 속에서 운동을 함으로 개인, 조직의 건강증진과 삶의 질 향상 을 목적으로 하는 스포츠 활동을 하는 것을 말한다.

약수터에 나와 함께 운동을 하는 70대 노부부에서부터 체육관에서 선수 못지않은 기량을 뽐내는 동호인, 방과 후의 체육교실, 어린이 축구교실까지 그 범위가 넓고 다양하다.

그동안 우리나라는 전통적인 엘리트스포츠를 중점으로 하여 생활체육이 빛을 보지 못했으나 여가시간의 증가와 국민의식향상으로 보는 스포츠에 만족하지 않고 즐기는 스포츠로 전환해가며 그 역할과 중요성이 점점 커지고 있다. 이제 생활체육은 단순한 운동이라는 범위를 넘어서 문화의 일부분이자 삶의 핵심요소로 자리매김 하고 있다. 그러나 생활체육은 양적인 성장에 비해 체육시설의 미비나 제도의 비정착화, 국민의 인식부족 등의 문제점이 지적되고 있으므로 앞으로 나아갈 길이 멀다.

이렇게 엘리트스포츠와 생활체육은 그 성격은 각자 다르지만 체육을 통해서 국가와 국민의 발전을 도모한다는 점에서 목표와 이상향은 같다. 따라서 전체국민의 체력증진과 여가선용을 통한 복지확대에 체육정책방향의 궁극적인 목표를 두고 엘리트스포츠와 생활체육은 유기적인 관계를 도모하며 함께 발전해야 한다. 체육정책이 어느 한쪽으로 치우치거나 이원화 되어서는 지역주민의 복지에 있어서 참여도나 만족도를 높일 수 없기 때문이다. 엘리트체육에 실린 무게의 중심을 학교체육과 생활체육으로 분산시켜 탄탄한 기반을 다지며 자연적으로 엘리트체육이 상층으로 자리 잡을 수 있다면 연계성이 강화되고 선수층이 두터워져 안정적인 구조로 발전해 갈 수 있다.

지역주민이 체육시설을 이용하는데 있어 접근성을 높이고 시민들에게 개방하는 것 또한 체육의 격차를 줄여나가는 좋은 방법이 될 것이다.

기획(plan)-실행(do)-분석(see)의 과정을 거치는 게 정책의 제대로 된 프로세스다. 엘리트스포츠에 몸담았던 선수들도 그 후엔 다시 생활체육으로 돌아온다. 결국 일생동안 생활체육을 하며 엘리트스포츠를 거쳐 오는 것일 뿐 선을 그어 생각하는 발상은 체육활동의 건전한 정착과 발전에 도움이 되지 않는다. 엘리트스포츠와 생활체육이 서로 협력하는 상생의 길을 택하여 체육으로 인해 온 국민이 함께 참여하고 활력이 넘치는 사회가 올 것을 기대해 본다.

80. 스포츠 윤리교육이 보다 더 강화되어야 할 때이다(II)

고 최숙현 선수의 안타까운 죽음은 "사회적 타살"이라고 해도 과언이 아니다. 지난해 발생한 조재범 사건은 체육계에 폭력과 성폭력이 일상적으로 발생하고 있고, 그 일상성에는 지도자와 선수 사이의 불평등한 권력관계와 위계적인 문화가 구조적으로 존재함을, 우리나라 체육계의 '스포츠 엘리트주의'와 '승리지상주의'가 폭력 불감증을 가져왔다는 것을 보여주었다. 그로부터 1년이 지난 후 우리는 조재범 대신 폭력과 폭언에 시달렸던 최숙현의 죽음과 만난다.

인간의 행동은 개체와 환경의 상호작용에 의하여 인간성이 유발되기 때문에 사회적 영향이라는 관점에서 고려해 볼 수 있다. 스포츠 환경의 사회적 영향이라는 관점에서 접근해보면, 스포츠 활동에 있어서 윤리적 문제는 학교체육, 생활체육, 엘리트스포츠, 재활스포츠를 중심으로 심판, 지도자, 선수, 관중을 대상으로 한 윤리적 문제는 물론, 체육산업, 체육정책, 체육연구 등 각 영역에서 발생할 수 있다.

이것은 일반적으로 약물복용, 폭력, 부정행위 등으로 구분될 수 있다. 이러한 스포츠의 윤리적 일탈행위는 스포츠는 물론 개인과 사회, 그리고 국가의 발전에 부정적 영향을 미치는 요소로 작용할 수 있다. 특히 스포츠는 강한 공개성을 지니고 있어서 청소년의 성장에 큰 영향을 미칠 수 있기 때문에 스포츠 현장에서 페어플레이 정신을 바탕으로 한 스포츠맨십의 정립은 필수적 요소이며, 이것은 스포츠에 있어서 생명과도 같다고 할 수 있다.

예컨대 지금까지 승부조작에 대한 정부의 대응이 사건발생 후의 규제중심이었다면 앞으로는 예방을 목적으로 하는 교육중심으로 전환되어야 할 것이다. 즉 스포츠맨십과 페어플레이 정신을 길러주는 체계적인 교육 프로그램이 필요하다는 것이다. 이러한 교육프로그램은 스포츠 참가자는 물론 장차 스포츠 참가를 희망하는 청소년, 스포츠를 좋아하는 팬, 그리고 일반 대중들에게 큰 영향을 미칠 수 있을 것이다.

가해자의 지위는 '교육자'가 가장 많고 피해자의 대다수가 미성년자였다. 스포츠 폭력이 가해자와 피해자 간의 수직적 위계 관계 하에서 발생한다는 것을 보여준다. 폭행에 사용되는 폭행 도구는 신체를 이용한 폭행보다 도구를 이용한 폭행이 더 많아 상해 정도가 심각했다.

선배에 의한 폭력은 감독, 코치보다 더 잔인한 양상을 보이기도 한다. 이는 훈련뿐만 합숙 등 생활을 함께 하기 때문이다. '숙소에서 가위 등 흉기로 폭행하거나 체육관에서 BB탄을 발사하고 쇠파이프(60cm)로 폭행' 하거나, '선배들이 공동하여 후배들을 야산으로 끌고 가 각목으로 폭행하고 소위 '정신교육'을 하는 등' 폭행과 괴롭힘의 정도와 양태가 매우 심각하다.

정부는 사건을 따라가기에 급급하고, 우리는 매번 사건이 주는 아픔으로 인해 먹먹함을 안고 일상을 보낸다. 그러다 또 다른 사건으로 그 사건을 잊는다.

고 최숙현 선수 폭력 사건은 체육계 폭력 사건의 전형성을 보여준다. 그녀가 겪었을 일상의 공포와 고통을 다 헤아리기는 어렵다. 폭력은 인간의 존엄과 영혼을 파괴하는 행위로 반드시 근절되어야 한다. 어떤 폭력도 정당한 폭력은 없다. 그녀의 죽음에 우리 사회는 제대로 대답해야 한다.

스포츠윤리는 스포츠맨십과 페어플레이정신을 강조한다. 승리만을 위한 경쟁 스포츠가 아닌 도덕적인 자세로 임하며, 관용과 배려가 숨 쉬는 경기가 되기 위해서는 스포츠 윤리교육이 보다 더 강화되어야 할 때이다.

소수만 승자가 되고 다수가 패자가 되는 사회를 국민은 원하지 않는다. '인간성이 상실되는 경제 대국'이 대한민국의 미래상이 되어서는 안 된다. 우리는 이젠 '경쟁'보다는 '공생'을 앞세울 때다. 이제 '새마음운동'이라도 해서 정신적 빈곤에서 벗어나야 할 때다.

따라서 건전한 스포츠문화의 조성으로 스포츠를 통한 바람직한 사회를 만들기 위해서는 스포츠참가자를 대상으로 한 스포츠 윤리교육이 보다 더 필요하다.

81. 스포츠는 도덕적 덕(德)을 기반으로 해야

인간은 본능적으로 운동을 하고 싶어 한다. 이것은 인간의 심층적 내부에 깊숙이 간직되어 온 강렬한 본능적 욕구가 신체활동 하도록 충동하기 때문이다.

스포츠는 경쟁을 수반하는 신체활동이다. 이러한 경쟁 속에서 승리를 위해 선수들은 힘든 훈련을 인내하고, 자기 자신과의 싸움을 마다하지 않는다. 그리고 경쟁에 임한 선수들은 그동안 갈고 닦았던 자신들의 기량을 선보이기 위해 저마다 최선을 다한다. 뜨거운 경쟁이 전제가 되는 스포츠현장, 그리고 그 경쟁의 열기를 완화시켜주는 경기규칙, 여기에 더불어 스포츠맨십과 페어플레이를 실천하고자 하는 선수들의 노력은 경기규칙과 조화 속에서 하나의 미덕으로 간주되어 왔다.

만약 경기규칙이 존재함에도 불구하고 선수들이 그것을 준수하지 않는다면, 혹은 정정당당함 대신에 비윤리적인 방법을 통해 승리하고자 한다면 과연 스포츠가 오늘날과 같은 대중들의 지지를 받을 수 있을까? 오래전부터 우리는 스포츠맨십이나 페어플레이와 같은 스포츠정신을 운동선수가 지녀야할 하나의 부수적 요소로 간주해왔다. 그래서일까? 우리는 선수들이 스포츠맨십을 발휘하여 경기에 임할 것을 암묵적으로 기대한다. 그리하여 우리는 선수들이 지닌 기술의 탁월성뿐만 아니라 경기규칙의 준수를 통해 일궈낸 승리에 더 큰 박수를 보낸다.

그렇다면 경기에 참가하는 선수라면 누구나 다 스포츠맨십을 발휘하는 것일까? 물론 그렇지 않다. 그렇다면 스포츠맨십을 지닌 선수와 그렇지 못한 선수는 어떻게 해석되어지는가? 보편적으로 우리는 그 양자 간의 차이를 도덕성의 유무로 판단해왔다.

그동안 우리는 정정당당하게 경기에 임해야 한다는 사실은 너무나도 당연하게 받아 들여왔다. 그러나 그 사실 스포츠맨십이나 페어플레이와 같은 스포츠 정신은 스포츠를 구성하는 필수조건이 아니다. 달리 말해, 경기에 참가한 선수가 반드시 스포츠맨십을 발휘할 필요는 없다는 것이다. 그렇지만 우리가 스포츠 정신을 보존, 발전시켜야 하는 것은 스포츠 사회의 질서 유지를 위한 일뿐만 아니라 스포츠가 지닌 가치를 발현시키기 위해 최선의 노력일 것이다.

인간이 지닌 신체적 정신적 탁월함뿐만 아니라 도덕성까지도 선보일 수 있는 스포츠, 그럼에도 불구하고 비윤리적인 방법들이 동원되는 현대 스포츠의 문제점을 통해 우리는 스포츠맨십과 같은 스포츠 행위자가 지녀야할 도덕성에 관심을 가져 볼 필요가 있다.

스포츠경기에 있어서 스포츠맨십이나 페어플레이정신은 스포츠 사회의 질서를 유지하는 대표적인 도덕적 덕이다. 그러나 이러한 도덕적 덕은 경기에 참가하는 선수가 반드시 준수해야 될 절대적인 성격을 지는 것이 아닌 듯 하다. 승리를 향한 과정보다는 결과를 중시하는 오늘날 스포츠 현장은 도덕성의 필요가 요구되어지고 있음에도 불구하고 실제적으로는 도덕적으로 불일치 되는 모습으로 상성(喪性)하기 때문이다.

아리스토텔레스는 덕을 지적인 덕과 도덕적인 덕으로 구분하고, 도덕적인 덕은 본성적인 것이 아니라 습관을 통해 완전한 것이 된다고 보았다. 또한 도덕성을 습관화하기 위해서는 개인의 노력에 의한 반복의 중요성을 강조하였다. 따라서 도덕성을 형성하기 위해서는 유덕한 행위가 선수들 개개인에게 습관화되어야 하고, 그 습관은 선수가 몸소 실천하는 반복의 과정을 통해 이루어지는 것이다.

엘리트 스포츠에 몸담았던 선수들도 그 후엔 다시 생활체육으로 돌아온다. 엘리트스포츠와 생활체육, 그리고 학교체육이 서로 협력하는 상생의 길을 택하여 체육으로 인해 온 국민이 함께 참여하고 도덕적 덕(德)을 쌓음으로써 건전하고 활력이 넘치는 건전한 사회가 올 것을 기대해본다.

스포츠 경기에서 좋은 성적을 거두고 모두가 함께 즐기는 건전한 스포츠 문화를 만들어가기 위해서는 성실하고 예의 바른 태도를 바탕으로 규칙을 지 키고 팀워크를 발휘해야 한다. 이처럼 스포츠를 행하며 마땅히 지켜야 할 도리나 이치를 스포츠 윤리라고 한다.

스포츠 활동을 하면서 개인이 지켜야 할 윤리에는 성실, 예절, 규칙준수, 팀워크 등이 있으며, 사회적 차원에서 함께 지켜야 할 윤리에는 세계 평화, 평등, 환경 보호, 스포츠 상업화 등이 있다.

82. '강원도노인체육회' 출범에 거는 기대가 크다

2020년 5월 20일 국회 본회의에서 (사)대한노인체육회가 추진한 800만 노인들을 숙원인 노인체육진흥을 위한 국민체육진흥법 내 노인체육진흥법을 새로이 신설하여 삽입한 개정안이 본회를 통과 했다.

국가와 지방자치단체는 노인 체육 진흥에 필요한 시책을 마련하여야 한다. 따라서 국가와 지방자치단체는 노인 건강의 유지 및 증진을 위한 맞춤 체육활동 프로그램을 운영하거나 그 운영에 필요한 비용 및 시설을 지원할 수 있다.

이로서 800만 노인들은 건강한 노년을 위한 다양한 체육활동을 정부의 정책적으로 지원아래 할 수 있는 길이 열렸으며 재정지원이 가능한 법적 근거 마련되었다. 향후 전국 17개 광역시도 노인체육회, 28개 회원종목단체와 함께 건강한 노년을 위한 다양한 종목을 개발은 물론 건강수명 연장을 위한 사업을 진행할 것이다. 또한 노인과 노인을 위한 조직적 관리를 위해 최선을 다할 것을 기대한다.

노인들에게 체육을 통해 꿈과 희망을 심어 줄 강원도노인체육회가 출범해 기대를 갖게 한다. 노인들에게 체육은 심신 재활의 의미를 지닌다. 집 밖을 나서 활동할 수 있는 여건이 부족한 이들을 사회 속으로 끌어들여 중년과 노년인 사이의 보이지 않는 벽을 허물게 하는 중요한 수단이다. 이제 노년을 넘어 스포츠로 발전시켜야 한다. 다양한 체육활동으로 건강을 증진시키는 등 우리 사회의 한 구성원으로 거듭나도록 해야 한다. 노인체육회가 그 버팀목이 되어주길 바란다.

국민체육진흥법 일부 개정 법률안의 주요 내용을 보면 '국가와 지방자치단체는 노인체육 진흥에 필요한 시책을 마련하여야 한다' 고 명시하고 또 '노인 건강의 유지 및 증진을 위한 맞춤 체육활동 프로그램을 운영하거나 그 운영에 필요한 비용 및 시설을 지원할 수 있다' 고 명시해 노인체육회 지원에 대한 법률적 근거가 마련됐다.

노인체육회는 노인들의 생애주기에 맞는 체육 종목을 개발하고 육성 · 지원함으로써 노인의 건강증진과 여가선용, 복지향상 등에 목적을 두고 있다.

강원도노인체육회가 발기인 총회를 갖고 김홍수씨가 초대회장으로, 이상민씨가 사무처장을 선임하고 정관을 심의했다. 강원도노인체육회 설립준비위원회는 17일 횡성축협에서 김천환 대한노인체육회장을 비롯한 체육계 인사와 횡성군수 등이 참석한 가운데 발기인(설립) 대회를 갖고 강원도노인체육회 창립을 공식 선언했다.

김홍수 회장은 "어르신을 위한 다양한 체육종목을 개발해 건강한 100세 시대를 준비해 나가겠다" 며 "활기넘치는 노년을 위해 적극 뒷받침하겠다" 고 말했다.

우리는 그간 휠체어를 타고 농구를 하거나 포환을 던지는 등 장애인들의 체육활동모습을 많이 보아왔다. 인간승리를 보여준 영화 '마라톤' 의 감동은 잊을 수 없다. 각종 대회에 출전해 메달을 획득한 선수들이 "혼자서도 할 수 있다는 자신감을 갖게 됐다" 고 소감을 밝힐 땐 가슴 뭉클했다. 노인체육도 그러한 꿈과 희망, 그리고 감동을 줄 가능성이 높다. 따라서 '강원도노인체육회' 출범에 찬사를 보내며 기대하는 마음이 더욱 크다.50)

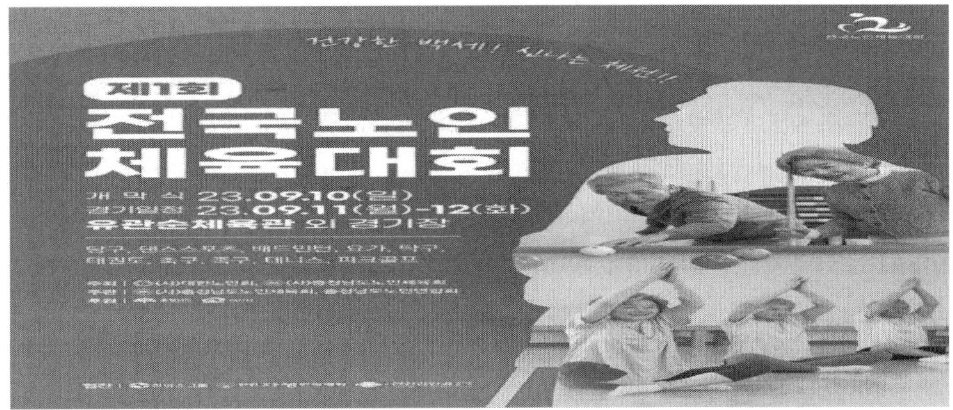

83. 현대의 삶에서 스포츠는 청량제이며 활력소인가(Ⅱ)

제54회 대통령배 전국고교야구대회에서 강릉고등학교가 45년 만에 우승 차지했다. 코로나19에 답답한 가슴을 활짝 열게 하는 쾌거이다. 승전을 축하함과 동시에 끊임없는 노력과 발전을 함께 하길 바란다.

지난 2006년, 2010년과 2014년 월드컵 때 길거리로 몰려나온 수백만의 시민들, 그리고 이 같은 호기를 놓치지 않고 끼어드는 자본의 손길, 매스컴의 상술 등 스포츠로서의 월드컵은 그저 현대사회에서 보고 즐길 수 있는 여가활동 정도로 한정시키기에는 너무나 막대한 영향력을 행사하고 있다. 뿐만 아니라 올림픽을 비롯하여 연중 끊임없이 매스컴을 넘나드는 각종 대회의 소식과 스포츠 스타에 대한 뉴스들은 그저 일상적 사건들로만 바라보기 어려울 정도로 우리의 삶과 밀착되어 있다. 물론 일상적인 것에 대해 불필요한 심각한 물음을 던지는 것이라고 반문할 수 있으나, 우리는 너무 익숙해져 있기 때문에 그것의 본질을 보지 못하고 그것에 얽매여 있는 경우를 볼 수 있다. 어쩌면 우리의 삶에 일상적으로 밀착되어 있는 스포츠가 우리의 삶을 그 자신에게 종속시키고 있는 기재일 수 있다.

“오늘날 스포츠란 우리에게 무엇인가?” 사실 우리가 너무나 가까이 보면서 접하고 있는 스포츠에 대해 이 같은 물음을 던지는 것이 매우 새삼스럽다. 그러나 가만히 따지고 보면 우리가 매일 TV나 신문지상, 혹은 직접 관람하며 익숙하게 접하고 있는 스포츠에 대해 과연 보고 즐기는 것 외에 그다지 심도 있는 물음을 던져본 것 같지 않다. 아마도 스포츠에 대해 갖는 대다수 사람들의 생각은 그저 보고 즐기는 여가활동의 일부 정도일 것이다. 그러나 과연 그러한가?

미디어와 고도의 정보기술이 지배하는 현대사회는 권력독재에 항거하고 민주화를 열망하는 선구자들의 희생에 힘입어 객관적인 억압기재들이 거의 완전히 해체된 사회이다. 그러나 눈에 보이는 객관적 억압기재들이 사라졌다한들 진정한 자유가 도래한 것이라 할 수 없다.

우리가 자유로운 시민사회의 일원으로서 살아가기 위해서는 이제 우리의 일상을 억압하고 있는 기재에 대해 반성하지 않으면 안 된다. 그러나 일상을 돌아보기 어려운 것은 인간이 지극히 일상적인 것에 안주하기를 원하기 때문이다. 우리의 일상과 밀착되어 있는 스포츠에 대한 사회학적 측면의 반성적 성찰이 요구되는 시점에 와 있다. 바로 그런 점에서 너무나 일상적인 것이었기 때문에 그동안 당연한 것으로 받아들여 왔던 스포츠에 대해 새로운 관점에서 재음미할 수 있는 계기를 마련해야 한다.

60년대와 70년대를 살면서 TV에 비쳐진 스포츠에 대한 흥분과 열정의 반면에 80년대의 암울한 시기를 보내면서 군사 독재 정권의 대표적 우민화 정책의 수단이라는 스포츠에 대한 이미지가 교차되는 이율배반적인 태도를 극복하고 체험을 통해서 스포츠를 일상의 생활처럼 향유할 수 있어야 한다. 아마도 80년대에 민주화 과정을 경험했거나 보아왔던 사람들의 경우에 스포츠에 대한 이미지가 필자의 경우와 크게 다르지 않을 것이다.

현대의 삶에서 스포츠란, 현대인들이 스포츠에 열광하는 이유에 대해 캐시모어(Ellis Cashmore)의 '왜 스포츠는 우리를 매혹시키고 사로잡는가(Making sense of sports)'의 이론을 빌어 스포츠의 예측불가능성이 너무나 뻔한 현대 사회의 예측가능한 삶에 청량제가 된 측면, 지나치게 예의바른 현대사회에 인간의 동물적 본성을 발산할 수 있는 장치로서의 측면, 너무 안전한 현대사회에 모험에 대한 인간의 욕망을 충족시켜 준다는 측면 등이 산재해 있다는 점이다.

코로나19의 위기와 어려운 환경 속에서도 열정과 기적을 일으킨 강릉고 야구부에 한 도민으로서 다시금 찬사를 보낸다. 강릉고등학교 야구부 파이팅! [51)]

84. 모두가 함께 하는 '노인체육회' 를 기대하면서

우리나라 노인 인구는 생활수준의 향상과 의학기술의 발달로 세계에서 유래를 찾을 수 없을 만큼 빠르게 증가하고 있다.

우리나라의 이런 고령화 현상은 건강은 물론 증가된 여가시간의 활용 및 사회 심리적 고립과 소외문제 등 많은 노인문제를 수반하고 있다. 따라서 현 사회에서 노인의 체육활동은 고령화 현상에 따른 문제에 긍정적 영향을 기대할 수 있다.

마음대로 몸이 따라주지는 않지만 매일 연습하면서 움직임이 자유로워졌고 한계를 극복했다는 데서 희열을 느낀다는 고백엔 아낌없는 박수를 보낸다. 주로 집에서 컴퓨터 게임을 하며 무료하게 보냈으나 운동을 하면서 인생이 달라졌다는 것이다. 노인체육회에 의미를 부여하는 이유다.

고령사회의 도래를 우려할 때 성공적 장수(successful aging)와 건강한 노화(healthy aging)에 관해서는 모든 나라들이 관심을 갖고 공통적으로 해결해야 할 중요한 연구 과제라고 여겨진다. 때를 같이 하여 2020년 5월 20일 국회 본회의에서 본회가 추진한 800만 노인들을 숙원인 노인체육진흥을 위한 국민체육진흥법 개정안이 본회를 통과 했다.

국민체육진흥법 노인체육회 제3조 목적과 지위에는 '노인체육회는 대한민국의 노인체육을 대표하는 기관으로 노인들의 생애주기에 맞는 다양한 체육종목을 개발, 육성, 지원함으로써 노인의 건강증진과 여가선용, 복지향상에 이바지하고 노인체육의 저변확대를 위한대회 개최와 종목단체, 경기 및 체육단체, 노인체육회 시·도지부를 육성, 지원함으로써 100세 시대 노인체육의 발전과 건강의 가치를 확산시키고 스포츠를 통한 건강한 국가발전에 기여함을 목적으로 한다.' 고 명시되어 있다.

김홍수 초대 강원도노인체육회장은 "어르신을 위한 다양한 체육종목을 개발해 스포츠를 통한 건강복지를 실현하고 건강한 100세 시대를 준비해 나가겠다" 며

"활기 넘치는 노년을 위해 최대한 노력해 적극 뒷받침하겠다" 며 과거 강원도 발전을 위해 힘쓴 청·장년층들이 지금은 일선에서 은퇴한 후 마땅한 대책없이 소일거리로 지내고 있다. 이들 노인들이 충분한 여가활동을 즐길 수 있도록 노인체육회가 뒷받침해 체력증진과 제2의 인생에 대한 활력을 불어 넣는데 많은 노력을 기울여 나가겠다." 고 포부를 밝혔다.

2020 강원도 노인체육회 발기인(설립) 총회

노인 체육의 과거와 현재를 진단하고 미래지향적인 정책과 대책을 내놓아야 한다. 이들에 대한 관심과 지원은 예전보다 늘었으나 맘껏 운동할 수 있는 시설과 지원체계는 여전히 빈약하다. 전용 체육시설은 거의 없다. 예산 부족 등을 이유로 다른 사업에 밀렸던 게 사실이다. 인프라 구축과 선수 발굴·육성에 힘을 모아야 한다. 경기력 향상도 마찬가지다. 노인학교의 체육 여건 개선도 과제다. 실버 체육 전문가, 지도자, 선수 그리고 행정가 등 이해 당사자들이 머리를 맞대야 한다. 노년은 우리 모두의 일이기에 더욱 그렇다.

우리나라의 이런 고령화 현상은 건강은 물론 증가된 여가시간의 활용 및 사회심리적 고립과 소외문제 등 많은 노인문제를 수반하고 있다. 따라서 현 사회에서 노인의 체육활동은 고령화 현상에 따른 문제에 긍정적 영향을 기대할 수 있다.

강원도는 물론 각 시군 '노인체육회' 출범에 기대가 크다. 이에 발맞추어 노인체육의 발전과 번영을 위해 노인체육회는 물론 노인체육을 사랑하는 모든 이들의 깊은 관심과 사랑을 부탁드리며 지속적으로 강원도노인체육회가 성장하고 흥성할 수 있도록 도민 여러분들의 적극적인 동참을 부탁하고 싶다.

85. 저무는 경자년(庚子年)에...

우리 사회가 안고 있는 불화와 분열이라는 유령은 갑자기 확장된 모습으로 우리들을 뒤흔들어 창조적 에너지를 갉아먹었다. 너와 나는 같이 손잡고 세상의 우여곡절을 같이하는 상생과 참여의 우치(愚癡)에서가 아니라, 나 아닌 너는 적일시 분명하며 그래서 기어코 굴복시켜야 한다는 음험한 싸움의 등식이 어느덧 우리 사회의 속살에 깊숙하게 배어들고 말았다.

쏟아지는 막말의 소나기 불화와 분열의 유령이 세상을 뒤흔들어도 누워있던 갈대 일어서듯 펄떡이는 삶의 기백이 우리에겐 분명 있다.

나이가 더해질수록 몸과 마음은 한결 가벼워진다. 비로소 제 분수를 알게 되고, 체념할 것과 아니할 것을 가려낼 줄 아는 안목과 겸양을 갖추게 된다. 그뿐만 아니라, 이러저러한 사회적 갈등에 휘둘리지 않고 조용하고 단순하게 살고 싶다는 욕구도 나이만큼 두께를 더해간다. 나이를 먹는다는 것은 우리들 부박(浮薄)한 삶 위에 켜켜이 묻어 있던 구차스러운 땟국들을 한 켜 한 켜 벗기며, 가슴 속에 남아있는 유혹과 미련을 벗어던지려는 것에 비유할 수 있다.

2020년 경자년(庚子年)은 온 나라가 질병으로 얼룩졌다. 특히 농업계는 코로나19, 아프리카돼지열병, 장마, 태풍, 조류인플루엔자까지 각종 재난이 강타하면서 그 어느 때보다 고통스러운 시기를 마감하고 있다.

올 초 시작된 코로나19는 우리의 삶을 완전히 뒤바꿔 놓았다. '언택트', '뉴노멀' 등 평소 쉽게 접하지 않는 단어들이 난무하고, 마스크 사용이 일상화되는 공상과학에서나 나올 법한 세상을 살아나가고 있다.

엄동설한의 살갗을 에는 듯한 추위에도 문을 열어 놓고 오랫동안 먼산바라기를 한다. 겨울철 특유의 잿빛 하늘과 흐릿하게 골격이 드러난 산등성이 아래의 밭고

랑 뒤로 우중충한 외관을 드러낸 가옥들이 듬성듬성 박혀 있다. 휠 대로 휜 삶의 질곡들이 궁핍하고 누추한 그 농가들의 외벽위로 자욱하게 쌓여있다.

예나 지금이나 짓누르고 있는 고단한 삶의 중력에서 조금도 비켜나지 못했다는 흔적이 뚜렷하다. 그와 함께 나 자신이 짊어지고 있는 짐의 무게 역시 그대로라는 자책감이 뒤통수를 때린다. 짐의 무게를 덜기는커녕 폭력에 가까운 변덕과 몰락조차 아랑곳하지 않고 천지를 불화와 갈등으로 한 해를 보내 버렸다는 회한이 가슴속을 암팡지게 파고든다. 이부법적 사고가 지난 한 해의 우리 사회를 덥석 물어 버렸고, 나 또한 은연중 휩쓸려 내 고유한 삶의 무늬조차 놓쳐 버렸다는 상실감이 가슴을 짓누른다.

교수들이 올 한 해를 특징 짓는 사자성어로 '나는 옳고 남은 그르다' 는 뜻의 '아시타비(我是他非)' 를 꼽았다. 아시타비는 올해 크게 유행했던 '내로남불(내가 하면 로맨스 남이 하면 불륜)' 이란 말을 한문으로 옮긴 성어로, 최근 만들어진 신조어다.

신축년(辛丑年)은 천간이 '신' 이고, 지지가 '축' 인 해이다. 신축(辛丑)은 60간지 중 38번째이다. '신' 은 백이므로 '하얀 소의 해' 이다. 납음은 벽상토(壁上土)이다.

다사다난했던 경자년(庚子年)이 저물어가고 있다. 2020년 경자년(庚子年)은 온 나라가 질병으로 얼룩졌다. 특히 농업계는 코로나19, 아프리카돼지열병, 장마, 태풍, 조류인플루엔자까지 각종 재난이 강타하면서 그 어느 때보다 고통스러운 시기를 마감하고 있다. 서민들의 내집 마련의 꿈은 수차례 부동산 대책에서 공공임대 주택까지 숱한 정책에도 손에 잡히지 않는다. 일관성 없는 대책으로 결과적으로 시장 혼란, 재산세 서민증세, 서울에서 경기도로 밀려나는 서민들 등 부동산 정책의 소용돌이는 저무는 해에 접고 2021년 신축년(辛丑年)에는 국민 모두가 희망찬 꿈을 키워가기를 기원한다.

86. 유희성과 도덕성을 갖는 스포츠 사회운동이 필요할 때다

스포츠(Sport(s), (運動) 競技)는 몸을 단련하거나 건강을 위해 몸을 움직이는 일이다. 전략적인 판단을 기초로 몸을 움직이거나, 머리를 써서 진행하는 게임이나 오락 행위를 일컫는 명칭이다.

주어진 활동의 규칙에 따라 타인과 경쟁하여 승리하는 것을 목표로 하며 더 나아가 개인의 건강 증진 및 참가자와 관람자의 유희, 그리고 단체 활동을 통한 사회적 증진과 협동을 지향한다.

또한 스포츠는 일반적인 운동 및 체육 활동과 달리 규칙과 경쟁의 요소를 갖는다. 정해진 규칙으로 승부를 겨루는 경쟁을 하면서 지고 있는 상황에서도 역전과 재역전을 거듭하다 극적인 반전의 상황이 나올 수도 있고, 의외의 결과가 나올 수도 있는 등 결과를 쉽게 예측할 수 없기 때문에 흔히 스포츠를 '각본 없는 드라마' 라 부르기도 한다.

전통적인 스포츠에선 기본적으로 운동 능력을 필요로 한다. 그렇지만 운동과는 다르게 어떤 것은 신체 능력뿐만 아니라 동물적인 육감, 그리고 복잡한 것은 전술적인 이해력과 판단력에 냉철한 이성까지 필요로 하기 때문에 스포츠는 복잡하면 복잡할수록 접근성이 낮아진다. 오늘날에는 바둑, 장기, 체스, 포커와 같이 머리를 쓰는 경기나 e-스포츠와 같은 것들도 전략적인 두뇌 활동을 증진하는 '운동' 으로 바라보는 시선이 늘어남에 따라 스포츠로 인식하고 있다

고 최숙현 선수 등 전·현직 선수를 폭행한 혐의로 구속된 경주시청 트라이애슬론(철인3종)팀 김규봉 전 감독과 장윤정 전 주장에게 징역 7년과 4년이 선고됐다.

스포츠문화 속에서 발생하는 작금과 같은 상황에서 유희성과 도덕성을 갖는 스포츠 사회운동이 절실히 필요할 때이다.

스포츠를 진정으로 즐기는 스포츠 인들은 자기가 속한 집단에 대한 자긍심이 있어야 한다. 객관적으로 존재하는 집단의 강점을, 인식 능력이 우수한 사람은 누가 굳이 알려주지 않아도 쉽게 파악된다. 하지만 우리는 몇몇 뛰어난 사람들만 함께 하는 엘리트 집단이 아니다. 특히 스포츠라 하는 것은, 그 집단의 구성원이라 하면 누구나 쉽게 접하고 익힐 수 있도록 노력해야 한다. 다시 말해 그 가치

를 쉽게 파악할 수 있어야 한다는 것이다. 그러면 그러한 가치는 어떻게 전달하고 알려주는 것이 가장 좋겠는가? 그것은 철학적으로 체계화된 내용을 목적의식적으로 쉽게 알려주는 것이 좋다. 객관적으로 아름다운 것을 자연히 익히고, 배우며 느낄 수도 있지만 그렇지 않은 경우가 더 많다.

사람은 아는 만큼 본다. 아무리 객관적 가치가 뛰어난 것이라도 개인의 인지가 낮으면 그 잣대로 사물과 사안을 인식하여 훌륭한 사물과 사안도 값어치 없이 간과하여 버린다. 아름다운 것은 심미안이 있어야 진정 그 아름다운 것만큼의 크기를 이해한다.

스포츠 인들은 저마다의 이해로 스포츠를 바라봐도 되지만 공통적으로 느껴야 할 핵심적인 사안은 반드시 같은 눈높이로 함께 느껴야 한다. 만일 객관적으로 그러한 사안이 없다면 어쩔 수 없겠으나 객관적으로 그럴만한 가치가 있는데도 대충 알고 지나간다면 안타까운 일이 아닐 수 없다.

한편, 스포츠를 보급하는 지도자에게 스포츠의 철학과 사상은 나침반과 같은 역할을 한다. 모든 단체에서 지도자는 가장 중요한 그 단체의 구성원이다. 집단은 구성한 첫 시기부터 좋은 일만 있지 않다. 궂은 일, 좋은 일이 항상 병존하며 해당 단체는 발전한다. 사람이 좋은 일이 있을 때 그 집단에 기여하는 것은 어렵지 않을 뿐만 아니라 누구나 할 수 있는 일이다. 그러나 궂은 일이 닥쳤을 때는 그렇지 않다.

따라서 지도자는 궂은 일이 있을 때 진가를 발휘한다. 하지만 진가를 발휘하기 위해서는 강철 같은 신념이 있어야 한다. 사람에 따라 어려움을 잘 넘기는 기질이 있는 사람이 있는가 하면 능력에 관계없이 그렇지 못한 사람도 있다.

또 어떤 일과 단체에서는 자기 능력을 잘 발휘하여 해당 집단을 잘 이끌어 가지만 어떤 단체에서는 그 반대의 경우도 있다. 그 단체가 일정 정도 시간이 지나면 그 단체의 기질에 걸맞는 사람들만 남게 되어 있다. 그러나 이것을 개별적 능력에만 의존하게 되면 그 단체의 발전은 기대할 수 없다. 이것은 집단력을 발휘하여 발전할 수 있도록 해야 한다. 그 집단력을 발휘하게끔 하는 것이 철학이며 사상이다.

지도자는 모름지기 그 단체를 이끌어 가는 도량이다. 누구보다도 그 단체의 정신을 잘 알아야 한다. 철학과 사상은 그 정신을 잘 알 수 있도록 이끌어주는 무형의 나침반이 될 것이다.

현대 스포츠의 중요한 요소 중의 하나인 유희성이다. 스포츠는 관중에게 구경거리를 제공해야 하고 또한 그것이 도덕성을 가지고 있어야 한다.

87. 현대의 삶에서 스포츠는 청량제이며 활력소인가(Ⅲ)

도쿄 하늘에 또 한 번 애국가가 울려 퍼졌다. 한국 보치아 '간판' 정호원(강원도장애인체육회) 등으로 구성된 한국 보치아 페어(2인조) 대표팀은 지난 4일 2020도쿄 패럴림픽 페어(BC3) 경기에서 금메달을 차지했다. 이번 도쿄 대회에 참여한 한국패럴림픽 선수단의 두 번째 금메달이자 보치아에서 나온 첫 금메달이다. 이번 대회에 참가한 강원도 소속 선수 중에는 유일한 금메달이다.

"오늘날 스포츠란 우리에게 무엇인가?" 사실 우리가 너무나 가까이 보면서 접하고 있는 스포츠에 대해 이 같은 물음을 던지는 것이 매우 새삼스럽다. 그러나 가만히 따지고 보면 우리가 매일 TV나 신문지상, 혹은 직접 관람하며 익숙하게 접하고 있는 스포츠에 대해 과연 보고 즐기는 것 외에 그다지 심도 있는 물음을 던져본 것 같지 않다. 아마도 스포츠에 대해 갖는 대다수 사람들의 생각은 그저 보고 즐기는 여가활동의 일부 정도일 것이다. 그러나 과연 그러한가?

미디어와 고도의 정보기술이 지배하는 현대사회는 권력독재에 항거하고 민주화를 열망하는 선구자들의 희생에 힘입어 객관적인 억압기재들이 거의 완전히 해체된 사회이다. 그러나 눈에 보이는 객관적 억압기재들이 사라졌다한들 진정한 자유가 도래한 것이라 할 수 없다.

우리가 자유로운 시민사회의 일원으로서 살아가기 위해서는 이제 우리의 일상을 억압하고 있는 기재에 대해 반성하지 않으면 안 된다. 그러나 일상을 돌아보기 어려운 것은 인간이 지극히 일상적인 것에 안주하기를 원하기 때문이다. 우리의 일상과 밀착되어 있는 스포츠에 대한 사회학적 측면의 반성적 성찰이 요구되는 시점에 와 있다. 바로 그런 점에서 너무나 일상적인 것이었기 때문에 그동안 당연한 것으로 받아들여 왔던 스포츠에 대해 새로운 관점에서 재음미할 수 있는 계기를 마련해야 한다.

60년대와 70년대를 살면서 TV에 비쳐진 스포츠에 대한 흥분과 열정의 반면에 80년대의 암울한 시기를 보내면서 군사 독재 정권의 대표적 우민화 정책의 수단이라는 스포츠에 대한 이미지가 교차되는 이율배반적인 태도를 극복하고 체험을 통해서 스포츠를 일상의 생활처럼 향유할 수 있어야 한다. 아마도 80년대에 민주화 과정을 경험했거나 보아왔던 사람들의 경우에 스포츠에 대한 이미지가 필자의 경우와 크게 다르지 않을 것이다.

현대의 삶에서 스포츠란, 현대인들이 스포츠에 열광하는 이유에 대해 캐시모어(Ellis Cashmore)의 '왜 스포츠는 우리를 매혹시키고 사로잡는가(Making sense of sports)' 의 이론을 빌어 스포츠의 예측불가능성이 너무나 뻔한 현대 사회의 예측가능한 삶에 청량제가 된 측면, 지나치게 예의 바른 현대사회에 인간의 동물적 본성을 발산할 수 있는 장치로서의 측면, 너무 안전한 현대사회에 모험에 대한 인간의 욕망을 충족시켜 준다는 측면 등이 산재해 있다는 점이다.

보치아는 패럴림픽 정식 종목이다. 고대 그리스의 공 던지기 경기에서 유래된다. 로마 시대 때 전역에서 성행한다. 후에 론볼이나 나인볼 등으로 파생되었다. 1982년 덴마크 국제경기에서 국제경기종목으로 부상되어 1984년 뉴욕장애인올림픽대회, 1986년 Gits국제 경기, 그리고 1988년 서울장애인올림픽대회 등에서 정식 종목으로 채택한다. 가죽으로 된 공을 던지거나 굴려 표적구와의 거리를 비교하여 점수를 매겨 경쟁하는 구기 스포츠이다. 선수들이 공을 경기장 안으로 굴리거나 발로 차서 보내 표적구에 가장 가까이 던진 공에 대하여 1점이 주어진다. 개인전은 4 엔드 경기로 치러진다. 공을 던질 때는 직접 손으로 던질 수도 있고, 비장애인 선수의 도움을 받아 마우스 스틱이나 홈통 등을 이용할 수 있다. 뇌병변장애인들이 즐길 수 있는 스포츠에서 발전한다. 보치아는 장애인 스포츠이지만 고도의 전략과 정확성이 필요하다. 관람시, 소음을 줄여야 한다.

정호원과 김한수, 최예진으로 구성된 한국 보치아 페어(2인조) 대표팀은 일본 도쿄 아리아케 체조경기장에서 열린 2020 도쿄 패럴림픽 페어(BC3) 결승에서 일본 대표팀을 연장 접전 끝에 승리했다. 4엔드까지 4-4(3-0,1-0,0-1,0-3)로 맞선 한국은 연장전에서 극적으로 1점을 따내면서 시상대 가장 높은 곳에 올랐다.

이로써 한국 대표팀은 9회 연속 패럴림픽 금메달 획득에 성공했다. 보치아 강국인 한국은 1988년 서울 대회부터 2016년 리우 대회까지 패럴림픽에서 8차례 연속 금메달을 수확해 왔다.

코로나19의 위기와 어려운 환경 속에서도 열정과 기적을 일으킨 한국 보치아 선수들에게 한 도민으로서 다시금 찬사를 보낸다. 한국 보치아 선수들 파이팅!

88. 운동선수 구타 이대로 방치할 것인가

현재 세계 각국은 스포츠 경쟁력을 통한 국가 이미지의 발전적 제고와 이를 기반으로 하는 총체적 대외 경쟁력 향상을 목적으로 스포츠를 국가의 주요한 시책으로 추진하고 있다. 일반적으로 스포츠 강국이 국제 문대에서 선도적인 역할을 수행하고 있는 현실을 고려해 본다면 차후 세계 각국의 스포츠 경쟁력 강화 노력은 더욱 심화될 것으로 예측되고 있다.

스포츠경쟁력을 통한 국가 역량의 강화를 도모하는 냉엄한 국제 현실에도 불구하고 한국 스포츠는 국제경기에서 꾸준히 우수한 성적을 거둠으로써 전 세계적으로 대한민국의 위상을 높이는 데 크게 기여하고 있다. 이러한 결과는 국내의 열악한 스포츠 환경에도 불구하고 운동선수 및 지도자를 포함한 스포츠계의 헌신적인 노력이 일구어낸 성과라고 할 수 있다.

하지만 이러한 오형적인 성장에 치중한 나머지, 승리지상주의의 엘리트체육 문화로 인해 파생된 스포츠의 내재적 문제점에 대해서는 상대적으로 정책이 관심이 미흡하였던 것도 부인할 수 없는 사실이다. 이러한 엘리트체육의 구조적 문제점들은 시간이 지남에 따라 일종의 학습 효과를 재생산하며 점차 고착화되어 가는 현상을 보이고 있다. 그동안 엘리트체육 중심의 패러다임으로 인해 체육계의 연구 및 자정 노력이 미흡하였다. 특히 엘리트체육의 근간이라고 할 수 있는 학원스포츠 현장에서 발생하는 학생 운동선수의 수업 결손, 학교 성적 조작, 폭력 등의 각종 문제점 개선에 대한 사회적 합의가 이루어졌음에도 불구하고 입상 위주의 운동부 문화와 국제대회 경기력 약화에 대한 막연한 불안감으로 인해 암묵적인 방관이 이루어진 것도 현실이다.

최근 수십 년 동안 누적된 엘리트 체육 시스템의 각종 문제점들로 인하여 발생한 학교 운동부 문화 전반에 대한 정상화 및 개선의 목소리가 사회 전반에 두드러지고 있는 가운데 특히 운동선수의 인권문제가 최근 가장 주요한 쟁점으로 대두되고 있다. 운동선수의 폭력 문제는 그동안 각종 언론 매체를 통하여 지속적으로 지적되어 왔으며, 승리지상주의를 동반한 경기력 향상과 규율 및 훈육의 차원에서 암묵적으로 조장되어 한국의 독특한 운동부 문화의 한 부분으로 비판받고 있다. 이러한 비판의 기저에는 현재 국내 엘리트체육이 지니고 있는 문제점들이 사회적 환경이 급격히 변화함에 따라 국제 스포츠 경쟁력의 저해 요인으로 인지

되고 있다. 이러한 저해 요인들에 대한 개선 노력 없이는 스포츠의 지속가능한 발전 또한 이룩하기 힘들다는 보편적인 인식에 기초한다.

그동안 선수 폭력의 심각성에 대한 사회적 공감대가 형성됨에 따라 이에 대한 체육단체 차원의 조사와 다각적인 정책적 노력 또한 꾸준히 전개되어 왔다. 지속적으로 국회에서는 '학원체육정상화를 위한 촉구 결의안', 국가인권위원회는 '학생 선수 인권 보호 및 증진을 위한 정책'을 권고하였다. 문화체육관광부는 '학교체육 운영 개선 방안'을 발표하면서 폭력 가해 지도자를 영구 제명하도록 촉구하기도 하였다. 하지만 이러한 정책 및 개선에 관한 노력에도 불구하고 국가대표 코치의 선수 폭행 등 크고 작은 선수 폭력 문제가 근절되지 않고 있는 실정이다.

운동선수 구타는 선수 개인만의 문제가 아니라 학교, 가정, 지역사회, 정부 등 여러 가지 요소가 결합되어 나타나는 복합적인 문제이다. 특히 사회의 암묵적 동의 아래 경험한 폭력은 폐쇄성이 더욱 강하다는 점에서 운동부 내에서의 폭력 또한 왜곡 현상이 나타날 가능성이 크다. 따라서 구타 예방을 위해서는 그동안 지향되어 온 단편적인 시각에서 탈피하여 운동부 주체들을 모두 포괄할 수 있는 다각적인 방법을 동원한 대책 수립이 모색되어야 할 것이다.

89. 체육청을 신설하여 스포츠 인재를 육성해야 한다

스포츠는 국력과 비례한다. 부강한 국가일수록 스포츠가 발전되어 있으며, 경제 또한 부강하며 강력한 국력을 갖고 있다. 스포츠는 돈이며, 국가 경제이다. 부강하고 잘사는 나라로 가기 위해서는 체육청을 신설하고 더불어 각 시·도에 체육국을 설치해야 한다.

올림픽 메달 취득은 운동하기 좋은 체육 시설이 비치되고 그 시설 위에서 과학적인 방법으로 기량과 기술을 다지는 지도자의 지도력이 뒷받침되고, 선수의 뛰어난 자질과 능력을 배양하고 피나는 연습과 훈련으로 강인한 체력을 다져 실전에서 승리의 영광을 갖는다는 교훈을 몸소 느껴본다. 이렇게 얻어진 금메달의 영광은 선수 자신은 물론 자기 나라의 측정할 수 없는 국위가 선양되어 국가의 발전과 더불어 부강하고 잘사는 나라가 된다고 확신한다.

우리나라가 체육 강국이 된 기반 조성은 1966년 태릉선수촌 건립에서 출발되었다. 정부의 전폭적인 지원과 대회체육회의 집념어린 땀의 결실에서 나왔다고 봐도 틀림 말이 아니다. 그 후 학교체육의 활성화를 위하여 전국소년스포츠대회 그리고 전국체육대회를 보다 더 활성화함으로써 비약적인 발전을 하는 계기가 되었던 것이다. 교육부와 시·도교육청에서 조기에 선수를 발굴하여 스포츠 환경을 개선하고 과감한 예산을 투입으로 학교체육을 더욱 더 발전시켰다. 따라서 초·중학교 체육의 스포츠 경연장인 소년스포츠대회 바탕 위에서 기초를 다져나갔기 때문에 장차 훌륭한 올림픽 선수가 양성되어 국가의 위상을 드높였다.

일본은 근래 올림픽에서 대약진을 가져왔다. 그 이유는 일본은 이미 체육청을 신설하고 과학적으로 기초 종목에 투자한 결과라는 사실을 알아야한다. 특히 치밀한 준비와 과감한 투자로 종목 별 유망선수를 선발해 유학을 보내는 등 전략

종목을 집중 육성하고 있다.

우리도 국위를 선양하고 수출 증진과 부강한 국가 발전을 위해는 체육청을 신설해야한다. 하루 속히 신설해서 지도자의 지도력을 배양하고 과학적이고 체계적인 훈련을 하며 질서 있는 추진을 위해 만전을 기해야 할 때이다. 이제부터라도 체계적으로 체육을 발전시키고 진흥하기 위해 과학적으로 체육과 스포츠를 관리하고 추진할 수 있는 체육청이 발족되어야 한다고 필자는 강력히 주장한다. 너무 늦은 감이 없지 않지만 지금이라도 빨리 체육청이 신설되기를 체육・스포츠 인들은 논의를 구체화시켜 한 목소리를 내야한다.

체력은 국력이며 경쟁력이다. 올림픽 메달 순위는 국력과 비례되고 있으며, 강한 국가의 자산이다. 스포츠는 국력이며, 스포츠는 경제임을 보여 주고 있지 않은가. 부강한 나라가 되어야 경쟁에서 승리한다.

동방의 조그마한 나라, 대한민국, 금메달의 태극기가 하늘 높이 펄펄 올라가는 저 대한 건아의 기상을 보아라. 언제까지 효자 종목에 기대어 선수들의 열정과 애국심에만 호소할 것인가. 이제부터 준비하여 윤석열 정부는 신속히 체육청을 신설하여 스포츠 인재를 육성하고, 체육・스포츠를 보다 활성화 하여 부강한 나라, 잘사는 대한민국을 만들어 가야 한다.[52)]

모험심과 도전정신을 키우는 아이들의 아웃도어 자전거 놀이터

90. 양희구 체육회장에게 강원체육인들이 거는 기대

지난 30여 년간 지속된 고도의 경제 성장과 기술 발달이 물리적 환경의 변화뿐만 아니라 우리의 생활양식에 지대한 영향을 미치고 있다. 특히 최첨단 기술로 인해 우리의 삶은 더욱 풍요로워지고 있으며 의학 기술의 발달 또한 질병 치료에 크게 기여하고 있다.

그러나 이러한 경제 성장과 기술 변화로 인해 우리의 삶은 환경변화에 끊임없는 적응과 변신을 요구받고 있다. 예를 들어 고혈압, 당뇨병, 심혈관계질환, 암, 뇌졸중 등과 같은 현대병들의 발생이 증가하고 있으며, 특히 많은 질병의 원인이 되고 있는 비만이 사회적으로 이슈가 되고 있다. 환경 변화로 인한 운동부족과 식생활 변화에 따른 비만은 성인뿐만 아니라 어린이의 건강까지도 위협하고 있다.

1995년 1월 5일 '국민건강증진법'이 제정된 이래 건강에 대한 국가적 인식 역시 높아졌으며 국민건강증진에 대한 국가적 노력 역시 지속적으로 실행되고 있다고 볼 수 있다. 동시에 현대 사회의 의학 기술 발달과 생활 변화에 따라 건강에 대한 관심이 높아지고 있으며 건강에 대한 개념 역시 변하고 있다. 기본적인 의식주 해결에 관심을 갖던 과거 시대에는 단순히 신체적으로 질병이 없는 상태를 건강이라 이해되었던 반면에, 오늘날에는 신체적·정신적·사회적으로 질병이 없는 상태로 이해된다.

한 개인의 건강 상태는 건강과 질병에 대한 정의를 어떻게 내리느냐에 따라 달라진다. 건강과 질병은 그 시대의 사회적 변화, 의학 기술적 발달, 심리사회적 건강시스템, 주위 환경 그리고 개인적인 건강에 대한 이해에 따라서 다르게 구별될 수 있다. 즉, 건강과 질병은 서로 연관되어 있으며 다양한 시각에서 다르게 해석될 수 있다. 의학적인 측면에서 신체적으로 건강한 사람이 정신적 또는 사회적으로 건강하지 못할 수 있다. 또는 타인의 시각에서 건강해보이더라도 본인의 만성피로나 스트레스 때문에 스스로 건강하지 못하다고 인식할 수 있다. 이와 같이 건강에 대한 개인적인 견해를 주관적 건강이라고 한다. 주관적 건강관은 의사와 환자 관계에서 의학적인 문맥에서 객관적으로 건강 상태를 파악하기 보다는 스스로 주관적으로 자신의 건강 상태를 파악하는 구체적이고 인지적인 부분을 강조한다고 볼 수 있다.

오늘날에는 좀 더 높은 차원에서 건강 상태를 이해하려고 한다. 신체적·정신적·사회적 안녕과 평온을 가지는 상태를 추구한다. 좀 더 평온하고 행복한 삶을 유지하기 위해서 치료와 재활뿐만 아니라 예방 차원에서 스포츠 활동이 활발히 실행되고 있다.

건강 증진을 위한 스포츠의 역할이 부각되면서 스포츠에 대한 관심이 고조되고 있다. 그러나 모든 스포츠 활동이 건강 증진에 기여하는 것은 아니다. 스포츠 활동 참여 확대와 함께 스포츠 활동을 통한 상해 발생도 증가하고 있다. 그러므로 스포츠 활동이 건강에 긍정적인 영향을 주기 위해서는 참여자의 건강 증진을 위한 특정적인 목표에 따라서 스포츠 활동이 실행되어야 한다. 이런 의미에서 건강스포츠란 건강 회복, 건강 유지 그리고 건강 증진을 위해 특정적인 목표를 가지고 실행하는 스포츠 활동의 한 유형이라 이해할 수 있다. 스포츠적인 활동 또는 운동이 건강스포츠로서 실행되기 위해서는 적합한 처방과 건강 목표에 맞게 제공되어야 한다.

건강스포츠는 급변하는 현대사회에서 발생할 수 있는 질병들의 재활 및 예방 차원에서 신체적, 정신적, 사회적 건강 유지 및 건강증진에 긍정적으로 기여하며 건전한 삶을 유지할 수 있는 원동력이 되고 있다. 따라서 우리나라의 국민건강증진을 위해 건강스포츠가 정착하는 데 보다 구체적이고 실질적인 기본 방향을 제공하고 실행을 보다 구체화시켜야 한다.

먼저 엘리트체육과 생활체육, 그리고 학교체육이 더불어 함께하기 위해서는 체육시설을 이용하는데 있어 현재보다는 보다 더 접근성을 높이고 이들에게 개방하는 것 또한 체육의 격차를 줄여나가는 좋은 방안이 될 것이다.

특히 지방체육회를 위해 필요한 정책이 무엇인지 살펴보고 그에 걸맞은 구체적이고 실현가능한 공약을 제시하여 추진해야 할 것이다. 그리고 유권자는 돈의 유혹에 빠져 당장의 작은 이익만 취할 것이 아니라, 체육회의 미래를 위해 후보자 공약과 자질을 판단하여 투표하는 안목이 필요하다. 그렇다면 선거권이 없는 체육인과 생활체육인인 국민들은 무엇을 해야 할까? 바로 관중석을 찾아와 잘할 때에는 박수와 응원을, 그렇지 않을 때에는 질책과 채찍을 드는 등 지방체육회장선거에 대한 관심과 격려가 필요하다 할 것이다. 그래야만 우리 일상에 깊숙이 자리한 생활체육 등의 저변을 확대해 나갈 수 있는 원동력이 될 수 있기 때문이다.

마지막으로 현재 리그 운영을 위탁받은 우리 선거관리위원회는 법령 등에 근거하여 공정하고 정확한 선거관리를 통해 깨끗한 선거문화 조성에 최선을 다 할 것이다.

91. 김진태 도지사에게 강원체육인들이 거는 기대

우리나라의 체육・스포츠는 크게 학교체육, 엘리트스포츠, 생활체육의 세 갈래로 나뉜다. 한때 엘리트스포츠의 관문으로 여겨졌던 학교체육은 학생의 인권보장이 되지 않는 입시위주의 체육이라는 문제점 때문에 현재 많이 위축되어 있는 형편이다.

먼저 학교체육은 교육 기관의 책임 하에 학교에서 학생들을 대상으로 조직적・계획적으로 시행하는 체육으로, 교과로서의 체육과 체육 활동이 포함된다.

엘리트체육은 전문적인 체육활동을 말하며 우수선수의 발굴, 육성을 통해 대회의 성적달성 목표가 있는 순위를 위한 운동이라 정의할 수 있다. 자국선수를 세계적인 수준으로 끌어올리기 위해 막대한 인적 자원과 자본을 스포츠에 투입하며 첨단 과학과 체계적인 훈련을 지원함으로 체육을 전문으로 하는 선수가 아니라면 평소에 접하기 힘든 운동이라 하겠다.

엘리트스포츠는 국민의 사기를 진작시키고 국위를 높인다는 점에서 큰 영향력을 가지고 있다. 2010년 동계올림픽의 경우 역대최고 메달수를 획득하여 20조원의 경제적 효과를 가져 온 것은 물론, 김연아 선수가 피겨의 여왕이라 각광받으며 단번에 대한민국이라는 국가 브랜드의 가치를 드높였고, 월드컵 4강 신화를 일군 국가대표팀, 박찬호・박세리・이상화 선수 등 세계인이 주목하는 해외무대에서 좋은 성적은 곧바로 나라의 위상과 연결되며 국민이 스스로 소속감과 높은 자긍심을 일으킴으로써 국가발전의 동력으로 작용한다. 스포츠로 인해 온 국민을 하나로 묶어 통합하는 것은 엘리트 체육의 저력이라 할 수 있겠다.

하지만 전문체육인 육성중심에 지나치게 치우친 체육구조의 부작용에 대한 문제점도 지적되고 있다. 지나친 성적위주의 잔혹한 시스템이라는 비판의 목소리가 높아지고 있고, 국민은 대리만족으로서 소수 중심의 스포츠라는 평가를 받고 있기 때문에 엘리트 체육만으로 국민의 건강증진과 지속적인 복지향상에 직접적인 효과를 기대하기 어렵다.

반면 생활체육은 일상 속에서 운동을 함으로 개인, 조직의 건강증진과 삶의 질 향상 을 목적으로 하는 스포츠 활동을 하는 것을 말한다.

약수터에 나와 함께 운동을 하는 70대 노부부에서부터 체육관에서 선수 못지않은 기량을 뽐내는 동호인, 방과 후의 체육교실, 어린이 축구교실까지 그 범위가 넓고 다양하다.

그동안 우리나라는 전통적인 엘리트스포츠를 중점으로 하여 생활체육이 빛을 보지 못했으나 여가시간의 증가와 국민의식향상으로 보는 스포츠에 만족하지 않고 즐기는 스포츠로 전환해가며 그 역할과 중요성이 점점 커지고 있다. 이제 생활체육은 단순한 운동이라는 범위를 넘어서 문화의 일부분이자 삶의 핵심요소로 자리매김 하고 있다. 그러나 생활체육은 양적인 성장에 비해 체육시설의 미비나 제도의 비정착화, 국민의 인식부족 등의 문제점이 지적되고 있으므로 앞으로 나아갈 길이 멀다.

이렇게 엘리트스포츠와 생활체육은 그 성격은 각자 다르지만 체육을 통해서 국가와 국민의 발전을 도모한다는 점에서 목표와 이상향은 같다. 따라서 전체국민의 체력증진과 여가선용을 통한 복지확대에 체육정책방향의 궁극적인 목표를 두고 엘리트스포츠와 생활체육은 유기적인 관계를 도모하며 함께 발전해야 한다. 체육정책이 어느 한쪽으로 치우치거나 이원화 되어서는 지역주민의 복지에 있어서 참여도나 만족도를 높일 수 없기 때문이다. 엘리트체육에 실린 무게의 중심을 학교체육과 생활체육으로 분산시켜 탄탄한 기반을 다지며 자연적으로 엘리트체육이 상층으로 자리 잡을 수 있다면 연계성이 강화되고 선수층이 두터워져 안정적인 구조로 발전해 갈 수 있다.

지역주민이 체육시설을 이용하는데 있어 접근성을 높이고 시민들에게 개방하는 것 또한 체육의 격차를 줄여나가는 좋은 방법이 될 것이다.

기획(plan)-실행(do)-분석(see)의 과정을 거치는 게 정책의 제대로 된 프로세스다. 엘리트스포츠에 몸담았던 선수들도 그 후엔 다시 생활체육으로 돌아온다. 결국 일생동안 생활체육을 하며 엘리트스포츠를 거쳐 오는 것일 뿐 선을 그어 생각하는 발상은 체육활동의 건전한 정착과 발전에 도움이 되지 않는다. 엘리트스포츠와 생활체육이 서로 협력하는 상생의 길을 택하여 체육으로 인해 온 강원도민이 함께 참여하고 활력이 넘치는 사회가 올 것을 기대해 본다.

92. 신경호 교육감에게 강원체육인들이 거는 기대

교직원 57만명과 한 해 예산 82조원을 집행하는 교육감 출자자와 공약을 유권자 70%가 모른다는 여론조사가 나온다. 4년간 내 삶과 거주지, 아이들 교육・급식・돌봄에 변화를 줄 교육감을 '깜깜이' 로 뽑고 있는 것이다. 지방교육을 살릴 정책과 일꾼을 뽑는 풀뿌리 선거가 실종되면, 그 피해는 학생과 시민이 될 수밖에 없다.

최근 언론에서 강원도교육감 선거의 관심도가 시들하다며 흥행이 저조하다는 보도와는 정반대였다. 차기 교육감이 과연 누가 될 것인가는 체육인들의 초미의 관심사였다. 정책 간담회의 전체적인 분위기는 한마디로 불신과 희망을 동시에 토로하는 흥미로운 대화의 장이었다. 3선을 이어온 민병희 현 교육감에 대한 피로도와 함께 지난 12년간의 학교체육 정책에 대한 불만의 볼멘소리가 어김없이 터져 나왔다.

반면 강원 교육을 이끌어갈 새로운 교육계 수장 선출에 대한 기대감으로 충만했다. 도내 체육인들은 도 교육청에서 진행하는 학교 체육 행정에 차기 교육감이 메스를 대고 과감한 수술을 해야 한다고 한 목소리를 냈다. 학교 체육의 근간인 도내 초・중・고에서 엘리트 선수가 빠른 속도로 줄어들고 이로 인한 팀 해체가 도미노처럼 속출하고 있다. 그런데도 강원도교육청은 먼 산만 바라보고 있다는 것이 간담회 참석자들이 주장하는 주요 골자였다. 인기 종목인 축구와 야구를 제외하고는 거의 모든 종목에서 침체의 늪에서 좀처럼 헤어 나오지 못하고 있는 것이 현실이다. 예전처럼 어린 꿈나무 선수들이 강원 체육을 이끌어가고 나아가 대한민국 체육을 선도해야 하는데 꿈나무 발굴과 육성은커녕 씨가 마르고 있는 실정이다. 특단의 행정이 나오지 않고서는 더 이상 강원 엘리트 체육의 희망과 변화의 바람은 메아리로 돌아올 공산이 크다. 강원도와 강원체육회 등 체육행정을 담당하는 기관이 있지만 학교체육의 중장기적인 설계의 주인공은 그래도 강원교육청이 우선이다. 그래서 체육인들 사이에서는 이번 강원도 교육감의 선출이 어느 때보다도 중요하다고 입을 모으고 있는 것이다.

강원체육사랑연구회장 자격으로 우리 도내 체육인들에게 학교체육에 대한 많은 건의 사항과 요구의 목소리를 들었다. 먼저 차기 교육감에게 체육 특기교사를 매년 3~5명 정도를 임용해 달라는 입장이 단연 으뜸이었다. 강원체육 발전을 위해 앞만 보고 달리고 노력한 도내 출신 우수 선수 및 지도자들의 자긍심 고취와 사기진작 차원에서 체육 특기교사를 모집 인원의 20% 정도를 선발해야 한다는 것이다. 강원체육을 선도한 이들 선수와 지도자들의 타 시도 유출이 지속되고 있는 냉담한 현실을 토로한 것이다. 교육감의 결단으로 현실이 된다면 체육계는 쌍수를 들고 이를 환영할 것이다. 현재 체육 교사들을 가리켜 문무(文武)를 갖춘 교육자라고 칭한다. 문과 무가 균형 잡힌 체육 교사의 등용이 필요하다. 실기에 능한 엘리트 선수 출신 체육교사들은 이제 서서히 자취를 감추고 있다. 건강한 육체에서 건전한 정신이 나오는 법이다. 예전 같이 적극적인 학교 운동부 부활 추진도 교육감이 풀어야 할 숙제다.

엘리트 꿈나무 선수 감소에 따른 강원체육이 고사 위기 직전임을 보여주는 수치다. 이런 이유로 도내 모든 학교에서 1학교 1종목 육성을 새로운 차기 교육감에게 바라고 있다. 학교장들에게 재량권을 위임한다며 그 책임을 회피할 것이 아니고 교육감은 자신이 책임을 지고 이를 반드시 적극 실행해야 한다. 노련한 관록과 젊은 패기로 상징되는 교육감의 결단이 필요한 시점이다.

93. 모두가 함께 하는 '노인체육회' 를 기대했는데, 아직도

우리나라 노인 인구는 생활수준의 향상과 의학기술의 발달로 세계에서 유래를 찾을 수 없을 만큼 빠르게 증가하고 있다.

우리나라의 이런 고령화 현상은 건강은 물론 증가된 여가시간의 활용 및 사회 심리적 고립과 소외문제 등 많은 노인문제를 수반하고 있다. 따라서 현 사회에서 노인의 체육활동은 고령화 현상에 따른 문제에 긍정적 영향을 기대할 수 있다.

마음대로 몸이 따라주지는 않지만 매일 연습하면서 움직임이 자유로워졌고 한계를 극복했다는 데서 희열을 느낀다는 고백엔 아낌없는 박수를 보낸다. 주로 집에서 컴퓨터 게임을 하며 무료하게 보냈으나 운동을 하면서 인생이 달라졌다는 것이다. 노인체육회에 의미를 부여하는 이유다.

고령사회의 도래를 우려할 때 성공적 장수(successful aging)와 건강한 노화(healthy aging)에 관해서는 모든 나라들이 관심을 갖고 공통적으로 해결해야 할 중요한 연구 과제라고 여겨진다. 때를 같이 하여 2020년 5월 20일 국회 본회의에서 본회가 추진한 800만 노인들을 숙원인 노인체육진흥을 위한 국민체육진흥법 개정안이 본회를 통과 했다.

국민체육진흥법 노인체육회 제3조 목적과 지위에는 '노인체육회는 대한민국의 노인체육을 대표하는 기관으로 노인들의 생애주기에 맞는 다양한 체육종목을 개발, 육성, 지원함으로써 노인의 건강증진과 여가선용, 복지향상에 이바지하고 노인체육의 저변확대를 위한 대회 개최와 종목단체, 경기 및 체육단체, 노인체육회 시·도지부를 육성, 지원함으로써 100세 시대 노인체육의 발전과 건강의 가치를 확산시키고 스포츠를 통한 건강한 국가발전에 기여함을 목적으로 한다.' 고 명시되어 있다.

김홍수 초대 강원도노인체육회장은 "어르신을 위한 다양한 체육종목을 개발해 스포츠를 통한 건강복지를 실현하고 건강한 100세 시대를 준비해 나가겠다" 며 "활기 넘치는 노년을 위해 최대한 노력해 적극 뒷받침하겠다" 며 과거 강원도 발전을 위해 힘쓴 청·장년층들이 지금은 일선에서 은퇴한 후 마땅한 대책없이 소일거리로 지내고 있다. 이들 노인들이 충분한 여가활동을 즐길 수 있도록 노인체육회가 뒷받침해 체력증진과 제2의 인생에 대한 활력을 불어 넣는데 많은 노력을 기울여 나가겠다." 고 포부를 밝혔다.

하지만 모두가 함께 하는 '노인체육회' 를 기대했는데, 돌이켜 보면 부족하고 빈약한 부문이 너무 많다. 노인 체육의 과거와 현재를 진단하고 미래지향적인 정책과 대책을 내놓아야 한다. 이들에 대한 관심과 지원은 예전보다 늘었으나 맘껏 운동할 수 있는 시설과 지원체계는 여전히 빈약하다. 전용 체육시설은 거의 없다. 예산 부족 등을 이유로 다른 사업에 밀렸던 게 사실이다. 인프라 구축과 선수 발굴·육성에 힘을 모아야 한다. 경기력 향상도 마찬가지다. 노인학교의 체육 여건 개선도 과제다. 실버 체육 전문가, 지도자, 선수 그리고 행정가 등 이해 당사자들이 머리를 맞대야 한다. 노년은 우리 모두의 일이기에 더욱 그렇다.

우리나라의 이런 고령화 현상은 건강은 물론 증가된 여가시간의 활용 및 사회심리적 고립과 소외문제 등 많은 노인문제를 수반하고 있다. 따라서 현 사회에서 노인의 체육활동은 고령화 현상에 따른 문제에 긍정적 영향을 기대할 수 있다.

강원도는 물론 각 시군 '노인체육회' 출범에 기대가 크다. 이에 발맞추어 노인체육의 발전과 번영을 위해 노인체육회는 물론 노인체육을 사랑하는 모든 이들의 깊은 관심과 사랑을 부탁드리며 지속적으로 강원도노인체육회가 성장하고 흥성할 수 있도록 도민 여러분들의 적극적인 동참을 부탁하고 싶다.

94. 노인체육회가 출범하면서 기대했는데, 아직은 변한 게 없다

2020년 5월 20일 국회 본회의에서 본회가 추진한 800만 노인들을 숙원인 노인체육진흥을 위한 국민체육진흥법 개정안이 본회를 통과했다.

국민체육진흥법 일부 개정 법률안의 주요 내용을 보면 '국가와 지방자치단체는 노인체육 진흥에 필요한 시책을 마련하여야 한다' 고 명시하고 또 '노인 건강의 유지 및 증진을 위한 맞춤 체육활동 프로그램을 운영하거나 그 운영에 필요한 비용 및 시설을 지원할 수 있다' 고 명시해 노인체육회 지원에 대한 법률적 근거가 마련됐다.

강원도노인체육회가 2020년 7월 17일, 발기인 총회를 갖고 김홍수 민주평화통일자문회의 동해시협의회장을 초대회장으로 선출했다. 도노인체육회 설립준비위원회는 횡성축협에서 김천환 대한노인체육회장을 비롯한 체육계 인사와 장신상 횡성군수 등이 참석한 가운데 발기인(설립) 대회를 갖고 강원도노인체육회 창립을 공식 선언했다.

김홍수 회장은 "어르신을 위한 다양한 체육종목을 개발해 건강한 100세 시대를 준비해 나가겠다" 며 "활기 넘치는 노년을 위해 적극 뒷받침하겠다" 고 말했다.

우리나라 노인 인구는 생활수준의 향상과 의학기술의 발달로 세계에서 유래를 찾볼 수 없을 만큼 빠르게 증가하고 있다. 우리나라의 이런 고령화 현상은 건강은 물론 증가된 여가시간의 활용 및 사회 심리적 고립과 소외문제 등 많은 노인문제를 수반하고 있다. 따라서 현 사회에서 노인의 체육활동은 고령화 현상에 따른 문제에 긍정적 영향을 기대할 수 있다.

노인체육회는 대한민국의 노인체육을 대표하는 기관으로 노인들의 생애주기에 맞는 다양한 체육종목을 개발, 육성, 지원함으로써 노인의 건강증진과 여가선용, 복지향상에 이바지하고 노인체육의 저변확대를 위한대회 개최와 종목단체, 경기 및 체육단체, 노인체육회 시, 도지부를 육성, 지원함으로써 100세 시대 노인체육의 발전과 건강의 가치를 확산시키고 스포츠를 통한 건강한 국가발전에 기여함을 목적으로 한다.

우리나라 노인 인구는 생활수준의 향상과 의학기술의 발달로 세계에서 유래를 찾을 수 없급 빠르게 증가하고 있다. 우리나라의 이런 고령화 현상은 건강은 물론 증가된 여가시간의 활용 및 사회 심리적 고립과 소외문제 등 많은 노인문제를 수반하고 있다. 따라서 현 사회에서 노인의 체육활동은 고령화 현상에 따른 문제에 긍정적 영향을 기대할 수 있다.

강원도 노인체육회가 출범하면서 많은 기대를 했는데, 아직은 변한 게 없다. 노인들을 인정해 주는 이상으로 고독을 함께하며, 노인체육 활동을 통해 "혼자 있는 힘" 을 키우도록 배려해 줄 것을 기대한다.

95. 내가 다시 대학생이 된다면……

내가 다시 대학생이 된다면…….

생각만 해도 가슴이 설레이고 신바람 나는 일이다. 흘러간 물로는 물레방아를 다시 돌릴 수 없다고들 하지만 정신없이 앞을 향하여 달리다 흰 머리카락이 조금씩 보이기 시작한 지금 마음껏 과거의 나라를 돌아보는 것도 의미 있는 일이리라. 오래 전에 선수들을 데리고 운동장에서 만난 H형과 몇 마디 나누고 돌아서는 모습에서 왠지 모르게 쓸쓸해 보이고 활기찬 과거의 모습을 생각할 때 옛 대학생활이 감미롭게 기억나고 현실이 슬프게 가슴을 죄어오는 듯한 느낌을 어쩔 수가 없었다.

처음 대학에 입학하여 설레이는 가슴으로 선배들이 베푼 환영식에 참여했을 때 산 속에서 알밤 떨어지는 듯한 소리를 들으면서 설교를 듣던 일, 선배들이 야구 연습에서 공 노릇 하던 일, 그 후 '주막' 집으로 가서 '노털카'의 주법을 배우던 일, 억울하면 선배되지. 그때는 그래도 '선배는 관 속에 먼저 들어 갈 확률이 높으니 그리 좋은 것만은 아니다.' 라고 자위했으나, 지금은 나 자신이 더욱 겉늙었으니 H형의 두 눈동자가 오늘따라 흐릿해 보인다. 요즘, 후배들은 풀장에서 또는 볼링장에서 강습을 받는다지만, 그래도 위도에서 받던 야영 강습, 바다에서 받던 수영 강습이 45년이 지난 지금도 추억으로 간직되고 있다. 짠물을 실컷 마신 H형의 찡그린 얼굴, 반대로 빙상 강습 때 열심히 엉덩방아를 찧던 나의 모습에 쾌재를 불렀던 H형. 바다모기에 물려 허벅지를 긁어 흉터까지 간직한 H형, 그 모두가 빛바랜 사진처럼 못내 아쉬움으로 남는다.

내가 다시 대학생이 된다면 이러한 추억들을 좀 더 선명하게 남겨두기 위해 많은 사진을 찍어두고, 학교의 구석구석을 돌아다니면서 대학생활의 자취를 남기며, 애정 어린 관심으로 캠퍼스를 소중한 기억으로 남기고 싶다. 이런 생각이 드는 것은 변해버린 지금보다 그때의 아담한 교정이 더욱 정겹게 느껴지기 때문이다.

우리를 이해하며 친구처럼 대해 주신 교수님들도 잊을 수 없다. 밤새워 술잔을 돌려가며 우리들의 어린 말장난을 들어주시느라 애도 많이 쓰셨으리라. 파조의 연애 이야기, 인생이니, 사랑이니, 철학이니, 운명이니……. 교수님들의 수가 부족해서 전공과목을 제대로 공부하지 못했지만 그래도 끈끈한 정이 있었으니 요즘 후배들보다 살아서 외칠 수 있는 대학생이었다면 지나친 표현일까. 더구나 광주에 하키시합 갔을 때 후보 선수 없이 11명이 출전해 다치는 사람이 생길까 조마조마하면서 한0준교수님이 전·후반 물주전자와 물수건을 대령했던 일, 그 영광 때문인지 한 해에 세 번씩이나 전국을 제패했던 기억 또한 잊을 수가 없다.

내가 다시 대학생이 된다면 삶의 뚜렷한 지표를 설정하기 위해, 미래의 운명에 대한 확신을 가지기 위해, 양심에 따라 자유롭게 살기 위해 그러한 교수님들과 영육의 대화를 나누고 싶다. 남이 성공하는 것을 보고 상처받지도 않고 남이 실패하는 것을 보고 위안받지도 않는 나름대로의 나침반을 가졌다고 지금도 확신할 수 없기에 말이다.

방학이 끝나고 새로운 학기가 시작될 때마다 등록금과 한 달 하숙비·생활비 팔천원을 팬티에다 따로 부탁한 주머니에 넣고 일곱 시간이나 털털거리며 대관령을 넘던 기억이 요즘도 그 고개를 넘을 때마다 새롭게 느껴진다. 하숙비가 오천원했으니 그땐 꽤 큰돈이었다. 막걸리 마시고, 당구치고, 나이롱뻥 치고, 데이트 자금으로 다 날리고 허구한 날 자취방에서 라면 밥(밥이 끓을 정도가 되어 라면을 부수어 넣어 만듦)으로 두 끼 때우고 한 끼는 순전히 술로 잇는 생활을 했었지. 그래서인지 한 잔 소주에 명동에서 속이 뒤틀려 쓰러지기도 했으니 한심한 삶이었다. 물론 오랜만에 친구들을 만났을 때 화제 거리가 궁색하지 않고 그로 인한 뜨거운 사랑이, 연륜이 더할수록 우리 핏속에 남아있음을 느끼기도 한다.

그러나 내가 다시 대학생이 된다면, 비틀비틀 술 취한 삶 속에서도 몇 권의 책을 사겠다. 나의 잠자는 정신을 깨우기 위해, 인생의 눈을 뜨기 위해, 술 먹고도 차지 않은 빈 속을 채우기 위해서도 말이다. 훗날의 생에서는 그러한 여유 있는 시간이 없겠기에 더욱 간절히 양서를 읽겠다.

우리 인생은 항상 지난날이 후회스러운가 보다. 아쉬움이 늘 남기에 말이다. 그러나 인생의 행복이란 과거의 아쉬움과 현재 자기가 원하는 일이 이루어졌을 때의 즐거움이 조화되어 나가는 과정에서 발견되리라 믿어진다.

나의 대학생활! 그래도 그때의 삶이 인정 메마른 현실에서 새록새록 마음 한구석에서 피어오름은 어인 일인가.

96. 메달전사 집착 이제 그만 스포츠 인권 개선 나설 때

한국에는 두 가지 스포츠가 있다. 메달 따는 스포츠와 생활로서의 스포츠다. 특히 국가 주도 체육정책과 엘리트 스포츠주의는 '메달 전사'로 어린 학생들을 육성하는 데 주력한다. 젊은 세대는 이미 한국을 선진국으로 인식하고 있는데, 어른들만 국위선양 강박에 사로잡혀 스포츠의 구조적 문제가 좀처럼 개선되지 않고 있다. 이런 구조에 선수들의 인권은 늘 설 자리가 없다.

지난 20년간 한국 사회에서 인권은 뚜렷한 발전을 이뤄왔지만 유독 스포츠계는 뒤처져 있다. 체육계 성폭력 문제는 2008년 언론 보도로 폭로된 직후 정부가 근절 대책을 내놨지만 2019년 빙상과 유도 종목에서 또다시 발생했다. 2020년에는 상습폭행과 갑질을 당한 트라이애슬린 선수가 "그 사람들 죄를 밝혀달라"며 스스로 목숨을 끊었다.

2020년 개정된 국민체육진흥법은 목적 조항에 '국위선양'을 삭제하는 대신, '체육인 인권을 보호'한다는 문구를 추가하여 입법취지를 분명히 했다. 직장운동경기부의 불공정계약을 막을 수 있게 표준계약서를 보급하고, 체육지도자 연수과정에 폭력 예방교육을 포함시키며, 관련 범죄에 대한 체육지도자의 결격사유 기준도 강화했다. 스포츠비리나 체육계 인권침해에 대해서는 명단 공개 조치와 함께 징계정보시스템을 구축하도록 했다. 문화체육관광부 산하에 신설된 스포츠윤리센터는 신고 접수와 조사를 하며 고발과 징계요구를 할 수 있는 권한도 부여받는 등 재발방지를 위한 강력한 입법수단이 동원되었다.

이후 2021년에는 스포츠클럽법, 스포츠기본법 등이 새로 제정되었다. 스포츠클럽법은 지역사회 회원들로 구성된 정기적인 체육활동 진흥 단체인 스포츠클럽을 내세우면서, 기존의 학교운동부나 동호인 등 조직체를 재편하고자 하는 정책 의도를 반영한 것이다. 또, 스포츠기본법은 '모든 국민은 스포츠 및 신체활동에서 차별받지 않고 자유롭게 스포츠 활동에 참여하며 스포츠를 향유할 권리를 가진다' 는 국민의 '스포츠권' 을 천명하면서, 관련 시책에 대한 국가와 지방자치단체의 책무를 선언하였다.

또한 정부는 스포츠 4대악을 근절하겠다며 스포츠윤리센터를 출범시켰지만 존재는 희미하다. 사건이 터질 때마다 매번 나오는 대책은 이전 대책을 그대로 베낀 수준에 불과할 뿐이다. 폭언하고 폭행하지 않는 1차적 인권보장을 위한 노력조차 제대로 이뤄지지 않는 실정이다. 비인기 종목인 육상, 체조, 근대5종 등은 국가가 체육중·고교에 예산을 투입해 양성한다. 이 과정에서 어린 선수들의 몸이 망가지는 것도 문제다.

윤석열정부는 학생선수가 초·중등 의무교육 수업을 듣지 않아도 되는 방안을 추진한다고 했다. 이는 '학생들의 학습권이 침해될 것이다.' 어린 학생들을 운동 속에 고립시키고, 낙오되는 순간 갈 곳이 없어지게 만들면 아이들은 각종 폭력에 저항하지 못한 채 견딜 수밖에 없는 처지가 된다. 운동 이후의 미래를 꿈꾸기 어렵게 만드는 것이기도 하다. 스포츠를 생활의 일부로서 즐기고, 국가가 메달에 대한 집착에서 내려놓는 데서 스포츠 인권 개선의 해법을 찾아야 할 것이다.[53)]

체육계는 개혁이 추진되려고 할 때마다 "올림픽에서 메달을 못 따도 되느냐" 며 반발했다. 체육계 우려대로 한동안 메달을 못 딸 가능성이 높다. 반세기 전부터 엘리트 체육에서 생활체육으로 방향을 전환한 일본도 수십 년간 국제대회 성적이 부진했다. 우리 국민은 이런 과도기적 고통을 받아들일 수 있을까. '엘리트 시스템을 포기할 경우 국제대회 성적이 저조할 수 있다' 는 질문에 걱정된다는 응답은 56.5%, 걱정되지 않는다는 답은 43.5%였다. 국민 절반가량은 올림픽에서 메달을 못 따도 개의치 않겠다는 것이다.[54)]

97. 체육회장 선거, 정치 굴레에서 벗어나야

제2기 민선 체육회장 선거가 한 달도 채 남지 않았다. 국민체육진흥법 개정에 맞춰 2020년 전국 광역·기초단체 체육회가 민선 시대를 열었고 지자체장이 관행적으로 겸했던 시·도, 시·군·구 체육회장 자리가 민간에 넘겨졌다. 관선 체제에서 벗어나 정치와 스포츠가 분리된 것이다. 체육인들이 정치권에 휘둘리고 체육회가 단체장의 선거조직으로 전락한 세태를 바로잡자는 취지로 도입된 만큼 체육회장 선거는 깨끗하고 공정한 선거로 치러져야 한다.

'돈선거' 를 근절하려면 후보자부터 더 이상 '돈으로 표를 살 수 없다' 는 확고한 의지를 가져야 한다. 또한 체육을 사랑하고 아끼는 양심적인 체육인은 후보자의 공약 및 정책에 대해 꼼꼼히 비교·분석하고 그것을 실현할 수 있는 후보자에게 투표해야 할 것이다.

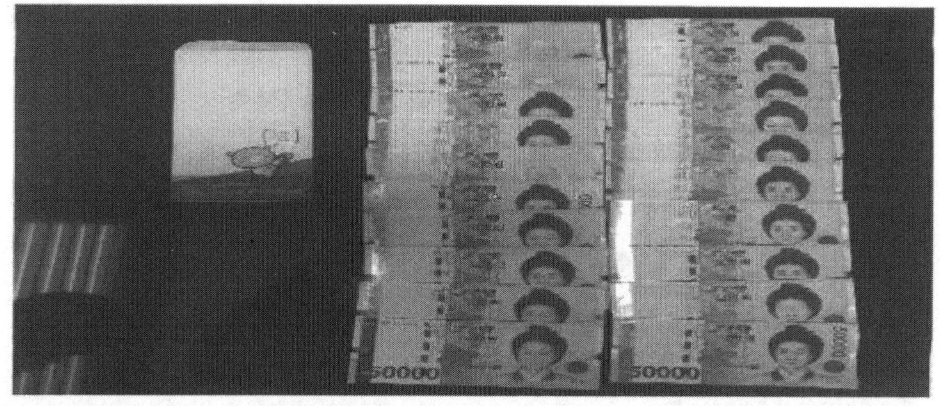

선거관리위원회도 중대 위탁선거범죄 중 '돈선거' 척결에 단속 역량을 집중하고 불법행위에는 무관용 원칙과 포상금 제도로 강력하게 대응할 것이나, 금품수수 등 불법행위가 은밀하게 이루어지는 만큼 체육인 및 관계자는 후보자의 위법행위를 발견하는 즉시 선관위에 신고를 하는 적극적인 자세가 필요하며 특히 내부의 신고·제보가 절실하게 요구된다. 체육회장선거가 공직선거 못지않게 공정선거의 기틀을 마련할 수 있도록 '돈선거' 근절에 대한 인식변화와 관심이 필요한 때이다.

2018년 개정된 체육진흥법은 체육 자치 정신을 담았으나 허점이 많다. 입법 과정에서 체육계 의견 청취와 수렴 절차를 간과했다. 정당에 가입한 정치인들의 출마를 허용한 것은 '정치와 체육의 분리' 란 대의에 맞지 않는다. 예산편성 권한은 여전히 지자체와 지방의회에 있고 체육회 예산의 95% 이상을 지자체에 의존하고 있기에 지방권력과의 거리 두기가 만만치 않다. 체육회가 민간으로 이양됐지만 운영비 및 사업의 재정 등 독립적, 자립의 위치를 확보하고 있지 못한 현실이 체육회장 선거에도 영향을 미치기 때문이다.

내달 치러지는 민선 2기 체육회장 선거에 벌써부터 단체장과의 친소 관계가 들먹여지고 누구의 대리인이 거명되고 지방선거 낙선 인사의 출마가 거론되고 있다. 민선체육회장은 쓸모가 많은 자리이기에 정치인이 넘보는 것은 어쩌면 당연한지도 모른다. 이런저런 행사에 얼굴을 내밀고 단상에 올라 축사를 하며 체육계 인사들과 친목을 다지고, 정치・경제・사회・문화계 전반으로 활동영역을 넓힐 수 있다. 광역의회나 단체장 출마를 위한 디딤돌로 이만한 감투(?)가 없다. 재임 중 사퇴하지 않고 총선, 지선에 나설 수 있고 낙선해도 복귀하면 그만이다. 출마기탁금이 1천만 원 이상이지만 매년 기부금을 내는데도 입후보자들이 줄을 서는 이유는 바로 이 때문이 아닐까.

선거일 다가오면서 체육계 현장에서는 관권선거, 불법선거, 깜깜이선거 등 온갖 불만이 터져 나오고 있다. 원래 선거는 말이 많은 법이다. 유권자인 체육인들은 이번 선거에서 단체장 운운 하는 사람이 있다면 그 사람의 뜻과는 반대로 투표권을 행사해야 한다. 철저하게 해당 후보가 체육계에서 어떤 일을 해왔고 어떤 비전을 가지고 있는지만 보면 체육회의 앞날은 서광이 비칠 것이다. 당선된 민선체육회장은 현재의 불합리한 제도를 개선하는데 앞장서서 체육회가 자생하고 발전할 수 있는 기틀을 마련해야 한다.

이제 2기를 맞는 민선체육회의 앞날은 회장으로 누굴 선택하느냐에 따라 그 지역 체육발전의 시금석이 될 수 있다. 체육인 스스로가 스포츠맨십을 발휘하며 자력으로 정치권력의 굴레에서 벗어나기를 기대해 본다.[55]

98. 민선 2기 강원체육회 도약을 위한 비전과 역할

오는 12월 15일 시・도체육회장선거가, 12월 22일에는 구・시・군체육회장선거가 실시된다.

선거관리위원회에 위탁 실시하는 첫 선거다. 2020년 국민체육진흥법 개정으로 지방체육회장 선거는 반드시 선거관리위원회에 위탁하여 선출하도록 했고, 지방체육회의 장은 지방자치단체의 장 또는 지방의회 의원의 직을 겸할 수 없게 됐다.

정관에 따라 자체 선거로 선출하는 지방체육회의 선거관리 업무를 선거관리위원회에 위탁하여 중립적이고 객관적인 선거관리가 이뤄지도록 하기 위함이다. 종전에는 지자체장이 체육회의 장을 겸임하고 있었고 따라서 자치단체장이나 지방의원이 체육단체를 이용해 인지도를 높이거나 정치적 영향력을 행사하는 등 체육단체의 정치화가 발생하는 경우가 많았다. 겸직 제한을 통해 체육회 본연의 활동에 충실함으로써 국민체육 증진이라는 본연의 목적을 실현하기 위함이라고 판단된다.

체육은 우리 일상생활과 밀접하다. 때문에 지방체육회장선거는 특정 체육인들만의 선거라기 보다 지역의 중요한 일꾼을 뽑는 우리 모두의 선거로 보는 것이 타당할듯 싶다. 4년간 지역사회 삶에 큰 영향을 미치는 이번 지방체육회장 선거에 많은 관심과 참여가 필요하다.

체육회장 선거운동 기간은 후보자등록일 다음날부터 선거일 전일까지로 9일간이다. 선거운동은 오로지 후보자만 선거운동기간 중 할 수 있으며 선거사무원은 둘 수 없다. 위반행위 신고 시 포상금이 지급되고 신고자의 신분은 법에 따라 철저하게 보호되며, 선거 관련 금품을 받으면 과대료 최고 3000만원이 부과된다.

체육회장이 지자체장 선거에 출마하여 당선되는 경우가 빈번한 만큼 체육회장 직위는 선거에 출마하는 자들의 좋은 디딤돌이 될 수 있기에 불법 선거운동이나 매수행위가 우려되는 것도 사실이다. 선거관리위원회는 공명정대한 선거를 위해 감시・단속을 강화할 예정이다.

이번이 선관위에 위탁하여 치르는 첫 선거인만큼 입법 취지가 제대로 실현돼야 한다. 민주주의 가치를 실현하고 축제의 선거를 치르기 위해 선거관리위원회는 공정하고 빈틈없는 절차사무와 위법행위의 철저한 예방단속을, 후보자는 정당한 방법으로 선거에 임하며, 선거인은 진지하고 적극적인 태도로 투표에 참여해야 한다. 유능한 후보자가 정당하게 당선되어 강원도 체육 발전에 이바지하는 계기가 되기를 바란다.

지방체육회가 법정・법인화되어 민선 지방체육회가 들어선 것은 기존에 자치단체장들이 회장을 겸직하던 지방체육회를 일반국민과 체육인들에게 돌려줬다는 점에서 큰 의미가 있는 일이며, 체육인의 한 사람으로서 찬사를 보냈다. 민선 1기 강원체육회 출범후 2년의 시간이 흘렀지만 전문체육과 생활체육의 갑작스런 통합으로 체육인들이 많은 갈등과 혼란을 겪었으며 화학적 결합의 과도기적인 시기라고 할 수 있을 것이다.

이처럼 많은 내홍속에서도 민선 강원체육회 1기는 원대한 희망을 갖고 사업을 진행하려고 하였으나 코로나 팬데믹의 확산으로 사회적 거리두기와 실내운동 및 야외활동 제한으로 인해 사회 전반에 걸쳐 어려움을 겪었으며, 초대회장이 일신상 문제로 사퇴함에 따라 보궐선거를 치르고 패배한 후보가 선거결과에 승복하지 않아 고소 고발로 법정다툼으로 까지 이어져 사고단체가 되는 어려움을 겪었다.

하지만 올해는 민선 2기 강원체육회가 들어서는 시기로 이제는 민선 1, 2기의 어려움을 교훈 삼아 강원체육의 화합과 통합의 정신을 살려 다시 한번 단결과 재건을 위해 통섭의 리더십을 갖춘 리더를 기대한다면 무리일까? 무릇 조직의 크기는 리더의 크기에 비례한다고 했던가? 공정과 상식이 통하는 광주체육회를 기대하며 제언하고자 한다.

먼저 강원체육회의 역할에 대한 진지한 고민이 필요하다. 강원체육회는 시민을 위한 '풀뿌리 체육 활성화'에 기반을 두어야 한다는 것이다. 풀뿌리 체육이라고 할 수 있는 생활체육 참여 증대를 통해 전문체육이 발전할 수 있는 토대 구축에 중점을 두어야 한다. 풀뿌리 체육 활성화를 위한 기반 구축을 위해서는 학교체육에 대한 지원이 필수적이다. 현재 '학교 안 프로그램' 과 '학교 밖 프로그램' 을 확대 운영하고 맞춤형 컨설팅 프로그램을 수립하여 현장 수요형 지원을 확대해야 한다.

또 체육중・고와 학교 운동부 지원 강화를 통하여 전문스포츠 인재를 양성해 선수를 육성하고, 학교 스포츠클럽을 활성화하여 각종 대회 개최를 통해 일반 학생들 참여를 확대하여야 한다. 시민들의 체육활동 참여를 위한 거점 스포츠클럽의 육성과 동호인 참여도 활성화해야 한다.

모든 다양한 연령・계층의 지역민이 저렴한 비용으로 원하는 종목을 즐길 수 있도록 선진형 지역스포츠클럽을 육성하고 대회를 지원하며 생활체육대회의 운영을 개선하고 생활체육 동호인 리그와 전문체육 정규리그를 연계하고 접목해 각 종목 스포츠 발전을 도모해 나가야 한다. 민선 3기 광주체육회는 시민과 많은 체육동호인에게 양질의 스포츠서비스 제공을 위해 직원들의 대 시민서비스 역량강화 교육을 정례화, 상설화하는 제도를 만들어 고품격 서비스 제공에 앞장설 수 있도록 하여야 한다.

2022년 17개 시·도체육회의 당초 예산을 보면 지방비 78.7%, 국비 17%, 기타 재원이 4.3%으로 나타났다. 지방체육회의 수익 사업을 비롯한 작은 이벤트나 체육대회도 독자적으로 진행할 수 없을 정도로 열악한 것으로 나타났으며, 지방체육회는 자율적으로 운영할 수 없는 구조이다.

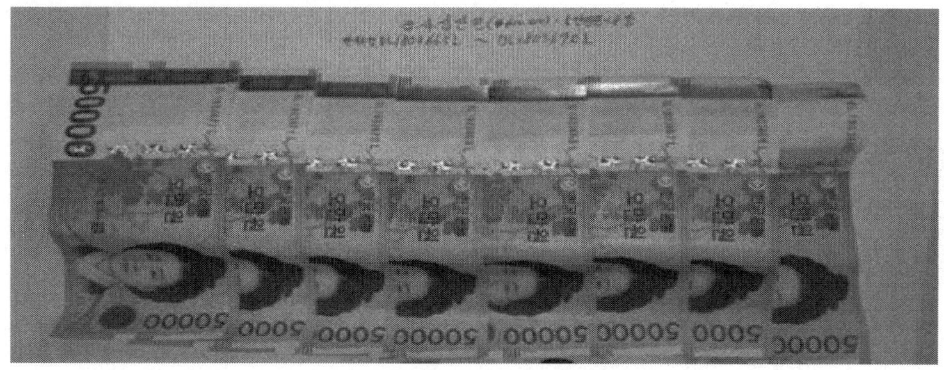

이를 해결하기 위해서는 법 개정으로 의무화된 체육회 운영비 예산보조도 조례에 명기되도록 지방의회와 논의해야 하고, 단체장과 체육회장 및 지방의원 등으로 구성된 체육진흥협의회도 쌍방향 소통창구를 구축하여 실효성 있게 운영해 체육 예산이 홀대받지 않도록 거버넌스를 구축할 필요가 있다. 지역 체육 생태계 조성을 위해 1기업 1종목 육성지원 및 비인기 종목의 팀을 육성하는 기업체에 팀 운영에 대한 조세특례 기간과 법인세율 인하 제도화 등 민간 재원 마련을 위한 기부금 유치와 마케팅 활동도 필요하다.

생애주기별 스포츠 참여 활동 확대를 통해 평생 스포츠의 기틀을 마련하여야 한다. 유아체육 프로그램과 유아 가족 프로그램 운영으로 유아기 운동습관을 형성하고 평생 스포츠의 기틀을 마련하고 지원해야 한다. 신나는 주말체육교실, 종목·시도별 강습이나 체험캠프 운영, 유·청소년 클럽 리그 운영 확대, 전국 및 지역 학교스포츠클럽대회 개최 지원으로 청소년기에는 전인적 성장을 위한 청소년 스포츠 활동을 지원하고, 어르신을 대상으로 한 스포츠 프로그램 제공으로 건강한 여가생활을 도모하고, 생활체육 활성화 여건을 마련해야 한다. 그 외에도 전 연령대의 다양한 스포츠 활동 지원으로 체육활동 참여를 유도하기 위해서는 체육회에 배치된 생활체육지도자 교육 및 종합관리를 통해 시민의 생활체육 수요에 부응할 수 있는 프로그램 계획을 수립·운영하여야 한다.

특히 지역 스포츠의 공정성과 자긍심을 높이는 방안 마련이 필요하다. 스포츠 인권센터를 운영해 스포츠인권 인식 개선을 위한 홍보 활동도 전개하여야 한다. 또한 동호인 선수와 심판을 포함한 등록규정 개정 및 등록시스템을 개선하고 공정한 판정문화를 정착하기 위해 상임·아마추어 심판을 육성하여야 한다. 그리고 체육인 일자리와 교육, 복지 분야 지원 계획을 수립하여 체육인 일자리를 확대하고 처우개선을 위해 노력해야 한다. 은퇴선수, 생활체육지도자의 직접고용 일자리도 확대하며, 지역대표 선수와 지도자를 대상으로 안정적인 사회 정착 유도를 위한 능력개발 교육 프로그램도 운영하여야 한다. 장학금, 보조금, 포상 등 복지 지원도 강화해야 한다. 지역 체육사료 발굴사업, 체육원로 구술 채록·영상 제작 등을 실시해 강원도가 대한민국에서 진정한 스포츠메카로 거듭날 수 있도록 많은 역할을 해야 한다.

지역 스포츠는 지역발전이라는 큰 가치를 만들어내지 못하고 있으며 사회적 갈등을 치유하는 수단으로 제대로 활용되지 못하고 있다. 스포츠 분야가 다양한 문제를 시급히 해결해 한 단계 성장해 나가야할 시기이다.

코로나 팬데믹 재확산, 경기 저하 등 많은 어려움이 예측되지만, 민선 2기 강원체육회는 새로운 비전과 목표를 설정하여 더 크고 힘차게 달리기 위해 날개를 펴 시민이 건강한 스포츠참여 문화를 선도하기 위해 전략을 세우고, 각 종목을 활성화하여 국제대회를 유치하고 스포츠 마케팅을 통해 다시 찾고 싶은 스포츠 메카 강원으로 새롭게 비상할 원대한 행보를 펼치길 기대한다.

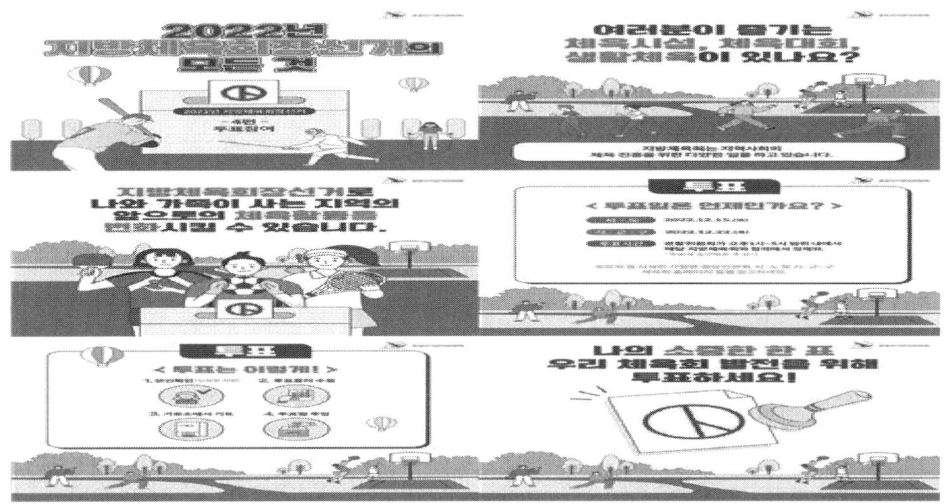

99. 새 체육회장에 거는 기대

담론(談論)은 일반적으로 말로 하는 언어에서는 한 마디의 말보다 큰 일련의 말들을 가리키고, 글로 쓰는 언어에서는 한 문장보다 큰 일련의 문장들을 가리키는 언어학적 용어이다. 특정한 시점에서 인간의 언어행위를 규제하는 모든 관계를 포괄한다.

임인년(壬寅年)에는 존경의 대상에 대해서도 공격적인 대응이 상식화되어 버려 우리의 살갑던 언어 정서에도 좋지 못한 영향을 끼쳤다. 그런 막말에는 다른 사람들과의 일체감을 느끼는 결정적인 능력이 소멸되어 있다. 비웃고 조롱하고 경멸하고 쉽게 흥분하고 변덕 부리는 것이 일상화되어 버렸다. 이런 사회적 혼란과 변덕스러움은, 나아가 신중하고 질서 정연한 계획, 그리고 담대하고 확연했던 목표에서 우리를 이탈시켜 버렸다. 참으로 안타까운 일이다.

그러나 바람이 불면 오히려 누워있던 갈대가 일어나듯 우리에겐 역경 속에서 벌떡 일어날 수 있는 패기가 있다. 자상의 험악한 굴레를 벗어던질 수 있는 펄떡이는 삶의 기백이 우리에겐 있다. 여기저기에서 희한한 어법으로 사람들 속을 뒤집는다 할지라도 위안과 희망을 솎아 낼 수 있는 혜안을 우리는 가지고 있다. 몰락의 냄새만 맡고 있기엔 우리는 너무나 담대했다. 우리들 피부에 달라붙은 수치와 분노와 불화를 말끔히 씻어 내고, 선하게 생긴 큰 눈에 무한한 편안함을 싣고 세상을 바라볼 수 있는 너그러움과 지혜가 우리에겐 있다.

또다시 대지는 항상 활력으로 가득하고 생명의 힘이 넘쳐 난다. 심지어 무심하게 내버려 둔 나무도 열매를 맺고 땅속으로 들어가 보이지 않는 뿌리조차 줄기차게 뻗어 대지를 뚫고 나온다. 이것이 살갗을 에는 한겨울에도 옷을 입지 않고 견디는 나무들의 생명력이다. 이 나무와 같은 질긴 생명력을 우리는 분명 가지고 있다. 우리가 희망을 가지고 살 수 있는 능력을 갖자면, 불화와 분열의 징조를 숨기고 있어서 안 된다. 우리들 내부에 들어앉아 있는 증오심의 악령을 거침없이 내쫓고, 그 빈자리에 위안과 화합의 길벗을 불러 앉혀야 한다.

2022년 12월 15~22일, 강원 체육회장을 비롯해서 시군 체육회장 선거를 통해 체육 민의를 대표할 적임자를 뽑았다. 만장일치면 좋겠지만 그렇지 못한 것이 현실인지라 차선책으로 다수결로 정해진다. 다수결이란 보다 많은 사람이 찬성하는 쪽으로 전체의 의사를 결정하는 방법이다. 다수의 횡포를 통한 패권주의가 소수를 배제할 수 있다는 점이 문제로 대두된다. 따라서 소수의 주장과 의견이 존중되고 자유로이 표명될 수 있음이 전제 요건이다. 또한 사람들의 관심과 전문성, 판단력이 떨어지거나, 홍보 및 참여가 부족하여 특정집단만의 다수결이 되어버리면 문제는 더 심각해진다.

장차 결정될 민심의 향배가 상생의 촉매로 작용할지, 아니면 다수의 횡포로 전락할지는 우리의 선택이었다. 이미 가슴 속에는 장차 피워내야 할 꽃을 가득 품고 있을 터이니…. 15세기 선승 이큐(一休)의 선시를 옮겨본다. “벚나무 가지를 부러뜨러 봐도/그 속엔 벚꽃이 없네./그러나 보라, 봄이 되면/얼마나 많은 벚꽃이 피는가.”

김광석의 노래 ‘일어나’의 가사처럼 계묘년(癸卯年)에는 바람이 불면 오히려 누워있던 갈대가 일어나듯 우리 모두 역경 속에서 벌떡 일어날 수 있는 패기를 보이자.56)

100. 생활체육 · 엘리트스포츠 간 상생이 필요한 이유

우리나라의 체육 · 스포츠는 크게 학교체육, 엘리트스포츠, 생활체육의 세 갈래로 나뉜다. 한때 엘리트스포츠의 관문으로 여겨졌던 학교체육은 학생의 인권보장이 되지 않는 입시위주의 체육이라는 문제점 때문에 현재 많이 위축되어 있는 형편이다.

먼저 학교체육은 교육 기관의 책임 하에 학교에서 학생들을 대상으로 조직적 · 계획적으로 시행하는 체육으로, 교과로서의 체육과 체육 활동이 포함된다. 엘리트체육은 전문적인 체육활동을 말하며 우수선수의 발굴, 육성을 통해 대회의 성적달성 목표가 있는 순위를 위한 운동이라 정의할 수 있다. 자국선수를 세계적인 수준으로 끌어올리기 위해 막대한 인적 자원과 자본을 스포츠에 투입하며 첨단과학과 체계적인 훈련을 지원함으로 체육을 전문으로 하는 선수가 아니라면 평소에 접하기 힘든 운동이라 하겠다.

엘리트스포츠는 국민의 사기를 진작시키고 국위를 높인다는 점에서 큰 영향력을 가지고 있다. 하지만 전문체육인 육성중심에 지나치게 치우친 체육구조의 부작용에 대한 문제점도 지적되고 있다. 지나친 성적위주의 잔혹한 시스템이라는 비판의 목소리가 높아지고 있고, 국민은 대리만족으로서 소수 중심의 스포츠라는 평가를 받고 있기 때문에 엘리트 체육만으로 국민의 건강증진과 지속적인 복지향상에 직접적인 효과를 기대하기 어렵다.

반면 생활체육은 일상 속에서 운동을 함으로 개인, 조직의 건강증진과 삶의 질 향상 을 목적으로 하는 스포츠 활동을 하는 것을 말한다.

약수터에 나와 함께 운동을 하는 70대 노부부에서부터 체육관에서 선수 못지않은 기량을 뽐내는 동호인, 방과 후의 체육교실, 어린이 축구교실까지 그 범위가 넓고 다양하다.

이렇게 엘리트스포츠와 생활체육은 그 성격은 각자 다르지만 체육을 통해서 국가와 국민의 발전을 도모한다는 점에서 목표와 이상향은 같다. 따라서 전체국민의 체력증진과 여가선용을 통한 복지확대에 체육정책방향의 궁극적인 목표를 두고 엘리트스포츠와 생활체육은 유기적인 관계를 도모하며 함께 발전해야 한다.

지역주민이 체육시설을 이용하는데 있어 접근성을 높이고 시민들에게 개방하는 것 또한 체육의 격차를 줄여나가는 좋은 방법이 될 것이다. 기획(plan)-실행(do)-

분석(see)의 과정을 거치는 게 정책의 제대로 된 프로세스다. 엘리트스포츠에 몸담았던 선수들도 그 후엔 다시 생활체육으로 돌아온다. 결국 일생동안 생활체육을 하며 엘리트스포츠를 거쳐 오는 것일 뿐 선을 그어 생각하는 발상은 체육활동의 건전한 정착과 발전에 도움이 되지 않는다. 엘리트스포츠와 생활체육이 서로 협력하는 상생의 길을 택하여 체육으로 인해 온 강원도민이 함께 참여하고 활력이 넘치는 사회가 올 것을 기대해 본다.[57)]

국민체육진흥법 제2조에서는 전문체육을 '선수들이 행하는 운동경기 활동'으로 정의하고 있다. 선수란 '경기단체에 선수로 등록된 자'를 의미한다는 점을 감안할 때, 결과적으로 전문체육이란 '경기단체에 선수로 등록된 자들이 행하는 운동경기 활동'이 된다. 전문체육을 흔히 '엘리트스포츠(elite sports)'라고 지칭하는데, 여기서 엘리트란 다른 사람보다 능력이 뛰어난 소수의 사람을 일컫는 것이므로, 엘리트 스포츠는 '신체능력이 뛰어난 소수의 선수에게 집중적으로 투자하여 이루어지는 스포츠분야'라고 할 수 있다. 그렇기에 전문체육에서는 '경쟁'이 자연스럽고, '경기력 향상'과 '한계에의 도전'을 추구한다. 국제 올림픽위원회의 표어 역시 '보다 빠르게, 보다 높게, 보다 강하게(Citius - Altius - Fortius: Faster - Higher - Stronger)'이다.

한편 전문체육 현장에서 경험하는 극한 경쟁, 승리를 향한 염원, 인간 한계에의 도전, 우수한 경기력은 개인의 노력만으로는 이루기 어렵다.

지금까지 전문체육은 생활체육과 학교체육의 발전을 이끄는 기본 인프라의 역할을 수행해왔다. 하지만 그러한 스포츠패러다임은 변화하고 있다. 체육계는 전문체육 위주의 문제점들을 깨닫고 결과보다는 과정을 중시하는 모습으로 바뀌고 있다. 정부 주도 하에 국가인권위원회, 스포츠혁신위원회에서 지금까지의 전문 체육 시스템을 개선하기 위한 수많은 정책들을 권고하고 이를 추진하려 하고 있으나, 현장의 목소리는 이러한 정책으로 인해 전문체육이 개선되는 것이 아니라 도태되고 있다는 비판이 크다. 전문체육이 이룩한 성과는 무시되고 있으며, 정작 주요한 문제점이나 시스템의 오류가 개선되기보다는 전문체육의 뿌리인 학교운동부 자체가 해산되는 결과를 초래하고 있는 것이다.

전문체육의 뿌리인 학원스포츠 시스템 문제를 개선하려면 선의의 피해를 볼 수 있는 학생선수, 지도자, 학교 등의 입장에 대한 심각한 고민이 선행되어야 한다. 어떠한 시스템이든 그것이 전국적으로 운영될 수 있기 위해서는 많은 시간과 자본 그리고 노력이 필수적이다. 지금 우리는 어느 때보다 큰 성장통을 겪고 있으며, 이는 함께 풀어가야 할 숙제이다.

101. 맑은 마음에서 품어 나오는 따스한 눈빛을 가진 진심어린 사람

행복한 사람이 행복한 사람을 만나게 되어 있다. 이 말의 의미에는 마음이 행복한 사람 중에는 악한 마음을 가진 사람은 존재하지 않는다는 것을 포함하고 있다. '악한 마음' 을 다른 의미로 표현하면 '위선(僞善)' 이다. 생각해보면, 선(善)의 반대는 악(惡)이 아니고 위선(僞善)이다. 위선은 선을 가장해서 악행을 저지르는 것을 말한다. 즉 자신을 속이는 것이다. 자신을 속이는 것에는 감정, 생각, 행동, 눈빛 등 다양하다. 우리가 관계 안에서 상처를 주고받는 것은 타인에 대한 감정이 섞인 언어와 말투, 눈빛에서 시작된다. 인간의 정신 건강의 중심에는 눈빛에 있다. 눈빛을 통해서 두려움, 불안, 우울, 죄의식, 당당함, 기쁨, 희망 등을 감지해 낼 수 있다. 그만큼 눈빛은 대상관계의 산물이라고 볼 수 있다. 어떤 경우에는 타인의 시선을 피하거나 이야기할 때 딴 곳을 응시하기도 하고 흥분하고 분노할 때 상대방의 눈을 전혀 바라보지 못하는 사람도 있다.

'눈빛' 은 각 개인마다의 자존감과 더불어 인간의 근본문제인 수치심과도 연관이 있다. 인간은 끊임없이 소통하기를 원한다. 그리고 자신의 인정욕구를 끊임없이 확인받고 싶어 한다. 즉 소통을 통해서, 인정욕구를 통해서 사랑받기를 욕망하는지도 모른다. 그 욕망은 곧 집착이 된다. 그러한 집착은 부모와의 애착형성의 실패에서 왔다고 해도 과언이 아니다. 집착은 중독을 동반한다. 중독은 자연스레 일상에 스며들면서 고통을 불러오게 된다. 고통은 또 다른 상처가 될 수 있지만 상처는 또 다른 에너지원이 된다. 어떠한 경우라도 긍정의 요소를 찾아내도록 애써야 한다. 애써야 하는 이유는 자신의 삶의 방향키를 '자신' 이 잡고 있기 때문이다. 상처는 자신의 삶을 살아낼 수 있도록 하는 지독한 동기부여가 되기 때문에 애씀의 노력을 포기하지 말아야 한다. 나쁘다고 생각하는 모든 것들이 나쁘지 않다라는 것을 알아야 한다. 마음가짐을 어떻게 갖느냐에 따라서 자연치유 능력이 더 활성화될 수 있다. 어떤 사람이 울기만 한다고 해서 슬퍼서가 아닌 것과 같은 것이다. 운다는 것은 그 사람이 약한 것이 아니라 자신이 현재 살아있음을 증명해 주는 반응이다.

우리는 자신에 대한 이해를 하기 위해서 끊임없이 '나는 누구일까?' 라는 질문에 묻고 답해야 한다. 자신에 대한 탐색을 회피하게 된다면 많은 아픔과 고통을 동반할 수도 있다. '나는 누구일까?' 에 대한 답을 하기 위해 '다정한 무관심' 이란 말과 친숙해지려 한다. '다정한 무관심' 이란 감정에 솔직한 사람, 겉과 속이 같은 사람, 타인의 눈치를 보지 않는 사람을 지칭한다. '다정한 무관심' 이 때론 불편함으로 다가올 때가 있다. 그래서 무의식중에 그런 사람을 이방인으로 취급하는 자기만의 속내를 숨기며 살아가기도 한다. 지금은 '다정한 무관심' 에 대해서 충분히 소화하고 있다. 타인과의 관계에서 자신과 다름을 받아들이는데 어려움이 있지만 인정하지 않는다면 지속적인 괴로움이 따라온다. 하지만 자신을 이해하다보면 타인을 이해하는 것은 그리 어렵지 않다. 또한 인생은 자신이 원하는 삶대로 흘러가지 않는다. 그런 가운데 절망감, 고립감, 소외감, 피해의식 등의 부정정서를 반복 학습하게 된다. 반복 학습을 통해서 무기력을 답습할지도 모른다. 그런데 그 또한 그럴 필요가 없다. 인생은 두려움의 연속이지만, 두려워 할 것도 없다. 그 두려움은 인간이 만든 것이기 때문이다. 모험이 인생의 본모습이다. 그래서 안정감만을 추구한다면 두려움은 차츰 커져만 갈 것이다.

두려움을 없애는 방법은 자신의 생각을 온전히 자신에게 쏟아야 한다. 처음부터 쉽게 되지는 않는다. 다만, 어제보다 오늘은 점점 좋아지고 있다고 믿을 뿐이다. 또한 삶을 지혜롭고 현명하게 사는 방법 중 하나는 어떠한 경우라도 서운한 마음을 없애야 한다. 서운함은 분노를 자극하고, 억울함을 호소하게 한다. 또한 자신에 대한 좌절감을 느끼게 하고, 자신에 대한 불신으로 인한 남의 탓을 하게 된다. 그 대상이 가족이든, 친구든, 지인이든 그 누구든 서운함을 갖지 말아야 한다. 서운함은 기대욕구, 자신의 탐욕에서 비롯됨이다. 감사함을 찾아라. 감사함을 느끼지 못할 때 서운한 마음은 커진다. 자신을 가장 사랑하는 사람은 '자신'이다. 자신이 원하는 즐겁고 행복한 삶을 살기 위해서는 '감사의 마음' 의 기본전제다. 인생에서의 자기성장을 위해서는 낙심하지 않고 소신 있게 자신의 길을 가는 것이다. 자신의 가치를 찾아가는 삶을 살도록 항상 진실 되게 따뜻한 마음으로 살아가야 한다. 진실로 소중한 것은 학문도 명예도 돈도 아닌 마음의 평안임을 오늘도 잊지 않아야 한다.[58]

102. '몸'의 사회현상에 대한 사회철학적 제언

르네상스의 인간발견은 이성의 깨달음으로 인류사에 있어서 혁명적 사건임에 틀림없다. 1,000년 동안 억압된 이성의 탈출, 즉 신으로부터 종속된 '인간정신의 해방'이었다. 이에 견주어 20세기말 생명공학기술에 의한 '유전자 지도는 생명의 발견'으로 신의 영역이라 불리는 '생명의 창조'에 대비할 수 있는 제2의 위대한 성과이다. 이러한 생명공학의 기술은 극단적 환원주의 파장을 일으켜 인간의 지식과 문화도 '물질 환원'이라는 물질주의로 견인되고 있다. 이에 따라 인간 이성을 괄호 안에 묶어두고 몸(물질)에 대한 애착과 추종에 의해 몸의 감각과 쾌락 산업이 우후죽순처럼 등장하고 있다.

한편, 인터넷과 PC의 출현은 인간의 교육·정보·사회생활 및 개인의 자유시간까지 장악하여 신체부재의 커뮤니티를 초래하고 있다. 이러한 21세기의 사회는 분명 과거 인류사에서 출현된 사회와는 다른 새로운 사회이다. 즉 사회구조가 급격한 변동에 의해 해체과정을 거치면서 새로운 현상이 급격히 전개되고 있다. 이에 따라 필수적으로 그 시대를 견인할 수 있는 적절한 사유가 필요하다. 21세기 '몸'의 성행과 '탈 몸'의 현상, 즉 '감각산업'과 '가상산업'이 팽배해 있는 '몸'에 대한 야누스의 얼

굴과 같은 현실에서 어느 쪽을 선택할 것인지 섣부른 판단을 할 수는 없다. 그러나 몸을 복원시키려는 우리들의 담론은 인간의 정체성과 인간성을 회복하기 위한 근원적 사유이며, 인간들이 할 수 있는 최선의 선택이다.

인간의 몸은 자연세계로부터 수용되고 발신되는 정보의 출입문이다. 따라서 들어온 모든 정보를 그대로 발신하지 않고 걸러내어 품어낼 수 있는 문화적 몸의 형성을 위해 노력할 필요가 있다. 이를 위해 몸의 활용에 대한 사회철학적 담론

은 중요하다. 특히 스포츠나 몸을 통한 예술은 '몸' 문화의 가치차원에서 큰 의미를 가진다. 몸의 문화적 표출은 결국 몸과 마음이라는 이원론적 접근으로 해결할 수 없고, 일원론적 접근에서 인간문화의 가치를 추구할 수 있는 것이다. '몸'을 통한 예술, 즉 인간의 '몸' 문화는 자연계에서 인간존재의 실현이라는 몸짓인 것이다. 이에 따라 현대사회의 '몸' 현상에 대한 스포츠사회철학적 제언을 4가지로 정리하였다.

첫째, 스포츠산업의 활성화이다. 현대사회에서 '몸' 문화의 으뜸가는 산업은 스포츠이다. 'KOREA·JAPAN FIFA WORLD CUP'에서 경험하였듯이 60억 인구를 30여 일 동안 흥분의 도가니에 몰입시킬 수 있는 프로그램은 스포츠였다. 따라서 스포츠산업은 21세기에서 가장 큰 '몸' 문화행사임에 틀림없다. 정보화와 가상세계에 의한 몸의 제한을 스포츠의 매력을 통해 몸의 가치를 일깨우고, 몸의 정체성을 확인하고 건전하게 이끌어 가야 할 것이다. 따라서 몸 산업으로서의 스포츠는 현대사회에서 중요한 의미를 안고 있다.

둘째, 인문학적 체육의 부활이다. 과거, 동양의 六藝와 그리스의 Kalokagathia는 자유교육의 한 형태이다. 자유교육에서는 체육활동이 **필교양과** 인성의 함양이라는 목적을 성취시키기 위해서는 체육활동이 반드시 요청되었다. 자유교육의 모습으로 제공될 때 체육은 학생의 인성함양에 적극적 기여가 가능해진다. 대안적인 대학체육의 모습을 '인문적 체육(Humanities-Oriented Physical Education, HOPE)'이라고 부르고자 한다. 이는 체육활동에 담긴 운동기술적·정서적·종교적 요소를 함께 전달하고 전달받자는 것이다. 체육활동에는 이러한 인문적 요소들이 담겨져 있으며, 이것들이 운동기능과 함께 전달되고 전수될 경우에 만 체육은 인간 본성의 교양적 측면에 영향을 미칠 수가 있다(최의창, 2001). 이는 인간의 체육교육을 정신과 신체가 분리된 이원론적 접근으로부터 극복하는 일원론적인 측면이다. 즉 전체적인 인간탐구와 인간움직임에 대한 21세기 체육교육으로 의미있는 철학적 대안으로 볼 수 있다.

셋째, '몸' 예술의 창출이다. 노트북·휴대전화기·자동차로 여행을 다니면서 정보를 주고받는 세상에서, 이곳저곳 돌아다니며 정보를 수집하고 혹은 전화기 앞에 앉아 전화를 기다리는 사람은 원시인 취급을 받는다. 몸을 통한 커뮤니케이션의 과학시대가 CMC와 정보화 시대에 의해 가마득한 옛일의 기억으로 사라지고 있다. 그러나 여전히 인간은 몸과 함께 존재하는 현실이다. 몸을 통한 스포츠와 예술의 세계는 더욱 명확한 몸적인 인간의 존재를 확인시킨다. 즉 심장이 터지는 듯한 마라톤, 온 몸에 멍이 드는 권투·태권도, 발끝이 짓무르는 무용, 손마디가 떨어져 나가는 고통을 겪으며 배우는 연주, 눈물·콧물을 흘리며 배우는 요리 등이 그것이다. 작전전술이 아무리 좋아도 발의 움직임으로 행하는 슛이 정확하지 않으면 골을 넣을 수 없다. 태극 품새나 Beethoven의 악보를 완벽하게 외운다고 하여 승단이 되거나 피아노를 연주할 수는 없다. 몸을 통한 스포츠나 예술은 인간 대 인간의 몸 커뮤니케이션이 없이는 이루어질 수 없고, 공동체를 위한 최소한의 항상성도 유지하지 못한다.

따라서 몸을 통한 행위인 체육이나 예술은 정신분야 못지않게 여전히 '몸'의 문화로서 몸 행위와 몸의 가치를 일깨워주는 것이다. 몸의 행위와 그 안에 내재된 가치는 변화하는 시대에도 여전히 예술적 가치 등에 의해 발전 지향적인 철학적 탐구가 요구된다.

넷째, off-line community의 활성화이다. 몸은 물질적 성질에 의해 현상계의 어딘가에 닻을 내리고 있다. 오늘날 가상공간이 제아무리 몸부림친들 몸의 실재성에 대항할 수 없다. 결국 인간은 몸의 인간이기 때문이다. 따라서 off-line의 사회, 즉 대면과 접촉의 가치를 깨우치게 해야 한다. 특히 교육현장에서 대면 커뮤니케이션의 활동을 중요하게 다루어야 할 것이다. 몸의 접촉 활동, 즉 접촉은 몸을 가진 인간에게 최종적인 확인이다. 경험세계에서 우리에게 주어진 오관 가운데 가장 확실한 접촉이 거세되고 있기 때문이다(이거룡 외, 1999: 64). 사회성은 비육체적이며 비시각적인 정신간의 내밀한 관계가 아니라, 무엇보다도 구체적인 몸을 가진 주체들의 상호 신체적인 '대면'이라는 것을 명심해야 한다.

103. 지역언론과 체육발전

우선 숱한 어려움 속에서도 지역의 언론문화 창달과 주민의 다양한 목소리를 전달하는 향토지로서의 역할을 충실히 하며 주민들의 알권리를 충족시켜주고 있는 강원일보 창간 61주년을 축하드린다.

우리는 지금 정보화시대에 살고 있다. 주민들의 알고자 하는 욕구가 더욱 늘어나고 다양해지는 것은 어쩔 수 없는 사회적 분위기이며 시대적 특성이다. 현대인의 정보 욕구를 충족시키기 위한 수단으로 ,TV나 인터넷등도 있으나 그중 신물의 역할은 매우 중요하며 크다고 생각한다. 신문은 진실을 신속 정확하게 알리고 보도하는 역할도 있지만 사회를 건전하게 계도하고 개선하는 기능과 책임도 있다고 생각한다.

특히 지방 자치 시대에 지역 언론은 지역의 이익을 대변하고 그 발전을 선도하는데 가장 중요한 역할자이다. 정치, 경제, 사회, 문화 모든 면에서 지역의 발전의 촉매역할을 하지만 스포츠 발전에 있어서는 더욱 큰 비중을 차지한다.

필자가 몇 년 전 강원체육백서 작업을 위해 자료 수집을 하고자 했을 때 강원도 체육활동의 역사적인 일들에 대한 사진과 자료가 있는 곳이 강원일보 자료실뿐이었다. 이 하나만 해도 강원체육 발전을 위한 엄청난 역할을 해주고 있다고 생각한다. 또한 지역신문이 아니면 같은 지역에 살고 있으면서도 지역 내 학교나 단체 개인의 스포츠 활동에 대한 내용을 알 수 가 없다. 지역 언론을 통하여 체육활동 특히 스포츠 활동에 대한 것을 알게 되면, 아울러 체육활동에 대한 관심을 갖게 되고 인사도 나누게 되며 붐 조성이 되고 있다.

지역의 체육활동 소식은 지역 언론이 아니면 소식을 알 길이 거의 없다. TV는 국제 뉴스나 전국적이고 서울 중심의 뉴스가 주(主)를 이루기 때문에 지역활동에 대한 스포츠 경기나 전적에 대한 내용을 접하기가 어렵다.

현재 강원도 체육회 업무를 보고 있는 필자로서도 경기단체 연맹이나 협회 당사자들에게 보고 받는 것보다 지역신문을 통하여 경기전적이나 활동사항 등을 더 빨리 알 수 있어 큰 도움이 되고 있는 것이 사실이다.

또한 언론사는 보도라는 이점과 추진력, 홍보 효과에 의해서 각종 스포츠 대회를 주최하고 있으며 그 종목의 발전 및 우수 선수 육성 발굴에 크게 이바지 하고 있다.

특히 강원일보사는 매년 3월 1일 3·1절 경축 단축 마라톤대회를 열고 있다. 이 대회는 감봉래, 유명종, 황영조, 김이용 같은 강원인들이 세계적인 마라톤 선수들이 될 수 있는 기틀을 제공하였다. 또 '함기용 보스턴 마라톤 세계제패기념 호반마라톤 대회'를 통해 강원 마라톤 발전에 큰 공헌을 하고 있다.

이와 함께 '태백곰기 중·고 축구대회'를 통하여 축구 인재 양성에 일익을 담당하며, '통일대기 전국여자 종별축구선수권대회'를 개최에 한국 여자축구발전에도 기여하고 있다.

동계종목으로는 '태백곰기컬링대회'를 주최하여 미보급 종목 활성화에 큰 역할을 하고 있다.

엘리트 체육뿐만 아니라 생활 체육면에서도 '태백곰기 직장 ·클럽 테니스대회'를 개최하여 주민들의 건강증진 유도 및 친선도모와 도민의 화합잔치를 이끌어내고 있다. '재경 강원도 고교동문체육대회'를 주관하여 수도권에서 활동하는 강원이들의 축제 한마당을 통하여 출향민들의 화합, 우의, 애도심을 고취해 주는 역할도 하고 있다.

지역 언론은 지역의 스포츠 발전에 큰 역할을 담당하고 있다. 강원도인의 염원인 2014 동계올림픽 평창 유치에 관한 도민들의 지지도 지역 언론의 관심을 보도가 없으면 유치지원 열기를 일으킬 수 없을 것이다.

지역의 스포츠 경기력 향상이나 정보교류는 지역 언론이 해주지 않으면 효과를 거둘 수 없다고 생각한다.

반세기 이상 강원체육의 빛과 소금의 역할을 해 온 강원일보사에 감사드리며, 앞으로도 강원체육 발전을 위한 길이 무엇인가 문제를 제기하고 지역의 저변에 살아있는 진솔한 소리를 반영하여 지역체육 발전에 큰 역군이 되어주기를 바란다.

104. 체육교과 운영의 파행

체육교육은 잠재된 신체적 능력과 환경에 적응할 수 있는 능력을 개발시켜, 운동 욕구를 실현하고 건강을 추구하는 신체활동에 관한 교과이다.체육수업 프로그램의 질적 제고는 고등학생들의 수업에 대한 긍정적 태도뿐만 아니라 미래의 평생체육에도 긍정적 영향을 미칠 수 있는 가장 효과적인 접근 방법이라 할 수 있다.

1987년부터 시행된 제5차 교육과정과 문민정부 출범 이후 시행된 제6차 교육과정에 나타난 학교체육 교과과정 수업 시수에는 크게 차이가 있었다, 제5차 교육과정의 체육 교과과정에서는 초등학교 주단 3시간, 중학교 주당 3시간, 고등학교 공통필수 6단위, 선택 8단위로 주당 14단위였으나, 제6차 교육과정의 체육 교과과정에서는 고등학교의 경우 고통필수 8단위를 규정하고 나머지 6단위는 과정별로 시·도 교육청 판단에 따라 증감하여 운영하도록 자율성을 부여했다.

그러나 고등학교의 경우, 입시를 위해 최악의 경우 공통필수 8단위로만 운영될 수 있어서 주당 1~2시간의 체육시간 마저 제대로 운영되기 힘들다는 여지를 남겨 심각한 우려를 자아냈다. 이미 일선 학교에서는 입시에 대처하기 위해 체육시간을 다른 수업시간으로 대처하거나 파행적으로 운영해 온 상황에서 이처럼 체육교과 시수(時數)의 감축을 허용할 경우 학교체육의 공동화(空洞化) 현상이 초래될 것은 불을 보듯 뻔했기 때문이다. 특히 생활수준의 향상으로 학생의 체격은 급격히 신장되는데 비해 체력은 오히려 감소하는 현실에서 학교체육 시간을 줄일 경우 학생들의 체력 향상은 기대할 수 없다는 위기의식을 불러왔다

그럼에도 불구하고 입시 위주의 교육풍토로 인하여 고등학교의 체육 수업은 그 가치와 본질이 왜곡되어 중요성을 인정받지 못하고 있으며, 일상생활의 신체활동 시간은 이미 축소되었다. 이에 따라 학생의 체력은 더욱 악화되고 있는데, 문화체육관광부가(2008)가 3년 주기로 실시하는 국민체력실태조사를 발표한 결과, 학생 체력은 떨어지고 성인 체력은 조금씩 높아진 것으로 나타났다. 초·중·고 학생의 경우 체격은 좋으나, 체력은 전반적으로 저하되고 있는 것으로 나타났다.

우리나라의 교육 환경적 영향 외에도 학교의 물리적 학습 환경 측면에서 고등학교의 체육 수업은 다인수 학급편성(OECD 기준), 시설·용구의 부족 등으로 여전히 해결해야 할 과제를 안고 있다.

또한 이처럼 체육교과시간을 파행적으로 운영하여 수업 결손, 지도의 소홀, 영역별 편중 지도 등이 가중될 경우, 정상적인 체육 교과과정 운영은 기대할 수 없었고, 더 이상 학교체육 활성화를 통한 스포츠 인구의 저변확대는 기대하기 힘들었다. 학생 운동선수들의 경우에도 기본학습조차 소홀히 한 채, 연습-경기-연습으로 이어지는 천편일률적인 지도만을 되풀이하여 선수를 메달제조기로 전락시키고, 오로지 연습에만 열중하면 경기력이 향상된다는 생각으로 인해 결과적으로 학업과 스포츠의 연계성을 외면하는 분극화 현상을 촉진함으로써 체육교과 운영의 파행을 면치 못했다.

청소년 권장 운동량 미충족 비율 높은 한국

단위: %, 11~17세 조사, 2019년 발표

세계 평균 81.0

한국	94.2
필리핀	93.4
캄보디아	91.6
캐나다	76.3
핀란드	75.4

자료: 세계보건기구(WHO) The JoongAng

잠수병. 잠수부들이 걸리는 직업병이다. 바다 깊은 곳에 맨몸으로 잠수했다가 수면 밖으로 나오는 일을 반복하면서 생긴다. 혈액에 녹았던 질소가 기포화되면서 모세혈관을 압박해 통증, 구토, 감각상실 등을 유발하는 병이다. 잠수부들은 감압실에 들어가 질소가 기포화되지 않도록 조처한다.

우리 아이들은 학업이라는 거친 바다를 헤엄치는 잠수부다. 십수 년 동안 하루 10시간 이상씩 공부의 수압을 견디며 자맥질한다. 그래서 몸과 마음에는 스트레스, 우울증, 공격성, 반항심, 기피증 같은 질소성 기포가 가득 차 있다. 이것들이 해소되지 않은 채 전신을 돌아다니면서 우리 아이들은 심신에 강한 통증을 호소하게 된다. 학업 잠수병을 예방하기 위한 교육적 감압 장치가 필요한 이유다.

학교체육은 오래전부터 과도한 지식 흡입으로 인한 체력 저하, 두뇌 긴장, 스트레스 축적을 완화하고 해소시키는 기회를 제공해 왔다. 한층 더 나아가 체력 증진, 자신감 회복, 사회성 강화, 인성 함양과 같은 긍정적 성향의 발달까지도 촉진해 준다. 비유하자면 체육은 감압 효과에 덧붙여 산소 농도를 높여 주어 피로회복과 활력증진을 도와주는 고압산소체임버의 기능까지도 갖춘 셈이다. 이 점은 비유에 그치지 않는다. 신체활동이 혈류량을 증진시켜 뇌기능을 향상시키고 그에 따라 공부 효과와 자신감을 높인다는 최근 뇌과학적 연구 결과가 그것을 증명해 준다.

현 정부 들어 지금까지 학교체육에 정책적 투자가 이루어진 것은 바로 이런 이유 때문이다. 학교스포츠클럽 활성화 및 대회 개최, 실내체육관 건립, 토요스포츠데이 운영, 스포츠 강사 지원, 여학생 체육 활성화, 건강체력 측정 등 온통 찌들어 있는 우리 아이들의 몸에서 찌꺼기를 제거하고 불순물을 떼어 냈다. 이로써 아이들이 건강한 몸과 올바른 마음을 가질 수 있었다. 남녀 학생 모두 운동을 좋아하게 되고, 친구와의 관계가 좋아지며, 학교생활에 만족하는 경향이 높아졌다. 아이들의 힘든 삶을 온전히 회복시키는 데 공헌한 것이다.

학교체육에 대한 지원은 이론의 여지없이 계속돼야 한다. 오히려 현재보다 더욱 강화돼야 한다. 그 효과가 검증된 만큼 현재보다 더욱 전문화되고 체계화된 정책 개발과 집행이 절실하다. 정책의 치밀한 계획과 체계적 실행을 위해 청소년을 위한 학교체육, 생활체육, 전문체육을 통합적으로 운영하는 것이 필요하다. 자라나는 청소년을 대상으로 하는 만큼 교육적 고려가 최우선의 원칙이 돼야 한다. 학교체육을 중심으로 청소년 체육이 활성화돼야 하는 이유다.

학교체육진흥법에 명시된 학교체육진흥원 같은 전문기관이 그런 통합된 운영을 도와줄 수 있을 것이다. 사막 같은 십대의 삶을 살아내야 하는 우리 아이들에게는 오아시스가 절실하다. 교육적 비전을 갖추고 통합화된 청소년 체육 정책은 지금 같이 소규모의 감압실이나 고압산소체임버 크기와 효과를 뛰어넘을 수 있다. 두바이가 중동 사막의 오아시스 도시가 된 것은 오로지 과감한 투자로 인한 것이다. 학교체육은 우리 십대 아이들의 삶에 오아시스가 될 수 있다. 국가여, 학교체육에 과감히 투자하라.[59]

105. 인간 중심 학교체육 정상화와 정상적인 학교 스포츠 활동이 이루어져야 한다

학교교육은 개인의 건강한 발달은 위한 경험의 조직화 된 총체로 볼 수 있다. 그러므로 학교교육의 정상적인 학습은 전인적 발달을 위하여 필요하고 다양한 경험을 균형있게 제공하는 것이다. 특히, 체육은 각 개인의 특성에 맞는 신체활동을 통해서 신체의 조화적 발달을 촉진하고 개인의 건강과 복지를 증진시키며, 나아가 정신적으로 사회적으로 보다 유능한 인간을 육성하는 교육이라고 볼 수 있다.

그러나 현재 교육 현장에서의 체육수업을 살펴보면, 학생의 요구와 개인차 그리고 교육여건이 무시된 목표가 설정되고 비합리적인 내용이 선정되어 획일적으로 지도 평가되는 경우를 자주 접하게 된다. 즉, 전통적으로 체육수업은 교사가 중심이 되는 방법에 의해 체육교육과정의 운영이 창의력과 문제 해결 능력을 육성하는데에 있어서 소홀했다고 볼 수 있다.

따라서 학교체육에 있어서 교육의 인간화, 민주화, 특성화를 추구함에 있어서 필수적인 인간 중심 체육교육의 핵심개념을 구체적으로 전개함으로써 체육교육이 학교 교육에서 추구하는 전인적 인간구현을 달성하는데 기여하여야 할 것이다.

지금까지 비주지주의적 교과임에도 불구하고 학문중심적으로 운영되어 온 체육교육의 방법을 비판하고 이를 극복하기 위한 대안으로 인간 중심체육교육의 심화적 목표와과제를 제시하고 과제에 따라 이를 실천해야 할 것이다.

인간 중심 체육교육의 기본 개념을 살펴보면, 인간주의 교육은 교육은 기술 기능 및 지적 능력 만을 강조하는 전통적 교육에서 탈피하게 학습자를 주체로서 인식하고 학습과 자신이 가지고 있는 장점이나 잠재력을 최대한 개발시키고 현 세계를 긍정적으로 볼 수 있는 눈을 키우는데에 목적을 둔 교육체세라고 할 수 있다. 문화실존, 인간소외 및 모성 실조가 나타나고 있는 현재의 세계에서 보다 깊은 인간관계를 강조하여 따뜻한 마음과 수용적 태도를 갖는 것도 인간주의 교육에서 강조하는 또 다른 측면에서 볼 수 있다.

따라서 인간 중심 체육교육은 학습자와 개인의 흥미, 요구수준, 능력 등을 고려하여 체육학습을 지도하며 이를 통하여 학습자는 자신을 능동적인 존대로 귀하게 여기고 체육의 가치관은 교사가 체육에 대하여 가지고 있는 신념에 따라서 결정되어진다. 즉 체육교사가 품고있는 철학적 입장에서 교사의 신념체계를 형성하고 있는 가치 정향이 학교에 체육사상을 낳게 하는 것이다.

가지 정향이랑 교육과정에 대한 의사 결정시 준거가 되는 이론적 틀로서 교육 상황에서 조직적으로 정의되는 교사의 신념 또는 철학을 의미한다. 즉, 실제 교육 현장에서 교육과정의 목표, 내용, 프로그램 및 평가들은 체육교과에 대한 교사들의 가지 정향에 의해서 좌우된다. 따라서 동일한 교육과정이라도 교사의 가치전향에 의해서 교육과정 목표, 내용, 프로그램 및 평가들이 크게 달라질 수 있다.

현대사회의 가치는 객관적인 척도에 의해서 결정되는 수가 많다. 그러므로 학교는 학생들에게 자기가 선택한 가치의 결과에 대한 책임을 진다는 것이 어떤 것인지를 가르쳐야 한다. 교사는 어떤 형식으로도 교사 자신의 가치를 학생들에게 가요하지 말고, 학생들 각자가 그 가치의 선택 여부를 결정하도록 도와주면 된다. 그리고 실수에 관하여 어떤 이유를 대지 않고 책임을 짐으로써 쉽게 대중에 투입되는 것을 방지할 수 있다.

자신이 속해 있는 현세계를 긍정적으로 보며 타인과 자신을 사랑하게 되며 끊임없이 노력하고 스스로 창조하는 인간 육성에 그 초점을 두고 있다. 이러한 인간 중심 체육교육을 전개해 나가는 데에 있어서 전제되어야 할 사항은 3가지가 있는데, 그것은 교과교육을 통한 가치 학습, 개인 상담을 통한 가치학습, 환경 변화를 통한 가치 학습이다.

먼저 교과교육을 통한 가치 학습이란 체육수업을 전개함에 있어서 신체 조정운동에 최고의 능력을 쏟는 것이 왜 중요하며 운동 수행에 있어서 우월성을 추구하는 것이 어떤 가치가 있으며 다른 학급 동료들의 독창적인 생각에 경의를 표현하는 것을 배우는 것이 왜 필요한가에 대해서 서로 토론하는 수업 형태이다.

개인 상담을 통한 가치 학습은 체육교사가 학생의 개인적 가치를 명확히 밝혀주고, 설정해주도록 하는 제안이나 조언의 과정이고 환경변화를 통한 가치학습은 각 학생으로 하여금 학습활동을 선택할 수 있도록 수업계획을 설계하는 것이다. 이러한 절차는 학생으로 하여금 가장 편안한 마음으로 능력을 발휘할 수 있다고 생각하는 환경을 스스로 선택할 기회를 제공해 준다. 이 방법은 보통 학생들이 여러 가지 다양한 활동들에서 성공적인 경험을 갖도록 해 준다.

이러한 전제하에서 인간 중심 체육교육이 추구하는 목표로서 먼저 자아존중이 있는데 자아존중은 개인이 자신의 경험을 주관적으로 인식하면서부터 생기는 개인의 만족감이나 개인이 자신의 경험을 주관적으로 인식하면서부터 생기는 개인의 만족감이나 개인이 자신의 경험을 주관적으로 인식하면서부터 생기는 개인의 만족감이나 불만 등과 같은 느낌과 관련되는 것으로써 개개의 인간은 고유한 존재이며 고유의 느낌이나 지각을 가지고 있다는 것을 핵심 내용으로 한다.

체육교사가 학습자에게 긍정적인 자아존중으로 유도할 수 있도록 하기 위해서는 유능한 코치처험 학습자의 사회화를 위한 촉매자로서 그 능력과 권위를 지녀야하고, 주어진 문화의 맥락속에서 경기 프로그램에 대한 가치관을 확립하고 경쟁 스포츠에서 학습자가 참여자로서 자발적이며 적극적으로 참여하고 소속감을 느낄 수 있도록 하여야 한다.

다음은 자아실현의 문제로서 자아실현 중심의 교육과정은 개인의 탁월성을 강조한 것으로 '최대한 노력하라' 는 것을 주요한 주제로 삼고 있다. 학생들은 그들의 잠재능력을 개발하기 위해 끊임없이 도전한다. 교육과정에서의 내용은 개인의 자이로 발견하고 개인의 능력을 최대한 발취하며 이전의 한계를 극복하고 자아에 대한 새로운 지각을 획득하는데 도움이 되는 경험으로 구성된다.

인간 중심 체육교육은 체육활동을 통하여 과제를 해결하고 성취감을 느끼며 학습자가 자신의 잠재력을 신장시키고 자신의 교사가 학생에게 무조건 학습과제를 준다든지 어떤 행위를 숙지시키면 학생은 여러 가지 장애에 부딪치게 된다. 이러한 상황에서는 학생들의 유연성 있는 풍부한 반응이 불가능하게 될 뿐만아니라 그 사람의 개성적인 독자적인 감각과 판단까지도 고갈되고 만다.

능력을 현실적으로 인식할 수 있게 해야 한다. 그 결과 학습자는 체육활동을 통하여 극적인 경험을 맛볼 수 있으며, 체육에서의 자아실현이란 학습자의 능력을 그의 흥미와 요구를 결합시켜 질적·양적으로 향상시키는 것을 의미하고 학습자는 자신의 신체가 중요함을 발견하고 이를 즐길 수 있게 된다.

다음으로 자아존중, 자아실현으로 인하여 얻어지는 것이 단계인데. 자아이해는 자신의 요구수준, 능력 및 흥미를 탐색해주는 기초가 되고 있다. 또한 자아이해는 자기 삶의 전 과정을 하나의 탄생과정(a process of birth)으로 보고, 어떤 단계의 인생도 마지만 단계가 아니라는 의미이다. 자아이해는 곧 긍정적 자아개념의 기초가 되는데 학습자의 긍정적인 자아개념 발달을 위해서 체육프로그램을 다음 사항을 고려하여 운영되어야 한다.

학습자로 하여금 자신의 능력을 현실적으로 평가할 수 있도록 도와주어야 한다.

학습자가 개별적으로 연습을 하고 이에 따라서 발전할 수 있도록 적저란 환경을 제공해 주어야 한다.

열등감을 느끼는 학습자에게는 그룹 참여를 장려한다.

개인의 체력에 중점을 두어 자신의 수준에 따라 개별적으로 체력 수준을 향상시키도록 한다.

학습 진도를 점진적으로 높여가며 지도한다.

학습자가 자신과 타인을 존중할 수 있도록 지도한다.

학습자에 의한 성공의 기대 수준을 높여서 지도한다.

인간 중심 체육교육의 최종목표는 인간관계의 개선이다. 체육에 있어서의 인간관계 개선이란 협동, 타인 수용, 건전한 경쟁, 자기 양보 등을 중점적으로 지도하여야 함을 의미한다. 즉 수업 시간에 다른 학습자의 운동 학습을 도와준다거나 팀 운동을 통해서 협동심을 배운다거나 동료 학습자의 능력과 수준을 그대로 인정하고 건전한 경쟁을 함으로써 바람직한 인간관계를 형성할 수 있다는 것이다.

인간 중심 체육교육을 실행하기 위한 세부 과제는 체육 프로그램, 교사, 학생의 역할, 수업분위기, 시설 및 요구 상태에 따라 융통성을 지니고 설정되어야 한다.

체육프로그램 구성은 체육학습과의 특성을 파악하여 교육과정을 학습자 스스로 선택할 수 있게 하여 학습자가 자신의 과제를 스스로 설정 할 수 있는 기회를 제공하며 학습자의 요구에 따라 새롭고 독특한 수업이 전개 되도록 구성되어야 한다.

또한 인간 중심 체육수업을 활발하게 진행하게 하기 위해서는 교사, 학습자, 움직임과제, 교과 내용 등의 구성 요소등이 활기차게 상호작용을 해야하며 교사는 인내력을 가지고 공정한 지도 및 평가와 학생들을 위한 개별화된 학습 목표를 세워야 한다. 즉, 모든 학습자가 자신의 잠재력을 최대한 발휘하게 하고 특히 자아를 개발하는 측면에 많은 도움을 줄 수 있어야 한다. 그리고 학습자에게 자신을 평가할 수 있도록 책임을 부여해야 한다.

체육교육과정 운영과 교사의 역할은 인간 중심 체육교육을 실행하는 데 매우 핵심적인 요인이 된다. 그 중에서 교수 기법의 다양성, 수업 활동의 다양성, 개별적인 학습절차, 도와 특별 서비스 등이 중요한 세부 관건이 되는데 이를 구체적으로 기술하자면 먼저 교수 기법의 다양성에 관련해서 유능한 체육교사가 되려면 다양한 교수기법들을 지속적으로 개발해 나가도록 노력해야한다.

또한 시범, 설명, 연습방법의 조직, 시합코치, 집단 및 개별 교정, 운동기능 테스트, 교육계획에의 학생 참여 유도, 팀 주장에 대한 감독, 그 외의 일반적인 교수 절차 등에 대한 기능을 쌓아가는 한편으로 새로운 교수기법의 개발에도 항상 주의를 기울여야 한다. 다양한 교수기법을 활용함으로써 교사는 학생들의 경험을 넓히고 개별적 학습 동기를 향상시킬 수 있다.

그러나 이것 또한 개별화 교수에 대해 한계를 지니고 있는 방법이다. 결국 우리는 모든 학생들이 동일한 교수·학습 과정 내용과 학습지도법에 의해 교육되고 있다는 사실을 잊어서는 안 된다. 개인차를 존중하는 다양한 교수 기법들이 지닌 가치는 각 학생들이 이러한 교수 기법들을 통해 얼마나 많은 학습 효과를 얻을 수 있느냐 하는 것에 달려 있다.

수업활동의 다양성을 향상시키기 위해서는 수업 시작 후 처음 몇 분 동안 학생들이 자율적으로 몸을 풀 수 있도록 자유 워밍업 시간을 부여해 주는 방법이다.

이에 따라 신체 구조상의 약점이나 근육의 취약성을 지닌 학생들은 각자의 개인적 욕구에 적합한 특정 기능을 연습하거나 다른 학습 과제를 연습할 수 있다.

개인차를 고려하여 수업 활동을 다양화하는 또 다른 방법은 단일수업시간동안 여러 가지 상이한 학습 활동을 계획하는 것이다. 학생들은 개별적으로나 집단적으로 일련의 수준 묘기를 구성해내거나 체조를 개발하고, 율동적인 형태의 운동을 구성해내며 새로운 경기를 창안하는 따위의 창조적인 활동을 수행할 학생들은 단일 수업 시간내에 같은 종목을 나름대로 다양한 방식으로 학습하거나 다른 종목을 학습할 수도 있다.

한편, 전통적으로 체육교육에서는 체육교육에도 다른 교육과정 영역등과 마찬가지로 개별학습을 도입하고 촉진시킬 필요가 있다. 개별 학습은 독서는 간행물에 국한되지는 않으나 체육관련 문헌들의 활동이 중요하다. 학교도서관은 학생들이 이용할 수 있는 체육관계 자료를 수입해야하며 가능하면 그 자료들을 체육관에 비치해 두는 것도 좋다. 그리고 체육의 자율적 학습 활동 시에는 특정의 지식 습득을 목적으로 하는 독서나 학습도 필요하지만 무엇보다도 움직임 활동과 기능 숙달에 중점을 두어야 한다.

집단 수업 체제내에서는 각 학생들의 개별적 욕구를 충족시켜 주는 것이 어렵기 때문에 지조와 특별 서비스가 교육과정에서 중요한 역할을 담당한다. 지도와 특별서비스는 개별화 교수를 위한 목적으로 교육과정에 도입되었다. 개개의 학생, 교사, 학부모에 대한 이러한 서비스는 공식적 교수 프로그램의 성과에 필수적인 요소이다.

교사가 학생 개개인에 분석과 교정을 얼마나 잘 하는가 하는 능력은 개별 학생의 성취도를 결정하는 중요한 요인이다. 그러한 능력은 경험과 지식에 기초한 기능이며 쉽게 획득할 수 있는 성질의 것이 아니다. 그러므로 개별 지도 능력을 증가시키는 일은 모든 전문적 체육교사들에게 계속적으로 부과되는 과제이다.

인간중심 체육교육을 실행하기위한 정책 설정상의 반행을 첫째 다양한 프로그램을 개발하는 일이다.

학교체육 프로그램은 장기적인 안목에서 평생체육으로의 오리엔테이션이 될 수 있는 데에 참다운 국민체육 진흥에 보탬이 될 수 있으며 이 같은 의도에서 학교 체육프로그램이 구성되고 운영되어야 할 것이다. 따라서 학교체육의 프로그램은 체조, 육상, 구기, 투기, 수영, 무용, 레크리에이션 등과 같은 다양한 종목이 포함되어야 하며, 각 종목의 단원별 성취목표와 내용 수준은 개인의 요구 특성 또는 교육 여건의 정도에 따라 탄력 있게 구성하여야 한다. 각 프로그램 별로 지도 내용의 정선과 구조화 모형이 설정되어야 하며 아울러 각 프로그램 운영을 위한 구체적인 운영 모형이 개발되어 각급 학교에 보급되어야 한다.

둘째, 학습 지도 및 평가 방법을 다양화해야 한다.

학습 내용을 효과적으로 지도하기 위해서는 특히 학습 자료의 개발활동이 요구된다. 개인의 요구와 특성들이 다르므로 그에 맞게 학습 자료가 다양하게 제공되어야만 학습효과를 올릴 수 있기 때문에 다양한 교수 학습 자료의 개발 보급은 중요한 과제의 하나이다.

체육의 학습 평가 중 특히 실기평가는 평가 기준이 모호하고 타당성과 신뢰성이 높은 평가도구 개발의 어려움 등으로 인하여 교사의 주관적 평가에 크게 의존했었다. 그러나 상급학교 진학의 내신제 도입이후 주관적 평가를 지양하여 객관적 평가에로의 사회적 요청이 증대됨에 따라 합리적이며 객관적인 여러 하습 평가도구 개발의 필요성이 매우 높아지고 있다. 따라시 다양한 평가도구를 개발하기 위해서는 체력검사를 위한 전국적 규범(mational narms) 설정이 이루어져야 하며, 아울러 운동 기능의 표준화 검사 방법이 개발되어야 한다. 특히 지역단위나 학교 단위의 다양한 평가 규준이나 평가됨의 개발이 장려되어야 한다.

셋째, 체육 교육과정 개발 운영을 위한 협의체를 구성해야 한다.

학교체육 부문에서 우선적으로 지원되어야 할 사항은 교육과정의 연구개발이다. 현재 학교교육과정 개발 업무는 교육인적자원부 산하 한국교육개발원에서 주로 담당하고 있지만 재정지원 등 여러 여건의 부족으로 교과교육 과정의 개발연구에는 그 다지 큰 비중을 들지 못하고 있는 실정이다. 따라서 체육교과 교육과정을 보다 체계적으로 중점 연구하고 개발하는 전담 기구를 설치하는 것이 필요하다.

한국교육개발원의 교육과정부 예체능실의 연구 가능을 확대하고 체육전담 연구원을 확보하여 체육교육과정 및 교재개발을 위해 적극적인 지원이 이루어져야 한다. 학교 단위 또는 교육청(구)단위의 독자적인 교육과정 모형이 개발, 운영되도록 지원하여야 한다.

넷째, 정규교과 체육수업을 강화해야 한다.

미래사회에서는 체육 및 스포츠의 역할이 더욱 증대 될 것이므로 학교 정규교과에서 체육 시간을 증가하고 학생 운동 선수들의 수업 결손을 막기 위해서 운동 연습을 방과후나 주말 등을 이용하도록 하여 정규 학교 교육에 충실토록 하는 방안을 모색이 필요하다.

운동 서수의 자격 기준을 설정하여 학업 성적이 어느 일정 수준에 미달되는 경우는 학교 대표 선수 팀에 속하지 못하도록 하는 방안의 도입도 고려해 볼 만하며, 현재 초등학교와 중등학교의 교장 연수를 담당하고 있는 교육인적자원부, 시, 도 해당 연수기관의 연수 프로그램에서 체육교과교육에 관한 강리를 강화하며 운영할 필요성이 크다.

이 연구는 체육교육의 분야 중 철학적, 행정학적, 사회학적 비판력과 실천적 의지를 요구하는 분야로서 가장 기본적이고 중추적인 교육 메시지를 함축하고 있다. 따라서 현장에 직접 적용시키는 결단력과 실천적 의지가 중요하며 오늘날 인간성이 크게 위협받고 있는 사회와 교육 현실에 있어서 중요한 교육적 좌표를 제시할 수 있는 지표가 되었으면 한다.

본 연구는 문헌 고찰을 위주로 연구를 수행하였기 때문에 다소 이론적이고 비생산적이며 추상적인 것으로 볼 수도 있다. 그러나 중등학교 체육교육을 담당하는 교사들에게 이념적인 문장과 분명한 교육철학으로 무장해야 함을 제언하고자 한다.

현재까지 학원스포츠는 '국가 주도의 엘리트 정책'에 기초를 두고 성장하여 왔다. 국가 정책의 일환으로 엘리트 선수로 육성하여 스포츠를 통한 국가 경쟁력을 높이려는 목적에서 한국의 스포츠를 압축적이며 비약적으로 성장시켜왔다.

이러한 스포츠 발전이 외형적으로 각종 세계대회에서 우수한 성적을 침투하여 스포츠 강국으로서 한국의 위상을 높였으며 국민들의 사기 진작과 국민 통합에 기여한 것도 사실이다.

106. 선택제 수업 프로그램을 통한 자율체육 활성화 방안

생활여건의 향상으로 삶의 질에 대한 관심이 높아지면서 건강과 여가 선율을 위한 레저 스포츠의 필요성이 점차 증대되고 있으며, 이에 따른 다양한 레저 스포츠를 추구하는 생활 체육의 선진화 추세는 학교 체육의 변화로 절실히 요구하고 있다.

그러나 학교 체육이 학생들에게 다양한 종목으로 즐겁게 수업에 참여할 수 있는 기회를 제공하지 못하고 있으며, 교사 중심의 전통적인 수업 방실과 체육교사의 전문성 부족, 미흡한 체육장 시설, 입시 위주의 교육 풍토 등의 요인으로 학교 체육이 정상적으로 이루어지지 못하고 있는 현실을 부정할 수 없다.

교육이 학생 개개인의 잠재력을 개발시키는 교사와 학생의 상호작용이라고 한다면 전통적인 교사 위주의 교육보다는 학생들 각자의 특성을 고려한 교육이 우선시 되어야 한다.

그러나 실제적으로는 개인의 흥미, 운동능력, 동기 등을 고려하지 않고 모든 학생들에게 똑같은 교육과정을 적용시킴으로써, 모든 학생들에게 같은 수준의 학습 효과를 기대하는 학습의 비효율성과 비능률이라는 문제점을 초래하게 되었다. 이러한 현실은 학생들로 하여금 신체활동을 통한 즐거움은커녕, 오히려 체육에 대한 부정적인 인식을 심어줌으로써 체육은 재미없고 가치가 없으며 지루한 과목이라는 인식을 심어주게 되었다.

이러한 체육교과에 대한 부정적인 견해로 불식시키고 체육교과의 궁극적인 목표를 달성하기 위해서는 획일적이고 단순한 기존의 교수·학습 방법에서 벗어나 새롭게 학생들의 능력, 적성, 필요, 흥미에 대한 개인차로 고려한 창의적인 학교 체육 수업이 필요한 시점이다.

이를 위해 학교 체육 수업이 가장 기본적으로 삼아야 할 사실은 체육수업이 학생들로 하여금 신체활동을 좋아할 수 있게 하는 과정이어야 한다는 것이다. 신체활동 자체가 흥미롭고 유익하다는 인식을 갖고 있을 때, 학생들로 하여금 체육활동을 자발적으로 참여할 수 있도록 유도할 수 있으며, 더 나아가 자율체육활동이 활발하게 이루어질 수 있다. 즉, 학교 체육수업과 자율체육활동이 자연스럽게 연계되어야 한다.

이를 위해서는 학교 체육 수업이 자기 주도적 학습을 위한 효율적인 교수·학습 학생 요구에 기초한 선택학습, 학생의 흥미 유도를 위한 게임 활동 학습 등이 모색되어야 한다. 또한 간이 게임을 위한 체육시설을 확충하여 학생들이 언제 어디서나 쉽게 원하는 운동 종목을 실시할 수 있는 교육의 장을 만들어 주어야 한다.

선택제 수업 프로그램은 하나의 운동 종목(내용)을 모든 학생이 이수하는 종전의 단일 종목을 필수에 의한 수업(또는 단일 종목 필수형)이 아닌 학생 개인이 운동 영역 및 운동 종목을 선택해서 이수하는 것을 말한다. 여기서 종목의 선택은 기본적으로는 학생 개인의 능력, 적성, 관심이나 욕구 등에 근거해서 운동영역, 운동 종목을 선택하는 것을 의미한다. 학습의 주체인 학생들이 자신이 선택한 종목을 체계적이고 합리적으로 실천할 수 있는 수업의 실시로 다양한 경험과 신체활동을 통하여 즐거움을 느낄 수 있고, 욕구를 충족시킬 수 있는 자율 체육활동의 기회를 제공하여 줌으로써 평생체육의 기반을 마련 할 수 있다.

학습 과정 중심의 교육과정에서 학습방법은 학습내용 만큼 중요하다. 즉 '어떻게 학습하는 방법을 배우느냐' 의 개념이 '무엇을 학습할 것인가' 의 개념만큼 중요하다는 관점이다. 이것은 결과적으로 학습에 필요한 과정 기술의 학습을 중요하게 생각한다. 왜냐하면 과정기술은 개인이 자유롭게 학습할 수 있는 수단을 제공하며, 내용에 관계없이 자율적인 학습을 촉진시킬 수 있는 성공적인 운동수행 기준을 만들어 낼 수 있도록 학습시키기 때문이다.

107. 학교 체육은 어떻게 하면 새롭게 태어날 수 있을까

교육의 성패를 좌우하는 요인은 무엇보다도 교육현장에서 학생을 지도하고 있는 교사라 할 수 있다. 교사는 학생 및 교육내용과 아울러 교육을 구성하는 3대 요소 중에서도 교육의 방향을 설정하고 교육 기능을 설정하는 데 있어서 핵심적인 역할을 하기 때문이다. 학교의 시설이나 기타 조건에 있어서 다소 부족한 부분이 있다 하더라도 훌륭한 교사만 있다면 질 좋은 수업이 가능하다.

따라서 교육의 혁신이나 교육의 수월성 그리고 교육의 경쟁력을 강화하는 최선의 방향은 무엇보다도 교사의 자질 문제가 선행되어야 한다. 때문에 교사의 자질에 관한 재교육 연수나 새로운 교수·학습 모형을 개발하여 보급함으로서 학생들에게 질 높은 수업이 되도록 하여야 한다.

또한 인간 중심 체육교육의 선택적 목표에 따른 실행과제를 실천하기 위해서는 다음 사항을 고려하여 운영하여야 한다.

o 학습자로 하여금 자신의 능력을 현실적으로 평가할 수 있도록 도와주어야 한다.

o 학습자가 개별적으로 연습을 하고, 이에 따라서 발전할 수 있도록 적절한 환경을 제공해 주어야 한다.

o 열등감을 느끼는 학습자에게는 그룹 참여를 장려하여야 한다.

o 개인의 체력에 중점을 두고 자신의 수준에 따라 개별적으로 체력 수준을 향상시키도록 하여야 한다.

o 학습자에 의한 성공의 기대 수준과 학습 진도를 점진적으로 높여가며 지도하여야 한다.

학교체육은 식민지 잔재에서 아직도 벗어나지 못하고 있다. 획일적인 수업, 비민주화 교수 방법, 체력 중심의 교육 등을 여전히 하고 있다. 따라서 최소한 다음 내용을 고려하여 구체적이고 효율적인 교수활동이 이루어져야 체육교육의 목표, 내용, 방법, 평가 등에서 신뢰성이 확보되어 체육교육이 갖고 있는 궁극적인 목적이 달성될 수 있을 것으로 본다

o 체육 수업은 학생들의 흥미와 관심, 학급 인원의 수, 지도 내용의 균형과 다양성, 연속성, 계절성, 시설 및 용구, 시간 배당 등을 고려하여 연간, 월간, 주간 계획을 수립하여 지도한다.

o 체육수업은 학습 목표와 내용에 따라 알맞은 방법을 선택하여 지도한다.

o 체육수업은 신체활동이 주가 되도록 전개하되 가능한 범위 내에서 학생의 자율적, 창의적 참여를 유도한다.

o 적절한 발문과 강화를 통하여 수업 분위기가 긍정적이며, 과제 중심의 학습활동이 이루어질 수 있도록 지도한다.

o 체육 이론 및 보건은 학습 내용을 이해하고 이를 생활화하는 데 중점을 두어 지도한다.

o 특수학생은 학생의 능력에 적합한 계획을 수립하여 지도한다.

o 교육과정의 근본정신에 벗어나지 않는 범위 내에서 학교 및 지역사회의 실정에 따른 내용을 조정하여 적절한 계획을 세워 지도한다.

체육평가는 운동 중심의 심동적 목표 중심의 수행평가에서 인지적, 정의적 목표도 강조하여 다양한 내용의 평가를 하여야 교수학습 방법의 개선과 전인교육을 위한 체육교육의 질 제고에 효율적으로 활용할 수 있다.

심동적 영역 수행평가 기준으로 수업 후 학습의 성과 및 잘못된 점을 진단하는 데 활용하여야 하며, 일부 종목에의 수업 집중화를 배제하여 교육과정의 파행적 운영을 예방할 수 있다. 정의적 영역 평가는 적극성, 준법성, 협동심, 인내심의 5개 행동 특성을 관찰 기록함으로써 바람직한 태도를 형성할 수 있도록 유도하여야 한다.

학교의 교육이란 교사와 학생, 학생과 학생 사이에 인격 대 인격의 만남으로 이루어진다. 물론 교육은 하교라는 한정된 장소에서만 이루어지는 것이 아니다. 그러나 어디서 어떤 형태로 만나든 거기에는 교사의 인격과 학생의 인격이 서로 맞부딪치는 그러한 '만남'이 이루어진다. 그런데 이러한 인격적 만남에 있어서 교사는 학생들에게 권위적 존재로서 또는 지식을 전달해주는 대변자적 입장을 취해서는 안 된다.

교사와 학생의 관계는 한 인격과 다른 한 인격의 만남이기 때문이다. 이러한 입장에서 볼 때, 체육교사도 학생을 인격체로서 존중하고 개인의 인격을 충분히 고려해서 지도할 때 인간다운 인간 육성의 한 방법으로 체육교육이 자리매김 할 것이다.

특히 체육의 가치관은 교사가 체육에 대하여 가지고 있는 신념에 따라서 결정되어 진다. 따라서 체육교육을 담당하는 교사들은 이념적인 무장과 분명한 교육철학으로 무장해야 할 것이다.

108. '체육·스포츠 정책 논의', 체육의 본질에서 벗어나서는 안 된다.

지난 7월 말일 경, 강원 소년스포츠 종합시상제 폐지로부터 시작된 논란이 체육·스포츠 계에 끊임없는 화두로 떠오르고 있다. 이제야 뭔가 해결될 듯한 기미가 보인다.

도지사 주제로 내달 11일에 개최될 체육·스포츠 발전 토론회를 통해 학교 체육 정책, 도민체육대회 종목별 개선 및 육성 방안 등을 논의할 예정이란다(이라고 한다). 서로 견해의 간극이 있을 수 있겠으나 한 발자국씩 물러서면서 나름의 성과를 도출했으면 하는 바람이다. 체육·스포츠를 전공한 한 사람으로서 근간의 신문 기사에서 나타난 체육 용어에 대한 기술(記述)상(용어 기술)의 본질 문제를 짚어 보고자 한다.

체육은 한자로 體育이며, 영어로는 Physical Education으로 표기하고 있다. 따라서 體育과 Physical Education 은 신체활동+교육활동이다. 이처럼 체육은 신체활동과 교육활동이 결합된 개념으로 교육과 분리될 수 없는 불가분의 관계에 있다.

체육을 '계획적인 신체활동을 통한 바람직한 인간 행동의 변화', 또는 '신체활동을 통하여 인간을 신체적·정신적·사회적으로 조화를 이룬 전인으로 육성한다' 는 개념으로 사용한 것이 지배적이었으나, 필자는 체육의 정의를 시대에 맞추어 '학교 스포츠 활동을 통한 인간의 변화' 라고 제안하고자 한다.

체육의 정의에서 보듯이 체육은 어느 교과보다도 중요함에도 불구하고 일반적으로 쓰여 지는 용어의 개념부터 본질에서 벗어나 '체육' 과 '스포츠' 가 혼용되고 있다. 근자의 신문 지상에서도 이의 혼용을 광범위하게 사용하고 있는 바, 이 점은 고려되어야 한다고 본다.

그 구체적인 사례를 들어보자(다음은 신문 지상에서 체육에 대해 기술한 예이다).

'강원 체육의 미래를 생각하자', '도교육청 체육정책 변경 우려', '잘못된 정책 강원 체육 붕괴 가져 올 것', '도교육청 체육 정책 변경 논란 확산', '도교육청 체육 정책 변경 충돌 우려' 등에서 용어 기술(記述) 문제가 제기된다. 또한 이러한 표제에 이어 그 내용인 '강원체육의 근간을 흔드는……강원체육 전체의 붕괴가 이어질 것이……시·군 교육청과 학교장들이 체육에 대한 관심이……학교체육이 무너지면……학교체육을 비롯한 강원체육은 침체기에 접어들 것이다' 등에 나타난 용어 기술(記述)의 오류를 지적할 수 있다.

왜냐하면 학교체육 정책은 교육과정을 근거로 방향을 제시하고, 계획하고, 추진 및 실행하고, 평가하는 것은 교육감의 절대적인 권한이기 때문이다.

또한, 체육 특기자와 관련된 용어는 '체육 특기자', '체육 특례 입학자', '운동 경기부', '선수', '학생 선수', '학교 스포츠' 등으로 정리할 수 있다. 이러한 용어 중에서 상반된 개념으로 '학생 선수'는 학생으로서 대한 체육회에 가맹된 법인 또는 단체 선수로 등록된 자이며, '학교 스포츠'는 학생이 주체가 되는 과외 체육활동으로서의 교육을 말하고 있다. 늘 학교체육과 학교 스포츠에 대한 논쟁은 여기서부터 시발점이 되곤 하였으며, 앞으로도 계속될 것이다.

나라마다 여건은 다르지만 선진국에서는 학교체육을 크게 정규 체육 수업, 교내 체육활동, 학교 간 체육활동으로 구분되며, 우리나라와 같이 제도적으로 규정된 체육 특기자는 존재하지 않는다. 이와 같은 맥락에서 엘리트 스포츠, 엘리트 선수라는 용어는 우리나라만이 독특하게 사용하며, 학교 스포츠를 엘리트 선수 육성의 기반으로 삼아 스포츠 국가 경쟁력을 강화하려는 정책적 취지에서 출발한 것이다. 따라서 필자는 '학교 운동부·운동 선수' 혹은 '학교 스포츠', '학교 스포츠 선수', '엘리트 선수 육성 기반 조성을 위한 운동 선수'로 표현하는 것이 적절하다고 본다.

이에 따라 상기(上記)한 표제 용어 기술(記述)의 오류를 '강원 체육·스포츠의 미래를 생각하자', '도교육청 학교 스포츠 정책 변경 우려', '잘못된 학교 스포츠 정책', '강원 학교 운동부 육성 종목 붕괴 가져 올 것', '도교육청 학교 스포츠 정책 변경 논란 확산'의 표현으로 바꾸어야 하며, 그 내용 부문 또한 '강원 학교 엘리트 선수 육성의 기반 조성의 근간을 흔드는……강원 학교 운동부와 선수 전체의 붕괴가 이어 질 것을……시·군 교육청과 학교장들이 학교 운동부에 대한 관심이……학교 운동부가 무너지면, 운동선수들을 비롯한 강원 엘리트 선수 육성 기반 조성을 위한 선수…….'로 변경하여 기술(記述)함이 적절하다고 본다.

이제 비로소 학교체육이 체육의 본질에 맞게 학생의 인권이 존중되는 미래지향적 스포츠 문화를 만들고 '삶은 질'을 높일 수 있는 학생 중심의 모두를 위한 체육으로 변모되어 나아가야 할 때가 온 것이다(왔다). 우리 모두 머리를 맞대고 장기적으로 체육에 대한 대안을 찾아 무리 없는 결론을 내도록 하자.

109. 어떻게 하면 실종된 학교체육 새롭게 태어날 수 있을까

전인적인 인간 형성을 기초로 한 체육 수업은 교사의 자질에 크게 문제 되고 있다. 더욱이 신체적인 활동을 매개로 한 체육 수업은 교사의 자질이 매우 중요시 되고 있다.

우리나라의 체육교사의 체육수업 유형은 수업목표를 망각하고, 몇 개의 공을 내주고 수업을 방치하는 형태, 특정한 운동 종목의 특기자로서 특정 종목만 지도하는 형태, 수업 중 상해 예방을 위해 난이도 낮은 종목만 선택하여 지도하는 형태, 특히, 놀이나 노는 시간으로 생각하는 경향도 있다. 체육교사는 체육 교육과정의 모든 내용을 균형 있게 지도할 수 있는 능력을 갖추어야 함에도 불구하고 여러 측면에서 부족한 부분이 많은 경우가 상당히 있다는 점을 상기하여야 한다. 구체적으로 살펴보면, 체육수업에 대한 체육교사의 확고한 신념 부족, 흥미 위주(구기 운동)의 수업을 학생이나 교사 모두가 선호하고 있으며, 체육교사 스스로 수업을 방치하는 경우도 있다.

또한 체육교사의 학습목표 진술 미약, 체육교사의 자기 연구 부족으로 인한 실력 저하 현상, 운동부 지도로 인한 수업 결손이 많으며, 운동부 육성에 따른 재원 확충으로 체육 시설이 열악하다. 특히, 고등학교에서는 학력 신장이나 입시 위주의 교육으로 체육 수업을 자습이나 다른 교과목으로 대치하여 파행적으로 교육과정을 운영하는 경우도 있다.

이러한 요인과 내신 점수와 맞물려 2007년 1월 22일자 한겨레신문에 체육평가의 결과 처리를 '상·중·하 서술형' 이나 '통과/미달' 로 서술하는 안을 정부가 적극 검토하고 있다는 기사까지 보도된 적이 있다. 이와 같이 체육교사 자질, 수업, 시설, 학교 운동부 등을 직·간접적으로 경험한 사람들에게는 이것이 부정적 인식을 고착화시키는 토대가 되어 주당 체육수업시수의 감소, 그리고 고등학교 필수과목의 선택과목화에 대한 실질적 이유로 작용했을 것이라고 본다.

교육의 성패를 좌우하는 요인은 무엇보다도 교육현장에서 학생을 지도하고 있는 교사라 할 수 있다. 교사는 학생 및 교육내용과 아울러 교육을 구성하는 3대 요소 중에서도 교육의 방향을 설정하고 교육 기능을 설정하는 데 있어서 핵심적인 역할을 하기 때문이다.

학교의 시설이나 기타 조건에 있어서 다소 부족한 부분이 있다하더라도 훌륭한 교사만 있다면 질 좋은 수업이 가능하다. 따라서 교육의 혁신이나 교육의 수월성 그리고 교육의 경쟁력을 강화하는 최선의 방향은 무엇보다도 교사의 자질 문제가 선행되어야 한다. 때문에 교사의 자질에 관한 재교육 연수나 새로운 교수·학습 모형을 개발하여 보급함으로서 학생들에게 질 높은 수업이 되도록 하여야 한다.

또한 인간 중심 체육교육의 선택적 목표에 따른 실행과제를 실천하기 위해서는 다음 사항을 고려하여 운영하여야 한다.

o 학습자로 하여금 자신의 능력을 현실적으로 평가할 수 있도록 도와주어야 한다.

o 학습자가 개별적으로 연습을 하고, 이에 따라서 발전할 수 있도록 적절한 환경을 제공해 주어야 한다.

o 열등감을 느끼는 학습자에게는 그룹 참여를 장려하여야 한다.

o 개인의 체력에 중점을 두고 자신의 수준에 따라 개별적으로 체력 수준을 향상시키도록 하여야 한다.

o 학습자에 의한 성공의 기대 수준과 학습 진도를 점진적으로 높여가며 지도하여야 한다.

110. 한국스포츠와 지도자

한국 지도자급 인사 가운데 학창시절 공부와 운동을 병행한 사람은 거의 없다고 해도 지나치지 않다. 책만 끼고 살고, 대학가서는 오로지 고시 패스를 위해 법전을 달달 외우고 그랬던 학생들이 한국의 정치 및 재계 지도자들이 됐다. 문론 이 가운데는 이른바스포츠권(운동권)도 있다. 니들 모두에게 스포츠는 가끔 운동하다가 몸이 빼근할 때 소일거리로 하는 놀이에 불과하다. 나중에는 이것도 학창시절 운동했다고 둔갑한다. 이건 운동이 아니다. 특별활동이다. 숨이 턱에 차고 하늘이 노랗게 될 때까지 뛰어 보지 않은 것은 운동이라고 할 수 없다.

미국에서는 운동을 하지 않은 학생은 절대로 리더가 될 수 없다. 명문대학을 나온 지도자들 가운데 이름을 나열하기 힘들 정도로 그들은 모두 한 가지씩 운동을 병행했다. 2007년 작고한 제럴드 포드 대통령은 명문 미시건대학 미식축구 팀 '올 아메리카 센터' 였다. 대학교 총장도 마찬가지다. 부시 대통령은 리틀리그 선수 출신이다. 아버지는 아이비리그 예일대학 야구팀 주장이었다. 단순히 특별활동 수준이 아니다.

미국 정치인들에게 균형 있는 사고가 나올 수 있는 배경이 바로 스포츠의 힘이다. 스포츠는 희생, 협동, 에어플레이 정신이 담겨 있다. 나홀로 독불장군은 인정될 수 없다.

한국에서는 공부만 잘하면 된다. 나만 최고가 되면 된다. 남을 짓밟고 올라가면 되는 게 한국 교육방식이다. 남을 배려하는 수준이 후진국과 다를 게 하나도 없다. 한국의 정치가 이런 풍토 속에서 성장했기 때문에 페어플레이가 실종돼 있다. 한국의 지도자급 인사들의 '노블리스 오브리제' 부재도 같은 맥락이다. 특권은 있지만 책임은 없는 사회다. 스포츠의 몰이해는 한수 더 뜬다.[60]

111. 태권도 수련 몰입

오늘날 현대인들은 비약적인 과학 기술의 발달로 경제적인 풍요로움을 영위하면서 살아가게 되었다. 그러나 현대의 물질문명이 가져다주는 장점이 있는 반면 사회조직은 더욱 복잡성을 띠게 되었고, 과도한 경쟁은 스트레스로 연결되어 각종 질병을 일으키는 원인을 제공하고 있다.

청소년은 신체적 건강과 더불어 정신적 건강이 균형을 이루어야 한다. 스포츠 활동에 참가함으로서 사람들과의 관계 개선과 이를 통한 자기의식을 함양하고 생활에 적용하여 전인을 형성하는 것은 중요한 것이다.

태권도는 도의 성격을 가지고 있는 대중화된 스포츠로서, 태권도 교육을 통해 신체의 발육과 기능을 증진을 촉진시키고, 용기, 의지, 예의, 통솔력, 결단력 등을 기를 수 있을 뿐만 아니라 우리 조상들이 행하여 온 고유의 신체문화를 배울 수 있는 기회가 된다. 또한 태권도는 개인의 체력과 신체적 조건에 따라 내용이나 강도를 융통성 있게 남녀노소 누구나 실시할 수 있고, 계절에 구애받지 않으며, 좁은 장소에서 상대나 기구 없이 실시할 수 있는 교육적 가치가 매우 높은 운동이라 할 수 있다.

또한 태권도는 청소년들에게 있어 교육적 가치를 강조하고 있는데, 청소년들의 스포츠 활동 중에서 특히 태권도는 현대에 이르러 스포츠화의 경향이 있지만 무도의 한 부분으로서 교육적 의미를 내포하고 있으며 전인적인 인격형성이라는 측면에서 교육의 일반 목적과 일치하고 있어 다른 어떤 스포츠보다 중요하다. 훈련과정 및 방법이 엄격하고 훈련에서 많은 노력을 필요로 한다는 점에서 신체적 건강뿐만 아니라 정신적 건강까지 도움이 된다는 장점을 가지고 있다.

청소년기는 성년이 되는 과도기로 내적 불안정, 비판, 자긍심과 무력감 형성이 반복되는 시기이다. 청소년의 특징에 비추어 볼 때 태권도 수련은 청소년들에게 체력육성, 신체발달, 정서 안정과 순화, 사회성과 도덕성 함양 및 자아실현의 기회를 제공한다.

오늘날의 사회가 요구하는 무도 수련, 특히 태권도의 수련 목적은 단순히 기술의 전수만이 아니라 수련의 과정과 결과를 통하여 바람직한 인간으로 변화하게 하고 체력향상에 기여한다. 태권도는 근본적으로 인간을 내적으로나 외적으로 완전한 인간을 형성하도록 도와준다.

112. 올림픽과 정치

"스포츠는 정치에서 완전히 자유다." 1956년 멜버른 올림픽 때 IOC위원장이던 애버리 브런디지는 스포츠와 정치의 분리를 주장했다. 하지만 그것은 올림픽의 영원한 이상일 뿐이다. 현실에서는 스포츠가 정치에 말려들고 있다. 강대국은 이미지 강화를 위해 메달 경쟁에 열을 올리고, 약소국은 스포츠에서 우위를 확보해 정치적 약점을 보상받으려고 안간힘을 다한다. 올림픽을 정치권력 강화의 수단으로 삼으려는 의도다.

1908년 런던 올림픽에서 필란드 선수단은 국기 없이 입장했다. 당시 소련이 필란드 선수단에게 소련기를 들고 입장하도록 강요한 것에 대한 반발이었다. 1936년 베를린 올림픽에서 나치스 정권은 독일 올림픽위원장이자 IOC 위원장인 테오도르 레발트를 축출하려 했다. 그의 가계에 유태인 피가 섞였다는 이유에서였다. IOC 위원들은 이에 맞섰으며 결국 독일 정부가 물러났다. 그러나 올림픽 주도권을 둘러싼 공방전은 치열했다.

1940년과 1944년 올림픽은 2차 대전으로 중단됐다. 개최국과 도시는 전쟁 중에도 대회를 강행하기 위해 힘썼으나 포기해야만 했다. 1948년 런던 올림픽은 세계대전 후 동유럽의 대부분 국가를 소비에트연방에 병합하려는 소련과 이를 저지하려는 서방 세력 간의 정치적 갈등의 장이었다. 1952년 헬싱키 올림픽부터 소련의 참가로 자본주의 국가와 공산주의 국가, 미국과 소련의 대결 양상을 보였다.

근대 올림픽 부활 이후 스포츠에 대한 정치적 개입은 끊이지 않는다. 교육, 문화, 사회적 변천과 더불어 스포츠의 과학화, 승리 제일주의 등으로 그 기본정신과 이념은 크게 흐려졌다. 이번 런던올림픽을 정치에 이용하려는 정치인들의 계산이 분주하다. 나탄의 말이다 "현대 스포츠에서 정치적인 암시는 피할 길이 없으며, 정치성이 배제된 스포츠 조직이란 존재하지 않는다." 스포츠와 청치의 분리는 참 힘든 모양이다. 지금까지 우리나라는 여름올림픽에서 금메달 81개, 은메달 82개, 동메달 80개를 획득하였다.

스포츠는 사회를 반영하기에 스포츠 공간 역시 종종 투쟁의 공간의 변모한다. 스포츠를 통해 억압하기도 하고 또 스포츠를 정치적 도구로 활용하면서 평등과 통합하기에 체육인은 저항한다.

알리는 '나는 당신들이 하라는 대로 하는 사람이 아니다' 라고 했고, 랜스 암스트롱은 ‘나는 내 삶의 스타일에서나 옷을 입을 때나 사회에 순응하지 않는 편’ 이라고 했다. 물론 마이클 조던처럼 백인들의 품에 안겨 ‘백인같은 흑인’, ‘백인이 원하는 흑인’ 이 된 이도 있다. 그러나 어느 나라든, 어느 종교이든, 어느 종목이든 주변을 돌아보고, 변화를 꾀하고, 사회 정의를 추구하고, 때론 희생까지도 감내하는 체육인이 있어 왔다.

지금은 아무렇지도 않게 보이는 여자 마라톤도 수 십 년간 여자 선수들이 가부장제에 저항하고 투쟁한 결과물이다. 스포츠선수들은 또한 체제에 저항한다. 테니스의 여왕 마르티나 나브라틸로바는 조국 체코의 사회주의 정권에 맞섰다. 당연한 것에 도전하기도 하고 포기를 거부하기도 한다. 그러나 우리는.......................

사실 이 모든 게 이들을 세상에 단절시킨 채 운동만 시킨 우리 선배들 문제이긴 하다. 하지만 지금이라도 늦지 않았다. 우리나라 스포츠는 바뀌어야 한다. 더 자유로워야 하고 더 발랄해져야 한다. 그리고 세상을 둘러 볼 줄 알아야 한다. 그래서 자신의 소신과 신념에 다른 자신의 발언을 해야 한다. 조직이 요구하는 ‘금기’ 를 깨고 나와야 한다.

아직까지 운동 밖에 모르는 ‘운동 기계’ 보다는 다양한 방면에 관심과 재능을 가진 스포츠스타가 인기를 끌고 있다. 우리 주변에는 찾아보기 어렵지만 외국의 경우는 흔한 사례다.

런던 올림픽 개인 혼영 400m에서 금메달을 따낸 미국의 라이언 록티는 기량뿐만 아니라 독특한 캐릭터로 눈길을 끌었다. 30을 바라보는 나이에 ‘만년 2인자’ 꼬리표를 떼어내고 현역에서 은퇴하면 패션 디자이너가 되겠다는 당찬 꿈을 갖고 있다. 신발만 130켤레를 가지고 있고 유명 모델 에이전시와 전속 계약을 맺기도 했다. ‘다이몬드 그릴’ 로 불리는 마우스피스는 그의 스타일을 대표하는 트레이드 마크다. 국내에 록티 같은 스타가 있다면 그의 이름 앞에 ‘기행(奇行)’ 이라는 수식어가 붙을지도 모른다.

113. 런던올림픽을 통해 본 학교체육 발전 방향

유난히도 무더웠던 올 여름. 2012년 런던올림픽을 계기로 스포츠가 국민들의 삶의 한 부분을 자리잡고 한국인의 자부심과 행복감을 주었다는 점에서 체육인의 한 사람으로서 가슴뿌듯하다. 목표로 내세웠던 '10-10'(금메달 10개 이상-종합 10위 이내 진입)을 가볍게 넘어섰을 뿐만 아니라 역대 올림픽 중 가장 좋은 성적을 거둬 아직까지도 올림픽의 열기가 가라앉지 않은 것 같다.

지금 시점에서 우리 선수들은 앞으로 더 나은 성적과 경기력 향상을 위해 종합적이고 체계적인 준비와 과학적인 훈련을 통해 4년후 다음 올림픽을 대비하여 철저하게 분석하고 이를 토대로 준비해야 세계 5위라는 스포츠 강국 대한민국의 위상을 계속 지켜 나갈 것이다.

모든 정책은 미래를 지향하여 수립하게 마련이다. 체육정책도 마찬가지다. 스포츠 정책을 국가와 협회에서 중·장기적으로 수립하여 준비를 해야 하는데, 사실 우리나라는 이러한 면이 부족한 실정이다. 인기 종목과 스타 선수만 부각되고, 전체적으로 종목당 선수층이 두텁지 못하다. 특히 기초 종목인 육상, 체조, 수영, 역도 등의 비인기 종목에 많은 투자와 관심이 이루어져야 할 것으로 생각된다.

비인기 종목은 각 종목마다 선수들이 점점 줄어들고 있으며, 은퇴 후의 진로도 보장이 안되고 암담한 것이 현실이다. 또한 언론 매체들은 인기 스포츠 보도에만 혈안이 돼 너무 많은 비중을 두고 있으므로 스포츠의 전체적인 발전에 어려움이 있을 수밖에 없는 상황이다. 비인기 종목을 활성화하기 위하여 대회기간 만이라도 더 큰 관심을 갖고 중계와 보도를 게을리 하지 않는 것도 매우 중요하다.

이런 부분은 학교체육에서도 예외가 아닐 수 없다. 대한민국 스포츠 선수의 뿌리는 누가 뭐라해도 학교체육임을 부인할 수 없을 것이다. 그런데 학교체육현장은 너무 열악하다. 시설이 부족하고, 예산이 턱없이 부족하고, 특기를 가진 체육교사가 점점 줄어들어 스포츠에 특기와 적성이 있는 학생들을 발굴하고 지도하는 데에 많은 어려움을 겪고 있다. 이런 탓에 체육 특기자가 되려는 학생들도 학교체육보다 사교육에 의존하고 있다. 이를 해결하기 위해서는 과감한 투자와 더불어 정책적으로도 일정 부분 특기교사를 채용하여 선수들을 육성해야 될 것으로 사료된다.

올림픽이나 월드컵, 세계육상선수권 대회 등의 행사들은 단순히 스포츠 행사로서 그치는 것이 아니라 문화·예술·경제 행사로 꾸준히 발전해 왔고, 이제는 세계인의 축제로 발돋움하였다. 또한 스포츠가 온 국민을 하나되게 하고, 애국심을 갖게할 뿐만아니라 국민의 화합과 결속까지도 공고히 하는 역할을 한다. 여기서 국민들이 즐기며 얻는 행복감은 돈으로 계산할 수 없을 정도로 정말 값지다는 것은 그 누구도 부인할 수 없을 것이다.

세계 속 스포츠 강국으로 대한민국이 완벽하게 자리잡기 위해서는 엘리트 스포츠에 중 · 장기적으로 계획을 수립하여 과감하게 예산을 투입하고, 학교체육에 시설투자와 지도자 등 많은 관심과 집중적인 예산투자가 무엇보다 중요하다. 각급 학교의 경기종목별 운동부, 각 경기종목의 실업리그 등 스포츠경기를 일컫는 엘리트 스포츠는 국민건강의 활성화를 위한 기폭제가 될 것으로 본다.[61]

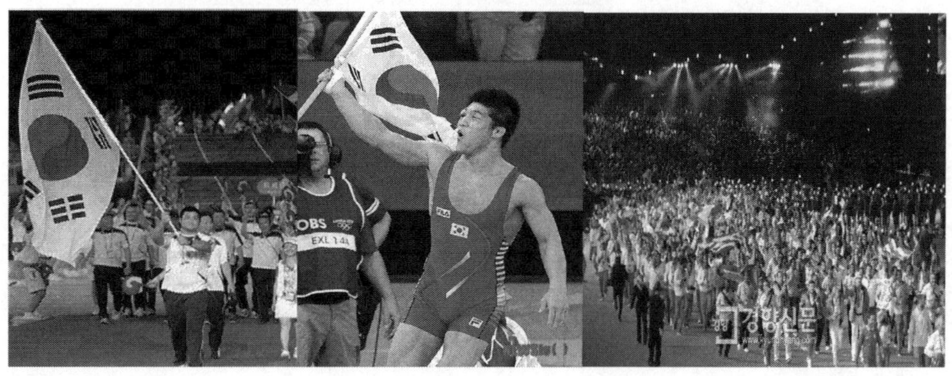

114. 태권도를 통한 한국사회의 제 문제를 해결하자

현재 한국사회는 여러 가지 위험에 노출되어 있다. 체력저하와 현대병 만연, 비만과 성인병, 안전 불감증, 지역 갈등, 진보와 보수의 대립, 세대 간 단절, 인종 및 남북 갈등, 그리고 환경오염 등의 심각한 문제들이 한국인의 삶에 크게 위협하고 있다. 이러한 환경 속에서 건강하게 살기 위해, 사회 안전판의 도구로서 그리고 사회 통합의 촉매 역할을 할 문화 수단으로서 태권도의 역할과 가치는 과거 어느 때 보다도 주목된다.

우리나라의 국기(國技)로 세계인의 관심을 끌고 있는 태권도는 위험 환경을 극복하고 육체적으로나 정신적으로 개인을 건강하게 수양할 수 있는 길을 제시해 줄 수 있다.

유소년들이 스포츠교실 프로그램에만 국한되어 있는 태권도의 현 수준이 국민 전체를 목표로 하는 보다 폭넓은 프로그램으로 그 철학적 뿌리를 새롭게 성찰해야 한다. 이를 위해 태권도가 지난 반세기 간 지구촌 구석구석과 한국의 지역사회 한복판에서 어떻게 발전해 왔고, 자신을 구성해 왔는지 그 원리를 조망할 수 있는 성찰이 필요하다.

태권도는 전통과 배타성을 근간으로 하는 여타의 동양 무술 · 무도들과 달리 철저하게 개방의 원리에 따라 발전해 왔다. 태권도의 근간이라고 할 수 있는 기술의 구성에 있어서 중국과 일본의 무술 · 무도 문화는 물론이고 서양에서 유입된 근대 스포츠와 과학적 사고를 적극 유입하였다. 가치관에 있어서도 고답적인 전통주의와 혁신적인 진보주의를 아우르며 상생과 조화를 추구해왔다.

또한 태권도는 가상이 아닌 현실의 공간에서 이루어지며, 간접 경험이 아닌 직접 경험으로서 자아와 타자를 경험할 수 있는 계기를 제공해준다. 이와 같은 경험의 계기와 함께 다양한 가치를 전달해 주고 강화시켜 주며 내면화시켜 주는 가치 가운데 주목을 끄는 것은 개방형이다. 개방성이란 나, 나의 이기심의 약화이며, 양보와 포용의 경향이다.

그런 의미에서 태권도는 전통과 현대, 과거와 현재, 몸과 마음, 동양과 서양, 우리와 그들을 나누지 않고 하나로 묶는 힘을 내재한 개방적 가치복합체로서 전 세계인의 사랑을 받기에 이르렀다. 이러한 태권도의 기본 원리는 한국 사회가 나아가야 할 방향에 대한 일정한 지침을 제시해 줄 것이다.

115. 학생 선수의 학업과 진로에 대한 이야기

교육부의 이러한 시도에도 불구하고 운동선수들의, 특히 정책의 수혜 당사자인 학생 선수들의 반응은 미온적이다 못해 냉랭하다. 학생 선수들이 이러한 반응을 보이는 이유는 무엇일까?

학생선수들의 현실 문제를 지적하면서 다음과 같은 원인에 기인한다고 볼 수 있다.

학생선수들은 학기 중에 치러지는 경기와 대회로 인해 실질적인 수업 참석이 어려운 게 현실이다. 그리고 수업에 참석할 수 없는 이유도 명확하다. 성적 때문이다. 학생뿐만이 성적의 굴레에서 자유롭지 못한 것은 아니다. 지도자도 마찬가지다. 학생들의 성적이 좋고 나쁨에 관계없이 직위가 유지되는 교사와 달리 코치에게 있어 학생선수들의 경기 성적은 생존권과 직결되는 문제이다. 이러한 직업의 불안정성이 코치들로 하여금 학생 성수들의 경기 성적에 지나치게 몰입하게 하고, 이들의 수업 시간을 훈련시간으로 대체해 버리게 만들고 있는 것이다. 그렇다고 해서 학생선수들을 위한 보충수업이 제대로 이루어지는 것 역시 아니기 때문에 정상적인 교육을 이수한다는 것은 현실적으로 불가능하다. 즉, 학생선수의 진로 경로의 선택은 여러 가지 조건에 비추어 매우 제한되어 있는데 특히 직업 선택의 전제 조건인 교육과 관련하여 그 정도가 심각하다는 것이다.

실제 학생선수들의 경기 출전 및 연습으로 인한 수업 결손에 대한 수업 이수율은 17.9% 내외이며 그 결과 중학교 1학년에서 고등학교 1학년까지 학생선수의 주요 과목 석차 백분율의 평균치는 82.6%(100명 중 82.6 등)에 지나지 않는 것으로 나타났다. 심지어 고등학교 1학년의 경우 87.0%에 이르기도 하는데, 이러한 수치는 대학 진학을 앞 군 고등학교 2, 3학년에 이르면 더욱 악화될 것으로 예상된다.

결국, 교육현장에서 학생선수들의 학습권을 보장하고 이들의 행복추구권을 지켜주기 위한 정책들이 제대로 이행되지 않고 있으며, 현실과의 괴리가 매우 크다는 것을 알 수 있는 것이다. 또한 학생선수의 진로 선택이 제한되는 이유는 대부분 학업 부족에 기인하며, 이것이 이후 프로가 아닌 다른 진로를 모색할 때 필요한 기본 소양의 부족으로 이어져 그들로 하여금 운동선수의 길과 다른 직업군이라는 길 사이에서 진퇴양난의 처지에 놓이게 만드는 것이다. 결과적으로 학생성수들의 이러한 부정적인 반응은 교육부가 시행하고 있는 정책이 정작 자신들의 선수생활이아 학업, 혹은 진로의 결정 등 학생선수로서의 삶에 실제적인 도움을 주지 못하고 있다는 반증일 것이다.

축구 국가대표팀 신임 감독을 총괄하였던 이용수 대한 축구협회 기술위원장은 브리핑은 진행하면서 "감독의 계약기간이 지켜지기란 어렵지만" 이라는 말을 하였다. 감독이 보장된 계약 기간을 채유지 못하고 경질되는 사례는 우리나라분만 아니라 다른 나라 대표 팀 및 리그에서도 쉽게 찾아볼 수 있다. 프로스포츠의 세계에서는 결국 경기 성과가 좋아야 살아남을 있다는 의미이며, 프로스포츠팀 감독들은 팀의 성적에 대하여 상상당한 수준의 압박을 받고 있는 상황이다.

국내 프로스포츠의 경우 팀 운영에 대하여 감독이 막대한 영향력과 결정력을 가지고 있기 때문에 팀 성적에 대해서 감독이 거의 모든 책임을 지고 있다고 볼 수 있다. 예컨대, 팀 성적이 부진한 경우 사장과 같은 구단 임원진이 교체되는 것이 아니라 감독이 교체되는 모습을 쉽게 발견할 수 있다.

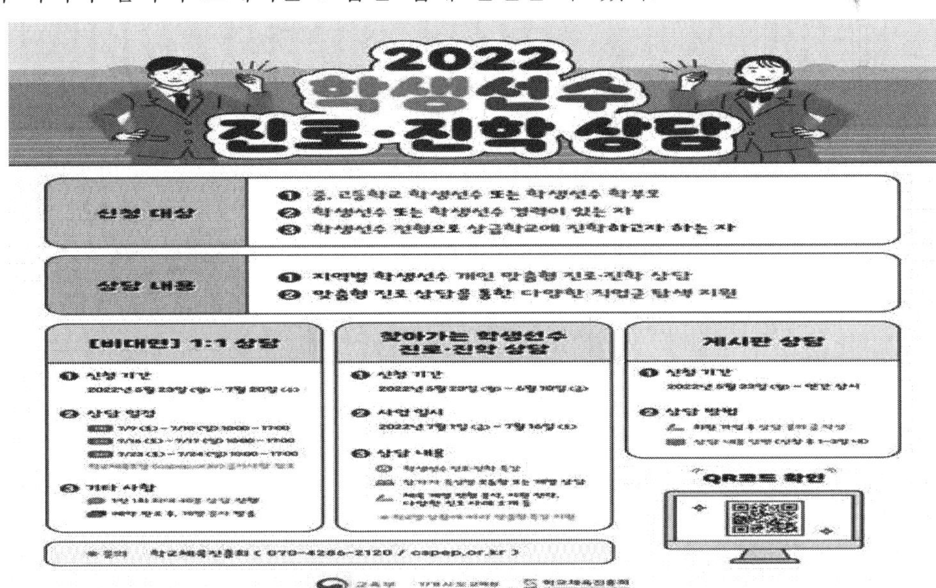

116. 학습활동과 운동수행을 병행하고 있다는 진실과 거짓 속으로

운동수행(運動遂行)은 운동과 관련된 목적을 가지고 자발적으로 형성된 운동 동작이다. 이것은 신체적 · 심리적 · 정서적인 변화에 영향을 받는다.

과연 학생선수들은 학업에 대해 어떻게 판단하고 있을까? 공부가 운동에 도움이 된다고 생각할까? 아니면 방해가 된다고 생각할까?

우리나라는 올림픽, 월드컵, 아시안 게임 등 각종 국제경기 개최에서 경이로운 성적을 거두어내며 전 세계에 '한국은 스포츠 강국'이라는 이미지를 심어주었다. 이처럼 우리나라의 엘리트스포츠는 지난 시간 동안 우수한 성적을 바탕으로 국가 이미지와 브랜드를 높이는데 크게 기여해왔으며, 국민들에게 감독과 기쁨, 그리고 꿈과 희망을 선사하는 데 앞장서 왔다. 이는 적은 인구, 스포츠인프라와 시스템 등의 스포츠 자원이 부족한 상황에서 이루어낸 거의 기적에 가까운 일이라고 할 수 있다.

그러나 국내 엘리트스포츠는 이와 같은 긍정적인 측면과 더불어 부정적인 측면 또한 지니고 있다. 그동안 엘리트스포츠는 승리지상주의에 편승하여 해가 거듭될수록 파행적으로 운영되었고, 이로 인해 학생선수들의 학교생활은 비교육적 형태로 관행화되었다. 선수들의 성장 잠재력보다는 단장 대회 입상을 우선시 하게 되었, 비인격적인 폭언과 폭력이 반복적으로 이루어져왔다. 그 결과 학생선수들은 선수 이전의 학생으로서 기본적으로 누려야 할 학습권과 행복추구권이 박탈되었다.

또한 교육적 차원에서의 체육특기자 제도는 학생선수들이 대부분의 수업시간을 오직 경기력 향상을 위한 운동 기증 증진에만 치중함으로써 학입 교유관계 등 학교생활의 적응 면에서 부정적인 결과를 초래하였다.

뿐만 아니라 선수들이 상급학교 진학이나 사회 진출 과정에서도 큰 장애를 갖게 되어 사회 적응의 어려움을 겪는 등 많은 문제점들이 야기되고 있다. 이러한 상황 속에서 학생선수들은 학생으로서의 의무와 선수로서의 의무 사이에서 정체성 혼한을 겪으며, '반쪽 학생, 운동 기계'라는 소리를 들으며 교복 없는 학생으로 전락하였다.

제도적인 문제점 이외에도 운동만이 전부라는 오랜 관행으로 인해 스포츠현장의 실질적 주체인 선수와 지도자 간에도 학업은 운동선수에게 불필요한 것으로 여겨지게 되었다.

또한 선수 스스로의 학교 학습 참여 필요성에 대한 인식의 부재, 학습에서의 소외 현상, 학습 참여에 대한 심리적 제한과 학업 성취에 대한 벽, 새로운 시작에 대한 기대와 어려움 등으로 인해 운동선수에 대한 학업 병행이 제대로 이루어지지 않는 것이 현재의 실정이다.

이와 같은 문제의 심각성을 인식하고 정부와 체육계에서도 엘리트스포츠의 정상화를 위한 많은 노력을 기울이고 있다. 그동안 소수의 학자들에 의해 거론 되어왔던 학생선수들의 학습권 문제가 거대담론으로 부상하여 학생 선수 수업 정상화 촉구 국회 결의안이 국회 본회의에서 의결되었고, 교육과학기술부와 문화체육관광부에서 선진형 학교운동부 운동시스템 구축 계획을 발표하였으며, 종목별 주말 리그제 도입, 그리고 일부 일선학교에서 운동선수 학업 정상화를 위한 변화들이 일어나고 있다.

이러한 변화들은 분명 학생선수의 인권 성장에 대한 사회적, 제도적 합의를 이끌어내어 학생 선수 삶의 질적인 부분에 긍정적인 영향을 미칠 것으로 보인다. 이러한 노력들이 빛을 발했을 때, '공부하는 학생선수상' 을 정립할 수 있음은 물론 나아가 학생 선수가 사회의 한 구성원으로서 심동적, 정의적, 인지적 영역을 골고루 발달시켜 전인인간으로 성장하는 데 도움을 줄 수 있을 것으로 판단된다. 그리고 이를 위해서는 우선적으로 학생 선수들이 학업에 대해 어떻게 생각하고 있는지를 이해해야 한다.

그래야만 이에 맞는 효과적인 정책 수립에 대한 방안을 모색할 수 있기 때문이다. 따라서 학생선수들의 학습활동이 연습이나 시합 상황에서 운동 수행에 어떠한 영향을 미치고 있는지 살펴보는 과제가 선결되어야만 한다.

몸을 적당히 움직이지 않으면 근육이 무력해지고 등이 굽게 되면서 웅크리는 자세를 자주 취하게 된다. 이런 자세를 장기간 유지하면 신체 활동에 지장을 주어 소화 및 혈액순환을 방해하고 피로감이 커질 수 있다. 가슴과 배를 쭉 펴주는 운동으로 척추 주변 근육을 이완시켜 피로감을 덜고 내부 장기를 자극한다.

117. 대학 운동선수들의 운동정체감 관계

우리나라는 2008, 2012년 베이징, 런던 하계올림픽과 2010, 2014년 벤쿠버, 소치 동계올림픽에서 소기의 목적을 달성하는 성과를 이루며 스포츠 강국으로 세계인의 주목을 받고 있다.

2015 광주 유니버시아드와 2018년 평창 동계올림픽 유치는 진전한 스포츠 강국뿐만 아니라 선진국가로 도약할 수 있는 좋은 기회를 마련했다고 생각할 수 있다. 이처럼 대한민국이 스포츠 강국으로 발전할 수 있었던 계기는 스포츠 외교와 행정뿐만 아니라 발전된 스포츠 과학을 바탕으로 지도자와 선수 모두의 헌신적인 노력이 큰 역할을 했다고 할 수 있다. 특히 우수한 학생 성수의 체계적인 발굴과 육성을 바탕으로 한 엘리트 학생 선수들은 대한민국 스포츠 발전에 중요한 역할을 했다고 할 수 있다.

2012년 대한체육회 조사 결과에 따르면 우리나라에서 정식으로 등록된 엘리트 대학 운동선수들은 남자는 50개 종목에 9,644명, 여자는 48개 종목에 2,239명으로 총 11,883명이 엘리트 대학 운동선수로 활동하고 있는 것으로 조사되었다. 그러나 이 가운데 종목별 국가 대표로 선발된 선수는 0.04%정도인 500여명에 불과했으며 0.04%의 선수들을 제외한 나머지 선수들의 미래와 진로에 대한 대안이 시급한 실정이다.

2010년 대한체육회에서 발표한 내용에 따르면, 운동선수의 취업률은 매우 낮은 수준이며 대학교 졸업 후 해당 종목과 관련된 분야로 취업하는 경우는 2007~2009년에 걸친 3년 동안 41.6%에 불과했고, 일반 4년제 대학생들의 취업률인 68.4%에 비해서도 여전히 낮은 수치에 불과하다고 밝혔다.

이처럼 체육특기자 제도다 학생 경기력 향상이라는 측면에는 많은 공헌을 했지만, 진로 및 교육적 측면에서 볼 때에는 상급학교가 진학 특례가 빚어낸 부작용으로 몸살을 앓고 있다. 초등교육부터 이어져 온 운동선수로서의 생활은 학업에 대해 소홀해 질 수 밖에 없고, 운동 이외의 또 다른 사회에 대한 사회와 과정을 겪지 못하게 만든다.

국가인권위원회(2009)의 '중도탈락' 학생선수의 인권상황 실태조사 보고서에 의하면 학생선수가 학업을 병행한다는 것은 학업 성적이 높고 낮은 것에 국한하지 않고, 학생선수의 진로를 다양화 할 수 있고, 교사와 교유관계에서 믿음과 신뢰를 가져온다고 한 바 있다. 따라서 학생선수에게도 '배움의 장'을 보장해 주어 성적과 상관없이 학교에서 얻을 수 있는 교육의 참의미를 맛보게 해야 할 것이다.

청년기는 어떤 직업을 가질 것인지에 대한 의사 결정을 해야 하는 결정적 시기로 어떤 직업을 선택하느냐에 따라 앞으로 남은여생이 크게 좌우된다. 이렇게 진로 선택의 중요성에도 불구하고 현재 대학 운동선수에 대한 낮은 진로 의식은 물론 이들에 대한 진로 지도는 거의 이루어지지 못하고 있을 뿐만 아니라 많은 한계점을 드러내고 있다.

우리나라 대부분의 대학생 운동선수들은 많은 시간을 치열한 경쟁을 위한 훈련시간으로 소모하였고, 개인의 진ㄹ호를 위해 필요한 기술과 학문을 습득하고 개발하는 시간에는 매우 소홀하였다. 그러므로 점점 변화하는 사회 속에서 진로의 결정을 위한 진로 의식과 정보의 수집과 합리적 의사 결정의 능력이 매우 필요하다고 하겠다.

일부 대학에서는 규칙을 정하고 규칙에 어긋나거나 정해진 학점에 미달된 선수들에게 장학금 혜택 중단 및 대회 출전 금지 등의 규칙을 실행하고 있다. 이외에도 운동 중도 포기 선수들을 위한 대책 마련 등 다양한 발전적 방안이 제시되고 있다. 이러한 시점에서 대학 운동선수들의 진로를 결정하는 데 있어 보다 적극적으로 대처할 수 있도록 진로의식을 신장시켜 줄 필요성이 요구되며, 개인의 특성과 적성에 맞는 진로 교육 및 운동선수들을 위한 차별적 정책 방안의 필요성이 제기된다고 할 수 있겠다.

118. 스포츠리그제 운영의 내실화 방안

한국의 스포츠는 학교체육이나 생활스포츠 등과 같은 스포츠클럽 위주로 발달한 스포츠 선진국과는 다르게 발전하여 왔다. 그 중심에 학원엘리트스포츠가 자리 잡고 있으며, 국가주도의 선수육성 체제로 운영되어 왔다.

이로 인해 학교운동부는 유능한 선수를 발굴하고 육성하는 보급기지로써의 역할을 담당해 온 것은 주지의 사실이다. 그러나 그동안 인권의 사각지대에서 잠재되어 왔던 학습권 박탈, 구타와 폭력, 그릇된 사회화 등 학생선수들의 문제가 표면화되면서 오늘날 위험 수의를 넘어 심각한 사회 문제로 대두되었다.

한국의 학교 엘리트스포츠가 안고 있는 문제점을 해결하기 위해 교육인적자원부는 학생선수보호위원회 설치, 폭력 가해자에 대한 삼진 아웃제 도입, 선수 고충처리센터 운영, 학생 선수 상담 의무화, 상시합숙 금지, 대회 참가 제한 등 공부하는 학생 선수상 정립 및 학교운동부 정상화 대책을 마련함으로써 학원엘리트스포츠의 이미지를 쇄신하고 올바른 학생선수육성 체계를 수립하고자 심혈을 기울이고 있다. 이러한 노력에도 불구하고, 여전히 학교엘리트스포츠의 그릇된 시스템과 문화에 대한 비판이 끊이지 않자 바람직한 학생선수상 정립의 일환으로 학생선수의 인권 및 복지를 회복하기 위해 2010년 한국대학스포츠총장협의회(Korea University Sport Federation)가 발족되었다.

KUSF는 대학스포츠의 정상화를 이루고 나아가 학원엘리트스포츠 선진화의 조지 정착을 도모하고자 2010년부터 홈앤드어웨이 방식의 리그제를 추진하고 있다. 이러한 시스템은 축구, 농구, 배구 종목에 시행되고 있으며, 지난 3년간 문화체육관광부로부터 98억 원을 지원받아 운영되고 있다. 얼마 전 KUSF는 리그제 시행 3주년을 맞이하여 리그제의 시행 성과에 대해 '학생선수의 학습권 보장'과 '경기력 향상'이라는 두 마리 토끼를 잡아 성공적인 정착을 일구어냈다고 보도하였다. 그러나 리그제가 과연 성공적으로 정착되었다고 할 수 있겠는가!

사실 리그제를 통해 학생선수, 지도자, 학부모들에게 학생선수들도 학업과 운동을 병행해야 한다는 인식을 심어주게 된 것은 큰 변화라 볼 수 있다. 하지만 여전히 경기력 저하, 폭력성, 일반 학생들보다 월등히 낮은 평점 등의 문제가 해결되지 못한 미과제로 남아 있다. 이로 인해 우리는 대학 스포츠리그제가 성공적으로 정착하기 위해서 어떠한 대안들이 있는가에 관심을 기울여야 한다. 즉 내실화를 꾀할 수 있는 발전 방향을 모색한다는 것이다

이미 미국에서는 수십 년 전 운동선수의 미흡한 학업 이수 문제가 뜨거운 관심사로 대두되면서 다양한 연구를 통해 학생선수 인권침해, 부정 선수 선발, 학업성취도 하락, 일탈 등의 문제접을 발견하였고, 이를 해결하고자 많은 노력을 기울여 왔다. 결국 이를 개선하기 위하여 NCAA(National Collegiate Athletic Association)가 설립되었고, NCAA는 '공부하는 운동상 정립'을 위한 대교스포츠리그(Division Ⅰ, Ⅱ, Ⅲ) 도입을 통해 미국 대학 스포츠를 선진화의 반열로 이끌었다.

대학스포츠리그제의 실시에 있어 최우선적인 개선이 요구되는 것으로 학교 경기장 시설, 대학측의 홍보, 리그제 시즌 일정, 마케팅 활동 등을 지적한 바 있다. 이러한 측면에서 볼 때 학생선수의 경기력 향상과 학습권 보잔 등을 확보함으로써 공부하는 학생선수상을 정립하고자 시행한 대학스포츠리그제가 3년을 지난 현 시점에서도 실행상의 문제점으로 여전히 내실을 기하지 못하고 있음을 여실히 보여주고 있다.

더욱이 KUSF의 많은 노력에도 불구하고 대학스포츠 리그제가 활성화되지 못한 채 국민들의 관심조차 받지 못하고 그들만의 리그로 전락되고 있는 것은 한국스포츠를 지탱하는 대학스포츠가 위기에 직면했다고 볼 수 있다. 따라서 현재 대학스포츠리그제 운영에 직접적으로 관계하는 전문가들의 경험적 진술을 토대로 그동안 지적되어 온 문제점에 대한 내실화 방안을 모색함으로써 앞으로 대학스포츠리그제의 안정적 발전의 대안을 이끌어내야 할 것이다.

119. 정의론적 관점에서 본 체육요원 병력 특혜

우리나라에서는 지금껏 여러 차례 스포츠 선수의 병역특례를 두고 단순히 기준 강화 문제를 넘어서는 다양한 의견 충돌과 논란이 있어 왔다. 일례로 2002년 한·일 월드컵과 2006년의 월드베이스볼클래식 대회 참가 선수들에게 예외적인 규정을 통해 병역특례를 제공한 사실이나 런던올림픽 축구 대표 팀에서 나타난 박주영 선수 발탁과 김기희 선수의 1분에 걸친 경기 투입은 병역특례에 대한 선수들의 자격 문제가 거론되는 계기가 되어 병역특례 혜택 부여에 대한 반대 의견을 자극하기도 하였다.

이처럼 스포츠 선수의 병역특례는 과연 특정 국제대회 입상을 근거로 병역특례 혜택을 주는 것이 타당한 것인지, 이미 연금·포상금 등의 혜택이 주어진 상황에서 국민의 4대 의무 중 하나인 국방의 의무를 면제해 주는 것이 공평하고 적절한지 등 제도의 형평성, 적절성, 타당성에 대한 의문이 제지되어 왔다. 그리고 병역특례 혜택을 받은 성수가 추후 국가대표로 선발되는 것을 회피할 경우 어떻게 대처할 것인지, 선수들이 국가대표 발탁을 병역면제의 수단으로 인식하고 있는 것은 아닌지 등 선수들의 병역특례 혜택을 받을 자격이 있는가에 대한 도덕적 차원의 문제가 제기되기도 하였다. 특히 체육요원 병역특례가 국위선양과 국내 스포츠 발전이라는 미명 하에 나타난 성과 위주 엘리트 체육 정책의 산물이라는 지적도 존재하고 있어 병역특례라는 제도 자체의 정당성마저 의심받기도 하였다.

동시에 국내의 스포츠가 발전하는 데에는 여전히 국제대회에서 스포츠 선수들의 역량과 성과가 가시적으로 나타날 필요가 있음을 주장하며 이를 위한 선수들의 참여와 희생의 동기부여 수단으로서 체육요원 병역특례가 국방의 의무를 면제해 주는 것이 아닌 공익근무요원으로서의 복무를 의미하기 때문에 실제로는 스포츠를 통해 국방의 의무를 다하고 있는 것이라는 지적도 있다.

하지만 체육요원 병력특례에 대한 지속적 논란은 체육요원의 봉사활동을 통해 그 역량을 사회로 환원하도록 하는 운영 제도의 개선이나 그 존속 여부에 대한 여론 수렴 등을 통해 그 근본적 해답을 찾을 수 없을 것으로 보인다. 그렇다고 해서 체육요원 병역특례의 형평성과 타당성 및 필요성을 국방의 의무와 국가적 업적 사이의 산술적인 계산을 통해 결론을 내릴 수도 없는 일이다. 또한 국민의 정서를 기반으로 그 결론을 내릴 경우, 명확한 기준 보다는 대중의 정서에 휩쓸린 감정적 결과가 우려되기도 한다. 스포츠 선수의 국제대회 성과에 따른 병력특례의 문제는 사회적 합의에 의거한 가치 기준을 바탕으로 그 옳고 그름을 판단하고 이를 근거로 그 제도의 존치 여부와 개선의 방향을 모색하는, 보다 근본적이고 가치판단적인 논의가 필요한 문제이기 때문이다.

동양적 관점에서 정의는 인간을 사랑하는 따뜻한 마음에 대한 인식과 이를 실행하고자 하는 의지, 그리고 인간 행실의 기준을 제시하여 올바른 사회를 추구하는 지침이 된다. 즉 정의란 구성원 모두가 충분히 행복할 수 있는 효율적이고 효과적이며 안정적인 사회를 만드는 근원적 가치 기준이다. 또 무엇이 옳고 그른지, 무엇을 추구해야 하는 지에 대한 준거이자 지침으로서의 역할을 수행한다.

정의가 가지는 사회적 준거로서의 가치와 이상향에 대한 지침으로서의 역할을 체육요원 병역특례 문제에 대입할 경우, 정의는 스포츠 업적과 그 보상에 대한 사회적 평가의 가치 기준으로서 그 정당성과 평형성 및 타당성을 논하는 준거의 역할을 할 수 있을 것이다. 도한 현재의 체육요원 병역특례가 사회적으로 더욱 바람직한 제도가 되기 위해 어떻게 개선되어야 할지에 대한 이상향을 제시할 수도 있을 것이다. 나아가 이러한 논의를 토대로 체육요원 병역특례를 넘어 과연 스포츠라는 사회 현상이 그 사회 속에서 정당한 것으로 받아들여지고 바람직한 역할을 수행하는지에 대한 근원적 의문의 해답에 실마리를 제공할 수도 있을 것이다.

체육요원 병역특례는 제도의 목적을 기준으로는 정의롭다고 할 수 있으나 관련 운영 주체와 스포츠 선수들의 도덕성을 구현하기 위한 노력이 필요하다. 또한 현 사회의 제도인 병역법에 의해 만들어진 것으로써 정의로운 제도라 할 수 있으나 운영 주체와 스포츠 선수의 도덕성을 이끌어 낼 제도적 규범의 보충이 필요하다고 본다.

아시안게임에서 축구와 야구 종목으로 일본을 꺾었다. 스포츠팬들은 일본을 연파한 날인 9월 1일을 9·1절이라고 부르자고도 한다. 기분 좋은 날임에 틀림없다. 특히 축구에서 연장전에 일본을 파괴한 것은 국민들에게 카타르시스에 가까운 희열을 선사했다. 유례없는 폭염과 경제적 어려움을 겪고 있는 국민들은 아시안게임에서의 쾌거로 다소 위안을 얻었다. 국제경기에서의 승전보는 바로 그런 의미에서 값어치가 크다고 할 것이다.

그러나 최선을 다해 승리한 선수들의 노고는 차치하고 그들에게 주어진 병력특혜에 대해서 국민들의 갑론을박이 들끓는다. 법률적으로 그들에게 주어진 특혜는 합법적이다. 아무도 탓할 수 없다.[62]

120. 체덕지(體德智)가 옳다… 어쩌다 지덕체가 됐지?

'체덕지 교육' 이라 썼다고 치자. 신문 등의 편집자들은 의아해하거나 '지덕체' 로 고칠 것이다. 사전이 지덕체로 쓰고, 세상이 그렇게 안다. 미스코리아 행사의 진선미, 스포츠의 금은동 메달처럼, '그 순서' 는 결국 우열(優劣)을 드러내는 표지로 읽힌다.

권력의 깃발을 줄 세우는 의전(儀典)의 법칙이기도 하다. 예전에 군관민(軍官民)이던 것이 언젠가 민관군으로 바뀐 것을 눈치챘다면, 꽤 민감한 사람이다. 실제 시민이 관청보다, 군대보다 더 중요하게 여겨지는지는 제쳐두고 하는 얘기다.

지덕체는 부등식 智>德>體의 표현이다. '아는 것' 이 가장 중요하고, 도덕이나 윤리는 그 다음이며, 몸은 맨 나중이다. 우리 사회, 특히 교육에서 작동해온 우선 순위다. 끝내 약삭빠른 자만 살아남는 인간성의 빙하시대를 만났다. 예외도 있겠지만, 대세다.

이 순서는 유럽 출신이다. '건강한 신체에 깃드는 건강한 마음.' 영국 철학자 존 로크의 이 금언은 우리에겐 '체육대회' 슬로건이지만, 그에겐 '세상이 행복한 모습' 이었다. 다음은 그 어진 세계관을 가졌던 철학자가 쓴 '교육에 관한 몇 가지 단상' (1693년)의 한 대목이다.

'주입식 암기를 피하고, 체육 덕육 지육과 수학적 추리를 강조하며, 소질을 본성에 따라 발전시켜야 한다.' 그 순서가 체덕지 아닌가? 그런데 이상하다. 우리 교육에서는 '지덕체' 다. 외국에서 배 타고 들어왔을 교육(학)의 이 개념, 처음부터 그랬을까?

1906년 '대한자강회월보' 에 '교육세' 란 제목으로 실린 글이다. '무릇 교육은 체육 덕육 지육의 3대강(大綱)이 있어야 할지니….' 이 같은 체덕지 순서의 글이 당시 여럿이다. 또 아예 중요한 순서를 매긴 이런 글도 있다. '교육의 셋 중 (하나를) 취해야 한다면 덕과 지혜를 버리고 차라리 체육을 취할지로다.' (대한매일신보 1908년 2월)

그러던 것이 순서가 바뀌었다. 누가 왜 언제? 허망한 음모론일까? 인간과 자연의 조화로운 섭리에 번서는 반역인가? 바른 마음과 건강한 신체보다 입시용 성적과 출신 대학 이름이 먼저인 우리 세상의 '절대 이데올로기' 를 떠올리면, 체덕지의 순서가 옳지 않겠느냐는 이런 얘기는 계란으로 바위 치기일 터.

학생들, 특히 여학생들이 운동을 안 해서 걱정이란다. 교육청은 여학생들도 흥미를 느낄 체육 프로그램을 제공하기로 했다고 한다. 어찌 학생들뿐일까? 이런 사실, '지덕체' 순서 이념의 과실(果實)은 아닌지? 출세지상주의 같은, 'SKY' 만 학교라는 그런 따위 생각 말이다.

사람은 생명이다. 곧 생동(生動), 즉 '살아 움직임' 이다. 그 반대는 '죽음' 일 터. 인간과 운동의 관계를 깨우치는 체육은, 수단이 아닌, 인류의 본질을 다룬다. 여가생활의 선택 리스트와는 차원이 다른, 원초적 가치다. 감히 장담한다. 운동을 해야 너그러워지고, 공부도 일도 잘한다. 예뻐지고 젊어진다. 개인도 국가도 체육의 개념을 다시 디자인해야 한다. 마음(덕)과 지식(지)을 담는 몸(체)이 망가진 인간들의 참상을 매일 본다. 증오와 파괴다. 차라리 실체를 외면하고 싶을 정도겠다. 그래도 현실인데, 우선 밥줄이 급하지, 이런 핑계로 계속 망가지자고? 입에 익어서? 관례라고? 그러나 고쳐야 한다.[63]

사람은 생동(生動)한다. 생명체의 원리다. 운동은 몸 안에 피(혈액)와 기(氣), 혈기를 흐르게 한다. 몸(육체)과 정신(氣魄 기백)을 깨우는 것, 그게 체육이다. 혈과 기 막히면 죽음이다. 건강 망가지면 마음 피폐해진다. 공부만 하고 고시 쳐서 뭘 얻을까. 체-덕-지의 순환고리다.

우선 공부해야 경쟁에서 이긴다고? 운동 후 1교시 시작하는 학교의 사례를 왜 외면하는가. 큰 공부는 기운(氣運)으로 한다는 말 못 들었을까? 우리 아이들에게 사회는, 부모들은 도대체 무슨 짓을 하고 있는가.

생명 경시(輕視)의 현실을 절절히 느끼게 해준 시인의 생명사상은 인류에게 큰 숙제일 터다. 경쟁적으로 공멸(共滅)의 길 걷는 인류가 저마다 얻고야 말겠다는 섭리의 은총(恩寵)은 가당한 것인가, 돼지나 개 발에 명품 편자 붙이는 꼴은 아닌지. 경건함으로 세상 바로잡는 새 마음, 벽돌 틈새 여린 풀잎의 외침이 정작 필요한 시간이다.[64]

121. 스포츠 스타의 '병역특혜', 재고해볼 때다

미국프로골프(PGA)투어에서 활동 중인 배상문의 병역기피 논란이 점입가경이다. 병무청은 최근 배상문을 병역법 위반 혐의로 검찰에 고발했다.

국외여행기간 연장 불가 통보 뒤에도 귀국시한(1월 31일)을 넘겨 해외에 머물면서 병역의무를 미루는 것은 명백한 위법이라고 병무청은 판단했다. 이에 배상문은 "법적 문제가 없다"며 병무청을 상대로 행정소송을 제기했다. 어쩌다 촉망받는 'PGA 스타'가 정부와 법적 공방까지 벌이게 됐을까.

사태의 발단은 그가 2013년 초 PGA 우승으로 따낸 미국 영주권이다. 외국 영주권을 받은 국외거주자(이민자)는 관련법상 3년 단위로 해외체류 연장이 가능하다는 게 배상문 측의 주장이다.

하지만 병무청은 주소지가 국내이고, 대학원생 신분으로 입대를 미뤘던 그가 갑자기 취득한 미국 영주권을 내세워 다른 이민 영주권자들과 똑같이 대우해 달라는 것은 터무니없다고 반박한다. '영주권 취득 후 해당국에 1년 이상 계속 거주해야 한다'는 규정을 어기고, 국내에서 대회 출전과 학업을 병행한 만큼 더는 국외여행기간 연장이 불가하다는 얘기다. 사실 병무청은 배상문을 전형적인 병역기피자로 보고 있다. 이번에 연장 허가를 받으면 3년 뒤 또다시 37세까지 병역연기를 할 수 있고, 38세가 되면 병역이 면제되기 때문이다.

스포츠 스타의 병역 논란은 어제오늘의 일이 아니다. 현 병역법에 따르면 올림픽에서 동메달 이상, 아시아경기에서 금메달을 따면 병역면제를 받을 수 있다.

하지만 정치적 판단과 여론에 밀려 '예외규정'이 남발돼 이 규정은 '누더기'가 되기 일쑤였다. 2002년 한일 월드컵이 대표적 사례다. 16강 진출 확정 직후 주장을 맡았던 홍명보가 김대중 대통령에게 건의한 지 이틀 만에 국방부는 관련 규정을 고쳐 '초고속 병역면제'를 결정했다. 박지성을 비롯한 대표선수 10명이 혜택을 받았다. 병역의무의 형평성에 금이 갈 것이라는 일각의 우려는 '4강 신화'의 환호에 파묻혔다.

2006년 월드베이스볼클래식(WBC)에서도 똑같은 상황이 연출됐다. 당시 정치권과 야구계의 요구에 떠밀려 정부는 또다시 관련 규정을 고쳐 4강에 진출한 한국 대표팀에 병역 혜택을 줬다.

하지만 3년 뒤 같은 대회에서 4강에 오른 대표팀은 병역면제를 받지 못했다.

돈과 명예뿐만 아니라 병역 혜택까지 '덤'으로 챙기는 스포츠 스타들에게 비판 여론이 거셌기 때문이었다. 오락가락하는 병역정책에 국민적 질타가 쏟아졌고, 그 신뢰도 추락했다. 2012년 런던 올림픽에선 축구대표팀 동메달이 확정된 뒤 경기 종료 4분을 남겨놓고 투입된 김기희 선수가 병역 특혜를 받아 논란이 일기도 했다.

병무청은 2013년부터 체육대회 입상자의 병역면제 기준 강화 방안을 추진 중이다. 한 번만 입상하면 병역을 면제받는 것 대신 대회별로 점수를 매겨 일정 누적 점수를 채워야 병역 혜택을 주는 내용이다. 비인기 종목이나 문화예술계 쪽과의 형평성도 감안한 방안이지만 한국 스포츠가 고사(枯死)될 것이라는 체육계의 거센 반발로 별 진전이 없다.

국위를 떨친 스포츠 선수에 대한 국가 차원의 적절한 보상은 바람직하다. 하지만 그 방식이 꼭 병역면제여야 하는지는 재고해볼 때가 됐다. 스포츠 선수의 병역특례제도가 도입된 1973년 한국의 1인당 국민소득은 404달러에 불과했다. 국제무대에 태극기를 휘날리고, 대한민국을 부각시키는 활동을 최고의 애국으로 여겼던 시절이다.

세계가 주목하는 경제대국, 문화강국으로 부상한 지금까지 같은 잣대로 스포츠 스타에게 병역 특혜를 주는 것은 시대착오적 정책이 아닐까.

현실적 여건도 바뀌었다. 출산율 급감으로 군대 갈 젊은이가 크게 줄어 과거 보충역이나 군 면제를 받았던 경우까지 현역 복무를 하는 실정이다. 이런 추세라면 각종 병역특례 제도는 머지않아 폐지될 가능성이 높다. 일각에선 스포츠 선수나 문화예술계 인사의 경우 전성기가 지난 30세 전후에 군에 입대해 병역의무를 이행하는 방안 등이 대안으로 거론된다.

병역의무는 목숨을 바쳐 나라를 지키겠다는 모든 국민의 신성한 약속이다. 안보 상황과 현실적 여건을 고려해 누구나 신뢰할 수 있는 원칙과 기조가 그 핵심 가치가 돼야 한다. '열외'와 '특혜'가 남발되는 병역의무는 국민 통합과 안보에도 바람직하지 않다.[65]

122. 운동선수는 머리가 나쁘다?

3년 전 올림픽 성화회가 주최한 세미나에서 주제 발표를 한 적이 있다. 나는 태동 단계에 있던 학교체육진흥법을 비판했다. 1%의 운동기계를 겨냥한 학습권 보장, 최저학력제, 주말리그제는 맞는 말이긴 해도 정답은 아니라고 봤다. 그보다는 99%의 공부기계를 위한 운동권 보장과 최저체력제, 주중리그제의 도입이 시급하다고 했다. 나의 주장은 현장의 체육인들로부터는 박수를 받았지만 아직 포털에서 검색조차 되지 않는 낯선 단어로 남아 있다.

정부가 강력하게 드라이브를 걸고 있는 체육 정상화 방안도 취지엔 공감하지만 유감이다. 공권력 투입이 체육계의 자정 노력으로 이어지면 좋겠지만 현실은 그렇지 않을 가능성이 높다. 근본적인 치유책은 제쳐둔 채 몰아붙이기만 하면 비리는 더욱 지능화하고 범죄자만 양산된다.

위의 정책들은 첫 단추부터 잘못 채웠다는 생각이다. 속을 들여다보면 운동선수는 대부분 '돌대가리' 여서 사회 부적응자가 될 거라는 심각한 오류에 빠져 있다. 오랜 편견 때문인지 체육 관계자와 심지어 체육기자들도 비슷한 취급을 받곤 한다. 사람들은 자기 이름을 한자로 쓰지 못하는 운동선수는 나무라면서 셈법에 약할 수도 있는 조수미, 달리기 못하는 아인슈타인에겐 관대하다. 몇 건 터졌다고 체육계 전체가 비리의 온상일 것이란 성급한 일반화의 오류도 문제다.

엘리트 스포츠는 서울 올림픽을 거치면서 급성장했다. 반면에 학교체육은 잘못된 교육정책과 교육열에 밀려 여전히 그들만의 리그로 남았다. 이런 환경에서 어떻게 뛰어난 선수들이 끊임없이 나올까 의문이 드는 역피라미드 구조가 된 것이다.

밑바탕이 취약하니 은퇴 선수가 전문성을 발휘하거나 낙오한 선수가 진출할 일자리는 턱없이 부족하다. 나눠 먹을 게 없는 게 선수의 장래를 불안하게 하고, 비리로까지 이어지게 하는 주된 원인이다.

학교체육이 살아나면 생활체육이 활성화된다. 체육 예산의 50배에 이르는 의료비 지출이 줄어들면 체육 인프라 투자는 늘어나는 선순환 구조가 구축된다. 따라서 소수의 운동선수에게 국영수를 시키는 것보다 다수의 학생이 운동을 하도록 만들 방법이 있다면 그게 바로 정답이다. 같은 이유로 골프 최연소 세계 1위 리디아 고가 전인교육을 받는다고 대학에 진학한다면 그건 재앙일 뿐이다.[66]

123. 92세 마라토너

지금은 전국 곳곳에서 다양한 이름의 대회가 연중 열릴 정도로 마라톤이 대중스포츠로 자리 잡았지만 1960, 70년대엔 그렇지 못했다. 일반인은 범접할 수 없는 극한 운동쯤으로 여겨졌다. 마라톤 하면 고작 베를린올림픽에 우승한 손기정 선수와 '맨발의 왕' 아베베가 많이 회자되던 시절이었다. 월계관을 쓴 교과서 속 손 선수 사진은 식민 청년의 쾌거이자 민족 자부심이었다. 신발도 신지 않고 맨발로 42.195㎞를 달려 우승한 1960년 로마올림픽을 시작으로 최초 올림픽 마라톤 2연패의 위업을 달성한 에디오피아 청년의 활약상은 동경의 대상이었다.

페르시아전쟁에서 아테네가 승전했다는 소식을 알리고 숨진 전령사를 기리기 위해 나온 마라톤은 '자신과의 고독한 싸움' 이라 할 만큼 힘든 운동이다. 서구사회에서 마라톤이 주목받게 된 데는 이탈리아 출신 마라토너의 '불굴의 투혼' 이 큰 역할을 했다. 도란도 피에트리다. 1908년 런던올림픽에서 1위로 달리던 그가 결승점 앞에서 다섯 차례나 쓰러졌다. 하지만 포기하지 않고 주위의 부축을 받아 끝내 골인점을 밟았다. 비록 우승은 날렸지만 당시 알렉산더 여왕이 특별제작한 골드컵을 수여하며 그의 투혼을 높이 샀다. '화이트 크리스마스' 로 유명한 미국 대중음악작곡가 어빙 벌린이 '도란도' 란 노래를 지어 헌정하면서 마라톤 붐에 기여했다.

특별한 기술을 요하지 않고 언제든 혼자 할 수 있는 마라톤은 오늘날 단순히 체력 단련만이 아닌 자기 극복 운동이기도 하다. "초원이 다리는?" , "백만 불짜리 다리!" 대사로 많은 화제를 뿌린 영화 '말아톤' 이 그 한 예다. 실화를 바탕으로 한 이 작품은 자폐아를 둔 어머니가 아들이 좋아하는 달리기를 시키면서 장애를 극복해가는 과정을 감동적으로 그렸다. 실제 주인공의 그림일기에 '내일의 할 일-말아톤' 이라 적어놓은 것을 그대로 제목으로 사용한 이 영화는 2005년 국내 영화상을 휩쓸다시피 했다. 멀리 미국 캘리포니아 주 샌디에이고에서 92세 할머니가 마라톤 풀코스를 완주해 최고령자로 신기록을 세웠다는 소식이다. 장장 7시간24분36초를 쉼없이 달려 일궈낸 성취다. 아베베는 "가장 강한 적은 바로 자기 자신" 이라고 말할 만큼 마라톤은 자신과의 싸움이다. 구순의 할머니는 신체적으로도 정신적으로도 자신을 이긴 셈이다. 산만 높다 탓하지 않고 산에 직접 오른 결과다. 우리는 매사 산 타령만 하고 있지 않는지 되돌아볼 일이다.[67]

124. 달리기의 극한 상황서 느끼는 무아지경

운동을 하면 즐겁다. 그래서 홀딱 빠진다. 하루라도 운동을 하지 않으면 안절부절못하고, 좀이 쑤셔 어쩔 줄 모른다. 이쯤 되면 '운동 중독'이다. 이 중에서도 단연 달리기가 으뜸이다. 아마추어 마라토너 중엔 다리를 절룩이면서도 끝내 뛰기를 고집하는 사람이 있다. 어느 마니아러너스 하이 맛을 한번 본 사람은 또다시 그런 상태를 느끼고 싶어서 미친다. 더욱더 운동에 빠져들게 되고 그것은 곧 '운동 중독'으로 이어진다. 그렇다면 왜 이러한 현상이 일어날까. 그 원인에 대해선 아직까지 명확하게 밝혀진 것이 없다. 사람마다 그 느낌의 상태와 오는 순간도 천차만별이다. 어떤 사람은 한 번 풀코스 완주에 2, 3번도 느끼고, 어떤 사람은 수십 번 풀코스를 완주하는 동안 단 한 번도 느끼지 못한 예도 있다.

국내 아마추어 남자마라톤 랭킹 4위 이동길(31·위아)은 "한마디로 몸이 붕 뜨는 기분이다. 러너스 하이가 오면 다리에 힘이 완전히 빠져 더 달릴 수가 없다. 대부분 훈련할 때 그런 느낌이 오는데 컨디션이 좋은 상태에서 평소보다 좀 더 강도를 높게 했을 때 그렇다"고 말한다. 국내 아마추어 여자마라톤 랭킹 1위 문기숙(44)도 "난 평소보다 훈련을 세게 할 때 10~20km 지점에서 그럴 때가 잦다. 산 정상에 올랐을 때의 벅찬 환희라고나 할까. 1, 2km 그런 상태가 지속된다"고 말했다. 는 무릎 인대가 끊어졌는데도 어기적어기적 계속 달리다가 수술을 받기도 했다. 왜 이럴까? '러너스 하이(Runner's High)' 혹은 '러닝 하이(Running High)' 때문이다.

러너스 하이란 달리기를 할 때 느끼는 짜릿한 쾌감이나 도취감을 말한다. 일종의 무아지경 내지는 황홀경 같은 것이라고나 할까. '내가 내 몸 밖으로 빠져나간 기분'이라고 표현하는 사람도 있다. 심지어 미국 마스터스 중엔 "코카인을 마신 것과 흡사하다"고 말하는 사람까지 있다. 대부분의 학자는 러너스 하이의 원인으로 '엔도르핀설'을 지지한다. 사람은 운동을 하면 모르핀과 비슷한 천연 물질인 엔도르핀이 인체에 생성되는데, 이 엔도르핀이 뇌에 가득 차면 행복감을 느낀다는 것. 이런 현상은 주로 마라톤을 하는 사람들에게서 일어난다. 엔도르핀은 마라톤처럼 오랫동안 격렬하게 달리거나 기진맥진한 상태가 될 때까지 계속 운동을 할 때 많이 생성되기 때문이다. 물론 장거리 사이클 선수들에게도 발생한다. 심지어 물리학도가 며칠씩 밤을 새우며 무아지경으로 공부하다가 마침내 난제를 풀었을 때도 일어난다.

엔도르핀은 모르핀과 비슷하다. 우리 몸에서 생산되는 '천연 진통제'라고 할 수 있다. 하지만 온몸에 쾌감을 주는 대신 그 부작용도 있다. 통증을 완화해 주지만 중독성과 오버워크 문제가 따른다. 문기숙은 "러너스 하이가 왔을 때 기분 좋다고 질주하면 큰일난다. 오버워크로 인해 후반에 달릴 수 없기 때문이다. 초보자들은 초반에 러너스 하이가 오면 마구 뛰쳐나가는 경향이 있는데 이럴 때 다치는 경우가 많다"고 말했다. 황 감독도 "러너스 하이가 왔을 땐 더 빨리 나가고 싶은 느낌이 드는데, 이때 그 충동을 지그시 누르고 일정한 페이스로 달리다 보면 오랫동안 '충만감'을 만끽할 수 있다"고 말했다.

운동을 하면 누구나 컨디션이 좋아진다. 그렇다고 그런 기분 좋은 상태가 반드시 러너스 하이는 아니다. '최적 컨디션'과 '러너스 하이'는 엄연히 구별돼야 한다. 완주를 하거나 우승을 했을 때의 성취감과도 또한 다르다. 황 감독은 "1등으로 골인했을 때는 가슴이 터질 것 같은 희열로 가득 찬다. 정신적인 기쁨이 훨씬 크고 오래간다. 잠깐 왔다 가는 러너스 하이와는 비교가 되지 않는다"고 말했다.

달리기는 인간의 꿈이요, 본능이다. 하지만 러너스 하이는 어디까지나 그 과정에서 나타나는 한 부분일 뿐이다. 자칫 거기에 빠져들다간 중독이 된다. 마라톤은 어디까지나 완주가 목적이다. 몸에 와 닿는 산들바람, 길가의 아름다운 꽃과 나무들. 천천히 즐기면서 신나게 달리다 보면 자연히 러너스 하이가 온다. 새는 날고, 물고기는 헤엄치고, 사람은 달린다.

125. 오늘날 스포츠란 우리에게 무엇인가?

'오늘날 스포츠란 우리에게 무엇인가?' 사실 우리가 너무나 가까이 보면서 접하고 있는 스포츠에 대해 이 같은 물음을 던지는 것이 매우 새삼스럽다. 그러나 가만히 따지고 보면 우리가 매일 TV나 신문지상, 혹은 직접 관람하며 익숙하게 접하고 있는 스포츠에 대해 과연 보고 즐기는 것 외에 그다지 심도 있는 물음을 던져본 것 같지 않다. 아마도 스포츠에 대해 갖는 대다수 사람들의 생각은 그저 보고 즐기는 여가활동의 일부 정도일 것이다. 그러나 과연 그러한가?

지난 2002년과 2006년 월드컵의 길거리로 몰려나온 수백만의 시민들, 그리고 이 같은 호기를 놓치지 않고 끼어드는 자본의 손길, 매스컴의 상술 등 스포츠로서의 월드컵은 그저 현대사회에서 보고 즐길 수 있는 여가활동 정도로 한정시키기에는 너무나 막대한 영향력을 행사하고 있다. 뿐만 아니라 올림픽을 비롯하여 연중 끊임없이 매스컴을 넘나드는 각종 대회의 소식과 스포츠 스타에 대한 뉴스들은 그저 일상적 사건들로만 바라보기 어려울 정도로 우리의 삶과 밀착되어 있다. 물론 일상적인 것에 대해 불필요한 심각한 물음을 던지는 것이라고 반문할 수 있으나, 우리는 너무 익숙해져 있기 때문에 그것의 본질을 보지 못하고 그것에 얽매여 있는 경우를 볼 수 있다. 어쩌면 우리의 삶에 일상적으로 밀착되어 있는 스포츠가 우리의 삶을 그 자신에게 종속시키고 있는 기재일 수 있다.

미디어와 고도의 정보기술이 지배하는 현대사회는 권력독재에 항거하고 민주화를 열망하는 선구자들의 희생에 힘입어 객관적인 억압기재들이 거의 완전히 해체된 사회이다. 그러나 눈에 보이는 객관적 억압기재들이 사라졌다한들 진정한 자유가 도래한 것이라 할 수 없다. 우리가 자유로운 시민사회의 일원으로서 살아가기 위해서는 이제 우리의 일상을 억압하고 있는 기재에 대해 반성하지 않으면 안 된다. 그러나 일상을 돌아보기 어려운 것은 인간이 지극히 일상적인 것에 안주하기를 원하기 때문이다.

정재용의 『열광하는 스포츠, 은폐된 이데올로기』는 우리의 일상과 밀착되어 있는 스포츠에 대한 사회학적 측면의 반성적 성찰의 내용을 담고 있다. 바로 그런 점에서 너무나 일상적인 것이었기 때문에 그동안 당연한 것으로 받아들여 왔던 스포츠에 대해 새로운 관점에서 재음미할 수 있는 계기를 마련해주는 책이기도 하다.

책 제목만 보아서는 체육학 관련 학자의 작품이라고 생각할 수 있으나, 사실 저자는 사회학자이다. 필자는 책을 쓰게 된 동기로서 60년대와 70년대를 살면서 TV에 비쳐진 스포츠에 대한 흥분과 열정의 반면에 80년대의 암울한 시기를 보내면서 군사 독재 정권의 대표적 우민화 정책의 수단이라는 스포츠에 대한 이미지가 교차되는 이율배반적인 태도를 극복할 수 있게 된 것을 스포츠를 일상의 생활처럼 향유하고 있는 미국의 체험을 통해서라고 한다.

아마도 80년대에 민주화 과정을 경험했거나 보아왔던 사람들의 경우에 스포츠에 대한 이미지가 저자의 경우와 크게 다르지 않을 것이다. 그래서 그런지 스포츠에 대한 저자의 분석은 단지 사회학적인 분석의 틀에 갇혀 있는 것이라고만 느껴지지 않는 것 같다.

저자는 제1장에서 스포츠에 대한 개념 정의를 시작으로 저서의 대장정을 시작하고 있다. 저자는 기존의 '경쟁적 신체 활동' 이나 '대근 활동' 에서 한 걸음 더 나아가 '스포츠 제도론' 을 기반으로 자신의 논의를 전개하고 있다. 제1장에서 저자는 스포츠의 제도론을 기반으로 현대 스포츠의 특성을 역사적·사회학적 기반에서 분석해 나가고 있다.

이를 토대로 하여 현대인들이 스포츠에 열광하는 이유에 대해 캐시모어(Ellis Cashmore)의 이론을 빌어 ①스포츠의 예측불가능성이 너무나 뻔한 현대 사회의 예측 가능한 삶에 청량제 된 측면, ②지나치게 예의바른 현대사회에 인간의 동물적 본성을 발산할 수 있는 장치로서의 측면, ③너무 안전한 현대사회에 모험에 대한 인간의 욕망을 충족시켜준다는 측면 등을 들고 있다.

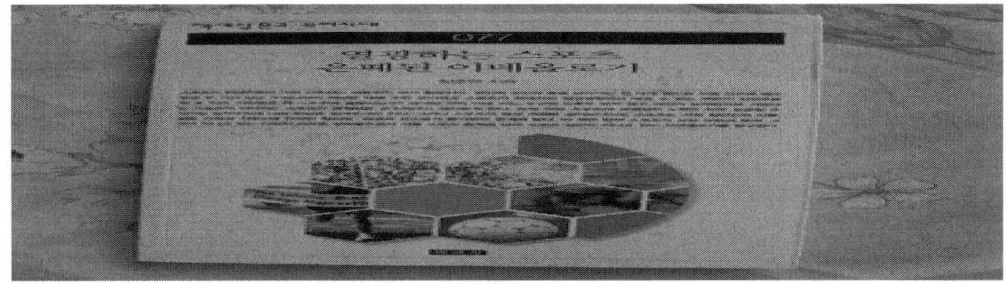

저자는 여기서 한 걸음 더 나아가 비판적 관점, 즉 앞서 캐시모어의 이론이 스포츠 수요자의 관점에서 설명되고 있다는 점을 비판하고 스포츠 공급자의 관점에서 분석해내고 있다. 저자가 접근한 관점은 우선 스포츠가 ④훌륭한 사회 통제의 도구가 될 수 있다는 점이다. 스포츠의 규율은 공정성과 공평성에 대한 신뢰성을 받아들이도록 한다.

그러나 대부분의 스포츠 규율은 과학적 원리와 상관없이 자의적으로 만들어진 것들이다. 그리고 이러한 규율이 자의적인 것들이라 하더라도 ‘스포츠 활동에 참여하려면 먼저 규칙에 절대 복종’ 해야 하는 것이다. 이렇게 ‘규율에 순종하는 태도는 스포츠를 통해 형성되는 신체 속에 각인’ 된다. 흔히 특정 스포츠에 적합한 신체 구조를 갖추어야 한다는 것, 즉 ‘몸을 만든다’ 는 말은 특정 스포츠에 참여하기 위한 과정에서 근육의 통증이나 고된 고통의 과정들에 순응할 것을 요구하는 것이다. 이것은 한편으로 스포츠의 표준화와 관련되는데 마치 신입사원의 용모 기준에 맞춰갈 수 밖에 없는 입사 지망생의 경우처럼 현대인들은 개인의 특질을 무시한 채 스포츠의 일반화된 표준화에 의해 규정된 신체의 규율에 복종하는 존재로 탈바꿈한다는 것이다.

한편 스포츠는 ⑤참여자들에게 즐거움을 부여해줌으로써 ‘사회 비판의 칼날을 무디게 하는 데도 효과적’ 이라고 한다. 즉 매일 쏟아지는 스포츠 소식이나 활동의 즐거움에 빠져 ‘일희일비하다보면 정작 중요한 사회 문제에 관심을 제대로 쏟지 못하게 된다’ 는 것이다.

한편 ⑥스포츠는 현대 자본주의 체제의 상업주의와 밀접한 관련을 맺고 있다. 즉 오늘날 스포츠는 거대한 산업이 되고 있다는 것이다. ‘현대인이 열광적으로 스포츠를 즐기게 된 데에는 더 많은 스포츠를 끊임없이 제공해줌으로써 그들의 소비를 부치긴 산업의 역할이 적지 않았다’ 고 저자는 피력하고 있다. 이 같은 스포츠 공급의 확대는 결국 스포츠 활동의 기회를 증가시켰고, 이에 따라 높아진 수요의 결과로 인한 전문 스포츠 선수들의 몸값이 치솟아 사회적 유명 인사의 반열에 오르게 된다. 이는 결국 스포츠를 통한 사회 이동의 기회라는 인식을 가져와 특히 하층 계급에게 효과적 사회 이동의 길로 인식되게 된다. 이렇듯 스포츠 공급자의 측면에서 보더라도 스포츠는 인기를 구가할 수 밖에 없는 것이다. 저자는 현대사회에서의 스포츠에 의한 세련된 사회 통제 수단으로서의 측면을 헉슬리가 그의 소설 『멋진 신세계』 에서 묘사한 “쾌락에 의한 지배” 사회에 비유하면서 제1장을 끝맺고 있다.

제2장은 현대사회에서 스포츠가 갖는 의미들을 파헤치고 있다. 저자가 지적하고 있는 스포츠와 연관된 의미들은 ①돈, ②정치, ③헤게모니, ④성, ⑤저항 등이다.

①오늘날 자본주의 사회에서 FIFA는 물론 IOC 또한 중계권을 팔아먹는 상술에 대해 비판받고 있으며, 순수한 아마추어 선수들 또한 각종 포상금이나 후원금과 무관한 경우가 없다. 사실 스포츠와 돈은 오늘날 완전한 밀착관계에 놓여 있다고 해야 할 것이다.

②스포츠와 정치의 관계 또한 이에 못지않다. 1936년 히틀러가 올림픽을 자신의 정치적 야욕을 실현하기 위한 수단으로 이용했던 것, 1972년 뮌헨 올림픽 당시 '검은9월단' 에 의한 인질극 등을 비롯하여 우리나라에서도 최근 이슈화되고 있는 정치인들에 의한 스포츠의 정치도구화에 대한 체육인들의 비판의 목소리는 스포츠와 정치의 부적절한 관계를 지적하고 있다.

③스포츠와 헤게모니에 대한 저자의 분석은 가장 주목해야 할만한 부분이다. 오늘날 대다수의 사람들이 일상적으로 스포츠를 보고 즐기지만 사실은 그 속에 내재한 헤게모니가 있다는 것이다. 19세기 중반 현재와 같은 축구가 자리 잡을 당시 축구는 상류층 자녀가 진학하는 퍼블릭스쿨에서 즐기던 스포츠였다. 이것이 일반 대중에게 널리 퍼지게 되어 버리자, 상류층은 럭비를 대안으로 삼았다. 같은 뿌리임에도 불구하고 럭비가 신사의 스포츠로 알려진 데에는 이러한 역사적 배경이 있는 것이다. 또한 골프의 경우 선수가 샷을 하기 전에 정숙할 것을 요구한다. 가령 타이거우즈가 샷을 할 때 플래시가 터지자 화를 냈다는 것이 골프가 고도의 정신집중을 요구하는 종목이라는 점에서 정당화되고 있는 것이다. 그러나 농구에서 자유투를 던질 때나, 축구에서 페널티킥을 찰 때에는 정신집중이 요구되지 않아서 반대편의 관중들이 이를 방해하는 응원전을 펼치는 것이 용인된다고 할 수는 없다. 결국 이는 고도의 정신적 스포츠와 육체적 스포츠를 분류하는 것과 관련이 깊으며, 그 이면에는 계급에 따른 스포츠의 선호에 차이를 두려는 헤게모니가 있음을 시사하는 것이다.

④스포츠와 성의 관계에 있어서 저자는 현대 스포츠가 남성성을 강조하는 방향으로 발전해 왔다고 지적하고 있는데, 이는 고대로부터 연원을 두고 있다고 한다. 고대로부터 여성은 주로 관객의 역할을 맡아 왔다. 이는 오늘날에 있어서도 그다지 나아지지 않고 있음을 여러 전거를 통해 설명하고 있다.

⑤스포츠와 저항은 일제 식민지 시대에 우리 민족이 일제의 강압적 통치에 저항할 수 있는 거의 유일한 수단으로서 스포츠가 역할을 하였듯이, 스포츠가 다양

한 형태의 저항의 의미를 갖는다고 저자는 말하고 있다.

제2장에서의 스포츠 의미 분석을 토대로 저자는 제3장에서 스포츠를 텍스트로 규정짓고 논의를 진전시킨다. '스포츠가 다양한 의미를 내포하는 사회적 활동' 임에 따라서 스포츠를 하나의 텍스트로 자리매김 시키고, 이를 다시 기호로 구성되어 있는 의미 있는 구조로 분석해 들어가고 있다. 여기서 저자는 ①스포츠에 은폐된 이데올로기, 그러니까 그 동안 스포츠가 지닌 것이라고 의심 없이 받아들어졌던 순수성, 공정성, 자발성 등이 하나의 이데올로기임을 세밀하게 파헤치고 있다. 그리고 ②스포츠의 의미 구조의 두 번째로 제시하는 것은 스포츠의 규칙이다. 규칙이 스포츠의 일차적 성격을 지배하며, 인간중심성, 또는 남성 중심적 성격을 갖고 있다고 한다. 또한 규칙은 모든 기록에 양적 요소가 지배한다는 점에서 양화의 중요성을 부각시키고 있다. ③스포츠의 의미구조는 또한 스포츠에 참여하는 사람들을 통해서 발견된다고 한다. 즉 주로 노동계급이 참여하는 스포츠로 인식되는 축구, 한편 상층계급이 참여하는 스포츠로 인식되는 럭비의 차이는 이를 반영하는 사례인 것이다. 나아가 ④현대사회에서 스포츠의 의미구조는 국가의 통제와 상업자본의 이윤 추구의 과정과 밀접한 관련이 있다. 이외에 저자는 스포츠의 의미구조를 ⑤ '특정 스포츠가 한 사회 속에서 구축해 온 역사와 그로 인해 형성된 사회적 이미지' , 그리고 ⑥ '다양한 욕구를 지니고 스포츠 활동에 참여하는 수용자' 들을 통해서 설명하고 있다.

이어서 스포츠가 주는 즐거움을 실제 참여자들이 느낄 수 있는 '육체를 움직이는 즐거움' , 스포츠 활동 속에서의 '경쟁' 의 즐거움으로 설명하고 있으며, 관람자들이 느낄 수 있는 '심리적인 만족감' , '팬으로서 느끼는 즐거움' 등으로 나누어 설명하고 있다.

많은 학자들이 지시하고 있는 스포츠의 본질적 요소인 경쟁적 성격에 대해서 저자 역시 나름의 설명을 시도하고 있다. 그러나 저자의 경쟁적 성격에 대한 설명은 스포츠가 갖게 되는 다양한 의미로 분석되고 있다. 즉 스포츠가 어떤 단순한 의미로 고정되는 것이 결코 아니라는 것이다. 스포츠는 일차적으로 스포츠 이데올로기(국가, 대중 매체, 상층 계급)와 단일한 차원에서 결정되지만, 스포츠의 대중 확산 과정은 의미를 변형하고 정교화 과정을 가져온다고 한다. 저자는 그 사례로 '인라인 스케이트가 달리기의 70퍼센트에 이를 만큼 운동량이 많다는 주장에 힘입어 다이어트에 효과적인 운동으로 새롭게 부각' 된 사례를 들고 있다. 제4장에서 저자는 이제까지의 논의들을 근거로 하여 마라톤을 사례로 설득력 있는 스포츠론을 전개하고 있다.

일선 학교에서 체육교과를 담당하고 있는 필자의 관점에서 가장 흥미로웠던 부분은 체육수업에 대한 저자의 관점이었다. 저자의 체육수업에 관점은 스포츠 제도론의 측면에서 현대의 표준화된 스포츠를 교육하는 측면에서 다루어지고 있다. 즉 체육수업은 표준화된 스포츠를 학생들에게 교육시키면서 한편으로 학생들을 사회적 틀에 적응시키는 주요한 수단이 된다는 것이다. 이는 현대사회로 들어오면서 교육과 스포츠가 결합하는 형태, 우리식으로 표현하자면 체육교육과정의 대부분이 스포츠 종목들을 다루게 되면서 이루어지는 과정으로 이해될 수 있다. 어쩌면 필자의 이러한 관점은 최근의 스포츠중심의 교육과정을 비판하고 새롭게 대두되는 문화, 생활, 또는 학생의 체험을 강조하는 체육교육과정의 흐름과 맥을 같이 할 수 있다고 생각된다.

『열광하는 스포츠, 은폐된 이데올로기』는 비록 사회학자의 사회학적인 분석틀에 의해서 걸러진 현대사회의 전형적인 스포츠에 대한 분석 이론이지만 스포츠사회학자들의 그것 이상으로 생생한 스포츠 현장에 대한 내용과 해석을 풍부하게 담고 있다. 특히 오늘날 스포츠가 우리에게 가져다주는 의미를 그저 보고 즐기는 여가의 수준에서 부여하는 일반적 흐름에 대한 나름의 자성의 계기를 마련해주는 내용을 담고 있는 것이다. 그런 점에서 어쩌면 지난 6월 월드컵 광풍이 온 나라가 사로잡아 버렸을 때, 과연 대한민국이 사로잡혀 있던 것이 스포츠인지 스포츠를 이용한 이데올로기였는지에 대해 많은 시사점을 남기고 있다고 판단된다.

그 동안 스포츠는 스포츠를 보고 즐기는 사람들은 물론 스포츠에 대한 전문가들 조차도 월드컵이나 올림픽, 아시안게임 등 각종 엘리트스포츠 잔치들을 통해 그 이면에 배태(胚胎)되어 있는 부정적 요소들에 대해 정직하게 대면하고 말해오지 못한 것이 사실이다. 특히 이번 2006 월드컵을 통해서도 스포츠 행사에 대한 무비판적 세태에 대한 자성의 목소리가 있었으나, 사회적 이슈로 등장하여 공론화되기에는 역부족이었다. 이는 어쩌면 그 동안 스포츠에 열광하여 온 시간만큼 스포츠 속에 은폐된 이데올로기에 세뇌되어 왔던 결과일지 모른다. 우리들을 억압하고 옥죄는 객관적 권력이 겉으로 사라졌다고 하여, 우리가 진정한 자유를 누리고 있는 것은 결코 아니다. 어쩌면 그것보다 더욱 강력한 방식으로 우리들의 일상과 의식을 지배하는 이데올로기에 대해 항거해야 하는 시대가 지금인지 모른다. 그런 점에서 이 책은 그 동안 엘리트스포츠 일색의 사회 분위기에 젖어있던 우리 스포츠 문화를 비판적으로 조명하고 우리의 일상을 지배하는 스포츠 문화에 대해 재성찰 할 수 있는 계기와 함께 새로운 스포츠 문화의 대안을 제기하고 있는 책이 아닌가 싶다.

126. 흑자 올림픽에 역량 모으자

'Yes 평창!' 우리 강원도민 힘의 결정체였다. 2018년 동계올림픽 유치의 기쁨을 만끽하였다면 이제는 성공적 개최를 위한 도민의 역량을 보여줘야 할 때이다.

각 언론매체들은 총생산액 유발효과 20조4,973억원, 고용창출 효과 23만명, 외국인 관광객 수 20만명 등 장밋빛 기사를 연일 경쟁적으로 보도하고 있다. 이 같은 경제적 효과 외에도 평창올림픽 개최는 관광한국의 위상을 드높이고 관광 인프라의 세계화를 견인함으로써 우리나라가 동북아의 관광허브로 부상하는데 크게 기여할 것으로 전망된다.

여야가 지난 8일 기본 합의한 동계올림픽 지원특별법이 제정되면 알펜시아와 동해안을 연계하는 세계적인 관광지구가 탄생하게 될 예정이다. 그리고 빚 8,000억원의 애물단지였던 알펜시아에 일말의 서광이 비치고 있다.

무려 65조원이라는 올림픽 경제효과도 중요하지만 성공적 개최를 위해서는 현재 진행되는 논의의 초점을 평창 이후의 '흑자 올림픽'에 맞추어 준비해야 한다. 일본의 나가노, 캐나다 밴쿠버와 같은 실패 사례를 타산지석(他山之石)으로 삼아야 할 것이다. 반면 미국 레이크플래시드, 노르웨이 릴레함메르의 성공사례를 모델로 삼아 강원도는 평창을 중심으로 동북아지역의 관광허브로 우뚝 서야 한다. 그래야 올림픽 자체가 성공할 수 있고 이후의 경제적 효과의 극대화도 기대할 수 있다. 이를 위해서는 다음과 같은 과제를 해결해야 한다.

첫째, 현재 계획 중인 도로, 전철, 경기시설 관련 각종 인프라가 조속히 확충돼야 한다. 특히 강원도로서는 유령공항으로 전락한 양양국제공항을 살려야 하는 현안을 안고 있다. 차제에 활주로 및 기타 시설의 확충과 더불어 주변 국가와의 직항편이 개설되도록 단계적으로 추진해야 한다.

둘째, 꿈나무를 육성해야 한다. 아무리 좋은 경기시설과 인프라를 갖추었다 하더라도 저변이 열악해서 남의 잔치가 되지 않도록 유망종목에 대한 선수 육성 종합계획을 수립하여 종목별로 기초를 다져야 하다.

셋째, 평창을 국내외에 알리는 스포츠 마케팅 역량의 제고가 중요하다. 전 세계에 불고 있는 한류 열풍과 IT 강국 등을 접목한다면 국가 브랜드 상승에 엄청난 효과가 있을 것이다. 그 방안으로는 페이스북과 같은 '소셜 네트워크 서비스(Social Networking Services)'를 통하여 저비용 고효율적인 해외 마케팅 활동을 펼쳐야 한다. 또한 정부 차원에서 유명 스포츠 스타를 비롯한 민간기업 및 단체, 한국관광공사, 각 부처 외국공관 등을 적극 활용함으로써 해외 언론 및 공항에 평창이 각인되도록 마케팅 전략을 조속히 마련해야 한다.

넷째, 과거 해외 사례에서도 보듯이 과도한 시설투자로 인한 적자를 경계해야 한다. 올림픽 성공 관련 방안으로 카지노, 면세점을 갖춘 쇼핑센터, 메가 리조트 개발, 문화유적과 연계한 스토리 발굴, 외국인 학교 및 병원, 대형 쇼핑몰 등 봇물처럼 쏟아지는 많은 아이디어에 대해 투자 효과성을 철저히 분석해야 한다. '냄비열기'가 아닌 장기적 관점에서 시설을 어떻게 활용하고 관광객들을 지속적으로 방문하게 할 것인가를 충분히 고려해야 한다.

위의 사항들이 순조롭게 실행되기 위해서는 올림픽특구 지정이 필연적이다.

다시 한 번 우리는 국민의 저력을 확인하였으며, 이를 선진국 대열에 진입하는 기회로 삼아야 할 것이다. 삼수의 각고 끝에 얻은 소중한 결실, 앞으로 7년의 시간 도민 모두가 합심해서 '새로운 지평(New Horizons)'을 열자(김경숙 (사)한국관광학회장, 강릉원주대 교수).

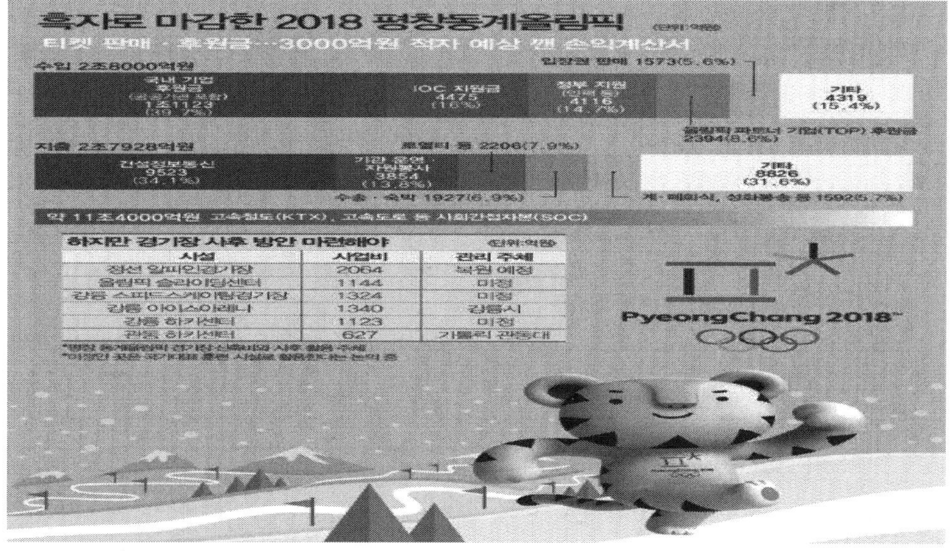

하지만 경기장 사후 방안 마련해야 (단위:억원)

시설	사업비	관리 주체
정선 알파인경기장	2064	복원 예정
올림픽 슬라이딩센터	1144	미정
강릉 스피드스케이팅경기장	1324	미정
강릉 아이스아레나	1340	강릉시
강릉 하키센터	1123	미정
관동 하키센터	627	가톨릭 관동대

127. 체육에 기득권은 없다

나는 지금까지 체육인으로 살아왔다. 가슴 가득 강원체육을 담고 있다 보니 아침 신문을 받아들면 나도 모르게 정치, 사회면보다는 체육면으로 먼저 눈이 간다. 체육이야기가 가장 정감이 간다. 또 체육일선에서 전해주는 선배들의 훈훈한 이야기나 후배들이 당당히 선전하는 모습은 나의 아침에 힘을 불어 넣어준다. 이렇듯 신문지상의 체육은 나의 삶에 있어 에너지가 된다.

하지만 요즘 강원체육은 체육인들의 활약상보다는 이런 저런 갈등과 내홍을 담은 어두운 기사들이 자주 지면에 등장한다. 강원체육에 뭔가 심상치 않은 기운이 깔려 있다는 이야기다. 체육은 경기에서 승리하기 위한 욕심뿐 그 어떤 욕심도 필요 없기에 체육만의 자정기능을 지니고 있다고 자부한다. 적어도 지금까지 강원체육인들은 그랬다.

맑은 물만으로 채워진 강물은 아무리 바람이 불고 물살이 강해져도 결코 물색이 탁해지지 않는다. 강원체육을 사랑하는 사람들이 강원체육의 건강함을 기원하는 뜻만 담고 있다면 결코 갈등과 내홍을 발생하지 않는다. 설령 조금의 이견이 있더라도 강원체육을 사랑하는 목적이 하나인 만큼 디더욱 이견이 갈등과 반목으로 발전하지 않는다. 체육은 승자가 있고 패자가 있다. 승자는 결코 자만하지 않고 패자 역시 절대 포기하지 않는다.

요즘 체육계에는 정치, 경제, 사회면에서나 볼 수 있던 기득권이라는 새로운 계층이 생겨났다. 체육에서 기득권층은 과연 누구일까? 난 강원체육을 위해 달려 온 지금까지 체육에 있어 결코 기득권층은 없다고 자신해 왔다. 기득권이 무엇을 더 얻을 수 있는 위치인지는 몰라도 적어도 체육에 대한 충정심이나 순수성을 버린 그 대가가 아닌가 싶어 씁쓸함을 버릴 수 없다. 체육인은 최선을 다해 경기에 임하고 이후 혼신을 쏟아 후배를 양성하고 뒤안길에서는 강원체육이 커 가는 모습을 바라보며 환하게 웃는 것 외에 더한 즐거움이 어디 있겠는가. 체육은 정치적 논리, 경제적 논리가 버무려지는 순간부터 더 이상 체육이 아니다.

또 이런 강원 체육의 갈등과 반목을 바라보는 언론의 시각 역시 요즘 영 탐탁지 않다. 분명 누가 봐도 잘못된 부분이 있고 바로잡아 가야 할 문제점이 있지만 현상만을 기사에 담을 뿐 문제점을 지적하거나 대안을 내놓지 못하고 있다. 언론은 '사회의 종'이라고 했다. 종은 누구라도 흔들면 시원하게 소리를 내야 한다. 상황에 따라 누가 흔드는가에 따라 소리가 크거나 작고, 혹은 내고, 내지 않는다면 더 이상 종이 아니다. 무엇이 두려운가. 도내 언론 역시 앞서 말한 기득권의 눈치를 보고 있다고는 생각하고 싶지 않다. 그것은 곧 우리 사회의 미래가 더 없이 어두워질 것이 자명하기 때문이다. 지역의 언론은 지역의 입장을 대변하고 강원도민들이 옳다고 생각하는 부분에 대해서는 힘을 실어주고 더 힘차게 나아갈 수 있도록 길을 제시해 줘야 한다.

난 오늘 아침도 그랬고 내일 아침도 지역 언론의 체육면을 열며 하루를 시작할 것이다. 내일은 나도 모르게 내 무릎을 탁 치며 "그렇지!"라는 행복한 감탄사가 나올 수 있기를 기대해 본다. 또 강원체육에 있어 기득권은 없음을 체육인 스스로가 증명할 수 있기를 기원한다(이동욱 도체육회 가맹경기단체 전무이사협의회장).

128. “축구는 축구로서 즐겨라”

내가 축구를 좋아하게 된 계기는 1970년 멕시코 월드컵이었다. 병약하고 감수성이 예민한 소년은 녹화 방영된 이 대회의 멋진 경기들을 뒤늦게 보면서 축구의 마력에 빠져들었다. ‘걸어 다니는 월드컵 백과사전’으로 불리는 카를 하인츠 하이만(82) 키커지 발행인을 비롯한 축구전문가들은 역대 최고의 월드컵으로 1970년을, 역대 최고의 팀으로 이 대회 브라질 팀을 꼽는 데 주저하지 않는다.

또한 “월드컵 역사상 최고의 명승부는?”이라는 질문에 1970년의 세 경기가 빠지는 경우를 보지 못했다. 브라질과 이탈리아의 결승전, 브라질과 잉글랜드의 예선전, 그리고 젊은 프란츠 베켄바우어가 골절된 팔에 붕대를 감고 연장 투혼을 발휘한 서독과 이탈리아의 준결승전이 그것이다. 이번에도 이탈리아와 독일은 준결승전에서 연장전 명승부를 다시 연출했다.

이 중 필자는 펠레가 이끄는 브라질과 역대 가장 빼어난 골키퍼 중 하나인 고든 뱅크스가 속한 잉글랜드 간에 벌어진 예선전을 역사상 가장 위대한 경기로 평가한다. 펠레, 자이르지뉴, 토스탕과 같은 초특급 브라질 공격수들의 파상공세를 기적과 같은 선방으로 막아낸 뱅크스의 신들린 듯한 플레이가 특히 기억에 남는다. 밀물과 썰물이 자연스럽게 교체되듯 물 흐르듯이 진행되는 가운데 건강한 격렬함이 가미된 이 경기는 축구라는 야만적인 스포츠가 우아한 ‘예술’이 될 수도 있다는 것을 증명해 보였다.

그러나 아쉽게도 1974년 서독 월드컵을 기점으로 축구가 타락하기 시작했다. 우선 지지 않는 수비 위주 전략이 득세했다. 이기기 위해서 반칙도 마다않는 행태도 점점 심해졌다. 1982년 스페인 월드컵에서 (미셸 플라티니의) 프랑스와 (카를 하인츠 루메니게의) 서독의 준결승 명승부와 같은 몇몇 경우를 제외하고는 (물론 이 경기에서도 서독 골키퍼 토니 슈마허의 혐오스러운 반칙이 있었다) 월드컵에서 진정한 아름다움과 재미는 사라져갔다. 특히 3, 4위전은 물론이고 결승전은 으레 재미없기 마련이었다.

최악의 예는 1990년 이탈리아 월드컵에서 독일과 아르헨티나의 결승전이었다. 실력이 처지는 아르헨티나의 비기고 보자 식 공 돌리기와 반칙이 난무했던 이 추악한 경기를 보면 축구의 미래가 없어 보였다. 다행히 백태클, 오프사이드, 백패스 등에 관한 경기 룰의 비약적 발전으로 야비한 반칙행위에 대한 제재와 원활한 경기진행이 촉진돼 경기수준이 많이 나아지고 있다. 예를 들어 2002년 한일 월드컵은 결승전을 포함해서 전반적인 경기의 수준이 그런대로 높은 편이었다.

한국선수들은 2006 독일 월드컵에서도 사력을 다했고 표면상으로는 어느 정도 성과를 올렸다. 그러나 전반적인 경기 수준은 다소 실망스러웠다. 패한 스위스전에서의 경기력이 이기거나 비긴 앞서의 두 경기보다 그나마 나았다. 그동안 한국축구에 대한 팬들의 기대와 열정은 높았지만 경기력은 그만큼 따라오지 못했다. 2002년에 개최국으로서 체면을 살리기 위해 거스 히딩크라는 '족집게 고액 과외교사' 를 채용해 큰 효과를 봤으나, 그러한 방식도 이제 한계에 다다랐다. 부유층 자제가 족집게 과외로 명문대에 가는 데 성공했더라도 막상 대학에 들어와 진짜 실력이 모자라면 교수들과 동료들에게 낮은 평가를 받는다.

한국축구에는 근성과 스피드, 그리고 끈끈함이 있지만 아직 '아름다움' 은 결여돼 있다. 창조적인 면이 결여된 기계적이며 도식적인 플레이는 마치 '노동집약형 산업' 을 보는 듯하다. 이번 월드컵에서 세계의 축구팬들이 코트디부아르와 트리니다드토바고에 대해 찬사를 보내고 있다. 그들이 비록 좋지 못한 성적으로 예선 탈락했지만 수준급의 경기력을 보였기 때문이다. 떠나는 딕 아드보카트 감독이 조언했듯이 한국축구는 "국제경험을 많이 쌓아 경기력을 향상" 해야 하는 숙제가 있다하겠다.

그리고 팬들도 축구를 진정으로 즐기기보다는 승패에 과도하게 집착하며 지나친 스포츠 애국주의를 종종 드러낸다. 또한 응원문화의 무질서와 월드컵의 상업화도 우려할 수준에 다다랐다. 이제 우리나라는 축구와 월드컵에 올인하는 과열상태에서 벗어나 진정한 경기력 향상과 건전한 응원문화의 정착에 신경 써야 하지 않을까. 그런 의미에서 독일 월드컵 개시 직전에 히딩크 감독이 우리에게 준 충고는 적절하다 하겠다.

한국인들이여, "축구는 축구로서 즐겨라" (강규형 명지대교수 · 현대사).

129. 좋아하는 스포츠 선수 동작 흉내내기

우리가 통상적으로 알고 있는 체육 수업의 모습은 '전통적 수업' 이라고 불린다. 전통적 관점에 따른 체육 수업의 모습은 서로 양극에 위치한 두 가지 다른 모습으로 우리에게 보여진다. 하나는 '일제식 수업' 이며, 다른 하나는 '아나공 수업' 이다.

우선 일제식 수업은 전체 수업이 교사의 명령과 지시에 의해서 일사불란하게 진행되는 것을 특징으로 한다. 수업의 시작, 진행, 중지, 종료가 모두 교사의 엄격한 감독하에 이루어지며, 교사가 유일한 통제 권한을 행사한다.

반면, '아나공 수업' ('아나, 공여기 있다.' 고 하며 교사가 공을 던져 주는 것에서 유래)은 학생들이 원하는 것이 무엇이든지 간에 그대로 하고 싶은 것을 하도록 내버려 두는 형태의 수업을 말한다. 학생들의 자발적 참여를 바탕으로 한 수업으로서, 게임 중심으로 이루어지기 때문에 교사의 개입은 최소화되거나 전혀 없는 것이다.

하지만, 이런 수업으로 내실 있는 학습이 발생하는 경우란 거의 없다. 학생들은 어떤 학습 내용을 배우기보다는 한 시간을 그냥 재미있게 보낸다. 즐거운 시간을 가질수는 있지만 배우는 시간이 되지 못하는 것이다. 즉, 학생의 흥미가 불균형적으로 강조되어 교과 내용이 소외되는 경우이다.

이상에서 살펴본 '일제식 수업' 과 '아나공 수업' 을 절충하여 학생들의 흥미와 적극적인 참여를 유도하고 교사가 의도하는 학습목표를 효과적으로 성취 할 수 있는 NIE 요소에 따른 체육과 활동 내용을 살펴보기로 하자. NIE 요소에서 가장 많이 이용하는 것은 신문의 사진이나 그림이다.

이는 체육과의 '표현활동' 영역과 연계하여 지도할 수 있다. 사진이나 그림에 등장하는 사람들의 움직임, 표정 등을 살펴보고 똑같은 동장 흉내내기, 반대 동작으로 나타내기, 친구와 한몸되어 표현하기, 모둠별로 여러 동작을 연속적으로 표현하기 등과 같은 활동을 할 수 있다.

또 스포츠란의 기사를 스크랩하여 그 경기에 대한 규칀과 게임방법을 찾아 공부하고 실제로 경기를 하면서 규칙과 방법을 익힐 수 있다.

최근에 부각되고 있는 '웰빙'의 분위기에 따라 각 신문에 실린 건강관련 코너의 기사들은 '보건교육'과 연계하여 지도할 수 있다. 일례로, '손만 자주 씻으면 질병의 70%는 예방이 가능하다.' 라는 기사를 읽고 손 씻기의 필요성을 이해하고, 손을 자주 씻는 습관을 갖는 태도를 기룰 수 있다.

이와 같이 체육과의 학습내용에 NIE 요소를 적용하면 교과서 위주의 수업내용을 실생활과 연관지어 재미있게 학습할 수 있다(정영화-<본지 Nie위원·인제(가리산)초교 교사>).

교육부가 알립니다
교사가 행복하고
학생이 즐거운
체육수업!
교육부

130. 주5일수업 '스포츠데이' 성공요건

- "인프라 확충하고 교육가치 실현할 문화 여건 조성해야" -

작년 2011년까지만 해도 토요휴무제가 격주마다 시행되어 왔다. 학교가는 토요일에는 주로 창체활동이라고 하여 동아리활동이 이루어지거나 주중에 부족했던 과목의 보충수업을 하였다. 그러나 이러한 활동은 학생들의 특기를 살리는데 큰 도움은 되지 못하였다. 그리하여 2012년 올해부터는 대부분의 학교에서 주5일수업제 시행이 결정되었다. 그래서 이번 기사를 통해 주5일수업제가 어떻게 이루어질 계획인지, 앞으로 기대되는 방향 등에 대해 알아보고자 한다.

'주5일수업제' 는 학생이 여유를 가지고 각자의 적성과 소질을 살리면서 자아실현을 할 수 있도록 학교의 수업일을 주당 6일에서 5일로 축소하여 실시하는 학교 운영을 말한다. 학습의 장을 가정과 지역사회로까지 확대하여 학생이 다양한 장소에서 다양한 사람들과 다양한 체험활동을 하도록 도움으로써 핵심 역량을 갖춘 미래 인재 육성을 지향한다. 즉 학교, 가정, 지역사회가 함께하는 토요 학교이다. 과거 학교의 교육만이 중점이 되었으나 주5일수업제는 학교, 가정, 지역사회에서의 교육이 균형을 이루는 교육공동체를 이루는데 목적을 두고 있다.

대한민국의 주말 모습이 새롭게 변화될 것 같다. 주5일 수업제가 2012년부터 초·중등학교에서 전면 자율 시행되기 때문이다. 여건이 갖춰진 시·도 교육청별 일부 초·중학교에서는 올 2학기부터 시범 운영된다. 더구나 주5일 수업제가 시행되는 학교에서는 토요일을 'sports day'로 지정해 운동 강습과 학생 스포츠클럽 간 리그 전개 등 다양한 체험학습의 기회를 제공하고자 한다. 학생들에게 건전한 여가시간의 운용 능력을 함양시킬 수 있는 이러한 교육정책에 대해 체육교육자의 한 사람으로서 환영할 만하다.

주5일 수업제는 학교에 집중된 교육을 가정과 사회가 함께 분담해 그들의 교육적 역할과 역량을 회복시키자는 것이다. 그것의 중심에는 스스로 학습할 수 있는 능력을 갖춘 학생이 있어야 한다.

우리는 그동안 다른 국가의 시행착오를 바탕으로 나름의 준비를 해 왔다. 두 차례에 걸쳐 교육과정을 개정했으며, 지역·계층 간 교육 불평등을 해소하고자 학교 운영 개선과 체제 개편을 추진해 왔다.

또한 부족하지만 지역사회의 교육 인프라 구축도 꾸준히 전개해 오고 있다. 따라서 다양한 관점을 지닌 사회구성원 모두가 만족스러워 할 정책 추진이 어디있겠는가마는 이 시점에서 정부의 교육정책 실무진이 공평성과 효율성의 균형을 위해 노력해왔을 것이다.

지식기반사회에서의 핵심역량은 지식의 재생능력이 아니라 지식의 창출능력이다. 따라서 우리는 지식암기 위주의 학력에서 창의력과 문제해결 능력 중심의 역량으로 학력의 개념을 재정립하고 있다. 그러나 이는 교육의 방향성이 아니라 실천의 문제에 당면하고 있다. 주5일 수업제의 출구전략으로 선정(?)된 'sports day'가 인적·물적 지원을 통해 연착륙(soft landing)하기 위해서는 몇 가지 문제점에 대한 해법을 고민해 봐야 한다.

첫째 획일적인 입시 위주의 교육과 서열 중심의 학교평가라는 구조적 문제이다. 이는 정부 주도의 제도 개선과 함께 스포츠 활동을 통한 교육적 가치실현이라는 적극적인 홍보활동이 필요하다.

둘째 복합 문화공간으로서 학교시설 구축의 문제이다. 'sports day'를 가족과 함께 참여할 수 있는 교육 인프라 확충을 균형 있게 추진해야 할 것이다.

셋째 레드 오션(red ocean)을 블루오션(blue ocean)화 할 수 있는 소프트웨어적 문제이다. 왜냐하면 주말을 놓고 여행과 레저산업, 외식과 공연 산업, 학원가의 주말반 등과 함께 교육적 목적성을 부여하는 수요자의 선택을 기다려야 하기 때문이다. 즉 제도적 울타리와 상대적으로 저렴한 비용부담이 매력적인 유인책은 될 수 없다는 것이다.

자칫하면 사회계층간 교육적 불평등을 더욱 심화시킬 수 있는 발화점이 될 수 있는 것이다. 어쩔 수 없는 선택이 아니라, 당당한 선택이 될 수 있도록 'sports day'가 갖는 아젠다(agenda)와 이니셔티브(initiative)를 갖추어야 한다. 단순한 운동기능 습득이나 몇몇 특정 종목의 경기 리그 전개라는 형식적 틀에서 벗어나 차별화된 교육적 가치를 창출할 수 있는 문화로 승화시켜야 할 것이다(홍석호, 성결대 교수).

131. 스포츠 산업 발전, 정부 손에 달렸다

지난해 한국 프로야구는 8017억원의 생산파급 효과와 3820억원의 부가가치 효과를 가져왔다. 8개 구단의 투자액은 2163억원. 구단의 지출에 경기장을 찾은 관람객의 지출이 더해져 이 같은 엄청난 경제적 파급 효과를 가져 온 것이다.

프로스포츠만이 아니다. 2010 밴쿠버 동계올림픽에서 금메달을 따낸 '피겨 여왕' 김연아가 가져 온 경제적 파급 효과, 일명 김연아 효과는 5조 2350억원으로 밴쿠버 동계올림픽 전체 효과의 86.5%나 차지하는 규모다. 국내외에서의 선수들 활약은 국내 스포츠산업 발전뿐만 아니라 국가 브랜드 제고에도 기여한다.

잘 지은 스포츠 시설도 마찬가지다. 서울 월드컵경기장은 2010년 180억원이 넘는 수입을 올려 2003년부터 8년 연속 흑자 경영을 달성했다. 경기장 스탠드 아래 공간을 예식장, 사우나, 대형마트, 영화관 등 경쟁력 있는 수익시설로 활용했고, 경기장 내 스카이박스는 연말연시 연회장으로으로도 빌려줬다. 또한 오케스트라 연주회 등 각종 문화공연 행사 유치로 서울월드컵경기장은 대형 야외 문화공간으로 자리 잡았다.

아쉽게도 스포츠산업 시장 규모를 측정할 수 있는 정확한 통계자료는 아직 없다. 하지만 스포츠가 국민경제에서 수행하는 역할을 나타내는 지표로서 국민스포츠총생산량(GNSP)이라는 용어로 스포츠산업 규모를 추정하고 있다. 스포츠 선진국인 미국의 경우 한때 GNSP가 502억달러로 담배, 석유 산업을 능가할 정도였다.

국내 스포츠산업의 규모는 미국이나 일본에 비해 많이 뒤떨어졌지만 1990년대 초반부터 급성장, 2008년에는 국내총생산 대비 2.57%를 차지했다. 앞으로도 스포츠 산업은 스포츠 소비의 증가에 힘입어 꾸준히 성장할 것이다.

그러나 기술, 인력, 정보, 재원 등은 타 산업에 비해 여전히 취약한 상태이다. 스포츠용품시장은 외국 유명 브랜드가 장악하고 있다. 1000만 관중 시대를 눈앞에 둔 프로야구의 관람 환경은 일본과 비교하면 창피한 수준이다.

최근 스포츠토토나 대기업들이 스포츠에 대한 지원을 아끼지 않고 있다. 그러나 정부 지원이나 제도적 기반의 변화가 없는 스포츠 산업 발전에는 한계가 있다. 지난 4월 문화체육관광부는 국내 스포츠산업에 대한 정부 지원을 대폭 확대하겠다고 밝혔다. 보다 적극적인 실천으로 미래 스포츠산업의 발전을 기대해본다(김종, 한양대 스포츠산업학과 교수).

132. '智德體' 교육, '體得智'로 바꾸자

이튼 칼리지(Eton College)는 영국 잉글랜드 버크셔주 이튼에 위치한 사립 중학교 및 고등학교이다. 1440년 설립된 영국의 이튼 칼리지는 현 캐머런 총리까지 총 19명의 총리를 비롯, 작가 올더스 헉슬리, 조지 오웰, 경제학자 케인스 등 각계의 수많은 리더를 배출했다. 뿐만 아니라 졸업생의 3분의 1이 옥스퍼드, 케임브리지 등 명문대에 진학했다.

이튼 스쿨의 교육활동 중 많은 학자들은 특히 한겨울 진흙탕에서도 멈추지 않는 스포츠 활동에 주목한다. 이튼은 19세기부터 교육과정에 럭비·크리켓·조정 같은 단체경기를 포함시켰고, 지금도 일주일에 사흘은 오후에 체육 활동을 해 학생 스스로 리더십과 협동정신을 기르게 하고 있다.

지난해 한국을 방문한 토니 리틀 이튼 칼리지 교장은 "성적위주의 교육만 하면 학교가 생산력이 뛰어난 공장에 불과하다, 우수한 시험성적을 내는 '좋은(good) 학교'는 시험성적 이상을 갖고 있어야 한다"고 했다.

세계10위권의 경제발전을 이룩한 대한민국 교육계가 문화 선진국으로 발돋움하기 위해 깊이 새겨야 할 말이다. 20여 년 전 '군관민'이라는 용어를 '민관군'으로 바꾸면서 국민이 나라의 주인 자리를 찾았듯이, 이제 지식 편중의 절름발이 교육을 치유하기 위해서는 우리 교육의 무게중심을 '지덕체'에서 '체덕지'로 옮겨야 한다. 이것은 국가의 미래를 책임질 세대들을 어떤 사람으로 키워낼 것인지에 대한 진지한 고민과 철학, 가치관의 문제다.

선진국일수록 체육을 중요한 교과로 여기고 학생의 스포츠 참여를 의무화하고 있다. 운동을 통해 체력을 기를 수 있을 뿐 아니라 두뇌를 발달시키고, 민주 시민의 기본 덕목인 협동심, 준법정신, 정의감 등을 배양할 수 있기 때문이다.

두뇌를 빌릴 수는 있으나 건강은 빌릴 수 없다는 말처럼 건강은 지식보다 중요하고 덕성보다도 중요한 기본 요건이다. 더욱이, 최근에는 적절한 체육 활동이 인지능력과 집중력을 높여 성적 향상에 도움이 된다는 연구 결과도 잇따라 발표되고 있지 않은가.

늦었지만 교과부가 '학생 체육활동 활성화 방안'을 마련하고, 문체부와 공동으로 '토요스포츠데이'를 운영하는 것은 매우 의미 있고 다행한 일이다. 내년 주5일 수업 전면 실시를 계기로 우리 교육의 대전환을 기대한다.

133. 올림픽과 지방자치

스포츠는 시대를 통해 다양한 사회문화적 틀 속에서 각기의 형태로 발달되어 하나 또는 그 이상의 문화를 표출하는 상징적인 도구로 자리매김해 왔다. 특히 올림픽은 개최 국가의 정치, 경제, 문화적 패러다임을 변화시킬 만큼 막강한 영향력을 발휘하고 개최국과 도시의 브랜드 이미지 제고는 물론이며, 새로운 정체성 형성과 주변 지역과의 외교 관계는 중대한 영향을 미치면서 개최국의 새로운 도약과 발전에 긍정적인 역할을 담당해 오고 있다.

세계인의 축제 베이징올림픽은 이제 대단원의 막을 내리고 2012년 런던올림픽을 준비하게 되었다.

2008 올림픽 베이징 그곳에서 우리 선수단은 연일 금맥을 찾아 노다지 황금을 캐냈다. 요즈음 같이 살기 힘든 세상 희망과 꿈을 잃을 수도 있는 어려운 시기에 하루가 멀다 하고 쏟아내는 금메달로 온통 나라가 올림픽 열기로 가득하다. 이로 인해 그나마 힘든 세상을 극복하고 있는지도 모를 기쁜 소식이다. 금, 금, 금 도대체 이런 전력은 어디에서 나오는 것일까? 자랑스러운 대한의 건아들 정말 자랑스럽고 영원히 사랑하고 싶다.

정치권과 정부는 물론 모든 지도자들이 우리 선수들만 같다면 우리 국민은 얼마나 행복할까. 올림픽과 지방자치는 4년마다 대표선수를 선발한다는 점에서 그 의미를 되짚어 볼 필요가 있다.

올림픽 대표선수들 대표선수가 되기까지 수많은 고통과 역경을 이겨내고 오직 국민과의 약속 그리고 당신의 영광을 위해 고되고 힘든 훈련을 거듭하며 피나는 노력과 경쟁을 통해 올림픽 국가대표로 선발되는 것이 아닌가.

이제 국가대표선수로 선발된 이후 국민과의 약속을 지키기 위해 세계 1위 금메달 획득을 위해 더 큰 희생과 노력, 열정 그리고 피와 땀 오직 금메달 획득을 위해 쓰러지고 일어나기를 반복하며 이렇게 국민에게 자긍심은 물론 희망과 꿈을 심어주는 올림픽 금메달로 보답한 것이 아닌가. 정말 자랑스러운 우리 국민의 대표선수다. 금메달을 향한 지방자치가 되어야 한다.

4년을 임기로 우리는 지방자치시대에 대표 일꾼을 뽑는다. 올림픽 대표선수를 뽑듯이 주민의 올바른 판단과 선택에 의해 매우 민주적이고 합리적인 절차에 의해 선출된다. 지방자치는 말 그대로 주민자치시대이며 주민참여 시대임이 분명함에도 주민참여 정책도 주민 스스로 참여하려는 의욕도 지방자치시대와는 거리가 먼 것 같은 느낌을 받곤 한다.

이제 지방자치시대의 일꾼은 오직 지역발전과 주민을 위해 4년 동안 올림픽 국가대표선수처럼 능력을 발휘하고 열정을 다해 자기 자신을 희생하면서 피땀 어린 노력으로 참다운 일꾼으로 거듭나야 할 것이다.

우린 가끔 머슴론을 강조하며 선거를 치르곤 한다. 머슴이 할 일은 주인이 따뜻한 겨울을 날 수 있도록 그리고 건강하게 살 수 있도록 장작을 패서 차곡차곡 쌓아두고 곳간에는 먹을 양식을 풍족히 쌓아두는 것과 같은 것이다.

주민 또한 지방자치에 대한 깊은 관심과 적극적인 참여는 물론 예리한 감시 활동을 게을리해서는 안 될 것이며, 행정을 물론 의정, 교육, 언론, 사회문화 모든 분야의 지방자치 구성원들이 자기혁신을 통해 끝없는 변화에 몸을 던져 우리 모두 올림픽 대표 선수들처럼 피땀 어린 헌신적인 노력과 열정으로 금메달의 지방자치를 활짝 열어갈 수 있도록 함께 노력해야 할 것이다(이기순, 도의원).

134. 사전 준비 없는 겨울산행 위험

산은 언제나 그 자리에서 변함없이 자신의 품으로 찾아드는 사람들에게 맑은 공기와 자연의 소리를 전해준다.

특히 겨울산행은 움츠러들기 쉬운 몸과 마음에 활력을 불어넣어 주고, 하얀 눈의 설경을 펼쳐 사람의 영혼을 맑게 정화시켜 준다.

설원에 피어난 탐스런 눈꽃을 보며 걷는 겨울산행이야 말로 묘미가 아닐 수 없다. 보석처럼 활짝 핀 눈꽃이 파란하늘을 배경으로 순백의 아름다움을 빛어 낼때 그 아름다움이란 감히 말로 형언하기가 어려울 것이다. 정상에 올라서 바라보는 눈 덮인 능선의 장엄함이란….

바라보는 이의 가슴을 환하게 열어줄듯 그야말로 일망무제라고 아니할 수 없다. 특히 정상에서 마시는 따뜻한 한 잔의 커피 맛은 또 얼마나 감미로운지….

이런 것이 겨울산행의 매력이 아닐는지. 하지만 색다른 낭만과 재미를 전해 주는 겨울 산의 매력 뒤에는 생명을 위협하는 엄청난 위험이 도사리고 있다.

아무런 사전준비 없이 겨울산을 오르는 것은 겨울을 찾는 등산객에게 혹독한 시련과 고통을 안겨줄 수 있다.

그러나 다음 몇 가지만 산행 전에 준비하시고 명심하시면 안전하고 즐거운 산행으로 겨울 산의 매력을 한껏 만끽 하실 수 있을 것이다.

첫번째 등산하고자 하는 산에 대한 기본정보(산장, 대피소, 등산로 위치, 기상예보 등)를 사전에 반드시 숙지하고 떠나는 것이다. 평소 다녀본 곳이라도 눈 덮인 산에서는 길을 잃고 헤매기 쉬우므로 기본정보를 가지고 출발해야 하며, 동절기 일몰시간이 이른 관계로 보통 5시경이면 어두워지므로 적어도 4~5시까지 하산할 수 있도록 산행 계획을 여유 있게 세우고 산행을 하여야 한다.

두번째로는 눈과 추위에 대비한 기본적인 장비를 가지고 산행에 임해야 한다. 등산화와 등산의류는 가볍고 방수처리가 잘되는 고어 텍스제품이 좋고, 속옷은 습건성 의류를 입는 것이 보온력 유지에 좋다. 장비로는 아이젠과 스패츠(발토시), 모자, 장갑, 스틱류 정도는 기본적으로 갖추고 출발하는게 좋다.

세번째로는 기온이 낮은 겨울철 체력소모를 대비한 충분한 식량준비다. 가능한 가볍고 열량이 높은 건포도, 곶감, 초콜릿, 사탕, 치즈 등의 비상식은 반드시 지참하고. 보온 수통을 준비해서 짬짬이 따뜻한 물을 마셔주는 것이 체온과 체력 유지에 좋다.

끝으로, 겨울산행은 가급적 산에 대해 잘 아는 사람과 동행하거나 여러 사람과 단체로 오르는 것이 좋다. 아마도 위에서 언급한 내용 이외에도 많은 준비사항이 있겠지만 위 사항만 잘 염두하면 겨울 산에서 큰 사고는 피할 수 있을 것으로 판단된다.

겨울 설경이 아름답지 않은 산은 없을 것이다. 필자 개인적으로 태백산을 권하고 싶다. 눈꽃축제와 눈꽃 기차여행의 코스이기도 한 태백산의 설경은 가보지 않은 이는 이야기 할 수 없는 절경이다. 산의 높이(1567m)에 비해 산행거리가 짧아 비교적 큰 위험요소 없이 오를 수 있어 가족단위 등산객에겐 안성맞춤일 것이다.

이번 겨울, 가족들과 함께 눈 덮인 태백산 정상에서 새로운 삶의 활력을 찾아보는 게 어떨까(유환기 태백국유림관리소장).

겨울 산행은 민감한 날씨때문에 준비물을 잘 챙겨야 한다. 산 정상에 가면 변화무쌍한 날이 많기 때문이다. 이때 준비해야 할 것은 아이젠, 등산스틱, 장갑, 털모자, 충분한 물과 식량, 보온병 등이다. 단단하게 챙겨야 매서운 추위와 폭설을 미리 대비하고 안전한 산행이 가능하다.

135. 체육늘려 공부도, 운동도 잘하는 학생 육성

체육(體育)이란 두 가지 뜻을 가지는 다의어이다. 하나는 몸(體)을 기른다(育), 즉 몸을 튼튼하게 단련하는 일. '생활체육' 이라는 용어에서의 체육이 이 의미이며, 신체 활동을 통해 체력과 건강을 유지 및 증진시킬 수 있다. 이쪽은 운동 항목으로. 어원으로서는 체조와도 연관이 깊다.

교과부가 '축구, 야구 등 주말리그', '운동하는 학생선수 프로그램', '스포츠클럽' 등을 추진하면서 학교 체육의 환경이 변하고 있다. 여기에 내년부터 주5일 수업제가 사실상 전면 시행되면 토요일은 '스포츠 데이' 가 될 것으로 보인다. 다양한 정책들이 추진되면서 운동선수와 일반학생으로 완전히 2분화 됐던 학교 체육은 이제 '공부하는 학생선수, 운동하는 일반학생' 이 서로 융화되고, 장기적으로는 학생들이 운동도, 공부도 열심히 해 건전한 사고와 건강한 육체를 가진 시민으로 성장할 것으로 기대되고 있다. 이에 본지는 학교 체육을 둘러싼 여러 가지 변화에 대해 사례와 정책, 전문가 시각 등을 통해 살펴봤다.

성적이 떨어진 학생은 대회에 출전하지 못하는 고교 축구부. 수업을 받고 훈련을 한 뒤 다시 보충수업을 하는 초등학교 운동부. 지난해부터 교과부가 추진하고 있는 '공부하는 학생선수 시범학교' 에서 나타나고 있는 학교 운동부의 새 바람이다.

이 프로그램은 '공부하는 학생선수' 뿐만 아니라 '운동하는 일반학생' 까지 포함한 정책으로 지금까지 학업은 뒤로한 채 경기력 향상에만 집중하던 운동부의 관행을 깨는 것은 물론 입시 위주의 교육정책으로 부진했던 일반학생들의 체육활동 참여도 적극적으로 유도하겠다는 것이 목표다. 이를 위해 교과부는 지난해 1월 전국 12개 초・중・고를 시범학교로 선정해 지원하고 있는데 시범운영이 1년을 넘어서면서 성과를 보이고 있다.

1승을 향한 일반 학생들의 도전(서울 상문고)=한 때 서울대 야구부가 화제가 된 적이 있다. 일반 대학생들로 구성된 야구부가 엘리트 코스를 밟아온 준 프로급의 다른 대학 야구부가 참가하는 대회에서 연패를 거듭하면서도 계속 도전하는 모습은 TV CF 소재로 쓰일 정도로 많은 사람들에게 감동을 줬다.

바로 이 무모한 도전을 서울 상문고가 재연하고 있다. 지난 시즌 기록은 18전 전패. 4득점 242실점. 서울 동부권역 최하위다. 하지만 학생들은 축구 때문에 즐겁다고 말한다.

지난해 교과부로부터 '공부하는 선수 시범학교' 로 선정된 12개 학교 중 운동부가 없던 유일한 학교였던 상문고는 일반 학생들을 모집해 축구부를 만들었다. 반에서, 동네에서 '꽤나 공 좀 찬다' 는 학생들이었지만 초등학교 때부터 운동만 해온 다른 학교 축구부에는 상대가 되지 않았다. 리그 운영 상 골득실 상황을 염두 해둬야 했기 때문에 다른 학교 축구부는 상문고를 봐주지 않았다.

1년 리그 결과만 놓고 봤을 때 처참했지만 학생들은 즐거웠다. 학생들은 이 즐거운 게임에 계속 참가하려면 '성적이 떨어져서는 안된다' 는 규칙을 지켜야 한다. 규칙에 미달하면 경기에 나가지 못한다. 실력이 있어도 '후보 선수' 가 되는 것이다. 학교는 훈련이 끝난 뒤 방과 후 학교를 통해 학생들의 성적이 떨어지지 않게 도왔다.

이 같은 원칙을 바탕으로 축구부를 운영하다 보니 시간이 흐를수록 '운동을 하면 공부시간을 뺏긴다' 는 상식을 뒤집는 결과가 속속 나오고 있다. 전교 200등대 학생들이 100위권으로 들어오는 것은 기본이고, 전교 40등까지 성적이 오른 학생도 있다. 이 학생은 장차 스포츠에이전트가 꿈이라며 밝히고 있다. 또 다른 학교에서 상문고로 전학 온 학생은 전교 547등에서 100위권으로 들어와 서울대 체육교육학과를 목표로 공부와 운동을 병행하고 있다.

축구부 창단 때 영입된 금응규 코치는 "학생들이 '운동 때문에 성적이 떨어졌다' 는 평가를 듣지 않기 위해 책임감을 가지고 공부도 더 열심히 하고 있다" 고 말했다.

공부하는 선수, 운동하는 학생(경기 오산 성호초)=역시 교과부 시범학교 중 하나인 경기 오산 성호초는 방과 후 학교를 통한 축구부 학업지원을 통해 상문고와 비슷한 성과를 내고 있다. 학생선수들은 일반학생과 같이 수업을 듣고 훈련을 한 뒤 다시 방과 후 학교를 통해 학업을 보충하고 있다. 성과는 운동과 학업에서 모두 나오고 있다. 학년 평균이하의 학생들이 평균보다 높아지고 있으며, 주말리그에서는 선두권을 유지하고 있다. 이 같은 성과 외에도 성호초는 일반 학생들의 체육활동을 지원하고 있다. 풋살, 복싱, 배드민턴, 씨름 등 많은 스포츠클럽을 통해 학생들의 건전한 활동을 지원하고 있는 것.

임성재 교장은 "다양한 스포츠클럽을 통해 학생들의 스트레스를 건전하게 해소할 수 있도록 지원하고 있다" 며 "연구결과에 따르면 운동을 하게 되면 뇌혈류 활동이 20% 이상 증가돼 공부에도 도움이 된다고 하는데 운동을 열심히 하는 학생이 공부도 잘하는 것 같다" 고 평가했다.

136. 공부하는 선수 만들기

우리나라의 엘리트스포츠는 지난 수십 년 간에 걸쳐서 국가가 주도해왔다. 국가가 국력을 과시하고 국위를 선양하기 위해서 스포츠를 정치적으로 이용해왔던 것이다. 한 마디로 그 동안 우리나라 체육·스포츠 정책의 기조는 엘리트스포츠 중심의 패러다임이었다. 엘리트스포츠가 융성하게 발전하는 데 있어서 그 모태가 되었던 것은 학교 엘리트스포츠였다.

학교 엘리트스포츠의 중심에 체육특기자 제도가 자리 잡고 있었다. 체육특기자 제도는 1972년 체육진흥의 일환으로 학교체육 강화 방안을 공포한 것이 시초가 되어 교육법 시행령에 의해 법령화되었으며, 1973년 대학 입학 예비고사 특기자 심사규정이 공포되면서 오늘에 이르고 있다. 체육특기자 제도는 우수한 기량을 가진 선수로 하여금 학업성적에 구애받지 않고 상급학교에 진학하여 지속적으로 운동을 할 수 있도록 하는 제도이다. 이 제도는 시행 이래 1986아시안게임과 1988서울올림픽의 유치 및 개최와 관련하여 가장 폭 넓게 적용되었다.

그러나 학교 엘리트스포츠는 승리지상주의에 편승하여 해가 거듭될수록 파행적으로 운영되고 학생선수들의 학교생활은 비교육적인 형태로 관행화되었다. 학생선수들을 운동기계로만 만들어 온 이 제도가 지니고 있는 많은 문제점들이 꾸준히 제기되어 왔다. 학생선수들은 학생으로서의 기본이라고 할 수 있는 공부는 도외시 하고, 우수한 경기 성적을 거두기 위해 오직 운동 기량을 향상시키는 데 매진하고 있기에 그러한 선수 양성시스템으로 인한 심각한 부작용이 끊임없이 양산되고 있다.

우리의 학교 엘리트스포츠 선수 양성 시스템을 미국이나, 캐나다, 독일, 일본 등과 같은 스포츠 선진국과 비교해 보면 우리의 선수 양성 시스템이 얼마나 잘못 운영되고 있고, 또 학생으로서의 선수 인권이 어떻게 박탈당하고 있는지를 쉽게 알 수 있다. 단적으로 전 세계 그 어느 나라에서도 학생으로서의 기본인 학업이 무시되고, 학생선수를 운동기계로 전락하게 만드는 식으로 선수 양성 시스템을 운영하고 있는 나라는 찾아보기 어렵다. 이러한 현실에서 보면 우리나라의 스포츠 경기력은 세계 10위권으로 스포츠강국임을 자랑하고 있지만, 스포츠 인권의 측면에서는 아직 후진성을 면치 못하고 있다.

다행히도 우리 사회가 민주화 과정을 거치면서 사회 전반에 걸쳐 인권에 대한 관심이 높아지고 스포츠 분야에서도 늦게나마 여러 가지 인권 문제들이 수면 위로 떠오르고 있다. 스포츠 관련 인권 문제는 학습권 박탈, 폭력, 성폭력이 중요 골자에 해당한다.

최근 인권의 사각 지대라고 여겨져 왔던 체육계에서도 인권문제를 다루는 시민단체들이 생겨나면서 스포츠인권과 엘리트선수 학습보장권의 문제가 스포츠계의 여론을 형성하고 있다. 게다가 체육계를 둘러싸고 있는 주변 환경의 변화로 인한 운동선수 기피 현상도 기존의 학교 엘리트스포츠 선수 양성 시스템을 그대로 유지하기 어렵게 되었다. 학생선수에 대한 인식이 변화되고, 학생선수들이 당면하고 있는 파행적 선수 양성 시스템에 대한 문제의식이 끊임없이 제기되면서 이제 국가적 차원에서 학교 엘리트스포츠의 환경 변화에 적극 대처하여 공부하는 학생선수상 확립을 위해 많은 노력을 기울이고 있다.

그 뿐 아니라 초·중·고 나아가서는 대학에 이르기까지 많은 학교현장에서 지금까지 관행적으로 이어져온 운동부 문화와는 달리 운동선수들도 선진 외국의 경우와 마찬가지로 학업을 병행해야 한다는 데 인식을 같이 하고 다양한 형태로 선수들의 학습권 회복을 위한 크고 작은 변화들이 일어나고 있다. 이러한 변화가 일어나기까지 국내 체육학계에서도 학교 엘리트스포츠의 파행성을 지적하고 정상화를 촉구하는 많은 노력들이 있어왔다.

공부하는 학생선수 만들기는 공부도 잘하고 운동도 잘하는 것을 목표로 하거나 기대하는 것은 아니다. 중도 탈락이나 은퇴 후 사회생활에 적응하는 데 있어서 꼭 필요한 사회적 기초에 해당하는 일정한 수준의 교양, 논리 수준, 상대와의 대화 능력 등을 갖추게 하지는 것이다. 즉 최저학력제 이상의 수준을 의미한다. 서구의 경우를 보더라도 공부하는 운동선수 만들기는 가능하다. 한 가지 명확한 것은 서구의 경우도 처음부터 이러한 시스템이 완벽하게 갖추어졌던 것은 아니다. 이제 시작에 불과하다.

정부, 체육계, 학교, 지도자, 선수, 그리고 학부모 모두가 학생선수의 인권과 학습권의 의미를 올바르게 이해하고, 공부하는 학생선수 만들기를 위해 함께 노력해야 할 것이다.

공부하는 학생선수 만들기는 공부도 잘 하고 운동도 잘 하는 것을 목표로 하거나 기대하는 것은 아니다. 이들이 중도탈락이나 은퇴 후 사회생활에 적응하는데 있어서 꼭 필요한 사회적 기초에 해당하는 일정한 수준의 교양, 논리 수준, 상대와의 대화 능력 등을 갖추게 하자는 것이다. 즉 최저학력제 이상의 수준을 의미한다. 서구의 경우를 보더라도 공부하는 학생선수 만들기는 분명히 가능하다.[68]

137. 태권도장 활성화 정책은 지도자의 코칭 유형

태권도(Taekwondo, 跆拳道)는 한국에서 기원한 격투기이다. 1960년대에 현대적인 격투기로 정립된 스포츠로 겨루기와 품새, 격파 등 다양한 기술적인 구분이 있으나 올림픽에서는 겨루기만을 치르고 있다. 1970년대 초 전 세계로 보급되어 세계적인 스포츠가 되었으며, 1973년 세계 태권도 선수권 대회 및 세계 태권도 연맹이 창립되며 국제적인 경쟁력을 갖춘 스포츠로 성장하였다. 본래 남녀 각각 8체급이 있으나 2000년 시드니 올림픽에 정식 종목으로 지정되며 올림픽에서는 남녀 각각 4체급만 치러오고 있다.

태권도는 전 세계 200개국에서 약 7천명 이상이 수련하며 한국을 대표하는 문화로 선정될 만큼 괄목한 만한 성장을 이루었다. 이러한 태권도 발전에는 생활스포츠의 일환인 태권도장의 공이 크다고 말할 수 있다. 왜냐하면 태권도장에서 처음 태권도를 접하게 되고 수련이 이루어졌으며, 태권도의 교육적 기능과 가치를 실현하고 보급의 중추적인 역할을 했기 때문이다. 이를 증명하듯 문화체육관광부(2010)이 선국등록・신고체육시설업 현황을 살펴보면 공식적으로 등록된 태권도장은 11,272개이며, 1972년부터 시작된 태권도 사범 연수와 생활체육지도자 연수를 통해 3,760명의 태권도 자격증 보유자를 배출하고 있다.

태권도장 지도자는 수련생을 유지하고 신규 관원을 모집하기 위하여 많은 관심을 가지고 있으며 이를 위해 주말행사, 도장 광고, 그리고 아침에 수련생을 학교까지 등교해 주고 하교까지 해 주는 차량 운행 등 많은 노력을 기울이고 있다. 하지만 이처럼 많은 노력에도 불구하고 수련생을 유지하고 신규 관원을 모집하기란 쉬운 일이 아니다. 대부분의 태권도장은 평균 회원수가 100명 내외로 감소할 만큼 경영의 영세성을 탈피하지 못하고 있고, 수련생의 85%가 미취학 아동과 초등학생으로 편중되어 있다.

이 또한 저 출산에 의한 절대 인구 감소로 태권도 수련생의 절대 다수를 차지해왔던 어린이 인구의 급격한 감소로 이어졌고, 태권도장의 과밀화 현산, 국내 경제의 장기적인 침체, 어린이 스포츠시장의 소비자 선호 변화 등의 변수들로 인해 태권도장 경영을 더욱 어렵게 만들고 있다.

그렇다면 이러한 어려운 현실과 상황에서 수련생이 많은 x태권도장과 수련생이 적은 태권도장의 차이는 무엇일까? 이 질문에 대한 답은 누구도 선뜻 내리지 못할 것이다. 물론 지도자 시설, 프로그램 위치 등 다양한 요인이 포함되어 있기는 하지만 대다수의 태권도장 지도자는 가르침에 있어서 무엇보다도 지도자의 코칭 행동이 중요하다는 것을 알고 있다. 왜냐하면 태권도장 지도자는 동일한 품새와 발차기 등을 배우고 국기원에서 단증 취득과 사범지도자 교육을 이수한 뒤 자신이 배운 내용을 토대로 수련생을 지도하고 있다.

결국, 지도자가 무엇을 어떠한 방식으로 어떻게 가르치느냐에 따라 수련생에게 필요한 기증과 지식을 쉽고 빠르게 이해시키고 지도할 수 있기 때문에 지도자의 코칭 행동이 태권도장의 가장 중요한 부분이라고 할 수 있다. 지도자는 다른 여타 직업과는 달리 인격 형성이나 일상의 과정에 있는 학습자 또는 대상의 삶에 개입해야 하며 그에 대한 책임 의식을 갖고 교육을 시켜야 하기 때문이다.

138. 체육활동은 학생들의 내면을 변화시켜 인성적 자질을 함양한다

인성은 '인간으로서 바람직한 품성' 을 의미하며, 인성교육이란 학생의 마음을 가다듬어 바르고 선한 품성을 길러주기 위한 교육이다. 학교교육의 궁극적인 목적은 교육을 통해 학생을 전인으로 성장시키는 일이며, 인성교육은 지식교육과 더불어 교육의 가장 중요한 과제라고 할 수 있다.

체육교과는 신체활동을 통하여 학생의 지정의를 통합한 전인교육을 추구하며, 체육교과 속에 들어 있는 '지식', '기능', '태도' 의 측면을 하나로 만들어 학생의 인성을 함양시키는 역할을 한다.

맥킨타이어의 실천 전통 관점에 의하면, '스포츠는 단지 제도화된 경쟁 활동이 아니며 문화적으로 가치 있는 인간 활동으로 학교에서의 체육활동은 학생들의 내면을 변화시켜 인성적 자질을 함양할 수 있다' 는 것이다.

특히 2007년 개정 체육과 교육과정은 신체활동의 직접 체험뿐만 아니라 그 속에 담겨진 역사, 철학, 문학, 예술 등 다양한 인문적 요소들을 통해 신체활동을 통합적으로 체험함으로써 경기 예절, 사회적 책임감, 페어플레이, 스포츠 정신 등 다양한 덕목을 기를 수 있도록 하고 있으며, 이를 통해 학생을 전인으로 성장시킬 수 있음을 강조하고 있다.

하지만 이러한 의도와는 달리 지금까지의 학교체육이 전인교육의 역할을 제대로 수행하고 있다고 주장하기는 어렵다. 체육수업의 대부분은 운동 기능 중심으로 이루어지고 있으며, 바람직한 태도, 사회적 규범과 같은 정의적 영역에 대한 교육은 운동 기증과 함께 통합적으로 가르쳐지는 경우가 흔치 않다. 체육수업은 이론 수업과 실기 수업으로 구분되어 가르쳐지고 있으며, 대부분의 수업 시간을 차지하는 운동장의 실기 수업은 지식과 태도에 대한 구체적인 정보를 제공하지 않고 있다.

체육수업을 통해 학생을 전인적으로 발달시키기 위해서는 운동 실기와 함께 인지적, 정의적 측면을 입체적으로 체험할 수 있도록 지도해야 하며, 그래야만 체육교과의 본질적 목적을 실현하고, 학교교육에서 체육교과의 정체성을 확립할 수 있는 것이다.

신체활동의 통합적 지도를 통해 학생의 인성을 함양하기 위해서는 무엇보다 체육교사 자신이 체육교과의 인성교육적 역할을 인식하고, 체육활동을 통해 감성적, 덕성적 자질을 갖추는 것이 필요하다. 학생들은 인성에 대한 지식을 머릿속으로 아는 것도 필요하지만 인성의 실제 모범으로서 교사의 성품과 행동은 가장 근원적인 수준에서 학생들에게 영향을 주기 때문이다.

이처럼 체육교사는 교과 수업에서 자신의 모습을 통해 인성교육을 실천하는 것이 필요하지만 많은 체육교사들은 자신의 주요 임무를 인성 함양이라는 교과지식, 그것도 운동 기능의 지도와 전달이라고 간주하면서 학생의 인성 발달 측면에 대해서는 별다른 관심을 두지 않고 있는 것이 사실이다.

이는 교과교육과 인성교육을 별개의 영역으로 취급하는 경향 때문이다. 예를 들어 인성교육의 영역을 전공 교과교육 이외에 봉사활동, 동아리활동, 상담활동과 같은 교과 외 활동으로 취급하는 것인데, 이러한 방안들은 근본적으로 지식교육과 인격교육을 의도적으로 구별하는 존재론적 이론에 근거한다.

여기에는 교육의 구성요소를 인지적, 정의적, 심동적 요소로 각각 구분하고 이를 발달시키기 위해 구성 요소별로 교과의 성격을 달리 해야 한다거나, 지식과 인격은 서로 양립할 수 없기 때문에, 인성교육은 지식교육인 교과교육과는 다른 별도의 조처를 취해야 한다는 이른바 '가법적 관점'이 그 배경에 깔려 있다.

따라서 인성교육 전문가로서 체육교사에게 필요한 자질인 '교직인성'에 대한 본격적인 연구와 실행이 절실히 요구되는 시점이라고 할 수 있다.

〔인성이 실력인 사회가 다가오고 있다〕

139. 메가스포츠이벤트 사후 공공체육시설 운영이 효율화 하여야 한다

'메가이벤트(mega-event)'는 올림픽, 월드컵, 세계무역박람회(EXPO), 각종 문화축제 등과 같이 대규모의 여가 관광 이벤트를 지칭하는 말로서 개최 도시에 장기간 지속적인 영향을 미치는 단기성 이벤트 또는 대중들에게 호소할 수 있는 극적 성격을 지니는 국제적 차원의 대규모 행사를 말한다. 그리고 메가이벤츠 중에서 올림픽, 월드컵, 유니버시아드 등과 같이 그 규모가 크고 전 세계적으로 영향을 미치는 메가스포츠이벤트는 정치·외교, 경제, 사회·문화적인 영향을 미치기도 하며, 세계 인류의 만남의 장을 이루며 국가적 이미지 제고에 영향을 미쳐 국제적 위상을 높일 수 있는 절호의 기회가 되고 있다.

메가스포츠이벤트의 파급 효과로 가장 규모가 크다고 볼 수 있는 스포츠이벤트인 올림픽의 경제적 수익을 살펴보면 1984년 LA올림픽의 직·간접 경제적 효과는 23억 달러에 이르며, 96년 애틀랜타 올림픽은 51억 달러, 2000년 시드니 올림픽은 65억 달러에 이르고 있다. 또한 국내의 경우는 88 서울올림픽에서 26억 달러라는 경제적 발전 효과와 더불어 33만 6천명이라는 고용 창출 효과를 가져왔으며, 2002 한·일 월드컵 개최는 부가가치가 4조원 이상 창출된 것으로 나타났다. 뿐만 아니라 국제 메가스포츠이벤트의 성공적인 개최로 인하여 비가시적으로 국가 이미지를 제고하고 국제적인 지위가 향상됨으로써 장기적으로 국가 및 지역 발전에 기여하기도 한다.

하지만 메가스포츠이벤트의 개최로 인해 발생하는 경제, 사회·문화적인 파급 효과에만 신경을 쓴 나머지 메가스포츠이벤트에 사용된 스포츠 시설의 사후 관리에 대한 체계적인 계획이 마련되이 있지 않는 것이 국내의 실정이다. 서울의 올림픽 주경기장은 '86아시안게임과 ' 88서울올림픽을 위해 건립되었는데, 1988년 서울하계올림픽은 한국이라는 이름을 전세계인에게 각인시킬 수 있는 절호의 기회가 되었다. 하지만 올림픽 주경기장과 그 주변 시설, 올림픽공원 경기장들은 경기장 운영에서 대부분 적자를 면치 못하고 있는 실정이다.1990년대 후반 올림픽 주경기장의 이용 일수는 연간 80~90일에 불과하며, 이용 인구도 80~90만 명을 기록하여 사용료 수입이 8억원 정도에 그치고 있어 경기장 유지 관리비에 절반에도 못 미치는 것이 현실이다. 또한 한 서울시 관계자는 '잠실주경기장에만 매년 서울시민의 세금 20억 원씩을 쏟아 붓고 있다' 고 AF하고 있어 올림픽주경기장의 문제의 심각성을 시사하고 있다.

성공적으로 운영하고 있는 메가스포츠이벤트를 위해 건립된 체육시설물의 예로 캐나다는 제15회 캘거리동계올림픽 시설의 사후 활용을 위하여 개최지로 확정이 되면서부터 새들돔(Saddle dome) 재단을 설립하여 체육시설물들을 콘서트, 로데오, 아이스쇼, 서커스, 컨벤션센터, 레스토랑, 쇼핑몰 등으로 연중 활용하였고, 이곳에서 나오는 수입금으로 아마추어스포츠를 지원하고 있다. 1997년 완공된 일본 요코하마 스타디움은 경기장 내의 수영장과 의료과학 센터를 건립하여 연간 40만 명이상의 시민이 이용하고 있다. 그리고 2008년 베이징 올림픽을 위해 건립된 수영경기장 '수립장(水立方)' 과 오과송문화체육센터는 레저 프로그램을 제공하여 기능의 상호 보완을 통해 Win-Win 효과를 창출한다는 전략과 북경의 중요 유산으로 자라매길 수 있도록 계획되어 올림픽 개최이후 북경서부지역, 나아가서는 전체 북경시밍에게 문화, 스포츠, 레저, 비지니스 통합 인프라를 제공하며 대규모의 아늑한 원림녹화지대 내에 비지너스, 문화, 레저 기능을 갖춘 복합타운으로 이용되고 있다.

이와 같이 메가스포츠이벤트를 위해 건립된 스포츠 시설을 사후 공공 체육시설로서 효율성 있게 사용한다면 가장 큰 문제점으로 나타나고 있는 시설유지관리비의 적자 문제 해결과 함께 지역사회 스포츠 활동에 긍정적인 효과를 가져다 줄 수 있다.

즉 국가의 적극적인 사회복지 정책이 될 수 있으며, 문화 및 사회 교육 공간으로서 역할이 제대로 수행된다면 지역 주민에게 지역 환경의 쾌적성, 편리성, 안전성, 건강성을 제공하여 삶의 질을 높이는 데 기여할 것이다.

최근 끝난 2020 도쿄올림픽은 예상과는 달리 7조 원의 적자를 기록했다고 알려졌다. 코로나바이러스로 여러 가지 우려를 지닌 채 시작한, 도쿄 올림픽은 애초부터 적자가 예상된다고 짐작하는 전문가들이 다수이긴 했으나 적자규모가 이렇게 크게 기록될 줄은 알기 어려웠다. 일본으로서는 이러한 팬데믹 상황이 상당히 안타까웠을 것이다. 하지만 도쿄올림픽의 실패의 유일한 원인이 코로나 하나뿐이었을까? 나는 그렇게 생각하지 않는다.

최근의 메가 스포츠 이벤트들의 손익을 따져보면 이러한 분위기는 지속할 것으로 예상한다. 2008 베이징 올림픽, 2014 소치 동계올림픽, 2016 브라질 리우 올림픽이 대표적으로 손해가 컸던 올림픽이고 이제 각 국가와 도시들은 올림픽을 개최하는 것에 두려움을 느끼고 있다.

140. 메가스포츠이벤트 사후 시설 활용에 대한 한 마디

우리나라는 86아시안게임과 88년 서울올림픽을 유치하면서 우리가 스포츠 강국임을 전 세계에 증명할 수 있었다. 물론 무리한 추진으로 각종 부작용이 발생했던 것도 사실이긴 하지만, 대체로 그러한 메가 스포츠가 우리나라 스포츠의 큰 발전을 이끌었던 것도 증명된 사실이다. 많은 경제적 효과를 봐왔고 그때 만들어진 스포츠 시설들이 이후의 스포츠 발전을 주도했으며, 국민으로 하여금 국가에 대한 자긍심을 가질 수 있도록 하여 직간접적으로 많은 영향력을 행사했다. 이후 2002년 월드컵을 치르면서 우리는 자신감을 느끼고 성대한 개최와 상당한 경제적 효과, 그리고 축구 실력에서도 큰 성과와 발전을 이룰 수 있었다. 그러나 이러한 메가 스포츠 이벤트가 최근에는 과거에 기대했던 그 효과를 내고 있지 못하고 있다는 지적이 계속되고 있다. 그 이유가 무엇인지 알아보도록 하자.

최근 끝난 2020 도쿄올림픽은 예상과는 달리 7조 원의 적자를 기록했다고 알려졌다. 코로나바이러스로 여러 가지 우려를 지닌 채 시작한, 도쿄 올림픽은 애초부터 적자가 예상된다고 짐작하는 전문가들이 다수이긴 했으나 적자규모가 이렇게 크게 기록될 줄은 알기 어려웠다. 일본으로서는 이러한 팬데믹 상황이 상당히 안타까웠을 것이다. 하지만 도쿄올림픽의 실패의 유일한 원인이 코로나 하나뿐이었을까? 나는 그렇게 생각하지 않는다. 최근의 메가 스포츠 이벤트들의 손익을 따져보면 이러한 분위기는 지속할 것으로 예상한다. 2008 베이징 올림픽, 2014 소치 동계올림픽, 2016 브라질 리우 올림픽이 대표적으로 손해가 컸던 올림픽이고 이제 각 국가와 도시들은 올림픽을 개최하는 것에 두려움을 느끼고 있다.

내가 생각해 본 대실패의 원인은 다음과 같다. 첫째, 정치적 이념이 스포츠에 너무 크게 작용하고 있다는 것이다. 냉전 시대에도 소련과 미국의 다툼 때문에 참여를 거부하여 완전하지 못한 올림픽이 존재했었다. 이제 냉전 시대는 종료되었지만, 아직도 러시아는 스포츠에서 자신들의 패권을 되찾으려고 무리한 시도를 한다. 약물검사에 적발되는 러시아 올림픽 스타들을 지켜보면서 그들의 스포츠 정신은 이미 무너졌다고 생각하는 것은 오직 나뿐만은 아닐 것이다. 또한,, 중국 심판의 편파판정으로 얻은 중국의 메달은 결코 그 영광을 영원히 빛내게 하진 못할 것이다.

두번째, 상업성이 너무 짙게 물들어버렸다. 올림픽과 월드컵은 스포츠라는 매개체를 통해 인간의 한계를 시험하고 아름다운 스포츠 정신을 보여주는 것에서 그치지 못했다. 출전하는 선수들의 유니폼에는 국기만큼 큰 후원사의 엠블럼이 스포츠에 집중하는 것을 방해한다. 또한, 경기장 여기저기에서도 그러한 후원사의 브랜드명은 쉽게 눈에 띈다. 그뿐 아니라, 중계권을 너무도 비싸게 판매하고 그것을 다시 재판매하는 과정에서 방송사끼리의 눈치싸움이 시작된다. 시청자는 오롯이 스포츠 이벤트만을 즐길 수 없게 되는 것이다.

마지막으로, 메가 스포츠 이외에 너무 많은 콘텐츠가 이 세상에 존재한다. 요즘 청소년들은 TV를 많이 시청하지 않는다. 짧은 길이로 재편집된 영상물을 유튜브라는 매체를 이용해 즐기는 방식으로 변하고 있다. 경기가 끝나도 전 경기를 처음부터 끝까지 볼 필요가 없으며 중요한 부분만 요약해서 보여주는 채널들이 다수 존재하기 때문에 스포츠 이벤트를 실시간으로 볼 이유가 과거보다 부족하다. 또한, 과거와 비교하면 스포츠 말고도 즐길 수 있는 것이 너무 많은 것이 사실이며, 메가 스포츠 이벤트들이 그러한 콘텐츠들의 재미를 월등하게 이기지 못하고 있다.

이렇게 스포츠 이벤트들은 조금씩 불안한 모양새를 보여주고 있다. 2014년 김연아 선수가 아쉽게 은메달을 따던 모습을 실시간으로 즐기며 탄식하며 그 이야기를 학교에서 친구들, 선생님과 나누던 기억이 있는 나에게 최근 경험한 도쿄올림픽과 베이징 올림픽의 분위기는 너무나도 생소했다. 세계적인 스포츠 축제라고 부르기에는 관심사도 현저히 떨어지고 대중들의 불신 또한 체감됐기 때문이다. 스포츠 이벤트를 기획하는 전문가들이 마케팅 전문가들과 함께 머리를 맞대고 이러한 위기를 극복하려는 장기적인 계획을 세워야 할 때라고 생각한다.

국민생활의 수준 향상과 함께 신체활동에 대한 국민의 관심이 날로 증가하고 있다. 현대생활에 있어서 공공 체육의 필요성이 더욱 크게 강조되고 있는 것은 각박한 현대인의 삶에서 공공체육은 신체적·정신적 건강함을 유지·발전시키는 데 있어 중요한 역할을 한다는 인식 때문이다. 이에 체육 시설은 지역 주민들의 체육활동을 위한 동기 유발로 실제적인 이행을 일으키는 기본 요건이 된다.

대도시로의 인구 집중현상, 국민소득의 증가, 여가 증가 등 사회적 변화에 따른 채육시설물의 증축이 되어야 하는 데, 정부 지원정책의 비현실성으로 인해 적정한 예산 확보가 어려워 실제 건설비의 10%내외의 지원율에 지나지 않아 형식적인 수준에 머무르고 있으며, 지원 분야에서도 전문체육 위주의 시설 확충에 치중하여 지역 주민이 선호하는 생활체육 시설의 보급이 아주 저조한 실정이다. 게다가 우리나라의 체육 시설은 선진국에 비해 수가 부족할 뿐만 아니라 설치된 시설도 지역적으로 편중이 심한 편이다.

이러한 측면에서 메가스포츠이벤트 개최를 위해 만들어진 공공체육시설물들이 지역사회의 생활체육공간, 문화의 공간으로 운영·관리가 잘 된다면 지방 자치단체는 시설 유지 및 관리로 인한 운영비 충당 및 수익 사업이 될 수 있으며, 지역 내의 시민들에게 부족한 공공체육 시설로 그리고 엘리트체육을 위한 전문적인 스포츠시설로 활용될 수 있을 것이다.

올림픽, 월드컵 등의 국제적 메가스포츠이벤트는 정치, 사회, 문화, 경제 등 모든 분야에서 매우 큰 의미와 가능성을 담고 있다. 특히2002년 월드컵과 관련하여 이루어진 전용 경기장의 건설과 교통, 숙박 등의 지원 시설 개선, 대규모 문화 행사 개최, 관광 산업의 진흥, 지역 환경의 개선 등 지역사회 발전에 기여하는바 또한 엄청나다.

하지만 이러한 경제적, 사회문화적 기대 효과가 일회성이 아닌 지속적으로 나타나기 위해서는 월드컵 경기 이후 경기장 주변 개발 사업과 연계하여 부가적 생산성 향상과 더불어 국제 초청 경기대회, 국내 프로 축구대회, 대규모 이벤트, 집회, 콘서트, 각종 전시회의 개최 등의 행사와 이벤트의 유치 그리고 서민들의 생활체육 장으로서의 역할을 수행하는 것 등 다양한 경기장의 활용 방안에 대한 대책이 세워져야 한다.

메가스포츠이벤트 개최를 위해 건립된 공공체육시설물들의 사후 운용 효율성을 높일 수 있는 개선 방안으로는 다음의 내용을 고려해 볼 수 있겠다.

첫째, 공공체육시설의 운영 효율화를 기할 수 있는 운영체제는 민영화나 민간위탁을 일괄적으로 선택하기 보다는 시설의 성격과 조직의 운영 상태, 그리고 유사 시설의 실적 등을 충분히 파악하여 결정해야 한다. 둘째, 시민들의 이용 효율성을 높이기 위해 기존 체육시설의 리모델링 및 시설 복합화를 추진해야 한다.

셋째, 공공 체육시설에서 운영되는 다양한 스포츠 종목의 특성을 인지하고 이용자들의 만족도를 파악하여 차별화된 서비스를 제공해야 할 것이며, 각종 시설의 효율적 활용과 연계성 확립, 지역 실정에 적합한 프로그램 보급과 지도 및 관리 능력이 뛰어난 지도자의 배치 등이 요구된다. 넷째, 지역사회 및 공동체로서의 역할을 수행하는 문화 교류의 장소로서의 역할을 할 수 있어야 한다. 다섯째, 홍보활동은 공공체육시설이 지역사회의 유기체로서 존재할 수 있도록 시설, 지도자, 프로그램, 동호인 조직, 교육 등의 다양한 내용의 홍보를 체계적인 방법으로 실시해야 할 것이다. 그리고 지역정체성 형성에도 도움을 줄 수 있도록 공공 체육시설의 역할 및 기능에 관한 홍보가 필요하다.[69]

141. 인성교육에 대한 체육교사의 인식이 변화되어야 한다

체육(體育)이란 두 가지 뜻을 가지는 다의어이다. 하나는 몸(體)을 기른다(育), 즉 몸을 튼튼하게 단련하는 일이다. '생활체육' 이라는 용어에서의 체육이 이 의미이며, 신체 활동을 통해 체력과 건강을 유지 및 증진시킬 수 있다. 이쪽은 운동항목으로. 어원으로서는 체조와도 연관이 깊다.

또 하나는 몸을 기르는 교육. 이 글은 교육으로서의 체육을 다룬다. 동서양을 막론하고 의외로 (군사적 목적과 별개로) 엘리트들에게 중요시되던 교육이다.

고대 그리스 시절에는 학생들이 배워야 할 3대 교과목 중 (체육, 수학, 음악[1]) 하나였고, 그 예시로 소크라테스와 플라톤은 레슬링을 수련하였다. 레슬링의 인기는 중세 유럽을 거쳐, 르네상스와 근대 유럽까지도 이어지며, 또한 중세 그리스에서는 전차경주가 오늘날의 프로스포츠 역할을 하였다. 근대 유럽에서 체육 교육 역시 공교육에 포함시켜야 한다는 담론이 거세지게 되고, 그에 따라 체육을 공교육 과목에 포함시킨 뒤 그 추세가 전세계로 확대되고 있다.

1954년 제1차 교육과정이 고시된 이후 수차례에 걸친 교육과정의 변화 과정에서 홍익인간의 교육이념을 근간으로 한 전인교육은 늘 교육의 지향점이 되어 왔다. 특히 최근들어 청소년의 비행과 학교폭력 문제가 심각한 사회문제로 대두되면서 학생들의 올바른 인성 함양을 위한 교육과정의 요구는 더욱 강화되고 있는 추세이다.

2009 개정 교육과정에서도 '창의·인성' 의 함양을 전 교과에서 지도할 수 있도록 강조하고 있으며, 국민의 48%가 '학생의 인성 및 도덕성 약화' 가 시급히 해결해야 할 교육문제로 인식하고 있듯이 인성교육은 교과교육과 비교과교육 영역 모두의 핵심적 이슈가 되고 있다.

국회 차원에서도 인성교육 실천 포럼을 결성하여 인성교육 지원법 제정을 추진하고 있으며, 교육부에서도 지속적인 인성교육 강화 계획을 수립하여 추진하고 있다. 우리니라뿐만 아니라 전 세계 미래 인재의 핵심 역량으로 인성과 창의성을 뽑고 있으며, 이를 위해 인성 함양과 체력 증진 및 창의력 제고를 위한 교육을 강조하고 있다.

특히 체육활동은 학교폭력 예방 및 인성교육 강화 일환으로 그 어떤 교과 영역보다 중요성이 강조되고 있으며, 학교 현장의 긍정적 결과가 지속적으로 보고되고 있다. 현행 체육과 교육과정은 신체활동을 통해 인내심, 페어플레이, 배려와 존중 등의 인성을 직접적으로 강조하고 있으며, 창의적 체험활동인 중학교 학교 스포츠클럽 활동에서도 바람직한 인성으로서 '사회성과 도덕성'의 함양을 핵심적 목적으로 제시하고 있다.

스포츠 활동이 참가자들의 바람직한 태도와 인성 함양에 도움을 줄 수 있다는 주장은 오래전부터 제기되어 왔다. 하지만 신체활동을 통해 길러야 할 '체육적 인성'의 덕목과 개념이 추상적이고, 체육교사도 체육교과의 인성 교육적 역할에 대해 부정적인 인식을 갖고 있거나 필요성을 인지하더라도 실천의 어려움을 겪고 있는 것이 사실이다. 심지어 스포츠 활동의 경쟁이 갖는 특성으로 인해 폭력성과 이기심 등 바람직하지 않은 품성이 강화된다는 주장도 제기되고 있다.

따라서 체육교육을 통한 인성교육이 성공하기 위해서는 체육을 통해 길러내고자 하는 '체육적 인성'의 개념이 보다 명확하게 제시되어야 하며, 이를 근거로 체육교사가 학생들의 인성 수준을 파악하고, 각각의 인성 덕목을 함양할 수 있는 신체활동 프로그램을 마련해야 한다.

체육교과는 책임, 공정, 배려, 약속, 소유, 정직과 같은 인간관계 덕목 함양과 관련이 깊다. 또한 체육은 경쟁과 자가 훈련을 근본으로 한다는 점에서 협력과 용기, 인내 극기 등의 덕목을 함양할 수 있다. '체육적 인성'의 개념과 수준 파악에 대한 논의가 최근 들어 본격화되었지만, 이들 논의는 학생 스스로가 자신의 인성 수준을 평가하는 자기 기입 방식으로 객관적 수준으로 파악하는 데 한계가 있으며, 인성 덕목 간 개념이 중복되거나 경계가 모호한 측면이 있다.

따라서 체육교사들이 실제로 학생들의 인성을 어떻게 인식하고 있는지, 체육을 통한 인성교육의 실천 여부와 현실적 문제점은 무엇인지에 대한 분석을 통해 체육적 인성교육에 대한 보다 실천적인 개선 방안을 마련할 필요가 있다. 이는 학생들의 인성 수준에 대한 보다 객관적인 접근과 실제 체육을 가르치는 지도자의 입장에서 현장 친화적인 인성교육 프로그램을 개발하여 실행하여야 한다.

142. 운동선수의 성희롱 및 성폭력에 대한 주관적 인식 체계를 이대로 둘 것인가

성희롱(性戲弄, sexual harassment)은 성과 관련된 말 또는 행동으로 상대방에게 성적 수치심, 굴욕감을 주거나 고용·업무상에 있어서 각종 불이익을 주는 등 피해를 입히는 행위이다. 상대방이 불쾌하면 '성희롱'이라는 인식이 널리 퍼져 있으나, 법원은 그렇게 보지 않는다. 어떤 행위가 성희롱으로 평가되면 불법행위가 되어 손해배상책임이 발생하고, 징계나 해고처분 대상이 되므로 그 성립 여부는 당연히 객관적으로 판단되어야 한다.

성폭력(性暴力, sexual assault) 또는 성범죄(性犯罪, sex crime)는 강간, 준강간, 유사강간, 강도강간, 강제추행, 준강제추행, 통신매체이용음란죄, 카메라등이용촬영죄, 성희롱 등 성을 매개로 하는 모든 가해행위를 포괄하는 개념이다. 세간에서는 성폭력이란 용어를 강간과 같은 뜻으로 사용하기도 하나 이는 성폭행과 혼동한 오사용이며 성을 매개로 상대방의 의사에 반하여 이뤄지는 모든 가해행위를 뜻한다. 법제상으로 성폭력은 강간, 강제추행 등 성을 매개로 하는 모든 범죄행위를 포괄하는 용어이다. 최근에는 디지털 성범죄에까지 그 영역을 확대하고 있다. 성범죄 중에는 과실범이 없다. 즉, 고의성을 띄고 상대가 원치 않는 접촉을 하면 성범죄에 해당하지만, 의도를 갖지 않고 만진 건 성범죄 자체가 성립을 하지 않는다는 뜻이다. 단, 민사로 손해배상 등을 청구한다면 이는 별개이다.

성폭력의 원인으로는 주로 성폭력을 행함으로서 성욕을 해소하려는 욕망과, 지배욕, 상대방에게 성적 모욕감과 수치심을 느끼게 하려는 능욕 목적 등이 있으며, 성욕을 해소하려는 욕망으로는 이성과 직접 성관계를 갖고 싶은 욕구를 자위행위로 해소하지 않고 성범죄를 저지르는 경우가 있다. 조건만남 이나 소아성애를 가지고 아동포르노를 소지하는 경우도 직접적인 성폭력에서 우회하긴 했으나 범죄에 해당하며, 성욕을 통제하지 못하고 우발적으로 경범죄를 저지르는 경우보다 성적 모욕감을 주려는 목적으로 저지르는 성폭력의 처벌수위가 더 강하다. 성폭력도 폭력의 일부이기에 동성간의 왕따에서도 목격할 수 있다.[70)]

스포츠 분야에서 운동선수들은 체육활동의 특성상 일반적인 상화에 비해 신체적인 접촉이 빈번한 상황에 많이 노출되고 있다. 특히 우리나라의 스포츠 환경에서는 훈련 시 남녀 간의 신체접촉이나 이를 매개로 하는 지도 행위가 일상적으로 이루어지고 있으며, 나아가 부모의 곁에서 떠나 합숙이나 전지훈련 등이 일반화되어 지도자와 선수가 함께 생활하는 시간이 많은 것으로 보고되고 있다. 이러한 환경은 상달수의 여성 운동선수들이 성희롱 및 성폭력을 경험케 하는 주요 요인으로 작용하며 특히, 지도자의 성희롱은 이미 사회문제화 되었다고 할 수 있다.

2008년 11월 19일 국가인권위원회는 '운동선수의 인권상황 실태조사' 결과로 청소년 운동 선수의 63.8%가 성폭력 경험이 있음을 보고하였다. 유형별로는 언어적 성희롱 58.3%, 강제추행 25.4%, 심지어는 강간 및 강제적 성관계 요구 사례도 1%~1.5%에 이르며, 동성 친구 및 선후배간의 성폭력 문제도 매우 심각한 것으로 나타났다. 또 다른 연구에 따르면 서울 시내 고등학교 여자 운동선수 중 약 34.4%가 성희롱을 경험하였고, 이들이 겪은 성희롱 유형 중 신체적 성희롱(45.7%)이 가장 높은 수치를 보였다.

이들 피해 선수들은 운동 참가 회피 행동과 심리적 불안정감을 보였으며, 피해경험을 친구 혹은 타인에게 알리지 못하는 소극적인 대처를 하는 것으로 나타났다. 더불어 운동부에에서 나타나는 성폭력 가해자의 범위가 운동 지도자 및 동성의 동료 선수까지 광범위해진 것으로 나타났다. 이렇게 한국 사회 전반에 걸쳐 다양한 집단을 대상으로 성폭력 실태를 조사하고 그 문제 해결을 위해 많은 논의가 시도되어 왔으나 운동부라는 특수 집단 내에서 발생하고 있는 성폭력에 대해서는 실태조사 마저 미흡한 실정이다.

성희롱에 대한 국내의 주요 연구 중 1989년 심영희가 성폭력과 구별되는 '성적 희롱' 이라는 용어를 처음 제시하였고, 1993년 1월 '서울대 조교 성희롱 사건' 이 민사소송으로 제기되면서 교육학, 여성학, 그리고 사회학 영역에서 다양한 우형의 성희롱 관련 연구가 수행되어 왔다.

그동안 미흡하였던 국내의 스포츠와 관련된 연구는 외국 학자들이 개발한 성희롱 질문지를 한국어로 번역하여 한국 상황에 적용될 수 있는지 검토하였으며, 이를 바탕으로 일반 학생과 운동선수들이 일반적인 상황과 스포츠 상황에서의 성희롱을 어떻게 달리 인식하고 있는지를 살펴본 바 있다.

최근 성희롱 및 성폭력 방지에 관련된 연구들은 여성 운동선수들의 경험을 바탕으로 한 현황 조사 혹은 성희롱 및 성폭력 예방을 위한 정책 또는 법 고찰 정도에 머물고 있을 정도이다.

첫째, 스포츠 현장에서의 성희롱 및 성폭력에 대한 운동선수의 수용 유형은 어떻게 분류되는가?

둘째, 이들 각 유형간의 동질적인 특성과 그 함의는 무엇인가?

143. 고등학교 운동선수들의 폭력 행위를 이대로 둘 것이다

한 동안 잠잠했던 운동선수들의 폭력이 도 다시 빈발하고 있다. 근자 K체대 체육학부 복싱부 학생들 '쇠파이프' 폭력 선배 고소 사건, 그리고 Y대 유도선수 구타에 따른 사망 사고에 이어 K대학교 아이스하키팀 총감독이 선수들에게 뜨거운 소주를 먹이고 흙바닥에 뿌려놓은 과자부스러기를 입으로 주워 먹게 한 '엽기적인 사건'이 알려져 충격을 주고 있다.

뿐만 아니라 앞선 2007년 9월에는 수영대표팀 코치가 T선수촌에서 합숙 중인 대표선수를 구타하고 폭언을 일삼다가 퇴출됐고, 같은 달 전북 군산의 한 중학교에서는 유도부 코치가 팀을 이탈했다는 이유로 제자에게 야구방망이를 100대 이상 휘두른 사실이 드러난 바 있다.

또한 길거리 농구 스타로 알려져 고등학교에 특기생으로 입학했으나 엄격한 선후배 관계와 신체적 폭력에 견디지 못해 자퇴한 사건과 2004년 11월 쇼트트랙 여자국가대표 선수들의 구타사건이 언론에 보도되면서 운동선수 구타 또는 체벌문제가 또다시 심각한 사회문제로 부각되었다.

이이들 사건 외에도 배구단 감독들의 선수구타 사건은 우리나라에서 선수 구타 및 체절 행위가 얼마나 뿌리 깊은 관행이며 광범위 있게 자행되는 지를 단적으로 입증하는 사례라고 할 수 있다.

이와 같은 선수들의 폭력과 관련하여 서울대학교스포츠과학연구소(2005)는 전국 16개 시・도, 초・중・고・대, 대표급 운동선수, 지도자 및 학부모, 국가대표 선수 및 지도자 2040명을 대상으로 조사한 결과 78%가 구타 경험이 있고, 또 다른(함정혜(1997) 연구는 중·고등학교 운동선수를 대상으로 폭력에 대한 실태를 조사한 결과 약 94%이상 구타에 대한 경험을 가지고 있다고 하였다.

이와 같이 스포츠 현장에서 빈번히 일어나고 있는 폭력 현상들이 사회문제로 대두된 이후, 우리 사회에서 폭력현상은 부정적으로 여겨지고 있으며 많은 스포츠 관계자뿐만 아니라 일반인에게도 관심이 대두되고 있다.

현재 우리 사회의 스포츠현장에서의 폭력이 아직도 빈번히 일어나 이슈화되고 있고, 선수들에게 폭력을 가하는 것들이 부정적으로 인식되고 있으면서도 없어지지 않고 있다는 것이 심각한 문제라고 할 수 있다. 특히 고등학교 시기인 청소년기의 운동선수는 아주 민감한 시기에 있기 때문에 감독 코치, 선배, 학부모 등에게 폭력을 당한 경험은 정신건강 및 정서에 큰 영향을 미쳐 운동수행에 부정적인 영향을 미칠 뿐만 아니라 이는 결국 향후 개인 사생활뿐 만 아니라 사회적으로도 심각한 문제로 이어질 수 있다.

군대에서도 거의 사라진 폭력 악습이 대한체육회에서의 자정운동을 본격적으로 시작했음에도 불구하고 학원 스포츠에서의 폭력이 뿌리 깊게 남아 있는 이유는 무엇인가?

운동부 집단 구성원인 지도자, 선후배, 선수들의 부모님 등이 운동선수들에게 기대하는 교육목적과는 달리 운동선수들에 대한 폭력은 오직 승리를 최우선으로 하는 승리지상주의 때문일 것이다. 그리고 운동부 구성원들이 생각하는 폭력은 짧은 시간 내에 가시적 성과가 나타나기에 효과적이면서 효율성을 함께 지니고 있다는 나름대로 폭력에 대한 인식이 있기 때문일 것이다. 폭력으로 성적을 올리겠다는 것은 시대의 흐름에 뒤떨어진 일이고 구태 의연한 지도법이라는 사실을 알고 있으리라 생각되는 데도 말이다.

하지만 폭력을 통해서 무엇을 얻을 수 있는지는 생각해 봐야 한다. 때론 선수들에게 무엇인가 자극이 필요하고 그 어떤 목적을 위한 다소간의 폭력은 필요할 수도 있다. 그러나 목적도 이유도 없이 폭력을 가한다면 교육을 위한 폭력이 아니라 폭력을 위한 폭력이 될 뿐이다.

폭력(暴力)이란 대개 상해나 파괴를 초래하는 심하고 격렬한 힘, 권력의 행사로 좁게는 남을 거칠고 사납게 제압할 때에 쓰는 주먹이나 발 또는 몽둥이 따위의 수단이나 힘을 말하는 단어다. 또는 온갖 무기로 억누르는 힘을 이르기도 한다.

고교 운동선수 설문결과 운동선수들은 폭력을 행사하는 지도자나 선배의 능력을 '뛰어나다' 고 생각하는경향이 있으나, 정작 폭력을 당한 자신은 운동을 그만두고 싶어한다는 연구 결과가 나왔다.

성균관대학원 체육학과 심향보씨는 자신의 박사학위 논문 '운동선수에 대한폭력행위가 탈진에 미치는 영향' 에서 전국 3개 도시 311명의 남자 고교운동선수들을 대상으로 지도력과 폭력 사이의 관계를 조사한 결과 이런 경향이 나타났다고 1일 밝혔다.

논문을 보면, 조사대상의 54.7%인 170명의 학생이 폭력을 행사한 지도자의 지도능력에 대해 '우수하다' 고 답한 반면, '보통' 과 '미흡하다' 는 응답은각각 27.3%와 18.0%에 그쳤다. 또, 폭력을 휘두른 선배의 운동능력에 대해서도 '우수하다' 는 응답이 전체의 45%(140명)로 나와, '미흡하다' (120명)와 '보통' (51명)이라는 대답보다 많았다. 그러나 지도자의 폭력을 경험한 169명의 선수 가운데 98명(58.0%)은 '운동을 그만 두거나 도망가고 싶다' 는 '회피반응' 을 보여 '열심히해야겠다' 는 '자기학습 반응' 을 나타낸 학생(47명, 27.8%)을 크게 앞섰다.[71]

144. 교육의 필요성이란 명분으로 체벌이 가능한가

체벌(體罰, corporal punishment, physical punishment)은 몸에 가해지는 물리적인 벌을 말한다. 신체형과 표면적 의미는 비슷하나, 대한민국에서는 주로 가정이나 학교에서 교육을 목적으로 신체적인 고통을 주는 행위를 일컫는 표현이다. 고대 사회부터 체벌은 세계적으로 교육(또는 훈육)에서 빼놓을 수 없는 수단으로서 사용되어 왔다.

체벌을 행해지는 장소에 따라 구분하면 가정 체벌, 학교 체벌, 군대 체벌로 구분되는데 이 구분은 실정법에서도 사용되는 부분이다. 체벌 금지에서 학교 체벌 금지와 가정 체벌 금지는 보통 분리되어서 진행된다.

인도에서는 경찰들이 위법 행위를 한 사람들한테 체벌을 한다. 코로나바이러스 감염증-19 사태가 한창이던 2020년 3월에 인도에서 찍힌 인도 경찰이 돌아다니는 시민들을 체벌하거나 팔굽혀피기 혹은 원산폭격을 하게 했다. 이 시기가 락다운 시기여서 가능한 거였다.

대한민국에서 학교 내의 직접적인 체벌은 2011년 3월 18일에 초중등교육법 시행령 개정안이 시행되면서 금지되었다. 간접적인 체벌은 아직 법적으로 금지되지 않았지만, 2020년대에 들어서는 이러한 간접적 체벌도 지양되는 분위기다.

대한민국 민법은 915조의 규정에 의거, 자녀를 향한 부모의 체벌권을 인정해왔다. 그러나 정인이 사건을 계기로 개정에 대한 공론화가 일어났고, 2021년 1월 26일 민법 915조의 규정이 삭제되면서 가정 내 체벌도 금지되었다.

한국에서 공교육을 받아본 사람들은 알겠지만, 사실 도구만큼이나 많이 사용되는 게 교사들의 손과 발이다. 교육의 필요성으로 폭력을 하는 것은 교육적 용어로는 체벌이라고 표현하는 데 이때의 체벌의 개념은 훈육의 한 방법으로 특정의 행동을 중단하도록 하기 위해 신체적 고통을 사하는 것이라 정의되고 있다.

우리나라는 예로부터 서당과 같은 교육기관에서 훈육과정으로 회초리가 사용되었으며, 여기서 체벌은 사용하는 정도와 방법에 따라 사랑의 매라 생각되면 훈육이 될 수도 있고 훈육이 아니라고 생각되면 될 수도 있는 상대적 개념이다.[72]

교육 내지는 가르친다는 이름으로 행하여지는 벌의 하위 개념인 교육을 위한 벌의 일종인 체벌은 질서 유지를 위한 규율을 위반했을 때, 또는 학업을 게을리 했을 때 등 교육의 장에서 교육목적을 달성하기 위한 수단으로 사용되는 제재로서 신체에 직접적으로 고통을 주는 행위의 일종이라고 볼 수 있다. 이렇게 일반적으로 체벌의 개념 내에서 폭력은 주로 육체적인 것으로 한정하지만 정신적인 것과 언어적으로 폭언과 폭설을 퍼붓는 것도 폭력에 해당된다.

폭력을 당하는 선수 입장에서는 신체적으로나 심리적으로 폭력을 당했을 때 선수가 자기의 잘못을 지각하고 폭력이 사랑의 매로 인식되었을 때에는 폭력에 대한 긍정적 반응이 나타날 수 있으나, 자기의 잘못을 인정하지 못해 피해 의식이 형성될 경우 나쁜 감정으로 발동되어 지도자에 대한 거부와 증오로 감정의 격돌 현상이 초래될 수 있다.

스포츠 현장에서 폭력으로 인한 탈진은 선수들의 경기력 향상과 선수로서 지속성에 많은 영향을 미친다. 폭력으로 인하여 나타나는 운동 탈진의 결과는 신체적·정서적 탈진, 스포츠에 대한 가치의 감소 및 타인과의 관계에 대한 부정적인 태도를 나타내는 비인격화로도 나타나고 결국 운동 성취 결여로 나타나는 증상을 보이고, 스트레스는 심해지고, 나중에는 만성적인 스트레스로 발전하여 결국 탈진으로 발전하게 된다.

폭력은 주로 운동선수들에게 인성 지도 과정 차원이나 운동의 동기 유발과 경기력을 분발 촉구하거나, 바람직하지 않는 행동을 제거하거나 억제하는 수단으로 폭력과 체벌을 사용하여 왔다. 결국 이것으로 인한 탈진은 정서적으로 고갈이 되어 불안 및 우울하게 되거나, 반사회적인 고갈이 되어 불안 및 우울하게 되거나, 반사회적인 성격장애로서 히스테리성, 편집성, 의존성, 성격장애 등의 비인격화로 원대한 포부와 꿈을 가지고 운동선수로서 전념해 온 개인에게는 꿈도 펼치지도 못하고 불행하게도 폭력으로 인한 탈진이 개인의 성취도를 이루지 못하고 운동을 포기하게 된다.

탈진은 지나친 폭력 및 훈련에서 그리고 경기결과가 부정적인 결과로 나타나고, 결국 폭력으로 인한 탈진이 심리적, 정서적, 생리적으로 고갈된 상태로 나나난다. 결국 운동에 대한 스트레스와 환멸로 운동을 회피하거나 도피로 나타나기도 하고 이것이 일상생활에로 이어져 만성적인 스트레스가 나타나 정상적인 생활에 어려움으로 나타나게 된다.

그럼에도 불구하고 운동부 집단 구성원들은 폭력을 통해 운동선수의 정신력을 강화할 수 있고 규율을 엄수하도록 하며 싸우고자 하는 의지와 힘인 투지력(鬪志力)을 증진하고 그리고 기량 및 기록을 향상시키고 정신 집중을 통해 부상과 사고를 예방할 수 있다고 믿고 그리고 때로는 지도자의 권위를 보존하기 위해서도 폭력이 존재해야 한다고 믿고 있다.

145. 프로스포츠 구단의 기업윤리와 윤리경영은 문제가 없는가

한국의 스포츠 체계는 과거의 의미와 형태에서 벗어나지 못하고 외형적인 틀만 확장되고 있는 실정이다. 스포츠를 행하는 사람과 종목의 형태는 변화되었지만 스포츠가 추구하고자 하는 지향점은 진보되지 못하고 있는 것이다. 특히 프로스포츠는 지속적인 발전을 거듭하고 있지만 소비자, 선수, 구단 등 프로스포츠의 두 체라 할 수 있는 요소들의 관계에 있어서는 미래지향적이라기보다는 과거의 형태를 벗어나지 못하고 있다.

최근 프로스포츠계는 선수들의 윤리 문제는 물론기업의 무분별한 팀 해체와 연고지 이전, 새로운 구단의 창단 방해 등으로 프로스포츠의 근간을 훼손하고 있다. 무엇보다 선수들의 윤리적 문제에 대한 결과는 대중매체에 연일 보도되면서 도덕적 희생을 강요하고 있지만 기업들의 윤리적 문제에 대해서 언론은 침묵하고 있다. 즉 선수 개인적 차원의 문제보다 무거운 윤리적 책임을 져야한 구단과 기업의 사회적 책임에 대한 문제는 소홀히 다루어지고 있는 것이다. 프로스포츠가 구단, 선수, 팬 등이 유기적으로 상호 작용하기 때문에 한 영역의 일방적 책임은 불합리한 것이다.

오늘날 기업은 이윤 추구라는 기본 목적 이외에도 사회에 대한 책임을 다해 인간 가치의 실현에 공헌해야 하는 책무가 있다. 이는 소비자들로 하여금 기업 및 브랜드에 대한 긍정적인 평판과 호의적인 이미지를 형성시키고 이를 바탕으로 신뢰를 구축하거나 제품 구매와 충성도 그리고 구전 등과 같은 기업 촉진을 높일 수 있기 때문에 기업의 입장에서는 매우 중요한 요소이다. 특히 사회적 가치라는 차원에서 프로스포츠를 운영하는 기업은 윤리 경영과 사회적 책임을 져야 하는 의무가 있다. 하지만 국민들의 참여와 관심으로 산업이 형성되고 있음에도 불구하고 사회적 책임은 소홀하다. 즉 구당의 사회적 책임과 윤리 경영에 대한 인식의 전환이 필요한 시점이다.

기업의 사회적 책임이란(Corporate Social Responsibility: CSR)dlfks '기업활동으로 인해 발생하는 사회 경제적인 문제들을 해결함으로써, 기업의 이해 관계자와 사회 일반의 요구나 기대를 충족시켜 주어야 하는 기업 형태의 규범적 체계 '라고 할 수 있다. 또한 윤리 경영은 기업이 지속적으로 성장하기 위하여 경제적 책임뿐만 아니라 사회적·환경적 책임을 다함으로써 경쟁 우위를 창출하는 경영 전략이다. 프로스포츠의 사회적 가치와 영향력이 상승하는 현재 시점에서 구단의 사회적 책임과 윤리경영은 국민과 소통하고, 스포츠 현장에서 발생하는 윤리적 문제를 해결하는 중요한 기저이다. 그것은 스포츠의 본질적 가치 차원과 프로스포츠의 구단 운영의 가치와 유사성을 지니고 있기 때문이다.

이와 함께 기업 윤리를 포함하여 사회가 안고 있는 많은 윤리적 문제들은 개인의 도덕적 가치 판단에 의해서만이 아니라, 그 개인이 소속되어 있는 사회의 구조나 제도 자체의 개선에 의해서 해결될 수 있다. 따라서 기업윤리에서는 개인의 도덕적 행위뿐만 아니라, 사회 구조와 제도의 문제에 대해서도 많은 관심을 기울여야 한다. 최근 급속한 기업 환경의 변화에 대응하기 위해서 전략적 주요과제로서 윤리경영의 실천 문제가 중시되고 있는 것도 이와 같은 맥락이다.

결국 프로스포츠의 현장은 경제논리와 윤리적 규범이 공존하는 장이기 때문에 구단 운영의 주체에 대한 윤리적 행위의 기준과 경영윤리는 무엇보다 필요하다. 즉 구단활동과 사회적 관계 사이에 발생하는 문제를 해결하는 방법으로써 '기업윤리'와 '사회적 책무'가 존재되어야 한다. 이것은 프로스포츠에 대한 사회적 관심이 증대되면서 선택이 아닌 필수적 요인으로 위치하게 되었음을 의미한다.

대한민국 스포츠의 경쟁력이 갈수록 떨어진다는 걱정이 많다. 도쿄 올림픽, 항저우 아시안 게임에서 이전보다 순위가 떨어졌다. 여자배구의 27연속 패배 등 여러 구기 종목의 국제대회 성적은 부끄럽기 짝이 없다. 파리 올림픽에서도 좋은 성적을 거두기는 어렵다고 한다.

프로 구단들이 수 없이 생기면서 시설이나 선수 대우 등 여건은 훨씬 나아졌는데 경쟁력은 왜 떨어지는가? 프로가 오히려 선수들을 망치고 있는가?

프로 스포츠는 냉정한 곳이다. 실력 없이는 프로가 될 수 없다. 실력이 있어도 수익을 내지 못하면 생존할 수 없다. 프로 스포츠의 생명은 스스로 살길을 찾아 살아 나가는 능력이다. 그렇지 않으면 프로가 아니다. 프로 스포츠는 자선을 받는 곳이 아니다. 우리나라의 프로 스포츠 구단과 선수들은 프로가 무엇인지 잘 모르는 것으로 보인다. 세계에서 프로 스포츠가 가장 먼저 태어나고, 가장 발달한 미국. 그곳이 얼마나 냉정한 곳인지를 알아야 한다.[73]

146. 하프-코리아 농구선수들의 한국문화에의 갈등과 적응을 바라보고만 있어야 하나

한국 프로스포츠로의 외국인 노동 이주 현상은 1983년 프로축구를 시작으로 전 프로종목에서 선수뿐만 아니라 감독, 코치 그 외의 팀원으로 확대되어 프로스포츠계의 보편화 현상으로 자리매김하였다. 특히 2009~2010 시즌부터 하프-코리안 선수 드래프트 제도를 통해 그들을 영입하여 '혼혈선수 돌풍'을 일으킨 한국농구연맹(KBL)은 주목할 만하다.

한국농구연맹(KBL)은 프로농구의 경기력 향상을 위한 방법으로 외국인 선수 제도를 도입하여 종목의 특성상 신장과 기술이 좋은 장신 외국인 선수의 기술적, 체력적으로 많이 의존하게 되었다. 외국인 선수 제도는 프로농구의 안정성 자리매김과 농구의 질적 향상이라는 긍정적 평가 속에서 국내 유망 센터선수들의 농구 기피나 국내 스타선수 발굴 기회 상실 등의 부정적 평가로 인해 계속 논란이 되고 있다.

이러한 상황에서 한국농구연맹(KBL)은 한국 농구 자체의 경쟁력 강화와 프로리그 용병선수 의존도의 증가를 염려한 하나의 대안적 방안으로서 소위 하프-코리안 농구선수들을 국내선수 자격으로 활동하게 하며, 이들의 귀화를 받아들여 국가대표로도 활동할 수 있는 기회를 제공하였다.

이와 같은 한국농구연맹(KBL)은의 혼혈선수 제도는 기량이 뛰어난 하프-코리안 선수들을 국내로의 영입을 통하여 많은 이목 집중과 경기력 향상, 관중 동원 등 긍정적인 효과를 이끌어내고 있다. 하지만 한국사회는 아직까지 이들 하프-코리안 선수들에 대한 편견과 그들의 입장에 대한 고려는 미비한 상태이다.

한국인들은 문화적으로 다른 사람과 함께 살아가는 훈련이 되어 있지 않기 때문에 외국인들을 편경과 차별의식을 가지고 대하며 일방적으로 한국문화에 적응하도록 강요하고 있다는 비판을 많이 받는다. 일례로 프로농구팀의 한 관계자는 '국내 선수와 달리 00는 팔을 조금씩 써도 파울이 나온다.

하프-코리안 때문인지, 심판이 할리우드 액션에 반응하기 때문인지는 모르겠지만 판정에 불만이 있는 것 같다'고 하였으며 한국선수들의 거친 플레이에 대해 한 감독은 '하프-코리안은 한국농구연맹(KBL) 규정상 한국 선수다. 그들을 우리 팬들이 얼마나 좋아하나. 이런 선수들에게 거칠게 대하는 것은 감독들이 반성해야 할 문제이다' 라고 비판한 바 있다.

하프-코리안 선수들은 비록 한국인의 피가 흐르고 있지만 상이한 여건과 환경에서 성장한 까닭에 한국 운동선수 본연의 역할과 한국 운동문화에 대한 이해가 부족하다. 한국 운동문화의 특수성은 팀 구성원 간의 응집력 강화를 위한 전체주의적 속성을 가진 '군사문화'와 일반인과는 구분되어지는 그들만의 '섬' 문화 등으로 분류된다.

해외에서 이주한 농구선수들은 개개인의 능력은 뛰어날 수 있지만 국내선수들과의 한국농구를 얕잡아 보는 태도, 국내 선수들과의 교감, 불충분한 커뮤니케이션으로 동료들과의 조화를 깨는 등 한국농구로의 부적응으로 인하여 개인 역량을 발휘하지 못하는 경우도 있다.

따라서 이들이 냉혹한 프로세계에서 한국 스포츠문화 적응을 통해 자신의 기량을 최대한 발휘할 수 있도록 이에 대한 원인을 파악하고 발전을 모색할 수 있는 스포츠현장에서의 노력이 절실하다고 할 수 있다.

또한 문화적 및 사회적으로 정체성 확립의 기로에 놓여 있는 하프-코리안 농구선수들은 인간, 개인 그리고 운동선수로서 자신의 역량과 능력을 개발할 수 있는 길을 한국스포츠 문화에의 효과적인 적응을 통하여 모색하는 것이 필요하다. 변화되는 스포츠문화와 제도라는 기반 위에 개인으로서의 자신의 능력 향상을 위한 노력이 더해진다면 그보다 더 이상적인 한국 농구선수가 되는 길을 없을 것이다.

147. 한국 마라톤의 민족사적 의의를 되새기며

마라톤경기는 우리 민족의 역사와 특별한 관련성이 있다. 비록 일장기를 앞세운 비운(悲運) 의 대회였지만, 한국민족이 올림픽이라는 국제대회에 참가하여 첫 금메달과 함께 올림픽 신기록을 세운 종목이 바로 마라톤이다. 그러나 당시는 일제 강점기였고, 세계적인 스포츠 영웅 손기정이 시상식에서 일장기를 달고 죄인처럼 고개를 숙인 모습은 처절하기까지 하였다.

동아일보와 조선중앙일보 등 민족의 신문들은 일장기를 삭제하여 보도하기 시작하였고, 결국 일본은 이러한 언론 활동을 항일운동으로 간주하고 언론 탄압을 강행하였다.

동아일보 일장기 말소사건은 체육인 손기정과 언론인 이길용이 이루어낸 감격의 대서사극이며, 스포츠와 언론이 이룬 민족적 항쟁으로 평가되는데, 이러한 사건을 촉발시킨 매개체가 바로 마라톤인 것이다. 따라서 마라톤은 한국 민족에게 독립정신을 일깨우고, 민족적 자부심을 형성시킨 민족정신의 상징성을 가진다.

실제적으로 마라톤은 국가주의 혹은 유럽의 인종 우월주의를 내포하고 있으며, 이를 역사적으로 조작하여 전설로 만든 것이 최근의 일이다. 왜냐하면 고대 그리스에서 약 1,200년 동안 그리스 민족의 제전행사로 거행되었던 올림피아 경기에 마라톤경기는 없었던 것이다.

마라톤 경기는 허구적인 실화를 바탕으로 1896년 제1회 아테네올림픽대회를 통해 조직화된 경기이며, 명칭도 근대올림픽대회 때 처음 제정되어 현재에 이르게 되었다. 따라서 근대 올림픽종목으로 탄생한 마라톤은 그리스 국가주의 혹은 우월주의, 즉 고대 아테네는 당시 대제국이었던 페르시아를 마라톤평원에서 물리치고 그 승전을 길이 남기고자 만든 페르시아 전쟁의 유산으로 작성한 상상력의 결과물인 것이다. 이러한 행위는 한국인이 처음 올림픽이라는 국제대회에 어렵게 참가하여 마라톤 종목에서 세계의 마라토너와 경쟁하여 우승한 챔피언을 높이 평가하고 일장기를 삭제한 사건과 민족주의라고 하는 차원에서 그 맥을 같이하고 있다.

1936년 당시 손기정이 우승한 마라톤은 한국의 역사에서 특별한 의미를 지니는 스포츠종목이다. 마라톤으로 인하여 피폐한 민족 감정을 조선 만세로 이어지게 한 것이다. 유근직, 박기동, 김명권은 2012년 한국체육사학회 하계학술대회의 「일본 언론매체의 손기정 마라톤 우승 보도에 나타난 민족주의」라는 주제를 통하여 '손기정은 올림픽 이후 조선인 사회의 화제의 중심이 되었다. 당시의 이미 손기정 기념체육관 건립까지 거론될 정도로 조선인들의 관심과 흥분은 넘쳐흘렀고, 이를 노골적으로 억누를 수 없었던 조선총독부로서는 의심과 불안의 눈초리로 사태를 지켜볼 수밖에 없었다' 고 그 때의 상황을 설명하고 있다. 이처럼 마라톤은 해방을 전후하여 유일한 '코리아의 존재적 알림' 이었다. 따라서 마라톤 경기는 일장기말소사건과 연결되면서 의미가 확산되었고, 민족정신과 불가분의 관계를 맺으면서 역사 속에서 존재하고 있다.

또한 마라톤은 국제대회의 우수한 성적에 의해 한국민족의 긍지를 뿌리 내리게 하는 데 어떠한 스포츠보다 그 역할이 지대하였다. 1936년 손기정은 물론 1947년 서윤복, 1950년 함기용 등의 보스톤마라톤 제패와 1992년 제25회 바르셀로나올림픽대회에서 황영조의 쾌거는 한국 국민의 자긍심을 향상시키는 데 크게 이바지한 것이다. 결국 한국 스포츠의 역사에 있어서 마라톤은 민족사적인 측면에서 상당한 의미가 내재되어 있는 종목이라 할 수 있다. 그런 의미에서 한국의 마라톤은 국제사회에서 한국의 기호이자 국가이미지였다. 정치 의도와도 밀접한 연관성이 있어 '강요된 충성' 을 수단으로 낙착된 국가주의와는 달리, 한국마라톤은 '자발적 애국' 을 통한 민족정신의 고양을 상징하는 민족주의의 발현이었던 것이다.

한국 민족사에 있어서 마라톤은 첫째, 일제강점 식민지 시기에서는 억눌린 민족 감정을 분출시키는 역할을 하였으며, 둘째, 해방 이후에는 후진국이라는 비애와 서러움을 해시키고 한국의 존재를 알리는 통로 역할을 하였고, 셋째, 각종 국제대회에서의 우수한 성적에 의해 한국이 '마라톤왕국' 이라는 칭호의 여운을 간직한 채 스포츠강국으로서의 이미지를 유지하고 있다.

148. 스포츠 한류열풍의 쟁점과 정초(定礎) 과제

한국의 대중가수 싸이의 '강남스타일' 이 미국 동영상 사이트 유튜브 조회수 15억 건을 돌파하며 세계인이 가장 많이 본 동영상으로 자리매김했다. 이는 개인적 성취 못지않게 한국의 문화콘텐츠가 세계의 중심이 될 수 있음을 증명한 것이다. 이처럼 한국의 문화콘텐츠가 세계 각국에 전파되어 열풍을 일으키는 현상을 '한류' 라고 한다.

'한류' 라는 용어는 한국 대중문화의 열기를 표현하기 위해 중국 언론이 처음 사용한 것이다. 1997년 드라마 '별은 내 가슴에' 가 중국에 소개되며 시작된 한국 대중문화의 열풍은 중국뿐만 아니라 일본, 동남아로 전파되었고, 이후 아프리카, 동유럽, 중공 등으로까지 확산되어 세계적인 인기를 얻고 있다. 소극적이었던 서유럽에서도 드라마와 영화로 시작된 한류가 K-pop을 만나면서 그 열기를 더하고 있다.

이러한 시대적 조류로 인해 문화를 기반으로 가치를 창출하는 문화 상품이 산업 전반에서 핵심 아이템으로 급부상하고 있다. 이제 전통적인 제조업 중심에서 지식・정보, 그리고 문화와 관련된 산업으로 중심축이 옮겨 가고 있으며, 문화 산업 부문의 사회경제적 위상과 역할도 현저하게 부상되고 있다. 각 나라마다 문화산업, 콘텐츠산업, 문화자원, 문화콘텐츠 등 문화가 국익의 일종으로서 서로 다양한 국가 정책에 따라 이해의 차이를 보이면서 성장해 오고 있는 것이다.

최근 대중문화와 더불어 스포츠 또한 문화의 주요 부문으로서 새로운 부가가치를 창출하는 경제적 자원이자 국가경쟁력의 핵심 요소로 인식되고 있다. 스포츠는 이제 시대가 요구하는 문화콘텐츠로서 역할과 기능을 담당하고 있을 뿐만 아니라, 한류열풍을 이갈 주체로서의 가능성도 발휘하고 있는 것이다. 이러한 맥락에서 국민체육진흥공단은 2011년 '스포츠 한류의 가능성 탐색' 이라는 주제의 특별 세미나를 개최하기도 하였다.

스포츠 한류과정에서 가장 주목받고 있는 것은 국내 선수들의 해외 유면스포츠리그로의 진출이다. 메이저리그야구(MLB: Major League Baseball)에서 활약한 박찬호와 미국프로골프협회(LPGA: Ladies Professional Golf Association) 투어에서 활동한 박세리가 초창기 한국 스포츠의 대외적인 위상을 대표하였다. 이후 박지성, 이영표, 추신수, 신지애, 이청용, 이대호, 김영아 등 많은 선수들이 스포츠 한류를 대표하고 있다.

1988년 IMF 경제 위기에서 박세리의 맨발 투혼은 단시 국민적 감동으로 승화되었으며, 이와 관련하여 삼성경제연구소는 그해 박세리의 미국 LPGA 우승으로 거둬들인 '삼성'의 세계적인 브랜드 인지도가 2,100억 원에 이른다고 분석했다. 그리고 김연아의 경제 효과는 2조원에 달하며, 국가브랜드에 미친 영향까지 계산하면 6조원이나 된다는 분석을 제기하였다.

이와 같은 현상은 스포츠 선수뿐만 아니라 스포츠 지도자들에게도 나타나고 있다. 배드민턴의 박주봉은 영국과 말레이시아 등을 거쳐 일본에서 대표팀 감독직을 수행하였다. 뿐만 아니라 세계 양궁 지도자 3분의 1이 한국인 지도자이며. 핸드볼의 위영만, 강재원, 하키의 김상렬, 김창백, 태권도의 최영석, 쇼트트랙의 김선태, 조항민, 박해근 등이 해외 국가대표팀 감독직을 맡고 있거나 역임한 경력이 있다.

스포츠 한류는 한국의 스포츠가 기종의 국가적인 차원을 넘어 국가 간의 관계지향적인 성향을 가진다는 점에서 스포츠 세계화의 차원에서 논의되어야 할 것이다. 스포츠 세계화는 스포츠를 매개로 국가와 민족, 인종 간의 이해와 협조를 도모하는 역할을 수행하기도 하지만 국가의 국력 과시 수단으로 이용되거나, 초국적 자본의 경제적 이해관계에 의해 자본적 지배를 심화시킨다는 비판이 제기되기도 하는 현상인 것이다. 그러므로 스포츠 한류는 스포츠 세계화에서 나타나고 있는 순기능을 극대화하는 한편으로 역기능적 요인들을 보완하는 과정이 중요하다.

이를 위해서는 첫째, 스포츠 스타 해외 진출의 내실화이다.

둘째, 스포츠 한류의 자문화 중심주의를 탈피해야 한다.

셋째, 스포츠 한류에 대한 인식을 '진출'과 '확장'보다는 '교류'와 '협력'의 호혜적 인식으로 전환할 필요가 있다.

149. 청소년 소외에 대한 체육의 놀이적 접근의 가능성

현재의 인류는 조직의 거대화와 관료화, 고도의 산업사회를 이뤄냈다. 그러나 이러한 사회는 인간의 진보와 편리를 위해 만들어졌지만, 도리어 인간 소외를 부추기는 아이러니를 지니고 있다. 이것은 사회가 인간의 뜻대로 움직여지는 것이 아닌, 인간이 오히려 사회의 메카니즘 속에 말려들고 나아가 그것에 봉사하는 주객전도의 과정이 진행되고 있는 것을 뜻한다. 즉 인간은 물질과 능률만을 우선시하는 물질적 풍요의 시대를 이뤄냈지만 정신적 고뇌와 불안이 가득 차있는 '풍요 속 빈곤의 시대'에 살고 있다. 이에 현대 사회는 우리가 이제까지 경험하지 못한 심리학적 사회문제를 양산하고 있다. 다시 말해 인간은 현대사회의 구조적 모순으로 인하여 소외를 필연적으로 경험하고 있는 것이다.

이러한 맥락에서 청소년 역시 현대사회를 살아가는 현대인으로서 소외를 경험하고 있는 것으로 판단된다. 특히 청소년기에 겪는 소외는 청소년 문제 행동에 많은 영향을 미친다는 점에서 그 문제가 심각하다. 청소년이 느끼는 소외감은 행동장애, (비)사회화된 공격성, 주의결손, 불안 등의 원인이 되며, 이는 곧 비행 및 일탈, 부적응, 범죄 등과 같은 문제행동으로 나타난다. 더욱이 소외감을 느끼는 청소년들은 그렇지 않은 청소년에 비해 우울증이 나타나는 경향이 크며, 이를 매개로 자살이라는 극단적 선택을 할 수 있다.

그렇다면, 청소년에게 나타나는 소외 현상의 근본적 원인은 무엇일까? 그것은 바로 기성세대가 청소년의 놀이를 단순한 오락적 여흥이며, 때로는 문제 행동을 유발하는 원인으로 인식하고 있다는 것에 기인한다. 구체적으로 말하면, 청소년기에 행해지는 놀이는 문제 해결을 위한 상상의 세계를 제공하며, 인간관계를 형성하는 원동력 구실을 한다. 또한 놀이는 성인의 역할을 배워가는 사회화 고정의 기능 외에도 언어 체계의 기초 학습과 공동체적 삶의 규칙을 생활화할 수 있도록 도와주고, 긴장 및 갈등 해소를 통한 사회 심리적 효과 등을 지니고 있다. 그러나 기성세대의 협소한 상식적 한계로 인해 우리 사회의 청소년은 그들이 경험하는 소외를 해소할 수 있는 적절한 놀이 환경을 제공받지 못하고 있다고 보아야 한다.

이러한 상황에서, 청소년들이 인식하는 놀이는 어떠할까? 청소년들은 우리 사회의 팽배한 학력 이데올로기에 물들어 놀이를 '공부를 하다 남는 짜투리 시간을 이용해 쉬는 개념' 으로만 인식하고 있지는 않은가 또한 청소년은 그들 나름의 욕구불만을 해소하는 방법으로서, 접근이 용이한 대중문화를 무비판적으로 수용하고 있지 않은가. 이는 곧 청소년의 놀이문화가 대중문화의 물질적·상업적·퇴폐적인 몰가치마저 흡수하여 음지(陰地)적 양상을 나타내고 있다고 보여 진다. 이에 따라 이제라도 소외에 사로잡힌 채 비틀어진 놀이 문화에서 허우적거리는 청소년을 구제하고, 놀이에 대한 건강한 담론의 형성을 통해 건전한 놀이 문화가 구축될 수 있도록 활발한 논의를 진행해야 할 때이다.

현재 우리사회에서 체육은 청소년에게 '재미없는 체육' 으로 인식되고 있으며, 스포츠는 문명화 과정에서 세속적 영향을 띠어 물질주의, 상업주의, 승리주의와 같은 몰가치를 양산하고 있음을 확인할 수 있다. 따라서 체육과 스포츠가 놀이성을 회복하는 작업이 선행될 때, 진정으로 청소년의 성장을 돕는 건전한 청소년 놀이 문화로 거듭나는 길이라 판단된다. 따라서 체육과 스포츠의 놀이성의 회복이야 말로 건전한 청소년의 놀이 문화로 거듭나는 길이며, 이것이 선행될 때 청소년의 소외는 극복될 것이라 판단된다.

한편, 일선 학교에서는 학교체육의 일환으로 스포츠클럽 활동과 방과 후 체육활동 등이 교육정책 중 하나라는 비호 아래 활성화 기로에 들어서 있다. 이러한 작금의 정황으로 볼 때, 정규체육과 비교되는 이러한 체육활동이 과연 청소년 소외에 어떠한 긍정적 성향이 얼마나 내재화될 수 있는지에 대한 고민이 요구되는 시점이라 하겠다.

150. 엘리트스포츠의 본원적 모습을 찾으려면 평생체육과 순환구조를 형성해야 한다

2012년 대한민국의 7월 28일~8월 13일은 온통 제30회 영국 런던올림픽의 열광으로 들끓었다. 인간의 몸이 만들어내는 역동적인 움직임에 황홀해 한 사람도 있었고, 혹자는 태극기의 게양과 함께 연주되는 애국가에 가슴 뭉클한 감동을 느끼기도 하였다. 불굴의 투지에 대한 찬사는 올림픽이 열리는 내내 매스컴을 통해 민족의 자긍심으로 치환되어, 마치 금메달 수에 버금가는 국가적 위상이 획득한 듯한 착각을 불러일으켰다. 때로는 입상의 가능성을 '메달사냥'이라는 거친 언어로 표현해 경기에 임하는 선수들의 비장감을 전하기도 하였다. 매스미디어는 그렇게 시청자들을 흥분시킨 정도에 따라 '국민적 영웅' 혹은 '스포츠스타'라는 월계관을 씌어 그들의 노고를 위무해 주었다.

한편으로 너무 지나친 열광과 흥분이라고 질책하는 목소리도 있었다. 대표선수의 열악한 훈련 조건과 대우, 무엇보다 미흡한 스포츠 인프라를 지적하며 금메달 13개, 은메달 8개, 동메달 7개의 세계 5위의 성과는 기적에 가깝다는 자조와 함께 대대적인 정부의 지원을 호소하는 냉정한 평가와 비판은 다소나마 우리의 현실을 뒤돌아보게 만들었다. 그러나 이러한 질타는 올림픽 이후 늘 있어 온 레퍼토리의 하나로 각인되어 식상함마저 들게 한다. 차라리 후진국 환경을 적당히 방치함으로써 그것을 딛고 일어서는 인간 승리의 시나리오를 즐기는 듯한 인상마저 없지 않다. 스포츠의 감동은 주어진 조건에 좌절하지 않고 초인적인 의지로 이겨내는 피와 땀의 결정체라는 교과서적 교훈이 아직도 우리 사회의 도덕률로 건재하며, 어쩌면 이것이 한국의 엘리트스포츠(elite sport)에 부과된 존재 조건인지도 모른다.

좋든 싫든 어느 사이엔가 올림픽과 엘리트스포츠(elite sport)는 동의어로 간주되어 4년에 한 번 올림픽의 개막이 임박하면 '태릉선수촌'은 언론의 집중적인 조명을 받는다. 미구(未久)에 맞이할 감동을 미리 접해보지 못한 종목과 선수의 리스트를 통해 확인하는 작업인 셈이다. 대개 매스미디어에서 주목한 선수는 기대한 만큼의 성적을 거두거나, 최악의 경우 그 좌절의 뒷이야기를 드라마틱한 가십거리로 남겨놓는다. 그러나 이러한 매스미디어의 태도는 올림픽이 종료와 함께 급변해 버린다. 선수는 다시 아무도 주목하지 않는 태릉으로 돌아가 4년이라는 무관심의 긴 터널 속으로 잠입해야 한다. 애초에 올림픽이 이벤트의 성격을 가지는 것이라 폐막식 이후에 싸늘한 시선을 나무랄 수도 없다. 문제는 엘리트스포츠가 올림픽과 동의어로 고착되어 응당 4년의 주기로 잠시 국민을 흥분시키는 국가적 오락으로 전락할 위험성이 있다. 혹자는 엘리트스포츠의 소임은 그것으로 충분하다고 말할지도 모른다. 국민에게 용기와 희망을, 그리고 한민족의 기개를 세계만방에 떨치는 국위선양의 첨병으로 엘리트스포츠를 규정하여 나쁠 것도 없으며, 오히려 그러한 계기를 통해 스포츠의 위상이 제고된다면 더할 나위 없는 일이라고 자위하는 견해도 있다.

엘리트스포츠(elite sport)는 한국 사회만이 가지는 독특한 스포츠문화로서 그 태생적 한계와 가능성을 동시에 지니고 있다. 국가에 의한 스포츠의 독점이라는 측면에서 바라볼 경우 부정적이고 후진적인 현상으로 파악되지만, 이미 한국적 스포츠문화의 하나로 존재하는 이상 보다 깊이 있는 시각으로 접근할 경우 새로운 패러다임으로 기능할 여지를 남긴다. 그 새로운 시각과 접근은 스포츠가 문화로서 갖는 자기 발전성에서 찾아야 한다. 이를 통해 엘리트스포츠와 권력의 관계가 스포츠의 특수한 일면에 대한 과장에 기초하고 있음을 밝힘으로써 이데올로기적 장치로서의 엘리트스포츠가 갖는 한계를 분명히 할 수 있다.

엘리트스포츠의 근원적 모습은 스포츠 자체의 문화적 특성과 그것이 갖는 문화로서의 존재 근거를 획득함으로써 가능해진다. 이러한 관점을 통해 엘리트스포츠와 평생체육은 전자를 통해 창출된 새로운 운동문화가 후자를 매개로 상호작용하는 보완적 관계에 있으며, 이를 원활히 만드는 일이 무엇보다 중요하다는 사실을 알아야 한다.

스포츠는 문화의 형태로 존재한다. 다만 그것이 문화 외적인 것에 개입할 수밖에 없는 이유는 그 만큼 파급력이 크다는 사실에서 비롯할 뿐이다. 자연인이 아닌 스포츠 선수로서의 김연아는 피겨스케이팅을 위해 존재한다. 그녀의 신체능력은 피겨스케이팅이라는 운동문화를 매개로 극한까지 펼쳐지며 이를 통해 피겨스케이팅은 보다 진일보하게 되는 것이다. 마치 우사인 볼트의 개인적인 신체능력에 의해 100m의 기록이 갱신되듯이.

엘리트스포츠가 생활체육과 준별되는 지점도 여기에 있다. 엘리트스포츠가 이미 존재하는 운동문화, 즉 개별 스포츠 종목에 참여하는 개인의 뛰어난 신체능력을 통해 보다 발전된 운동문화로 전승되는 과정이라면, 생활체육은 한 개인의 신체능력이 특정 스포츠 종목을 행함으로써 보다 발전된 신체능력으로 전이되는 과정을 말한다.

이를 알기 쉽게 설명하면 마라톤이 생활체육에서는 심폐지구력과 체중감량 등의 개인적 신체능력의 향상을 목표로 하지만 그것이 엘리트스포츠로 전환하면 마라톤 자체의 질적 변화 즉 새로운 기록 작성이 목표가 되는 것이다. 따라서 엘리트스포츠와 생활체육은 각기 문화적 위상을 달리 한다. 엘리트스포츠가 해당 스포츠의 질적 향상을 목적으로 한다면 생활체육은 그 양적 변화와 깊은 연관을 갖는다. 이런 까닭에 생활체육이 아무리 발전하더라도 엘리트스포츠의 발전을 담보하지 못한다. 왜냐하면 엘리트스포츠에서 필수적인 고도의 신체능력은 전문성과 체계성을 요구하기 때문이다. 배드민턴 동호회의 양적 팽창과 '이용대'라는 걸출한 엘리트 선수의 배출 사이에 아무런 연관이 없는 이유도 여기에 있다.

문제는 생활체육의 저 발전을 엘리트스포츠의 비대화에서 찾을 것이 아니라 그 둘을 동시에 끌어 올리는 정책과 인식의 전환이다. 엘리트스포츠의 발전은 궁극적으로 생활체육의 질을 견인한다. 아니 견인하여야 한다. 은퇴 후의 김연아와 박태환이, 혹은 그들을 롤 모델로 삼았던 엘리트 선수 출신들이 어린이와 직장인을 대상으로 피겨스케이팅과 수영을 가르치는 광경을 상상해 보라.

엘리트스포츠는 생활체육의 적이 아니라 희망이 되어야 한다. 다만 그 피드백의 고리를 어떻게 만들 것인가가 향후의 과제일 것이다. 그러기 위해 엘리트스포츠에 더 과감한 투자를 해야 하지 않을까?[74]

151. 대학 교양체육 변방의 위치에서 벗어나 부활의 시점에 와 있다

우리가 사는 현대사회는 후기 산업 사회라는 이름으로 대변되곤 한다. 신성 중심의 중세 사회에서 이성 중심의 근대 사회를 거치면서 건강으로 상징되곤 하는 신체와 이성 및 감성을 포함하는 사회적 관심의 무게 중심 이동을 겪으면서 후기 산업 사회로의 진입이; 이루어진 것은 그래 오래된 일은 아니다. 따라서 후기 산업 사회는 우리 시대의 문화와 시스템 전반을 지배하는 하나의 패러다임이 되어 왔다. 동시대에 일어나고 있는 다양한 사회적, 문화적 현상을 읽을 때, 이러한 패러다임의 변화를 배경으로 해야 함은 말할 필요가 없을 것이다. 특히 과거와 현재를 담당하는 학교라는 시스템 속에서 패러다임의 변화를 살펴보지 않고는 올바른 미래를 조망할 수 없을 것이다.

따라서 학교라는 체재에서 이루어지는 체육에 대한 이해를 하기 위해서는 역사적, 사회적, 문화적 변화의 흐름을 이해하는 것이 우선되어야 한다. 이는 학교라는 현실에서 부딪히는 '무엇' 이라는 교과과정과 '어떻게' 라는 교수법의 구체적인 문제에 대한 이해의 근간을 마련할 뿐만 아니라 미래의 체육에 대한 변화 및 비전 제시라는 측면에서도 매우 중요한 문제이다. 이렇듯 역사적, 사회적, 문화적 배경에 대한 이해의 바탕 위에 설립된 '무엇' 의 교과과정과 '어떻게' 인 교수법은 시대에 의해 이끌려가는 체육이 아니라 시대를 선도하는 체육이 될 수 있기 때문이다. 따라서 학교에서의 체육을 이해하기 위한 첫 번째는 시대적인 변화를 살펴보는 데 있다고 할 것이다. 다라서 초, 중등학교의 교과과정 및 지도 방법에 대한 지향과 이에 대한 근본적인 물음에 대한 답변을 위해서는 사회 전반의 변화와 흐름을 이해해야 하듯이 대학 교양체육의 교과과정 선정과 지도에 대한 근본적인 물음에 대한 답변 또한 시대의 변화에 대한 이해 위에 기반 해야 할 것이다.

현대사회의 '인지' 지향적 흐름과 경험주의적 지향이 어떻게 형성되어 왔고 이러한 사회적 경향이 대학교 교양체육이라는 과목이 갖는 의미는 무엇인가에 대한 심층적 이해 없이, 교양 과목 영역 간의 표면적 이해관계와 숫자로 나타나는 수요-공급의 차원에서 대학교 교양체육을 이해하려고 할 때, 대학교 교양체육은 그 핵심적인 위치를 다른 교과 군에 내어줄 수밖에 없으며 우리나라 청년들의 미래는 심신 건강의 불균형 속에 내던져질 수밖에 없을 것이다. 따라서 대학의 교양체육은 대학 학습자의 요구만을 반영하는 것이 아닌, 사회를 선도하기 위한 의도적인 방향 지향성을 갖고 있어야 하며, 계획을 통해 건전하고 건강한 인간을 양성하기 위한 노력 위에 추진되어야 하는 것이다.

'학습자의 필요'를 이해하는 차원에서 벗어나 '학습자의 필요'를 선도할 수 있는 역량을 갖출 수 있을 때, 대학교 교양체육은 그 위치를 공고히 할 수 있게 된다. 그러한 선도적 자리매김은 먼저 현 시대 상황의 역사적, 문화적, 사회적 배경에 대한 이해를 근간으로 해야 한다. 물론 이러한 시대적 이해에 더불어 교육의 한 부분으로서의 체육을 이해하는 것 또한 병행되어야 할 부분이다.

더 이상 교양체육이 기능 위주가 되지 말아야 하는 이유가 여기에 있다. 해당 스포츠의 역사적 배경, 그리고 개인적 필요에 대한 인지적, 감성적 체험 방안을 마련하고 기능 발달은 추가해야 한다. 그리고 이를 교양체육 관련자 모두가 공유해야 하며 또한 이를 홍보해야 한다. 더 이상 교양체육은 시간과 학점을 메워주는 타임킬링용 수업이 아니며, 단순히 건강 지킴이 역할도 사양해야 할 것이다. 인지, 감성, 심동의 통합적 인간에 대한 접근을 통해 비판적이며 창의적이고 또한 독립적인 인간을 육성할 수 있는 중추의 역할을 담당할 수 있도록 소통의 신호등을 켤 때인 것이다. 그리고 이를 통해 체육이 변방화(marginalization)의 위치에서 벗어나 핵심을 담당할 수 있게 될 것이다.

중앙대의 권형일 교수는 미국의 아이비 리그의 코넬대학의 경우 학생이 입학을 하고 졸업을 하는데 있어서 딱 두 가지의 졸업요건을 규정하고 있다. 이 두 가지는 수영시험과 교양체육수업이다.

또한 아시아에서 빠른 속도로 순위가 올라가고 있는 싱가폴의 난양공과대학의 모든 학부 학생들은 졸업을 위해서 한 학기에 한 학점 씩, 두 학기 동안 교양체육수업을 이수하여야 한다. 또한 세계적으로 유명한 캠브리지대학의 경우, 50개 이상의 스포츠클럽을 보유하고 있는데 이 클럽들에 소속되어 있는 학생들은 거의 엘리트선수 수준의 트레이닝을 받고 있다.

따라서 건강한 미래를 이끌어 나가는 건강한 젊은이들의 도야의 장으로써 대학 교양체육의 역할은 무엇보다 필요하다. 대학 교양체육 수업은 신체활동을 통한 인내심, 협동심의 증진과 사회적 인간으로서의 덕목을 습득하게 하는 효용성이 높고 미래 건강한 인재의 양성에 꼭 필요한 미래적인 대안이라고 확신한다.

활발한 신체활동을 중심으로, 사회성과 도덕성 함양과 학생들의 심리적 · 사회적 · 신체적 건강을 높이는 교양체육수업을 적극적으로 장려해야 한다.[75]

152. 한국의 스포츠문화에 나타나는 애국주의 판타지(fantasy)

현대사회에서 스포츠가 차지하는 비중이은 단지 '높다' 라는 말로 표현하기에는 부족할 정도로 필수불가결한 존재이다. 스포츠는 규칙이 지배하는 경쟁적인 신체활동으로, 일정한 신체활동의 과정을 통해 완성되는 인간이 만들어낸 최대의 볼거리(spectacle)이다. 이런 스포츠는 언제 어디서나 행해지고 있으며, 열광하는 사람도 시공간을 불문하고 항상 접할 수 있다.

한편 모든 인간은 예외 없이 국가라는 하나의 지역 공동사회를 기반으로 하여 생존하고 있으므로 국가와 관련되지 않은 일상생활이란 생각조차 할 수 없다. 이에 대중들의 일상화된 문화로서의 스포츠는 국가와 관계 속에서 떼어 놓을 수 없는 지경에 이르렀다.

국가는 스포츠의 전 영역에 걸쳐 절대적인 영향을 미치며 스포츠의 형태와 기능마저 규정하고 있으며, 국가에 의해 산출되는 스포츠에 대한 개입은 정치·경제·사회의 모든 영역에서 다양하게 특정 지워지고 있다.

이러한 가운데 스포츠에 대한 국가의 역할에 관해서 일반화를 시도하는 것은 쉽지 않다. 그러나 1990년대 한국사회에서 보여준 LPGA의 박세리와 메이저리그(MLB)의 박찬호 선수의 연이은 승전보 및 2002년 월드컵을 통해 조성된 범국민적 스포츠 열기는 스포츠를 단지 보고 즐기는 대상에서, 국가와 국민에게 큰 영향을 미치는 매개체로 간주하는 새로운 관점을 가지게 되었다.

그러나 스포츠의 초국가적인 범주는 많은 국가들이 자국 내의 억압과 갈등을 봉합하기 위해 혹은 정치적 지지 세력의 확보를 위해 혹은 국가 숭배와 애국주의를 고취하기 위해 대중들을 스포츠 세계로 몰고 가기도 한다. 스포츠 행사에서 국기를 게양하고 국가를 부르는 그 행위 자체는 스포츠를 국가 위신의 상징으로 삼도록 부추기며, 스포츠는 경기장만이 아니라 TV 앞에 수많은 시청자를 동원하고, 동원된 관객들 또한 국가별로 색깔을 나누어 자국 선수단을 응원함으로써 국가적 정체성(identity)을 형성한다.

대부분의 국민들은 자신을 조국의 일부분으로 동일시하며, 자기 조국에 대해 충성심을 발휘한다. 이러한 충성심과 국민적 일체감은 한 국가의 국민을 다른 국가의 국민과 구별하게 되는 감정으로, 이는 강력한 사회 유대감의 기초가 된다.

따라서 스포츠를 통한 국가 정체성은 국가에 대한 충성심과 애착의 국가 의식과 민족적 긍지 내지는 자부심의 형태로 자기가 소속한 집단이나 공동체에 헌신하려는 민족의식의 심리적 태도를 만들어 내고 있다.

올림픽과 월드컵과 같은 스포츠대회는 스포츠맨십, 페어플레이, 국제평화, 우애와 같은 공동체 이념을 내포하고 있지만, 실질적으로 구현하고 있는 상징들은 국가, 국기, 성화, 시상식 등과 같은 국가적 요소를 포함하며 열리고 있는 것이다. 국가대항 스포츠 경기는 '공식적으로는' 허용되지 않는 민족주의적 정서가 비교적 거리낌 없이 발산될 수 있는 흔치 않은 기회이며, 일상 속에 묻어두었던 '애국심'을 끌어내 국가와 민족을 구체화시키는 계기로 작용한다.

역사적 경험에 비추어 볼 때, 한국사회의 스포츠는 국가주의적으로 작동하는 경우가 많이 있어 왔는데, 부분적으로 국가의 지배이데올로기에 복종해 왔고, 내셔널리즘을 강화하고 재생산하는 주요 수단으로 이용되어 왔던 것이다.

해방 이후 한국사회에서 국가 간 대항 스포츠 경기는 스포츠를 통한 국가이데올로기를 발현시킬 수 있는 좋은 공간과 소통의 장이었으며, 한국의 스포츠가 이룩한 지금의 성과는 대중들의 스포츠에 관한 긍정적 인식과 열정적인 자발성 및 국가의 적극적인 주도와 개입을 통해서 실현되었다고 하여도 과언이 아니다.

그러나 스포츠를 단순히 경기 그 자체를 보지 못하고 민족적 한풀이 장으로 인식하는 지나친 민족주의는 현실적인 애국심과는 전혀 동 떨어지는 것이며, 개인을 국가와 동일시하는 비이성적 애국주의는, 전체주의에 함몰된 애국주의의 모습을 보일 수 있는 개연성을 내포할 수 있다. 하지만 한국국가의 공식적인 응원 구호가 되어 버린 "대-한-민-국"이 지닌 함의는 진정한 의미의 국가 정체성 및 공동체 형성의 동력으로 작동할 수 있을까 하는 것이다.

판타지스포츠(Fantasy Sports)는 크게 '로티서리(Rotisserie)'와 '데일리 판타지 스포츠(Daily Fantasy Sports)'로 나뉜다. 야구를 예로 들면 로티서리는 안타, 타점, 득점, ERA 등 각종 스탯을 경기 단위로 집계해 포인트화한 후 이 점수를 기반으로 누적된 점수에 따라 각 리그별 순위를 정하는 방법이다. 반대로 데일리 판타지 스포츠는 실제 프로야구처럼 리그 참가 팀을 1:1로 붙여 경기당 승패를 나누는 방식으로 운영하는 방식이다.

실제 플레이하는 각 종목의 선수를 뽑아 가상의 자신의 팀을 만든 후, 일정한 기준을 통해 각 선수의 기록을 점수화하여 종합 점수나 팀간의 승패를 겨루는 일종의 시뮬레이션 게임이다. 현재는 각종 기록의 통계화와 수량화가 발전된 야구나 미식축구, 농구 등 미국의 프로스포츠를 중심으로 발전돼 있다.

153. 메가 스포츠이벤트 개최의 쟁점과 실행 과제

현대사회의 지방 자치 단체들은 메가 스포츠이벤트의 유치에 심혈을 기울이고 있다. 이러한 현상은 지방자치제 실시 이후 표면화 되었으며 이로 인해 중앙에 예속되어 왔던 지역사회는 지역의 개성과 특성에 맞는 고유의 정책을 통하여 타 지역과의 차별성을 부각시키고, 아울러 차별성에 근거하여 지역 고유의 주체성을 확보하는 방향으로 경쟁력을 강화하고 있다. 특히 지방자치 시대의 민선단체장은 지방행정의 단순한 관리자 역할에서 벗어나 지역 발전의 비전과 미래를 제시하며 살기 좋은 도시 건설을 위한 CEO로서의 인식 전환이 요구되고 있고, 지역의 브랜드 가치 제고가 중요한 과제가 되고 있다. 떠한 차기 선거를 위해서도 단체장의 치적 쌓기는 자치단체의 최우선 과제가 되고 있으니 메가 스포츠이벤트야 말로 이의 목적을 충족시킬 수 있는 중요한 장치가 아닐 수 없다.

지방자치단체의 이러한 정략과 의도를 최적으로 충족시킬 수 있는 매개체가 바로 올림픽대회, 월드컵대회, 아시안게임, 유니버시아드대회, 종목별 세계선수권대회 등의 메가 스포츠이벤트이다. 메가 스포츠이벤트를 유치함으로써 지자체장은 국제적 인물로 부각되며 이는 자신의 능력을 인정받는 척도로 여겨지게 되었다. 이에 정희준은 이러한 대회 유치 현상을 올림픽 개최지 선정의 여건 변화 현상과 관련하여 설명하면서, 이는 '세계화와 신자유주의의 흐름 속에서 전 지구적 경쟁의 주역은 국가네서 도시로 바뀌게 되었고, 탈산업화에 기인한 경제 구조화의 결과로서 도시 행정의 특성이 과거의 안정적 관리주의에서 흥행성 강한 기업주의로 전환되었으며, 거대화된 도시들이 산업도시에서 탈산업도시로 탈바꿈 하게 되는 경제적 전환을 가져와 제조업을 통한 경제 발전을 추구하는 근대 도시에서 소비 기반의 탈근대 도시로 전환되고 있음'을 그 요인으로 제시하고 있다.

그럼에도 불구하고 문제가 되는 부분은 각종 스포츠이벤트의 유치 과정에서 부정적인 사례에 대한 관심과 논의가 다소 부족하고 이에 대한 경각심도 미약하다는 점이다. 물가상승과 부동산 투기, 사회적 혼란, 경기장과 선수촌 및 사회 기간시설 건설 과정에서 나타날 수 있는 지역주민 삶의 침해 등이 그러한 요인들이다. 이와 함께 대회 유치 과정에서 지역주민의 참여 기회를 배제한 밀실 행정의 전형은 빈곤한 삶의 근거지를 위협할 수도 있다. 또한 동계올림픽의 유치는 산림 훼손과 동식물의 서식지를 감소시키고, 토양을 오염시키는 등 많은 갈등 요인이 잠재되어 있으나 국가 및 지역 발전과 경제 성장이라는 선전적 수사에 밀려 무시되어 온 경우가 적지 않는 게 사실이다.

이처럼 메가 스포츠이벤트는 경제적 이윤의 도모 못지않게 수많은 도시 빈민과 난민을 양산할 수 있는 야누스적 두 얼굴을 가지고 있다. 이러한 집단적 멘탈리티는 사람들 스스로 만들기보다 매체나 국가 중심의 조작에 의해 생겨나게 되는데, 특히 메가 스포츠이벤트와 함께 강하게 형성된다. 메기 스포츠이벤트의 개최에 따른 갈등 유형은 중앙정부와 지역사회, 지역사회와 지역사회, 지역사회와 주민 간에 나타나므로 이의 갈등에 의해 야기되는 사회 질서의 와해, 분영, 대립 등을 최소화 할 수 있는 조치가 사전에 마련되어야 할 것이다.

메가 스포츠이벤트 개최의 부정적 현상을 극복하기 위한 과제로는, 첫째, 국가주의적 메가 스포츠행정을 지향하여 지역적 민주행정을 실현하고 지역주민의 주권과 생존권을 보장해야 한다. 둘째, 개최와 관련된 조사는 개최도시의 관료, 스포츠전문가, 시민사회 대표, 경제학자 등의 다각적인 구성을 통하여 경제성 및 사업타당성이 검토되어야 한다. 셋째, 개최 후보도시 간의 갈등을 최소화 할 수 있는 방안으로서 메가 스포츠이벤트는 '황금알을 낳는 거위' 라는 인식에서 벗어나 이에 대한 새로운 인식의 전환과 갈등 구도를 제지할 수 있는 조정 능력, 그리고 최종 후보 도시간의 공동개최나 범 협력체를 구성하는 방안이 요구된다. 넷째, 환경친화적대회 운영을 위해 대회 조직위원회에 환경보전위원회를 설치하여 환경친화적인 EI(environment identity) 개념을 도입하고, 환경보호전략으로서 Green plan을 수립해야 한다. 그러나 환경보전을 위한 국가수준의 정책 수립 과정에서 강력한 통제 및 억압을 정당화하기 위한 논리를 도입하게 되면 생태독재를 낳을 수 있으므로 국가주의적 스포츠 행정과 기술 이성을 극복하는 과제를 병행해야 한다. 이러한 실행과제들이 보장되면 메가 스포츠이벤트는 스포츠의 본질을 회복하는 한편, 첨예하고 다양한 유형의 갈등을 치유하고 가시적인 성과를 도모할 수 있을 것이다.[76]

〔메가 스포츠이벤트 심포지엄 개최〕

154. 스포츠에서의 주관·객관의 문제와 도덕적 함의

우리는 태어나서 학교를 다니고, 직업을 얻고, 가정을 꾸리고, 자식을 키우고, 각종 세금 고지서에 대해 걱정하며 삶을 살아간다.

삶의 의미란 무엇일까? 철학자 Thomas Nagel은 "충분히 먼 밖에서 보면 나의 탄생은 우연이고, 내 삶에는 아무 요점도 없으며, 내 죽음 또한 무의미하나, 내부에서 볼 때 내가 태어나지 않았음을 거의 상상할 수조차 없고, 내 삶은 엄청나게 중요하며, 내 죽음은 큰 재앙이다." 라고 말한다.

외부에서 볼 때, 사물의 전체 구성 속에서 우리 자신의 삶은 우연하고 무의미한 순간처럼 보인다. 우리가 가진 애착들 역시 우리 삶만큼이나 우연이며, 가치의 궁극적인 정당화를 거부하는 회의주의 관점에서 본다면 객관적으로 무의미하다. 여기서 발생하는 문제는 외부의 시각, 즉 객관적 관점이 우리의 삶에 가장 깊게 품은 내부의 애착들, 즉 주관적 관점을 위협하는 방식이다.

이제 이 이야기가 중점을 두고자 하는 스포츠 방향을 돌려 다음의 상황을 상상해 보자.

야구대회 결승전 9회말 2아웃 만루의 상황이다. 안타 하나면 역전 승리를 거둘 수 있는 상황에서 타석에 한 젊은 선수 A가 들어섰다. 하지만 아쉽게도 삼진 아웃을 당하는 바람에 팀이 경기에서 져버렸다. 젊은 A선수는 몹시 괴로워하며 눈물까지 흘린다. 이때 B가 다가와 ㅁ선수를 위로한다. "괜찮아, 이건 그저 게임일 뿐이냐."

C는 한 지역 축구팀의 스트라이커이다. 오늘 다른 지역의 축구팀과 중요한 경기가 예정되어 있다. 그런데 갑자기 어머니가 아파서 병원에 입원했다는 소식을 듣는다. 팀의 주축 선수로서 어머니가 입원한 병원으로 향해야 할지, 중요한 경기

가 있는 운동장으로 향해야 할지 고민에 빠져 있다. 이를 지켜보던 D가 C에게 말을 건넨다. “당연히 병원으로 가야지! 축구경기가 가족보다 중요하니?”

A와 C에게는 스포츠는 삶의 중요한 부분이다. 스포츠에서 일어나는 모든 일들은 이들에게 무척 중요하다. 수많은 시간을 연습에 쓰고, 경기력 향상과 기록에 대해 걱정하고, 때론 그들의 운명이 경기에서 누가 이기느냐에 달려있다고 생각한다. 반면 B와 D에게 스포츠는 상대적으로 중요하지 않은 것으로 보인다. 이들에게 스포츠는 단순히 인위적으로 만들어 놓은 게임일 뿐이며 삶에서 무의미한 행위이기도 하고, 더욱이 이러한 무의미한 것에 윤리를 논하는 것은 모순적이라 생각한다.

여기서 스포츠를 향한 다른 두 관점 사이에 갈등이 발생한다. 이 갈등이 필자가 이야기 하고자 하는 스포츠에 있어서의 주관과 객관의 문제이다. 위에서 제시한 예를 통해 알 수 있듯이, 객관적 관점에서 스포츠를 삶의 다른 부분과 비교해보고, 중요한 삶의 다른 일과 스포츠 참여를 견줘보면, 스포츠는 이기지는 못하는 것 같다. 내부적 관점 혹은 주관적 관점에서, 스포츠는 심각하고 때로는 모든 마음을 앗아갈 정도로 소중하다. 그러나 외부의 관점 혹은 객관적 관점으로 바라볼 때, 스포츠 상대적으로 중요하지 않음을 시사한다. 그렇다면 이 두 관점은 공존할 수 있는 것인가? 타협될 수는 있는 것인가? 객관적 관점에서 나의 스포츠참여는 하찮고 중요하지 않은 것이라고 한다. 그러나 주관적 관점은 그 판단에 저항하며 객관적 관점에 영향받지 않는 전반성적(prereflective) 애착으로 돌아가고 싶어 한다.

만약 자신 삶의 중요한 한 부분이 외부 관점에서는 무의미하다고 한다면 이 문제는 어떻게 처리해야만 할까? 이러한 갈등의 발생 원인은 무엇이고, 이 교착상태의 출구는 있을까?[77]

155. 스포츠 속 폭력적 보복 행위 정당화에 대한 비판적 고찰

2014년 국내 프로 야구 LG와 환화의 경기에서 벌어진 사태이다. 6회 말 1루에 출루한 한화의 A선수는 다음 타자가 유격수 앞 땅볼을 치자 병살을 막으려고 2루에서 적극적으로 슬라이딩을 시도했다. 이때 LG의 B선수가 A선수의 스파이크 왼쪽 유니폼 하의 부분이 찢겨져 나갔고 스파이크에 종아리가 쓸리면서 찰과상을 입었다.

8회 말 1아웃 주자가 없는 상황에서 A선수가 다시 타석에 들어서자 투수 C선수는 시속 145km 강속구를 A선수의 등에 내다꽂았다. 강속구에 등을 맞은 A선수는 C투수에게 다가갔다. 이때 양팀 벤치에서 선수들이 쏟아져 나오며 벤치클리어링이 발생했다. 양 팀 사이 고성이 오가고 서로 밀고 당기는 등 험악한 모습이 연출됐다. 경기 후 인터뷰에서 LG의 한 고참 선수는 "더그아웃으로 돌아온 후배 A선수의 스타킹이 찢어지고, 허벅지부터 발목까지 피가 나는 걸 보고 팀 동료들이 격앙된 게 사실" 이라며 "우리 선수단 입장에선 당연히 동료인 B선수를 보호해야 했다" 며 다소 모호한 발언을 했다.

이처럼 야구에서 투수가 타자를 향해 고의적으로 번지는 공을 '빈볼' 이라고 부른다. 빈볼(beanball)의 어원은 콘을 뜻하는 영어 'bean' 과 공을 뜻하는 'ball' 의 합성어인데, 여기서 bean은 콩이 아니라 머리를 뜻하는 속어이다. 최근 들어 머리를 향해 골뿐만 아니라 어떤 부위든 고의적으로 몸에 맞추는 공을 빈볼로 통용되고 있다.

야구에서 빈볼을 던지는 이유는 크게 두 가지가 있다. 공에 대한 타자의 본능적 공포를 가중시킴으로써 승부를 자신에게 더 유리하게 이끌기 위해 던지는 위협구와 LG의 ㅊ투수처럼 자기 팀이나 팀 동료가 상대방으로부터 부당한 위협이나 모욕을 받은 경우, 보복의 의미에서 타자에게 물리적 충격을 주기 위해 던지는 '겨냥된' 빈볼이 있다. 전자의 경우 "내 투구가 타자를 맞출 수 있다." 라는 점을 인식하고 던지는 공이라는 점에 있어 가해 행위에 대한 미필적 고의는 인정된다. 그러나 위협구는 야구라는 경기에 있어서 이미 내재된 위험이라고 볼 수 있기 때문에 윤리적으로 크게 문제 문제될 것이 없어 보인다.

반면 후자의 경우는 경기 룰에도 명백한 위반이 될 뿐만 아니라, 투수에게 상대를 다치게 하겠다는 '상해의 고의' 까지 인정될 수 있다는 점에서 윤리적인 문제뿐만 아니라 법적으로도 문제가 될 수 있다.

빈볼처럼 스포츠장 내 폭력적 보복 행위를 '게임의 일부' 나 '전략의 일부' 로 받아들이는 폭력에 대한 정당화가 이 글을 추동하게 된 핵심 문제의식이다. 즉, 스포츠계가 스포츠 장(場)의 보복성 폭력행위에 대하여 일탈이라고 판단하기보다는 게임의 일부로 간주하고 있음에 문제의 심각성이 있다.

보복행위가 상대의 이후 부정행위를 제지한다는 근거에서의 정당화이고, 그러한 앙갚음이 팀 화합과 같은 스포츠에 내재된 중요한 가치를 증진시킨다는 이유에서의 정당화이다.

그러나 스포츠에서의 행위는 우리가 일상에 적용하는 도덕적 판단의 테두리 안에 있는 대상일 뿐이며, 스포츠의 세계 안에서 널리 용인되는 관행이라고 해서 일반적인 도덕적 기준에서 면제되어서는 안 될 것이다.

156. 이종격투기의 사회문화적 함의와 쟁점

이종격투기(hybrid martial arts, 異種格鬪技)는 다른 종류의 무술을 하는 사람들이 벌이는 격투기를 말하며, 유도, 레슬링, 킥복싱, 합기도, 태권도, 복싱 따위처럼 다른 무술을 배운 사람들이 맞붙어서 싸우는 경기이다. 이종격투기의 기원은 고대 올림픽에서 종목으로 채택되어 경기가 벌어졌던 '판크라티온'이다. 이는 레슬링과 복싱을 합친 형태의 격투기로 매우 격렬한 경기였다. 예를 들어, 물어뜯거나 눈을 찌르는 등의 반칙만 하지 않는다면 한 사람이 항복할 때까지 계속된다.

최근 이종격투기는 현대사회의 치열한 경쟁체제 하에서 쌓인 스트레스를 해소하는 새로운 문화 아이콘으로 각광을 받고 있다. 즉 UFC 등과 같은 이종격투기 프로그램은 21세기 스포츠의 강력한 아이콘으로 카타르시스(catharsis)라는 코드를 가지고 현대인의 숨어 있던 욕망과 본능을 자극하면서 스포츠 프로로 자리 잡아가고 있다. 이러한 시대적 열풍은 인간의 원초적 욕망을 자극하는 프로그램을 선호하는 방송사 간의 콘텐츠 경쟁에 이종격투기가 상품 가치로 인정되고 있음을 반영하는 것이다.

한국에서도 이종격투기는 TV나 신문, 잡지 등 언론매체를 통해 경기를 감상하는 계층이 급속도로 증가하면서 네이버, 야후, 다음, 한미르 등 인터넷 포털사이트에 격투기 애호가들의 카페가 등장하였으며, 선수 정보가 경기 스토리, 규칙 등을 소개하고 경기 결과와 분석 기사, 동영상을 공유하면서 관심을 고조시키고 있다.

이러한 경향의 원인으로서 이종격투기는 첫째, 단순한 호신 차원에서의 몸 관리가 아니라 일상 속에서 자신의 의미를 찾는 고차원의 가치 추구, 또는 진지한 여가활동으로서 인식되며, 둘째, 스포츠 관람 문화의 세계화로 인해 이제는 국지적인 스포츠스타만 아니라 국제적인 스포츠 스타들이 인기를 얻게 되는 '팬 문화'가 바뀌고 있고, 셋째, 현대인의 생활에서 스트레스를 푸는 마땅한 방법이 없는 상황에서 대리만족 효과가 엄청나다는 것 등을 들 수 있다.

그러나 이종격투기 대한 부정적인 평가나 비판 또한 적지 않은 게 사실이다. 이종격투기는 드라마나 영화에서 보여주는 연출된 동작으로서 폭력이 아니라 실제로 상대방을 실신시키거나 과격하게 굴복시키는 장면을 노출함으로써 스포츠로서의 정체성을 의심받고 있다. 또한 이종격투기는 쇼 비즈니스(show business)를 통하여 자극적이고 쾌락적인 요소와 더불어 관람자들에게 인간의 폭력성을 미화시키는 죄의식의 둔감화 작용 가능성까지 염려하는 것이다.

이종격투기가 갖는 공격적이고 폭력적인 경기 장면에 대한 윤리적 접근을 통하여 해악성을 경고해야 하며, 이종격투기가 갖는 청소년의 사회정서적 악영향을 심도 있게 다루어야 한다. 또한 이종격투기로 인한 사망 사건을 형법적 차원에서 검토함으로써 이를 사회적 차원에서 쟁점화 하여야 한다.

그러한 관점에서 이종격투기가 스포츠로서 더욱 안정적인 자리매김을 하기 위해서는 그에 대한 정체성을 확고히 하면서, 한편으로 사회문화적 함의와 쟁점들을 지속적으로 찾아보는 노력이 수행되어야 한다.

따라서 이종격투기가 스포츠로서 정체성을 확보하기 위해서는 그에 대한 사회문화적 쟁점에 대한 논의가 학문적 입장에서 탐색하고 조명되어야 할 것이다.

사회문화적 함의는 원초적 본능의 정화, 대리 욕구 충족의 수단, 하이브리드 개인스포츠로서의 의의 등이 보다 구체적으로 논의되어야 한다. 이와 함께 향후 이종격투기는 스포츠로서의 정체성 문제, 윤리성 문제, 사회문화적 폭력성 문제 등의 문제를 해결해야 한다.

157. 도핑의 진화, 스포츠 윤리학적 접근

도프는 원래 불순물, 이물질이라는 뜻이었는데 약물이라는 뜻으로 바뀌었다. 좋은 성적을 목적으로 사용되는 흥분제·진통제 등은 선수들의 건강을 해치는 원인이 되기 때문에 국제 올림픽 위원회 등에서는 금지약물을 규정, 복용을 규제하고 있다.

코카인 등의 흥분제는 중추신경계를 자극하여 혈압을 높이고 재빠른 행동을 유발하기 때문에 단거리 육상선수나 구기 종목의 선수들이 주로 사용한다. 헤로인·모르핀 등의 마약을 포함한 진통제는 부상당한 선수들에게 사용된다. 진정제는 심장을 안정시키는 작용을 하여 양궁·사격, 피겨스케이팅에서도 이용되고 있다.

과학기술의 발달로 검출 기술도 향상되고 있지만, 새로운 금지약물의 개발도 진전되어 이 양자의 대결은 스포츠계와 과학계의 흥밋거리가 되고 있다.

도핑(doping)은 운동 경기에서, 체력과 정신력을 고도로 발휘하기 위하여 운동선수들이 부정하게 약물을 복용하는 행위이다.

도핑은 매년 진화하고 있다. 과거에서부터 현재까지 그리고 미래에도 도핑은 계속 진화하고 있다. 과거에는 사이클 선수들과 육상선수들이 많이 도핑을 하였다. 그러나 지금은 전 종목에 걸쳐서 선수들이 도핑하는 실정이다. 과거에 금지약물이 암페타민, 에페드린, 스테로이드 복용이 대부분이었지만, 현재는 너무나 많은 금지약물과 금지 방법을 동원하여 선수들은 도핑하고 있다. 미래에는 더욱 다양한 방법으로 도핑을 할 것으로 예상하고 있다.

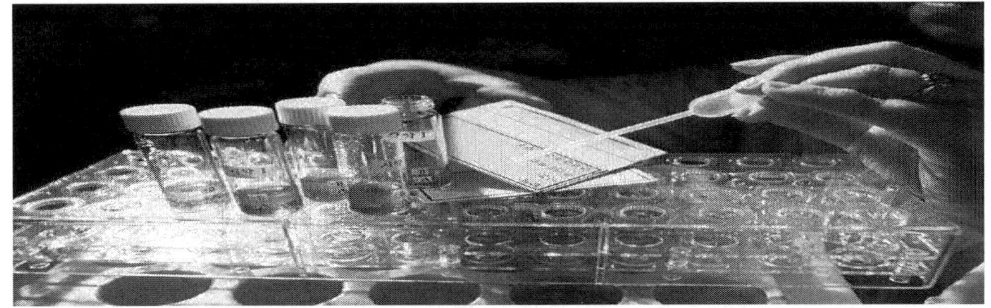

스포츠에서 도핑은 최근의 사건이 아니다. 과거에도 선수들은 우승과 기록 단축을 위해 도핑을 해 왔었다. 스포츠에서 도핑 문제는 오랜 역사를 가지고 있다. 도핑 문제는 근절되지 못하고 있는 고질적인 부정행위 및 불법 행위로서, 금메달의 영광과 보상이 있는 한, 없어지지 않는 스포츠의 특히 올림픽에서 악재가 되고 있다.

과거에는 도핑 검사 기관이 없었지만 현재는 WADA(세계반도핑위원회)에서 매년 정기적으로 선수들의 도핑검사를 하고 있다. 하지만 선수들은 새로운 금지 약물과 새로운 금지 약물을 사용해서 도핑검사를 피해가고 있는 실정이다.

최근 국내에서는 이용대 선수와 박태환 선수의 도핑 사건이 큰 파장을 일으켰다. 박태환 선수의 경우, 스테로이드 복용에 있어서 본인도 모르는 일이라고 주장해서 아직도 비타민제 주사를 투입했던 의사와 법적 분쟁에 있는 상태이다. 하지만 WADA(세계반도핑위원회)에서는 박태환 선수에게 '무과실책임주의(strict liability)를 적용하여 18개월 출전 정지 징계를 내렸다.

국외에서는 스테로이드를 복용한 메리언 존슨이 금메달 3개월 박탈당한 사건과 7년 연속투르 드 프랑스 대회에서 우승한 사이클 황제 랜스 암스트롱의 도핑 사건이 세계적으로 화제가 되었다. 특히 암스트롱의 경우는 WADA(세계반도핑위원회)에서 공지하는 금지 약물과 금지 방법을 거의 다 동원하였는데도 도핑 테스트에 걸리지 않고 7년 동안의 기록 취소, 메달 박탈, 상금 반환, 사이클 선수 영구제명의 불명예를 갖게 되었다.

현재 WADA(세계반도핑위원회)에서는 250여종의 금지 약물과 금지 방법을 매년 1월 1일 홈페이지에 공지하고 있다. 이 약물들은 모두 인체에 유해한 것으로 알려져 있다. 가볍게는 두통만 발생하지만, 경우에 따라서는 남성의 여성화, 여성의 남성화, 협심증, 심근경색, 환각 등의 증상을 동반하며 심각하게는 사망에 이르는 금지 약물과 금지 방법들이다.

도핑은 다른 사람들을 속이면서, 기록의 향상을 가져오는 비겁한 행위라고 규정할 수 있다. 또한 약물의 부작용으로 인해 인체에 심각한 피해를 가져올 수 있기 때문에 금지되어야 마땅하다.

대안으로는 첫째, 도핑법을 현재보다 강화시킨다. 둘째, 스포츠 윤리교육을 국가 차원에서 확대시켜 실시한다. 셋째, 운동선수들에게 의학을 필수 교과목으로 지정한다. 넷째, 선수에게 생체여권(ABP)을 의무화 한다.

158. 한국 스포츠 신성장 동력을 위한 대한올림픽위원회의 비전

올림픽은 개인, 기업, 국가, 지역 등 현대사회발전에 견인차 역할을 담당하며, 스포츠 고유의 독자적 영역을 구축하는데 그 기능을 다해왔다. 또 올림픽을 통한 스포츠는 인간의 다양한 욕구를 충족시키고 개인건강은 물론 여가문화로 사회적 영향력이 확대되었고, 미래 고부가가치 산업으로도 각광받게 되었다.

이처럼 스포츠를 토대로 한 올림픽이 수많은 민족과 국가에 다양한 커뮤니케이션의 기능을 수행하며 인류 대제전으로 성장할 수 있었고, 또 현대사회에 큰 영향력을 행사할 수 있었던 이유는 바로 국제올림픽위원회(IOC)와 국가올림픽위원회 (NOC) 즉, 대한올림픽위원회(KOC)와 같은 조직의 끊임없는 노력이 뒷받침되었기 때문이다.

따라서 올림픽은 개인, 기업, 지역 및 국가 등 산업발전의 성장동력으로 제시되어 각국의 도시는 올림픽 유치와 개최에 치열한 경쟁을 벌이고 있다. 아울러 과거 국수주의를 토대로 한 국가 대 국가의 경쟁에서 벗어나 도시 대 도시로의 경쟁을 유도하는 시대조류 또한 올림픽과 같은 스포츠이벤트의 활용을 더욱 부추기고 있다. 이에 한국 역시 세계적 추세에 편승하여 그 잠재적 가치에 주목하고 올림픽을 유치, 성공적으로 개최한 바 있다. 때문에 국민은 올림픽 감동을 연상하며 향후 동계 및 하계올림픽 유치희망과 함께 대한올림픽위원회(Korean Olympic Committee, KOC)가 다시 한 번 큰 역할을 해줄 것을 기대하고 있다.

한국이 지금까지 올림픽을 비롯한 세계 스포츠사에서 이룩한 위업은 자랑스러운 역사라 할 수 있다. 하계올림픽과 월드컵 개최, 세계육상선수권대회 유치로 이미 세계 일곱번째 트리플크라운(triple crown)의 위업을 달성하였고, 향후 동계올림픽까지 개최한다면 한국은 세계에서 다섯번째로 스포츠이벤트 그랜드슬램을 이룩하는 스포츠강국이 된다

이러한 결과는 바로 KOC의 전략적 접근과 국민의 지지, 그리고 정부의 적극적 후원에 따른 상호보완적 협력이 유기적으로 이뤄졌기 때문에 가능했을 것이다. 물론 그 동안 지속적 노력에 힘입어 한국은 세계 10위권 내 스포츠강국으로 성장과 함께 경제강국으로도 부상하였다.

특히 정부는 경제성장을 위한 발판으로써 올림픽과 같은 스포츠이벤트에 주목

해 왔는데 이를 통해 국가적 마케팅과 홍보, 그리고 KOC와의 상호 유기적 협력을 통해 성장을 거듭할 수 있었다.

한편, KOC는 최근 새로운 수장이 선출되었다. 수장의 조직운영계획은 방향도 올바르고 사업계획도 전략적이라 할 수 있다. 그러나 합리적 조직운영의지가 확고하고 정교한 쇄신안이라 해도 구성원의 합의와 지지를 얻지 못하면 목표를 달성할 수 없다. 때문에 한국 스포츠의 미래를 책임지고 이끌어야 할 KOC 수장은 올바른 조직운영 철학을 갖고 이에 따른 비전을 제시해야 할 것이다. 뿐만 아니라 올림픽의 미래는 물론 인류에 공통적으로 제시되고 있는 지속가능 위협과 함께 한국 스포츠의 다양한 문제해결을 놓고 능동적 사고로 접근해야 할 것이다. 즉 최근 몇 년 사이 비인기종목의 국제경쟁력 침체와 선수수급문제, 엘리트스포츠 조직과 생활체육조직의 관계형성, 재정문제, 마케팅능력, 기득권층과 신진세력 간의 갈등, 스포츠계파 간 양극화 등 직면해 있는 다양한 한국 스포츠의 문제들(한국행정연구원, 2003), 그리고 기후변화, 상업주의, 국제관계의 다원화 등 국제적인 문제(청와대 홈페이지, 2009)들을 놓고 거시적 측면에서 논의해야 할 필요가 요구된다고 하겠다.

특히, 정부 국정과제로 제시된 '문명사적 전환기'의 시점에서 한국 스포츠 또한 발전이냐 퇴보냐의 미래 행보가 좌우될 수 있는 중요한 시기로 인식되고 있는 만큼, 스포츠강국에서 스포츠선진국으로 도약할 수 있는 토대와 향후 국제 스포츠시장을 선점할 수 있는 거시적 비전이 요구되는 시점이라 할 수 있다. 이러한 의미에서 새롭게 선출된 KOC 수장은 세계변화 추세와 KOC의 현주소, 국정과제와 한국 스포츠의 현실을 직시하고 문명사적 전환기에 대응할 수 있는 한국 스포츠 신성장 동력을 제시해야 할 것이다.

그 결과 KOC는 엘리트 스포츠강국만이 아닌 '선진 스포츠강국을 위한 비전'이 요구되는 것으로 사료되었다. 이에 따라 스포츠선진화에 대한 명확한 목표를 갖고 선진 각국의 활발한 R&D 활동을 뛰어넘는 적극적이고 획기적인 스포츠사이언스 R&D 활성화와 지식정보화 구축 등의 체질개선이 요구된다고 하겠다. 아울러 이 같은 풍토를 조성하기 위해서는 KOC 내 기존 환경으로는 한계로 작용하거나 많은 시간이 소모될 수 있다. 그리고 한정된 국가자원과 경제규모상 무한한 투자와 정부지원은 한계가 있다.

따라서 KOC(Korean Olympic Committee(한국 올림픽 위원회)는 조직을 위한 마케팅전문가 및 R&D 핵심인력 보완의 혁신 내재화가 먼저 선행되어야 만 앞서 제시한 비전이 실현될 수 있을 것이다.

159. 체육단체 통합의 정책적 기조(基調)

체육 단체(體育團體)는 '국민 체육 진흥법' 에서, 체육에 관한 활동 또는 사업을 목적으로 설립된 법인이나 단체이다.

체육단체의 구조 개선에 관한 논의는 지난 2000년 이후 꾸준히 제기되어 논의된 이유는 엘리트체육과 생활체육, 그리고 학교체육의 진흥을 위한 체육단체의 조직 구조가 순환적 연계시스템으로서의 개선이 절실히 요구되고 있기 때문이다.

그동안 조직 구조는 지난 1968년 이전에는 대한체육회, 대한올림픽위원회, 대한학교체육회로 3분되어 대립과 갈등이 그치지 않았으나 다행스럽게도 세 단체가 대한체육회로 통합 출범하게 됨으로써 이러한 갈등은 종식되는 듯하였다. 그러나 대한체육회는 주로 올림픽 종목의 경기력 향상에 역점을 두고 운영되어 생활체육과 학교체육의 활성화를 갈망하는 시대적·환경적 변화에 능동적으로 대처하게 함으로써 1988년 제24회 서울올림픽경기대회 개최 이후 증가된 생활체육 인구의 국민생활체육협의회를 태동하게 만들었다.

이로 인하여 한국 체육은 대한체육회와 국민생활체육협의회의 양립 구조를 이루게 되었다. 대한체육회는 영문 명칭을 KSC에서 KOC로 국민생활체육협의회는 국문 명칭을 국민생활체육회로 변경하여 발전을 거듭해왔다.

그러나 이와 같은 구조는 스포츠 선진화에 역행하는 비효율적 구조이기 때문에 스포츠 선진국 대열에 진입하기 위해서라도 반드시 개선되어야 한다는 필요성이 제기되어 김대중 정부 때부터 매 정부마다 개선을 위한 노력을 시도해 왔다.

하지만 관련 단체의 예민한 이해관계, 국회 차원의 반론, 그리고 지역사회의 저항에 부딪쳐 세월만 허송할 뿐 아무런 결론을 내지 못했다. 그 이유는 양 기관이 단체 통합의 필요성에 대한 총론에는 동의하지만 각론에서 큰 차이를 나타내고 있었기 때문이다.

즉, 대한체육회는 국민생활체육회의 법정법인화에는 반대하면서 KOC를 포함한 대통합을 바라는 입장이었고, 국민생활체육회는 우선 법정법인화한 후, KOC를 분리한 대한체육회와 동등한 입장에서 불리 통합을 바라는 상호 대립적 입장이었다. 이때 국민생활체육회가 생활체육진흥법을 제정하여 법정 법인으로 길을 모색해 나가자 대한민국 체육의 획기적인 도약을 위해서는 단절보다는 연계로의 구조 개선이 필요하다는 목소리가 높아져 문화체육관광부를 중심으로 양 단체와의 협의가 진행되었으나 어떠한 결실을 맺지 못하고 상호입장 차이만 나타낸 바 있다. 그러나 2015년 3월 27일 체육단체 통합과 관련된 생활체육진흥법과 국민체육진흥법이 동시 공포되면서 통합은 반드시 추진되어야 하는 현실적 과제에 놓이게 되었다.

그 첫 단추인 통합추진위원회 구경과 통합 시기, 추진 방법 등에서 이해 당사자 간에 이견을 보임으로서 통합 논의가 표류되었다.

그 이유는 리우올림픽대회와 통합체육회장 선거 시기가 맞물려 대회 준비에 차질을 가져 올수 있기 때문에 올림픽이 끝난 직후인 2017년 2월이 적기이고, 올림픽 헌장 4장 27조에 근거하여 정치적 간섭으로부터 자율성과 민주적 절차가 존중되고, 통합 회장 선출 시에는 올림픽종목에서 과반수이상의 대의원 참가가 보장되어야 하기 때문이다.

이러한 난제에 대한 논의를 거쳐 통합준비위원회는 모든 안건에 대하여 전원일치 합의 정신과 통합 과정에서 IOC 헌장의 정신을 존중하고, 정부는 통합 결과 등에 특정 단체에 편중되지 않도록 통합준비위원회에 요청하는 것을 합의함으로서 그동안 갈등의 실마리를 풀게 되었다.

만약 기구를 축소하기 위한 통합이라면 지금이라도 통합 논의를 중단하는 것이 체육발전과 국민을 위한 길일 것이다. 그렇지 않다면 형식적으로 통합의 비전과 목표를 선언하는 것이 아니라 명실상부 스포츠선진국이 되기 위한 명백한 비전과 목표 제시가 뒤따라야 한다.

스포츠 행정의 중심지인 올림픽회관이 4년 간의 공사를 마치고 공식 재개관했다. 올림픽회관에는 공단, 대한체육회, 대한장애인체육회를 비롯한 61개의 종목단체와 기타 체육단체들이 입주해 명실상부 체육단체 통합청사의 모습을 갖추게 됐다.

유인촌 문화체육관광부 장관, 이기흥 대한체육회장을 비롯한 참석자들이 6일 오전 서울 송파구 올림픽회관에서 열린 올림픽회관 재개관식에서 입간판 제막식을 하고 있다(뉴시스. 2023. 12. 06. 권창회, 박윤서 기자).

160. 비인가 대안학교 체육수업 활성화 방안

대안학교(代案學校, alternative school)는 정규 공교육 제도의 문제점을 극복하기 위해 별도의 프로그램을 마련하여 새롭게 고안한 학교를 의미한다. 넓게는 대안교육기관 일반, 즉, 좁은 의미의 대안학교(각종학교) 외에, 대안교육 특성화중학교 및 대안교육 특성화고등학교까지 포함하는 의미로 사용하기도 한다.

대안학교의 밑바닥엔 대안교육이라는 교육이념이 있는데, '대안'의 모호한 뜻 때문에 진보계열에서는 민주교육이라는 대체어를 사용한다.

대안교육은 제도교육의 한계를 인식하고 그것을 넘어서는 대안적 사회를 구성하면서 새로운 교육을 모색하려는 시도이다. 전체 대안학교 중에서 학력이 인정되는 대안학교는 그리 많지 않지만 대안학교에서 학력 인정 여부는 중요한 문제이다. 이에 따라 학교 특성이나 조건이 크게 달라지므로 우선 학력을 인정해 주는 인가형 학교와 비인가형 학교로 나누어 구분할 수 있다.

반면 비인가 중등 대안학교의 경우 학교의 교육과정과 운영 형태가 매우 다양하여 그만큼 분류 방법도 다양하게 존재하겠지만, 크게 전원형과 도시형으로 나눌 수 있다. 전원형은 대개 기숙형이지만 도시형은 통학형이며 학생들의 특성이나 학교가 추구하는 가치, 인적자원의 활용 면 등에서 적지 않은 차이를 보이고 있다.[78]

서양의 철학자 임마누엘 칸트는 "교육이 인간을 아름답게 만든다." 라고 하여 일찍이 교육의 중요성을 역설했다. 우리나라는 1950년대에 초등학교 의무교육을 실시하였고, 1994년 군 단위로 중학교 의무교육을 시작하여 2001년부터는 전국 단위로 확대 시행해 2004년부터 전 국민의 9년 간 의무교육을 실현하여 대한민국 국민이면 누구나 무상으로 수업을 받을 수 있게 함으로서 누구나 무상으로 수업을 받을 수 있게 함으로써 청소년 시기의 교육의 중요성을 나타내었다.

교육은 인간을 인간답게 형성하는 인격 함양의 과정 중 하나이며, 인간 행동의 변화를 일으키는 중요한 역할을 담당한다. 하지만 이러한 교육의 중요성에도 불구하고 매년 의무 교육을 마치지 못하는 학생들은 늘어가는 추세이다. 2006년 이후 우리나라의 학업 중단율은 조금씩 증가해 왔으며, 2011년에는 총 재적 학생 중 1.9%의 학생이 학업을 중단한 것으로 보고되었다. 이 뿐 아니라 중・고등학교에서의 학업 중단율도 점차 증가하고 있다.

이러한 문제점의 개선과 의무교육을 중단한 학생들을 위해 설립된 학교가 대안학교다. 우리나라의 대안학교는 학력이 인정되는 경우와 인정되지 않는 경우로 구분되는 데, 학력이 인정되는 대안학교의 경우 '특성화학교', '각 종 학교로서의 대안학교' 그리고 '위탁형 대안학교' 등이 포함된다. 학력이 인정되지 않는 대안학교는 '비인가 대안학교'와 함게 재택학교, 주말학교, 계절학교 등으로 구분할 수 있다.

교육부(2014)는 현재 비인가 대안학교가 전국적으로 230여개가 운영되고 있는 것으로 추정한다고 발표하였으며, 2014년 4월 1일 기준으로 비인가 대안교육시설 현황 조사에 응한 비인가 대안 교육시설은 전국에 170개이며, 학습자 수는 6,762명이라고 발표하였다.

초기 비인가 대안학교에 대한 통상적인 인식은 학교 부적을 학생들을 위한 학교였다. 그러나 근래에 와서는 일반 학교에서의 교육 방식을 대체하는 보다 새로운 교육방법을 원하는 학생과 학부모들의 수가 늘어나면서 다양한 형태의 대안학교들이 증가하여 그에 대한 인식이 긍정적으로 변화되고 잇다. 자율적 교육과정을 편성·운영할 수 있는 비인가 대안학교는 새로운 교육애 대한 학생과 학부모의 요구를 만족시틸 수 있다는 장점이 있다.

이처럼 비인가 대안학교는 교육과정의 자율적인 편성 및 운영이 가능하므로 체육수업 시수를 늘려 기존의 공교육의 체육수업에서는 실행할 수 없었던 다양한 프로그램의 수업을 진행함으로써 체육교육으로 인한 긍정적인 효과를 증대시킬 수 있다. 그러나 체육수업을 실시할 수 있는 시설과 학생 수의 부족, 재정적인 한계 등으로 인해 서울시 소재의 비인가 대안학교 유형 중 하나인 도시형 대안학교 9곳 중 3곳은 체육수업은 실시하고 있지 않고 있으며, 나머지 학교 대부분은 단일 종목을 가르치고 강습하는 형식의 수업을 실시하거나 댄스, 연극과 같은 수업을 통해 간접적 체육활동을 하고 있는 것으로 나타났다.

비인가 대안학교의 가장 큰 장점인 교육과정의 자율적인 편성 및 운영은 기존의 공교육의 체육수업에서는 실행할 수 없었던 다양한 프로그램의 수업과 체육수업 시수 증가 등의 장점을 나타내기도 하지만 현실적으로는 체육 수업을 하지 않거나 체험 위주의 수업 등의 단점들 또한 많이 발생하고 있다.

따라서 비인가 대안학교에서의 체육 수업 활성화를 위해서는 현재 비인가 대안학교에서 체육수업이 어떻게 이루어지고 있으며 활동 실태에 따라 체육수업을 실시할 때의 긍정적 요인을 파악하는 체육수업의 재밋거리에 대한 연구와 실행 노력이 요구되고 있다.

161. 지역체육발전을 위한 전국체육대회와 전국생활체육대축전의 통합 운영 방안

전국체육대회와 전국생활체육대축전은 역사와 전통, 규모와 수준, 운영 방식과 내용면에서 현격한 차이를 보이고 있지만 각각 엘리트체육과 생활체육을 대표하는 종합 스포츠제전으로서 국민체육의 진흥은 물론 지역체육 발전을 견인해 오고 있는 국내 종합스포츠축제의 양대 축이다.

전국체육대회는 97년의 유구한 역사를 관통하면서 우수 선수를 발굴하고 경기력을 향상시키며, 일반 국민의 체육에 대한 관심을 제고함과 동시에 한국체육의 발전을 선도해 온 국내 최고 권위의 종합경기대회이다. 전국체육대회는 대한민국을 빛낸 수많은 스포츠 스타의 등용문이자 산실이 되어 왔을 뿐만 아니라 한국스포츠가 G7의 경기력을 지닌 스포츠 강국으로 발돋움할 수 있는 터밭 역할을 수행해 왔다.

전국생활체육대축전은 전국체육대회와는 비견할 수 없다. 12년의 짧은 역사에도 불구하고 'Sport for All' 이념 구현을 위한 생활체육 실천의 경연장으로서의 역할분만 아니라 생활체육 동호인의 친선과 화합을 도모하는 종합 축전으로서 그 위상과 입지를 공고히 해 오고 있다. 전국생활체전대축전은 최상의 기량과 수월성을 다투는 전국체육대회와는 달리 친선과 화합 그리고 생활체육의 국민적 확산을 목표로 개최하고 있다는 점에서 스포츠선진국의 초석을 다지는 보완재 역할을 해 왔다.

양 대회의 공통점은 지역 순회 개최와 지역 대표 간 경쟁이다. 시도별 지역 순회 개최를 통하여 지역 개발 및 경제 활성화에 이바지 하고 있을 뿐만 아니라 지역 간 경쟁 체제를 도입하여 엘리트스포츠와 생활체육의 지역 균형 발전을 도모해 오고 있다.

한국체육 발전에 있어서전국체육대회와 전국생활체육대축전이 지니고 있는 독자적인 역할과 긍정적인 기능에도 불구하고 운영 주체, 방식, 내용 등 다양한 측면에서 문제점을 안고 있다. 먼저 양대회를 주관하는 대한체육회와 국민생활체육회의 구조 조정을 둘러싼 대립과 갈등 구조의 연장선상에서 양대회의 한계를 보완할 수 있는 대안적 노력이나 협력 체계가 전혀ㅕ 이루어지지 않음으로써 한국체육의 문제점으로 지적되고 있는 엘리트체육과 생활체육의 이중적 구조를 영속화시키고 있을 뿐만 아니라. 대회 규모가 지나치게 방대해지면서 경기와 인력의 낭비라는 비판을 받고 있다. 전국체육대회의 경우 심하다는 비판을 받고 있다.

또한 전국체육대회의 경우 지방분산 개최와 지방선수의 출전을 통하여 지역 체육의 균형 발전을 도모하고자 했던 본래 추지와는 다르게 지역 간 과열 경쟁으로 인해 철새 운동선수의 양산과 과다한 연봉 지출, 참가자 중심의 대회 운영으로 인한 관심 저하, 대회 규모 비대화에 다른 시·도 예산 부담 과중 등과 같은 문제점이 표출되고 있다.

전국생활체육대축전 또는 전국체육대회 못지않은 문제점과 한계점을 노출하고 있다. 스포츠경기는 본질적으로 최고의 기량과 수월성을 다투는 경쟁 활동이다. 엘리트스포츠에 비하여 기량과 경쟁의 수준이 낮은 생활체육이 국민적 관심과 주목을 받기에는 태생적 한계가 있다.

전국생활체육대축전은 이와 같은 한계를 극복하고자 체육, 문화, 관광이 이우러지는 종합축전을 표방하고 출범하였으나 국민적 무관심은 물론 개최지역 동호인조차 '그들만의 리그'로 인식될 만큼 반쪽 행사로 외면당함으로써 지방생활체육의 발전이라는 본래 취지와 명분을 무색케 하고 잇다. 대회 운영 면에서도 대회 준비 및 운영 미숙으로 인한 대회의 질 저하 문제가 지속적으로 제기되고 있으며, 대회 규모 비대화로 인한 과도한 지방 재정 부담 또한 시급히 풀어야 할 숙제이다.

162. 청소년의 스포츠활동 참여가 사회적지지 및 학교생활 적응에 관하여

현대사회는 고도의 과학기술의 발달과 복잡한 사회제도로 말미암아 급속도로 변하고 있다. 이러한 사회변화에 청소년들이 자기의 욕구를 어떻게 조절해 나가느냐 하는 사회적응의 문제가 심각하게 대두되고 있다.

한 인간의 원만하고 정상적인 성장 발달은 그를 둘러싸고 있는 환경의 영향과 밀접하며 그 중 청소년 대부분이 가정보다는 학교에서 보내는 시간이 더 많음을 감안할 때 학교는 바로 그들의 생활 자체임으로 중요한 의미를 갖는다.

청소년기는 사회적으로 독립된 개체로서의 역할이 강조되고 자아 중심 태도에서 벗어나 타인의 의견과 흥미 권리 등을 인정하고 새로운 교유 관계와 집단에 대한 소속감이 커지는 시기이다. 또한 청소년기는 여러 가지 신체적· 정신적 변화로 인하여 가치에 대한 갈등 및 정체감 위기 등의 혼란을 일으킬 수 있는 성향 및 가능성을 지니고 있다.

하지만 우리나라의 입시 위주의 교육 정책과 학부모들의 과잉된 학력 위주 풍토는 청소년들에게 그 시기에 알맞은 사회화의 시간을 제한함으로써 학교폭력, 자살과 같은 심각한 사회적 문제를 양산하고 있다.

특히 청소년들의 성적, 진로문제, 집단따돌림, 폭력 등으로 스트레스를 받고 있으며, 이로 인해 많은 청소년이 자살 충동을 경험하고 있으며, 음주, 흡연, 마약 복용 등으로 전신 건강이 위험 수위에 있다. 또한 이들은 연령에 상 없이 모두 학업 성적 문제를 가장 큰 스트레스라고 한다.

이처럼 청소년들이 학업 성적과 같은 입시 스트레스로 인해 학교생활의 부적응 문제를 일으키고 있는 것이다. 그러므로 학생들이 보다 잘 적응된 생활을 영위할 것을 기대한다면 학교생활 적응의 문제는 교사는 물론 청소년의 교육에 관여하는 모든 사람에게 지대한 관심사가 아닐 수 없다. 이러한 측면에서 청소년들을 올바르게 지도·육성하여 건전한 사회의 일원이 되도록 유도하는 것은 현대사회의 중요한 책임인 것이다.

따라서 오늘날 우리 사회가 당면하고 있는 청소년 문제를 근본적으로 해결하고 건전한 청소년을 육성하기 위해 사회 제반 영역에서의 다각적인 노력이 절실히 요구되고 있다. 이와 같은 노력은 사회 전반의 모든 영역에서 이루어져야겠지만, 청소년의 특성에 비추어 볼 때, 특히 체육 영역에서 보다 능동적이고 적극적으로 전개될 필요가 있다.

그 이유는 청소년기의 스포츠 참여는 인간 행동과 청소년들의 사회적 과정을 이해하기 위한 필수적인 국면을 내포하고 있어, 청소년들에게 사회 질서와 가치를 접할 수 있는 바람직한 기회를 마련해 주기 때문이다. 특히, 방과 후에 자발적으로 참여하는 스포츠 활동은 학력 위주의 입시교육과 소비 향락적 여가 문화가 가져오는 병폐를 치유하고, 신체적·정신적·사회적으로 건강한 청소년상을 구현하는 데 매우 효과적인 활동으로 평가받고 있다.

최근에 와서 현대 사회에서 스포츠 참여가 청소년기에 긍정적인 영향을 미친다는 사실은 경험적으로 뒷받침하고 있다. 학생들이 스포츠 활동을 통하여 학생, 교사, 학급생활 등의 관계에서 자기 욕구를 합리적으로 해결하여 만족감을 느끼고 조화 있는 관계를 유지하며 교사 및 학생들과의 관계가 만족스러운 상태로 학교생활에 적응할 수 있다.

이와 같은 관점에서 청소년의 스포츠 활동은 개인의 심리적 적응을 도와주고 사회적 지지를 향상시켜 줌으로써, 결과적으로 일상적 스트레스를 완충시켜 건강증진과 학교생활 적응에 중요한 역할을 담당할 수 있다. 이러한 사실은 청소년의 방과 후 스포츠 활동 참여가 사회적지지 및 학교생활 적응의 관계적 추론을 가능케 한다.

163. 학교체육의 교육적 가치와 정책 지원 방안

학교 체육(學校體育)은 교육 기관의 책임하에 학교에서 학생들을 대상으로 조직적 · 계획적으로 시행하는 체육 교과로서의 체육과 체육 활동이 포함된다.

최근 학교체육은 크고 작은 도전과 응전으로 요동을 치고 있다. 도전과 응전은 모든 사회 영역이 경험하는 양상이며 발전을 위한 역동이라고도 할 수 있지만, 최근 체육의 상황은 그렇게 간단하지 않으며, 더욱이 낙관적인 모습을 보이지도 않는다. 교육행정 영역은 과거에 비할 수 없이 초라하고, 재정 영역은 힘 있는 밖의 세력에 의해 시련을 겪고 있는 상황이다.

무엇보다 학교체육 영역은 가지가 잘리고 뿌리까지 뽑힐 수 있는 위기에 놓여 있다. 학교체육 중에서도 초등체육의 현실은 언뜻 평온해 보인다. 이는 초등체육이 잘 되고 있기 때문인지, 아니면 체육계의 중심에서 멀리 떨어진 주변 말단에 놓여 있기 때문인지 초등체육의 영역에서 체육계 요동의 파장 현상은 확인하기 어려운 상황이다.

그러나 초등체육의 평온함은 잘 되기 때문도 아니며, 체육계의 주변 말단이기 때문은 더욱 아니다. 그 평온함은 초등체육을 둘러싸고 있는 교육계와 체육계 내부 사이에 얽혀 있는 통념적 왜곡(歪曲) 의 그림자가 드리워져 있다

학교교육 전반에 걸쳐 위기라고 말하고 있다. 교육계에서의 무관심은 뿌리 깊은 주지 교육 중심의 학교급간 위계 의식에 기인하고 있다. 주지교육 중심의 의식은 교과 위주의 서열화를 부추기면서 체육교과의 위치와 역할을 왜곡시키는 계기가 되고 있다.

학교체육 역시 마찬가지의 모습을 보이게 된다. 이제는 학교 체육의 형식과 내용 그리고 방법의 변화가 구체적으로 모색되지 않으면 안 되는 시점에 있다.

교육은 지식교육, 특히 명제적 지식(knowing that)의 교육이라는 사고가 지배하는 교육 풍토로 인하여 방법적 지식(knowing how), 실천적 지식(practical knowledge)과 연관되고, 거부할 수 없는 인간 실존적 의미를 가지고 있는 체육교과의 존재 이유는 외면당하고 있다.

무엇보다도 학교급간 위계 의식은 주지, 즉 지식 중심의 사고방식과의 연관 속에서 '초등', '중등', '고등' 식의 순서적인 나열로 인하여 초등교육의 위치와 역할을 격하시키곤 한다. 초등교육이 교육의 바탕이고 기둥이라는 의미는 제대로 인식되지 못하고 오히려 낮고 적은 지식을 다루는 과정으로 오인되고 있다.

이렇듯 교육계 전반에 주지 또는 지식 중심의 의식이 지배함으로써 교과 서열화와 학교급간 위계화 경향을 심화시키고, 이 두 가지 경향은 초등교육을 교육계 관심 밖으로 밀어내는 상황이다. 이러한 때, 학교체육에 대한 기본 방향과 과제에 집중하는 것은 학교체육의 가치를 높일 수 있고, 체육에 대한 희망의 그림자를 찾을 수 있는 직접적인 길이다.

학교체육의 정책 과제는 체육정책의 입안자들만의 노력으로는 만들어지지 않는다. 현장의 교사들과 정책입안자들과의 소통으로 학교 체육수업을 개선하는 일에 매진해야 만 체육수업의 지향적 변화를 찾게 될 것이다.

다만, 우리나라에서 학교체육의 정책을 주관하는 정부부처가 교육과학기술부와 문화체육관관광부의 이원 병립 체제를 유지하고 있기 때문에 한편으로는 시너지 효과를 기대하면서도 다른 한편으로는 정책적 혼란이 초래될 수도 있는 시스템을 가추고 있다.

진정한 의미로서 학교체육의 부재는 사회적 건강 비용을 증가시키고, 다양한 사회 문제로 확산될 수 있다는 점을 알아 두어야 할 것이다.

학교 체육시설의 개방률(開放率)이 저조하다는 것도 더불어 지적되고 있는 문제점이다.

164. 한국 프로축구의 승부 조작에 대한 논고(論考)

승부 조작(勝負造作)은 스포츠에서, 경기가 시작되기 전부터 경기 결과나 과정을 미리 결정한 뒤 이를 그대로 시행하여 경기의 결과와 과정을 왜곡하는 행위이다. 경기에 참가한 선수들의 비정상적 플레이나 심판의 공정하지 못한 판정으로 경기 결과를 왜곡하는 행위를 이른다. 스포츠에 대한 신뢰와 권위를 크게 훼손하며, 도박과 베팅이 연루되어 있는 경우가 많다.

승부조작(勝負造作)은 승부를 내는 경기에서 선수 및 코칭 스태프들이 의도적으로 원하는 경기 결과를 유도하여 승패 및 점수를 조작하는 부정행위를 말한다. 작게 말해서 온라인 게임에서 일어나는 각종 어뷰즈들을 포함해 실제 스포츠의 경기 승패를 조작하는 것까지 승패가 존재하는 스포츠에선 다양하게 일어나는 일이다.

한국 프로축구에서 승부 조작 사건이 터졌다. 스포츠 시장 내에 도사리고 있는 '검은 돈' 에 넘어간 선수들과 관계자들의 승부조작은 일파만파로 번져 일부는 소환되고 구속되어 그라운드 대신 검찰청에서 초췌한 모습으로 나타났다.

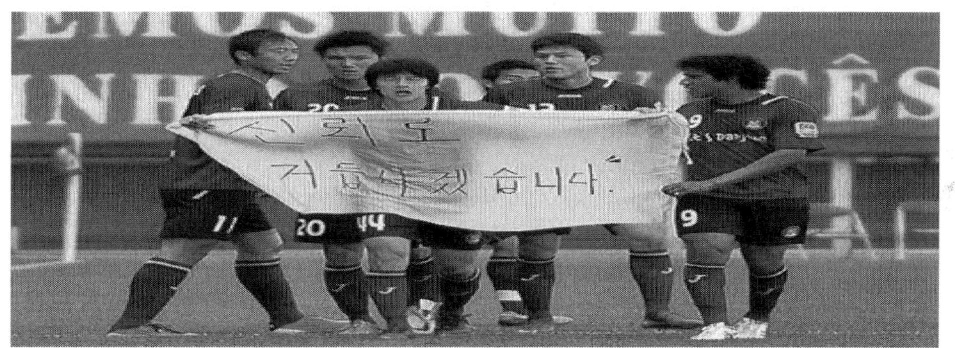

어느 선수는 부끄럽다는 유서와 함께 목숨도 끊었다. 종국에는 소속 구단에서 승부 조작에 가담한 이를 징계하고 일단락 지었으나, 사건의 시원한 마무리는 아니었다. 축구뿐만 아니라 다른 종목에도 만연하고 있는 것으로 보이는 승부조작의 문제는 의식개혁의 문제라든가 선수단 교육의 문제라며 대책이 절실히 필요하다고 몇몇의 축구연맹 관계자들은 입을 모은다.

또한 이러한 사태의 책임을 전적으로 선수의 도덕적 해이 문제로만 보는 것은 옳지 않다는 얘기도 나온다. 실제 선수는 승부조작에 가담하는 자체가 범죄라는 인식도 못하고 있기 때문이다.

현대 스포츠에서의 부정행위는 선수를 타락시키고 상품으로 보는 상업성에서 그들의 존재 가치를 객체화시키고 있기 때문에 스포츠의 바람직한 정신과 이상을 위해서는 스포츠의 본질에 대한 접근 의식과 선수 자신의 실존에 대한 숙고, 성찰이 필요한 시점이라는 것이다.

이러한 접근은 단숨에 바꿀 수 있는 변화라기보다 유소년 시절부터 성인이 될 때까지 지속적으로 수양되어야 하는 일종의 공부이다. 학습으로서 익히는 공부에 그치는 것이 아니라 스스로 마음을 닦고, 몸을 닦음으로서 정신까지 수양하는, 그래서 인격도야에 이르는 길인 것이다. 모든 분야가 그렇지만 특히 체육과 스포츠에 몸담고 있는 자는 인격 형성이 더욱 요구되는 분야이다. 단순히 생존 문제를 해결하려는 운동, 혹은 주체적인 운동의 목적보다 감옥 같은 착취의 대상으로서의 운동 등은 그들의 심신을 나약하게 한다. 스포츠에서 기록, 결과, 부정, 승리 등에 의해서 운동 문화가 지배적으로 구축되었다 하더라도 이런 획일성에서 자신의 주체성을 잃지 않아야 하는 것이다. 이러한 주체성은 평소에 몸을 기르고 마음이 정리되지 못한 사람이라면 실존을 유지하기 어렵다고 보아진다.

스포츠에서 어떤 상황이나 사태가 와도 나은 성숙한 모습으로 나타나 기계적인 자신에 대해 유보할 여유도 안겨 주는 것이다. 따라서 승부조작에 대한 개인의 대안적 측면을 개인의 주체성으로 보고 지금 스포츠가 안고 있는 인간성의 상실, 선수와 경기의 도구화, 스포츠의 타락 등을 염두에 두면서 도덕적으로 실마리를 찾아야 한다.

첫째, 결코 단순하고 쉬운 것은 아니지만, 선수와 스포츠 관계자는 의연한 태도를 유지하는 것에 노력해야 한다. 주위의 집착, 강요에 얽매이지 않는 것이다. 또한 스포츠 자체에 종속된 존재라는 생각은 떨쳐 버리면서 자기주도적인 경기를 이끌어가야 한다. 기록, 승리, 금전의 유혹 등에 대한 강박관념을 조정하는 에토스가 필요하다

둘째, 누군가를 위한 운동선수는 탈피해야 한다. 기업의 이윤을 위한, 팀의 실적을 위한, 자신의 사리사욕을 위한 스포츠는 스포츠 정신에 위배되기도 하지만, 스포츠에서 자신이 왜 존재하는 지를 망각하게 하는 행위이기 때문이다.

셋째, 스포츠의 내외적인 가치의 경계를 분명히 할 필요가 있다. 외재적 가치를 무시할 수는 없지만, 내재적 가치의 본질을 간과하는 데에서 부정행위와 비합법적인 행위가 싹트기 마련이다. 금전에 종속되어 이것이 인간의 의식을 점령하게 되었다면 자율성은 이미 퇴색되어 가고 있다. 늦기 전에 도덕적으로 구비된 스포츠의 에토스를 찾아야 한다.

165. 한국 프로스포츠의 문화철학적 접근

문화사와 문화 이론의 핵심 과제 가운데 하나는 문화의 개념 규정에 있다고 할 것이다. 문화의 정의에 따라 연구 대상의 범위와 내용이 정해지기 때문이다. 〈문화철학〉에서 카간은 문화를 존재의 한 형태이자, 인간 활동에 의해 형성된 '사회적 유전' 기제로 정의한다.

동물의 행동이 이미 프로그램화되어 있고 생물학적으로 유전된다면, 인간의 활동은 유전된 본능뿐 아니라 인간 외부에 존재하는 정신적·물질적 대상의 습득 및 타인과의 의사소통을 통해 이루어진다는 면에서 그 차이가 있다. 즉, 인간 활동의 산물은 인간 외부의 존재로 대상화되고, 그 산물은 세대에서 세대로 전달되며, 인간은 그 대상물에 담긴 '문화'를 습득하는 동시에 창조하는 주체로 거듭난다. 다시 말해서, 문화는 대상화와 의사소통 활동에서 드러나는 인간의 자질, 인간의 활동 방식, 그리고 인간 외부에 존재하는 인간의 모든 창조물을 아우르며, 인간을 창조의 주체로 만드는 동시에, 역으로 그 창조물들을 통해 '인간'을 형성하는 사회적 유전 기제인 것이다.

카간은 이와 같이 문화를 특정 사물들의 집합, 가치, 제의, 양식, 정신, 상징 등의 세부 대상으로 환원하지 않는다. 저자는 문화를 내적 구성물 및 그 연관 관계에 의해 형성되는 체계로, 또 존재의 한 형태로 보고, 또 다른 존재 체계인 자연, 인간, 사회와 문화의 상호작용 양상을 〈문화철학〉에서 다루고 있다.

문화 철학(文化哲學)은 문화적 가치의 이해와 창조를 목적으로, 문화 과학 및 문화생활의 원리에 대하여 고찰하는 철학의 분과로 독일의 철학자 빈델반트(Windelband, W.)가 사용한 용어이다.

첫째, 야구경기를 관람하는 관중들의 의식(문화)은 어떠한가?

둘째, 야구를 포함한 프로스포츠의 활성화를 위한 문화적 접근은 가능한가?

프로야구가 스포츠로서 진정한 가치를 가지고 우리사회의 예측 가능한 소통의 문화로 자리매김하기 위해서는 특정계층의 전유물이 아닌 전 세대의 공유물이 되어야 할 것이다. 이를 위해서 차세대의 잠재적 야구 소비자인 어린이들과 여성들의 프로야구 관람문화의 변화를 유도해야 할 것이다. 이는 프로야구의 근본적 토대를 걱정하고 구조적 개선방안을 모색하는 문화철학적 관점의 관람문화에 대한 재정립을 의미하는 것이다.

전술한 바와 같이 정상적인 학교교육을 통한 야구의 올바른 이해와 세대 간 소통을 위한 매개체로서의 정착이 절실히 요구된다. 특히 차세대의 주역인 청소년들과 여성들의 관람문화의 변화는 미래사회의 세대 간 소통을 이어주는 징검다리 역할을 수행할 것이며 이는 프로야구 관람문화의 새로운 패러다임을 창출할 것이다.

스포츠의 여러 범주 중 현대사회에서 가장 큰 비중을 차지하고 있으며 관람 스포츠로서 위용을 과시하고 있는 것은 프로 스포츠일 것이다. 국내의 대표적인 프로 스포츠는 야구, 축구, 농구, 배구 등이 있다.

야구와 축구의 경우 출범당시 정치적, 사회적으로 부정적 측면이 내포되어 있다는 주장도 있지만 현대사회에서의 스포츠는 일회성 이벤트가 아닌 주기적이고 지속적인 여가활동이며 비즈니스의 수단이 되고 있다. 사람들은 스포츠를 통하여 스트레스 해소, 자긍심 함양, 여가선용 등의 다양한 개인 목적을 달성하고 기업들은 자사의 이미지 고양이나 제품을 판매하는 수단으로 이용하고 있다.

무엇보다도 경제가 성장함으로 여가 시간의 증가 및 건강과 레저에 대한 관심 증대, 개인 소비지출의 증가, 생활양식의 변화 등에 따른 골프, 스키 등과 같은 다양한 참여 스포츠의 발달과 활성화를 가져 왔을 뿐만 아니라 프로 스포츠와 같은 관람 스포츠에 대한 관심도 증대되었다. 따라서 프로스포츠는 오늘날 우리사회의 통합과 소통의 중요한 역할을 수행하고 있으며 미래사회의 삶의 질을 향상하기 위한 핵심 키워드로 부상하고 있다.

지난 3월 6일 시범경기를 시작으로 3월 27일 열전에 돌입한 2010 CJ 마구마구 프로야구는 전체 일정의 68%를 소화하고 전반기 레이스를 마감하였다. 2009년 관중동원 590만의 기록을 깨고 600만 관중의 시대를 예고하는 올해 프로야구는 지난해 극심한 타고투저 현상을 완화하고 박진감 넘치는 야구를 위해 강화된 스트라이크존 확대와 12초룰 규정을 새롭게 도입하였다.

이 제도는 경기시간을 단축하고 각 구단 투수들의 활약이 승패를 좌우하는 경기흐름을 보이는 새로운 양상을 선보이기도 하였다. 그리고 2008년 베이징올림픽에서 쿠바를 꺾고 우승한 기억, 2009년 WBC 준우승의 쾌거, 외국에서 활약하는 선수들의 선전소식은 지난 5월 31일 국내 프로스포츠 사상 최초로 연 관중 1억명을 돌파했고 역대 최소 경기인 243경기 만에 300만 관객을 동원했다. 그러나 한편으로는 2002년 월드컵 4강, 야구와 축구는 각각 1982년, 1983년에 프로리그가 창설되었으며, 농구는 1997년 그리고 배구는 2005년에 출범하였다. 이외에도 현재 활동 중인 프로리그 종목은 프로골프(남, 여), 프로씨름, 프로볼링, 프로권투, 프로

레슬링 등 9개종목 11개 프로단체조직, 50개 구단으로 구성 운영되고 있다.

그러나 한편으로는 2002년 월드컵 4강, 월드컵 본선 연속 7회 출전, 2010년 남아프리카공화국 월드컵 원정 16강 진출 등의 선전에도 불구하고 국내 프로축구는 여전히 관중석 절반도 채우지 못하는 그들만의 잔치로 전전하고 있다. 지난 월드컵 기간에 거리로 뛰쳐나와 장관을 이루었던 붉은 악마의 응원단은 모두 어디로 사라진 것일까? 왜 관중들은 이처럼 종목에 따라 혹은 승패에 따라 쏠림현상을 보이는 것일까?

먼저 엘리트스포츠와 대중스포츠의 분화과정에서 생겨난 프로스포츠는 출범 당시 우리나라의 정치적, 사회적, 문화적 요인에 자유로울 수 없었던 체육계의 전반적 흐름이 깔려 있었다. 이는 결과적으로 일반시민들의 선호와는 상관없는 특정종목 엘리트스포츠 선수들만의 경기로 전락하였으며, 최근까지도 일부종목을 제외한 프로스포츠는 경영난에 허덕이고 있는 처지가 되었다. 그리고 야구는 스포츠와 체육의 풀뿌리라고 할 수 있는 학교체육의 교육과정에 포함되어 있지 않아 규칙을 포함한 야구의 전반적인 지식을 제대로 습득할 수 있는 기회마저 주어지지않은 실정이다. 특히 사회적으로 스포츠의 문화가 여성들에게 제한적이었던 기성세대들의 경우 더욱 소외될 수밖에 없었다.

특히 미국의 경우 삼대가 함께 야구장에 와서 승패와 상관없이 야구를 즐기는 모습은 승패에 따라 관중이 쏠리는 우리나라의 관람문화와 차이를 보인다. 이러한 문화철학적 차이에 따라 프로야구의 제반 현상은 우리나라만이 가지는 독특한 관람문화를 형성하게 된 것이다.

따라서 미래사회의 삶의 질 향상을 위한 키워드로서 야구문화를 정착하기 위해서는 학교 교육과정에 야구수업이 이루어져 야구의 진정한 의미와 생활화가 학교체육을 통해 길러질 수 있어야 할 것이다. 특히 차세대의 주역인 청소년들과 여성들의 프로야구 관람문화의 정착은 미래사회의 세대 간 소통을 이어주는 징검다리 역할을 수행할 것이며 이는 프로야구 관람문화의 새로운 패러다임을 창출할 것이다.

166. 스포츠미디어를 통한 헤게모니와 영웅주의

스포츠 미디어(sports media)는 스포츠를 텔레비전, 라디오, 신문, 잡지, 비디오, 만화, 영화 따위의 미디어와 결합하여 스포츠에 관한 지식과 정보를 대중에게 간접적으로 전달하는 복합적 매개체이다.

헤게모니(hegemony)는 어떠한 일을 주도하거나 주동할 수 있는 권력이나 지위 또는 주도권을 말한다. 가장 일반적인 의미에서는 한 집단이 다른 집단을 지배하는 것을 이르는 말이다.

월드컵 경기는 미디어와 스포츠 결합이 얼마나 다양한 요인에 의해서 이루어지는 문화 생산 복합체인지를, 그리고 동시에 스포츠가 단순한 경기 행위체가 아니라 경제, 사회, 문화와 결합되어 이루어지는 초국가적인 차원의 커뮤니케이션 장으로서 존재한다는 것을 명확하게 보여 주고 있다.

영웅주의(英雄主義)는 영웅을 숭배하거나 영웅다움에 심취하여 스스로 영웅인 양하는 태도 또는 민중이나 계급의 힘보다는 탁월한 개인이 역사나 사회를 움직인다고 보는 입장이다.

오늘날 스포츠와 영웅이라는 두 개념을 가지고 연상되는 단어를 떠올려보고자 한다면 올림픽과 월드컵 같은 국제적 스포츠행사를 쉽게 떠올려 볼 수 있을 것이다.

이와 같은 대회에서 메달을 획득하거나 좋은 성적을 올리는 선수들에게는 개인적인 목표의 성취 외에 집단에서의 영웅이라는 칭호를 받는 기회를 얻게 된다. 여기서 스포츠대회에서의 성적은 규칙을 통한 경쟁에서의 우위와 규칙을 통해 객관적으로 판단되어지나, 반면에 그에 다른 영웅이라는 지위의 획득의 기준은 객관적이지도 가시적이지도 않다. 과연 스포츠에 있어서 영웅이 만들어지는 메커니즘은 어떻게 되는 것일까?

1차적인 관점에서 보면 한 집단의 대표자라 할 수 있는 '선수'가 팀을 위기상황으로부터 구출해 내는 역할을 했거나, 경기에서 뛰어난 활약을 보였을 때 등, 다른 집단의 '대표'에게 승리함으로써 그 해당 집단으로부터 영웅이라는 의미를 부여받는 것이다. 올림픽과 월드컵 선수들이 자신의 국가를 대표해서 경기를 하는 시스템은 아주 좋은 예가 될 것이다.

또한 박지성이나 박찬호와 같이 해외에서 활약하고 있는 선수들이 좋은 성적을 올리면 환호하는 것도 그들이 한 집단에 대표로써 활약하고 있기 때문이다. 즉 그들의 '승리' 는 그들이 대표하는 '승리' 와도 같으며 이에 따라 대리 만족을 느끼는 것이다.

그렇다면 영웅 탄생의 메커니즘의 키워드는 집단 대표자의 '승리' 라고 볼 수 있을까? 그렇다고 답할 수도 있지만 이는 1차원적인 관점에서 이다. 오늘날과 같이 복잡하고 다원화된 사회에서 이를 단순하게 규명하려는 것은 옳지 않거니와 매우 어려운 일이다. 어떠한 때는 민족적 상황이나 감성에 의해서, 어떠한 때는 정치적 관점에서, 또 다른 때에는 미디어에 의해서 영웅이 탄생하기도 한다.

이러한 영웅 탄생 메커니즘은 그 다원화된 특성으로 인해 각 요소인 사회, 정치, 문화, 경제 등 전반에 걸쳐 영향을 주고받기 마련이다. 예를 들어 2002년 솔트레이크 동계올림픽에서 실격으로 우승 기회를 놓친 쇼트트랙 김동성 선수는 승리하지 못했음에도 비운의 영웅으로 떠올랐으며, 그 결과 반미 감정을 더 격앙시키는 결과를 낳았다. 이는 그 해 월드컵 미국 전에서 이른바 '오노 세레모니' 를 펼치는 계기가 되었고 당시 결과는 무승부였으나. 한국 대표팀은 그 이후의 성적과는 별도로 당시 또 새로운 영웅으로 떠올랐다.

하지만 스포츠 스타의 역할이 부정적인 영향을 야기하는 경우도 살펴보면 크게 세 가지로 압축해 볼 수 있다.

첫 번째는 현실 감각의 객관적 판단 능력의 상실이다. '영웅주의' 와 과도한 내셔널리즘이나 조장적인 매스미디어와 결합하게 된다면 대중들은 자칫하면 객관적인 판단 능력을 상실할 수 있다.

두 번째, 결과 중심주의의 초래이다. 스포츠 영웅 탄생의 기본적 요건은 '승리' 이다. 패배한 선수들도 영웅으로 추앙받는 경우도 있지만 이는 매우 드물다. 올림픽에서 은메달을 단 선수는 마치 금메달을 다지 못한 것이 죄라도 되는 마냥 대중 앞에 떳떳이 고개를 세우지 못하는 경우가 있다.

세 번째는 지나친 상업주의로 인한 대중과 선수의 피해이다. 미디어와 기업이 만들어내는 스포츠 스타를 이용한 갖가지 전략은 때로는 수비자와 대중의 눈을 흐리게 하기도 하며, 어떠한 경우에는 선수 그 자체에게 치명상을 입힐 수 있다.

스포츠는 분명 객관적 과정과 결과를 내놓지만 그것을 전달하는 미디어 주체의 판단에 있어서는 그 주관과 의도에 따라 대중에게 전해지는 영향이 전혀 달라질 수 있다. 때로 미디어는 그 내용의 객관성과 사실성과는 상관없이 대중들의 기대심리를 이용하여 영웅주의를 부추기는 무차별적 기사를 남발하여 상업적 이득을 취하는 과정은 지향한다.

167. 세계화와 양립하는 스포츠 민족주의

국제화(internationalization)가 국민국가 간의 교류가 양적으로 증대되는 현상을 말한다면, 세계화(globalization)는 양적 교류의 확대를 넘어서 현대 사회생활이 새롭게 재구성됨으로써 세계사회가 독자적인 차원을 획득하는 과정을 뜻한다. 세계화는 분석 단위로서의 세계사회를 중시한다.

이 세계화(世界化)에 대해서는 긍정론과 부정론, 그리고 절충론이 맞서고 있다. 먼저 긍정론은 세계화가 단일한 지구적 시장과 경쟁 원칙을 강화함으로써 인류에게 발전을 가져온다고 본다. 이들은 세계화의 결과에 대해서 낙관하고 있는데, 많은 국가들이 상호교역에서 비교우위를 가지게 됨으로써 세계화는 결국 세계사회의 번영을 가져온다고 주장한다.

민족주의(nationalism, 民族主義)는 역사적으로는 자기 민족을 다른 민족이나 국가와 구별하고 그 통일·독립·발전을 지향하는 사상 혹은 운동이며, 정치적으로는 민족을 사회공동체의 기본단위로 보고 그 자유의지에 의하여 국가적 소속을 결정하려는 입장이라고 할 수 있다. 일민족 일국가의 원리를 주장하는 이러한 민족주의는 자각적 민족의식이 성립한 근대 이후의 현상으로서 시민적 자유주의와 궤를 같이한다.

민족주의는 근대적인 운동이다. 미국 독립혁명과 프랑스 혁명을 기하여 비로소 만개했으며, 19세기는 유럽에서 민족주의의 시대로 불리었다. 남아메리카의 신생국들이 민족주의를 받아들인 뒤 19세기 초엽에는 중부 유럽으로 전파되었고 중반기에는 남·동유럽으로 번져나갔다. 20세기의 민족주의 운동은 아시아·아프리카 지역에서 치열한 투쟁양상을 보였다.

스포츠 활동은 각 국가의 문화적 특성과 민족주의 운동과 결부되어 그대 국가형성에 크게 공헌을 하였다. 스포츠는 각 민족의 에너지를 결집하고, 민족의 동질감을 갖게 하는 동시에 민족의 단결을 촉구하는 기능을 해 왔다.

스포츠는 직접 참가하거나 관전하는 사람들로 하여금 공동체에 대한 소속감을 갖게 하는 동시에 정체성을 이끌어내는 기능을 하기 때문이다. 특히 스포츠 활동이 다른 국가와의 관계에서 이루어질 때 국가로 상징화 되어 구성원들을 하나로 묶어 강한 결속력을 갖게 하는 특징이 있다.

스포츠에 민족주의 개념이 도입된 것은 어제 오늘의 일이 아니며, 세계화를 추동하는 대중 매체에 의해 더욱 중요하게 부각되고 있다. 국경 없는 세계화 시대를 맞이하여 스포츠를 통한 민족주의가 더욱 가속화되고 있기 때문이다.

프로선수들이 계약에 의해 국경을 넘나드는 행위가 급격히 증가하고 있으며, 좀처럼 민족주의의 퇴조 조짐은 찾아볼 수 없다. 한국의 세계적인 야구선수 박찬호와 박세리의 예에서 볼 수 있듯이 스포츠 민족주의가 세계화를 맞이하여 더욱 강화되는 경향을 보이고 있다. 언뜻 보면 세계화와 민족주의가 서로 모순된 것처럼 보이지만 스포츠 영역에서만큼은 상부상조하는 관계를 보이고 있다는 것이다.

스포츠는 근대 민족국가 형성에 있어서 각 민족에게 에너지를 결집하여 동질감 내지는 연대감을 갖게 함으로써 민족 단결을 촉구하였다. 또한 민족주의는 월드컵, 올림픽, 아시안게임 등과 같은 대규모 국제대회를 발전시키는 촉진제 역할을 하였다.

그러나 다른 한편으로는 스포츠 속에 배타주의가 작용하여 자기 민족만이 우월하다는 민족 우월주의를 유발하기도 하였다. 민족 우월주의를 보여 준 극단적인 예가 바로 독일의 히틀러(Adolf Hitler)가 베를린 올림픽(Berlin Olympics)을 유치하여 종합 우승을 한 경우이다.

이처럼 민족주의는 스포츠에 있어서 단합과 결합을 유도하기도 하지만 다른 민족을 인정하지 않거나 경시하는 배타적 민족주의 현상을 빚어내기도 하였다. 하지만 본질적으로 민족주의는 악덕이 아닌 하나의 긍정적인 미덕으로서 또한 강력한 정치적 힘으로 볼 수 있는 측면도 있다.

모든 국가 조직체 중에서 가장 이상적인 것은 민족국가이며 이것을 뒷받침하는 동일한 민족의식이야말로 인류문화를 창조하는 근원이 되고 복지 사회의 기초가 되고 있기 때문이다.

교통과 통신의 발달로 국제간 스포츠의 교류가 활발해짐에 따라 현대 스포츠는 세계 공통의 운동이 되었으며 국제 친선과 평화 유지에 크게 공헌하고 있는 것이 사실이다.

따라서 스포츠 민족주의는 정치적 영향이 과도하게 작용하지 않는 한 다른 분야와 비교하였을 때 긍정적인 역할이 더 크다고 할 수 있다. 또한 정치로 인한 부정적 효과가 나타날 때마다 그러한 사태가 재발하지 않도록 스포츠 민족주의 부정적 기능을 통제하며 긍정적 측면을 발전시켜 온 측면이 없지 않다. 이제, 세계화 시대를 맞이하여 스포츠 민족주의도 21세기 인류사회가 추구하는 중요한 가치로서 민주주의, 정의, 환경보호, 인권 등의 실현에 기여하는 보다 적극적인 태도를 취해야 한다.

168. 대한민국은 양성에게 공평하고 공정한 스포츠의 기회와 과정을 제공하기 위한 법과 제도를 확립하고 있는가?

양성평등(gender equality, 兩性平等)은 사회문화적으로 한 성이 다른 성을 차별 또는 억압하고 있는 상황에서, 양성평등은 여성과 남성 간 성 차이를 인정하고 성 불평등으로부터 야기된 차별과 억압을 극복해야 실현된다.

스포츠는 정정당당한 경쟁을 통해 이루어지는 공정하고 공평한 활용의 문화적 활동이므로, 사상이나 이념을 초월한 화합의 장으로 대표된다. 법치주의 국가인 대한민국은 양성에게 공평하고 공정한 스포츠의 기회와 과정을 제공하기 위한 법과 제도를 확립하고 있는가? 이 글은 이러한 물음에서 출발하게 되었다.

인류는 공동체를 형성함과 함께 그 사회를 지탱하는 구조적 중심으로 법과 규칙을 제정하였고, 인간은 그 법의 규범 안에서 보호받거나 규제받으며 삶을 영위해 왔다. 조직이나 국가 사회의 발전 역시 법의 테두리 안에서 용인되고 정당화된다. 법의 형성됨은 국가의 문화적 규범과 사회성에 영향을 받고, 절대적 진리 규범과 윤리적 가치를 훼손하지 않으며, 개인과 조직, 나아가 국가 간 권리와 발전을 고려하여 사회적 요구에 따라 새로운 법이 제정되고, 또 개정되는 과정을 거친다. 오늘날 스포츠는 크게는 국가발전을 이루는 정치, 경제, 사회의 초석이 되고, 작게는 개개인의 안녕과 발전을 이루는 삶의 한 부분으로 자리하게 되었고, 대한민국 법령의 제·개정과도 관련하게 된다.

우리나라 최초의 스포츠법인 국민체육진흥법은 정부에서 국민의 체육활동에 관심을 가지고 제정하였으나, 이 법은 벌칙 조항과 강제성이 없고 장려하는 차원에 머물렀다. 특히 국민체육이 우리나라에 완전히 정착하기 전 86아시안게임과 88올림픽대회를 대비하여 엘리트선수 육성에 중점을 두었다는 점과 스포츠를 정치적 도구로 이용하였던 정부 정책으로 말미암아 본연의 정체성이 퇴색하였고, 20회의 제·개정을 거치며 누더기 법안이라는 오명을 쓸 만큼 이 법의 존재 가치가 무색해지는 등 많은 문제가 제기되어왔다.

2012년 1월에 제정되어 2013년 3월 공표된 학교체육진흥법은 퇴행한 국민체육진흥법을 보완하여 스포츠를 장려하고, 입시위주의 교육으로 경시되는 학교 체육 활동을 진흥하기 위한 법안으로, 국가 차원의 교육 정책과 관리와 규제가 가능한 학교에서 시행되고, 평생체육의 기반을 다지는 유아에서 청소년을 대상으로 하는 스포츠법이라는 측면에서 향후 전개에 대한 기대가 크다.

양성 평등정책 선진국의 양성평등법 사례와 전재 방법, 성과와 문제점과 관련하여 다음과 같이 제안하고자 한다. 스포츠양성 평등법은 학교체육의 양성 평등교육을 실현하고 체육수업 학습권을 보장할 수 있는 근본적인 방안이 되어야 한다. 그리고 엘리트체육 관점에서는 폭력 및 성폭력 문제, 양성의 조화로운 조직구성을 통해 스포츠 문화를 개선하고 내적 성장을 이룩해야 한다. 생활체육 및 국가사회적 관점에서는 스포츠를 통한 양성의 화합과 사회 통합으로 이어져 궁극적으로 국가 발전에 기여하는 절반의 동력을 활성화 하는 데 기여해야 한다.

스포츠 양성평등법을 제정하는 방안으로 첫째, 스포츠 기본법 제정, 둘째, 학교체육진흥법 내 양성평등 조항의 제정 및 개정, 셋째, 엘리트체육 양성 평등법 제정, 넷째, 국민체육진흥법 내 양성평등 조항의 제정 및 개정이 요구된다.

여성체육학회의 수장인 원 회장은 여학생들이 체육을 싫어한다는 것은 '편견' 이라는 말에 동의했다. '수용자' 인 여학생 중심의 체육 교육, 생애주기에 맞는 일관성 있는 체육교육 정책 및 프로그램을 강조했다.

원 회장은 "사람마다 능력과 취향은 다르지만, 움직임은 본능이다. 성향에 따라 조용한 운동을 선호할 수도 있고, 격렬한 스포츠를 좋아할 수도 있다" 고 했다. "천편일률적인 프로그램이 아닌 다양한 프로그램과 선택의 기회를 줘야 한다" 고 강조했다. "현장 여학생들의 의견에 귀를 더 기울여야 한다. '여자 애들은 요가나 댄스를 해야 한다?' 꼭 그렇지는 않다. 정답은 없다. 여학생들에게 물어봐야 한다. 좋은 체육을 위해 무얼 해주면 좋겠나, 계속 물어봐야 한다. 수용자 중심의 연구와 고민이 필요하다" 고 덧붙였다.

생애주기별 일관된 여학생 체육교육의 흐름을 강조했다. "유치원 보육교사, 초등학교 저학년 여교사들부터 체육에 대한 인식이 달라져야 한다." 여학생들이 체육을 기피하는 가장 큰 이유로 습관을 꼽았다. "가장 중요한 유아기 초등학교 때 '움직임' 교육이 제대로 돼야 한다. '여자로 태어나는 게 아니라 길러진다' 는 말처럼 유아기의 체육 교육이 중요하다" 고 했다. "앞구르기, 뒤구르기를 통해 '내 몸이 어떻게 생겼나, 어디를 펴고 어디를 구부리나…' 자신의 몸을 자연스럽게 알게 된다. 어려서부터 아빠 엄마와 함께 뛰어노는 것, '패밀리 스포츠' 의 습관 역시 중요하다. 2차 성징이 시작되는 사춘기, 중학생 때 갑자기 운동하라고 하면, 할 수가 없다. 철저히 '생애주기' 프로그램으로 가야 한다. 운동의 흐름이 이어져야 한다" 고 말했다.[79]

169. 메가 스포츠 이벤트의 지역 유치와 갈등

지방자치단체들의 행보를 보면 저마다 메기 스포츠 이벤트 유치를 시도하려는 의도가 봇물 터지듯이 과열 현상의 조짐을 보이고 있다. 축구 빌리지나 생활체육 이벤트 또는 전시회 개최가 주종을 이루었던 지난날의 스포츠마케팅이 국제화 바람을 타고 동·하계올림픽, 월드컵, 종목별 세계선수권, 아시안게임 등의 메가 스포츠 이벤트를 해당 지자체의 유치로 방향을 바꾸어가는 추세이다. 그 과열의 흐름 속에서 지자체 간의 보이지 않은 충돌이 빚어지기도 했다. 정부도 조정 기능을 찾지 못해 관망하고 있을 뿐 어느 편을 밀어주기가 어려운가 보다.

지난날 동계올림픽 유치를 놓고 평창과 무주가 팽팽히 맞섰을 때도 조율의 시기를 놓지는 바람에 유치 전략에 차질을 가져놨다는 비판이 일각에서 제기되었다. 그런가하면 같은 해 인천이 2014년 하계아시안게임 개최권을 따내는 바람에 한 나라에 두 가지 행운을 주지 않는다는 국제관례에 따라 평창이 피해를 입었다는 주장도 있었다.

베이징 올림픽이 한창일 때 국내의 한 월간지는 국내 두 도시의 올림픽 유치 경쟁을 특집 보도 하면서 "평창을 죽여야 부산이 산다."는 매우 자극적인 내용의 분위기를 전해 충격을 준 바 있다. 이러한 네거티브 전략은 공식 확인된 것은 아니지만 동계올림픽을 저지해야만 하계올림픽 찬스가 온다는 공공연한 방정식에 근거하여 이제까지 평창의 눈물겨운 노력을 무시한 사례가 있었다.

이러한 사례를 통해서 자칫 지방자치단체들이 동계와 하계의 차별성을 무시하고 상대방을 끌어내리기 위한 감정의 대결로 향할 경우에는 급기야 갈등이 발생할 수밖에 없다. 갈등이 왜 생길까? 혹자가 갈등은 왜 생겨나는가? 라는 물음표를 던진다면 어떻게 답을 할 것인가? 실제로 갈등이 발생하는 원인은 주지하고 있는 바와 같이 다양하지만 일반적으로 개인이나 집단 및 조직에서 각자의 목적을 수행하기 위한 목표와 절차상의 차이에서 생겨난다고 볼 수 있다. 그 이유는 각종 재원이나 업무 수행능력 등과 같은 자원은 언제나 제한되어 있고, 그것과 관련되는 환경의 변화를 예측하는 것도 쉽지 않기 때문이다.

다시 말하면 갈등은 크게 상충되는 목적 투구로 인한 승패의 상황, 제한된 자원의 획득과 사용에 관한 경쟁, 지위 부조화, 지각의 차이에 의해서 가잘 빈번하게 발생하였다고 볼 수 있다.

이와 결부하여 본다면 과연 메기 스포츠 이벤트 우치과정을 통해서 갈등은 발생하는가? 라는 문제이다. 정답은 “갈등은 발생한다. “라고 볼 수 있다.

최근 다수의 지방자치단체에서 메가 스포츠 이벤트에 대한 높은 관심을 표방하며, 지방자치단체장이 앞장을 서서 자신이 소속해 있는 지역에 유치를 하려고 기를 쓰고 있는 기이한 현상이 나타나고 있다. 왜 이러한 현상이 나타날까?

정답은 경제적 파급 효과가 아닐까 한다. 김정민(2010. 2. 8)에 의하면 2018년 평창 동계올림픽 타당성 조사결과 총생산유발효과 20조 4,973억원, 부가가차유발 8조 7,546억원, 23만여명의 고용 증대를 가져오며, 연합뉴스(2007. 3. 27)의 대구세계육상선수권대회의 생상 유발 효과는 3천 500억원, 부가가치 창출효과 1천 500억원 등 총 5천억원, 고용 유발효과 5천명의 파급효과를 가져온다는 것이기 때문이다. 이와 같은 눈에만 보이는 산술적인 경제적 파급효과 통계 자료만을 가지고서 뒤돌아보지도 않고, 지방자치단체장은 자신의 업적 지향과 정치적 위상을 강화하기 위하여 메가 스포츠 이벤트를 우리 지역에 유라는 “PIMFY“(Please in my front yard) 현상을 조장하고 있다.

e스포츠가 올림픽에 모습을 드러내는 날이 올까. 업계 전문가들은 ‘사기업의 종목 관여가 필연적’ 이라는 점을 들어 쉽지 않을 것이라 전망했지만, 동시에 e스포츠가 메가 스포츠 이벤트에 MZ 세대의 유입을 이끌어낼 키가 될 것으로 내다봤다.

서울 영등포구 국회의원회관 제1세미나실에서 2023 e스포츠 토크콘서트가 열렸다. 이번 행사는 이상헌 더불어민주당 의원과 황보승희 무소속 의원이 공동주최하고 e스포츠 포럼이 주관했다. 이 의원은 지난달 국내에서 성황리에 막을 내린 e스포츠 행사 ‘LoL 월드 챔피언십(롤드컵)’ 을 언급하며 “e스포츠 현실을 체감할 기회였다. 관중 수만 명이 결승전을 봤고, 온라인에서 전 세계 수억 명이 시청한 것으로 추정된다” 고 말했다. 이어 “그러나 장밋빛 전망으로만 낙관하기에는 난제가 있다. 국내 프로게임단은 해마다 적자를 기록하는 게 대표적인 예” 라면서 “이러한 상황에서 명암을 살피고 앞으로 나아갈 방향을 모색하고자 토크콘서트를 개최했다” 고 덧붙였다.

패널들은 위기를 기회로 삼기 위해 샐러리캡, 지역연고제 등을 고민해야 한다고 입을 모았다. 김 본부장은 “다양한 종목과 선수가 오랫동안 활동하는 게 중요하다고 생각한다” 며 “e스포츠 프로선수 중 25%가 고등학교 중퇴자이고 ‘리그 오브 레전드’ 종목은 44%다. 학업병행문제 등을 제도적으로 풀 수 있어야 할 것” 이라고 조언했다.[80]

170. 학교 운동부 지도자의 삶과 교육

교육(敎育)은 사회생활에 필요한 지식이나 기술 및 바람직한 인성과 체력을 갖도록 가르치는 조직적이고 체계적인 활동이다.

진정한 교육은 경험을 통해서 이루어지지만 모든 경험을 교육적인 것이라고 볼 수 없다. 왜냐하면 어떤 경험은 비교육적인 것일 수도 있기 때문이다. 경험은 그것이 무엇이든지 간에 이후의 경험의 성장을 억제하거거나 왜곡하는 결과를 가져온다면 '비교육적인 것' 이라고 할 수 있다. 경험과 교육을 상호 동일한 것으로 취급할 수 없는 이유가 여기에 있다. 이러한 관점에서 우리나라의 약 10만 명에 달하는 학생선수들의 경험은 과연 교육적이라 말할 수 있는지 깊게 생각해봐야 할 문제이다.

'국가주도의 엘리트 체육정책' 에 기초를 두고 성장한 우리나라 엘리트스포츠는 사회·정치적 목적으로 수단화되었으며, 단기간에 비약적인 발전을 이루어 왔다. 그러나 우리나라 엘리트스포츠의 온상이 되어온 학원엘리트스포츠는 스포츠가 선수들만의 전유물로 전락하게 되면서 오히려 스포츠의 저변 확대에 장애가 되었다. 오로지 승리를 위한 기능 숙달을 목표로 획일적이고 강요된 운동부의 훈련문화는 학생 선수들을 운동하는 기계로 양산하고 있으며, 승리를 위해서는 수단과 방법을 가리지 않는 풍토를 만들었다.

이처럼 우리나라 학원 엘리트스포츠는 학교 교육의 테두리 안에 있으면서도 학교가 지향하는 전인교육의 목표와 모순되는 소수의 승자 중심 경쟁원리를 기반으로 학생선수들에게 보장된 학습권 등 기본권을 침해하고 있다.

학습권은 인간의 인격 완성과 개성적인 발달을 위하여 없어서는 안 될 개인의 인격 형성의 자유임과 동시에 생리적인 권리로서 자유권적 기본권의 성질을 갖는 '교육인권' 을 말한다. 즉 학습권이란 '학생으로서 학습할 권리와 교육받을 권리' 로서 이는 인간답게 살아갈 기본권으로 존중되어야 한다는 인권의 개념으로부터 접근해야 한다. 그러므로 학생선수 역시 운동선수이기 전에 '학생' 이라는 주체로서 학생선수의 학습권 역시 마땅히 보장받아야 할 권리이자 인권인 것이다.

그러나 국가인권위원회(2008) "운동선수 인권상황 실태조사" 에 따르면, 학생선수들이 정규수업에 참여하는 시간이 시합이 있을 때는 평균 2시간, 시합이 없을 때에는 평균 4.4시간으로 나타났으며, 82.1%의 학생들이 수업 결손에 대한 보충수업을 받지 못하고 있다. 뿐만 아니라 보충수업을 하더라도 선생님에 의해서 받는 보충수업은 18.8%에 불과하여 체계적인 보충수업이 거의 이루어지지 않고 있다.

학생 선수 최저 학력제(學生選手最低學歷制)는 학생 신분인 운동선수의 학습권 보장을 위하여 초중고 선수들에게 적용되는 제도. 전교생의 평균을 기준으로 하여 초등학생은 50%, 중학생은 40%, 고등학생은 30%의 성적을 받아야 대회에 나갈 수 있다.

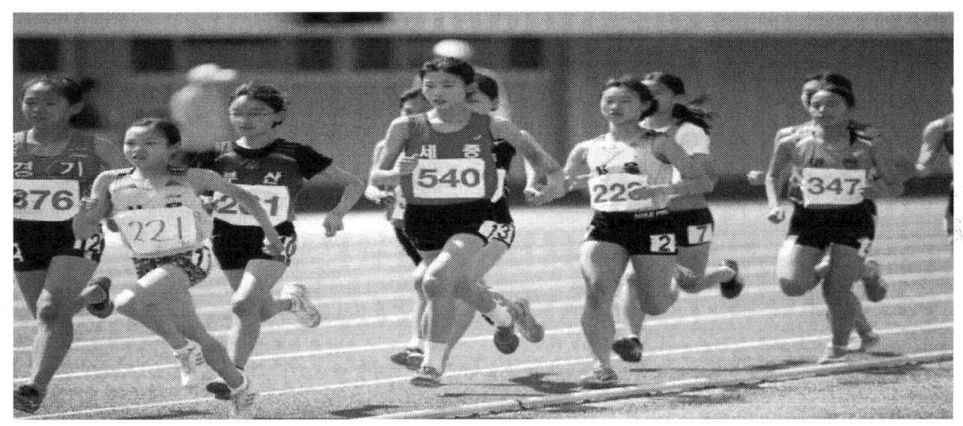

학생선수들은 기초적 소양을 배울 기본적인 교육기회조차 박탈당한 체 학생으로서의 삶보다는 선수로서 삶을 강요하는 풍토 속에서 '선 학생, 후 선수' 가 아닌 '선 선수, 후 학생' 으로서의 역할을 잠재적으로 학습하고 있는 것이다. 특히, 학생선수들의 학습권 박탈은 학생선수들의 잠재적인 성장의 가능성을 제한하고, 자신의 삶에 대한 통제권과 주도권을 약화시키는 등 또 다른 형태의 인권 침해를 조장하는 주요 구조로 작동하고 있다는 점에서 그 문제의 심각성이 크다. 학생선수의 학습권은 단순히 수업을 듣고 못 듣고의 문제가 아니라 그들의 직업과 연관됨은 물론, 그로 인한 풍족한 삶에까지 영향을 준다는 차원에서 인간다운 삶의 문제도 함께 고려되어야 한다.

특히, 청소년기인 중·고등학교 학생선수들은 정체성이 확립되고 개인의 인격과 가치관이 형성되는 매우 중요한 시기로, 학생선수들에게 학습권 박탈로 인한 비교육적 경험은 정체성 문제를 적절히 해결할 수 없도록 한다. 또한 중도 탈락이나 은퇴이후 학교나 사회에 적응하지 못하는 문제를 양산한다. 이와 같이 학생선수들의 학습권 문제는 이미 개인의 문제를 넘어서 심각한 사회 문제가 되었다.

학생선수 학습권의 주요성이 사회적 문제로 인식되고 학습권 보장에 대한 사회적 관심이 증대됨에 따라 교육과학기술부와 문화체육관광부 등에서는 정책적 차원으로 '학교체육진흥법'을 추진해왔고 2013년 3월 23일일부터 시행하고 있다. 그 외에도 학생선수들의 학습권을 보장하기 위한 노력의 일환으로 최저학력제와 주말리그의 도입, 연간 시합 출전횟수 등 다양한 제도적 대안들이 제세되고 있다.

그러나 이러한 제도적 노력에도 불구하고 학교현장에서는 여전히 학생선수들의 학습권을 보호받지 못하고 있는 실정이다. 학원 엘리트스포츠 현장에서 학생선수들의 학습권이 보호되지 못하는 원인은 뿌리 깊게 고착화된 관계부처의 이기주의와 운동부지도자, 학생선수, 학부모 등 교육 주체들의 인식이 부족하거나 실천을 위한 노력이 없는 것 등 다양한 요인들이 복합적으로 작용하고 있기 때문이다. 따라서 바람직한 운동부 문화가 뿌리내리기 위해서는 제도적인 노력과 함께 새롭게 변화되어가는 패러다임에 따른 교육 주체들의 근본적인 인식 개선과 실천이 요구된다.

특히 국내 학원엘리트 스포츠의 구조적 특성상 학교운동부의 대부분의 사안의 결정권자가 운동부지도자라는 현실과 중·고등학교 학생선수들에게 가장 강력한 영향력을 발휘하는 사람이 단연 코치, 감독과 같은 학교운동부 지도자라는 점을 생각할 때, 운동부 지도자들의 학습권에 대한 근본적인 인식 개선과 실천을 위한 노력은 무엇보다 시급하고 중요한 문제라고 할 수 있다.

운동부는 학교에서 경기 종목의 실업리그, 국가대표 등이나 올림픽 선수 양성을 전문적으로 하는 스포츠 팀으로 대한체육회 혹은 관련 단체에서 공식 인정된 선수들로 이루어져 있다.

동아리의 목표는 작게는 지역구 대회 입상, 크게는 고교 전국대회 우승 정도이고 동아리원들 또한 졸업 후에 선수로 진학하는 건 염두에 두지 않는 편이지만, 전문 운동부는 학교 졸업 후 선수로의 진출 및 국가 간 공식경기나 올림픽 출전을 목표로 한다. 체육고등학교는 아예 거의 모두가 운동부인 경우에 해당된다.

지도자(指導者)는 특정한 집단이나 사회를 앞장서 거느리고 이끄는 사람이다.

171. 체육발전을 위한 체육재정의 효율적 지원 방안

우리나라는 '86서울아시안게임, 88서울하계올림픽대회, 2002년 한・일 월드컵 대회, 2002년 부산아시안게임, 2014년 인천아시안게임 등의 메가 스포츠이벤트를 개최하였으며, 이를 통해 세계 10위권의 전문체육 경기력을 갖추게 되었고, 월드컵 4강의 위업을 달성하였다.

이러한 국제적 스포츠이벤트의 개최는 지역의 사회간접자본(SOC) 개선과 단기적인 경제 생활화에 이바지한다는 측면에서 긍정적인 면이 있기도 하지만, 대회 이후 경기장 활용이 적절히 되지 않을 경우 지역 주민들은 더 많은 세금을 내야 하는 문제점을 나타내고 있다.

2014년 인천아시안게임의 경우 주경기장의 새로운 건설과 기존 경기장의 증축을 놓고 중앙정부와 인천광역시는 오랜 줄다리기를 했고 결과적으로 새로운 경기장을 건설하게 되었으며, 2018년 평창동계올림픽대회의 개·폐회식장 위치를 놓고 중앙정부와 강원도 및 평창군은 대립을 하였다가 결과적으로 평창으로 확정을 하였다. 이와 같이 지방 정부가 개최하는 메가 스포츠이벤트에 중앙정부가 개입하는 근본적인 이유는 재정 조달이 문제가 되기 때문이다. 따라서 중앙정부의 지원 여부에 따라 경기장의 위치나 규모가 달라질 수밖에 없다.

체육재정은 정부의 체육에 대한 관심을 직접적으로 반영하는 것으로, 정부의 수많은 정책에서 체육이 차지하는 비중을 의미한다. 2015년 중앙 정부 전체 예산은 지남해 대비 19조 6청억원이 증가된 375조로 편성되었는데, 이 가운데 체육 예산은 1조 2947억 원으로 2014년 대비 23.7%가 늘어 다른 예산 가운데 가장 큰 증가율을 나타내었다. 이는 평창동계올림픽을 준비하는 데 필요한 예산이 대폭 반영된 것으로 중앙정부가 평창동계올림픽을 중요하게 생각하고 있다는 것을 의미한다.

문화체육관광부의 체육국 재정은 크게 국고와 기금이 동시에 투입되는데 국고의 측면에서 중앙정부 전체 예산 대비 체육 예산이나 문체부 전체 예산 중 체육 예산이 차지하는 비중은 다소 적은 것으로 평가되고 있다. 이러한 현실은 지역 체육의 발전을 저해하는 하나의 요인이 될 수 있다.

문체부 예산 가운데 지역 지원 예산은 약 1조원 수중으로 문체부 전체 예산의 약 25 ~ 35%이상을 지원하고 있음에도 불구하고 여전히 지자체는 부복함을 토로

하고 있다. 이는 지방 정부는 국가의 예산 보조 없이는 재정적으로 지역 체육사업을 추진할 수 없는 실정이기에 결과적으로 체육행정의 지방 자치는 제대로 이루어지지 않고 있다.

이러한 어려움 속에서도 전문체육의 경기력은 2014년 인천아시안게임 2위, 2012년 런던하계올림픽대회 5위, 2008년 북경하계올림픽 7위 등 금메달 순위로는 최상의 성적을 나타내고 있다. 특히, 올림픽 메달리스트들은 대부분이 지방 정부 소속이라는 측면에서 지역 체육발전의 근간이 되어 국가의 체육 경쟁력이 발현된다는 것을 알 수 있다.

최근 고용불안과 경기불황 등으로 생활체육 참여 인구가 27.5%에 불과하고, 참여 계층 떠한 저소득층보다 고소득층에 편중되는 양극화 현상이 나타나고 있으며, 전문체육에서도 비인기봉목 중 일부 종목은 큰 재정적 뒷받침 없이도 우수한 성적을 거두었으나, 메달을 획득하지 못한 비인기종목의 선수들은 어려운 여건 속에서 운동을 하고 있는 실정이다.

이와 같이 전문체육 예산조차도 충분하지 못한 가운데 생활체육, 국제교류, 스포츠산업 그리고 장애인체육까지 지금의 체육재정으로 이를 뒷받침하기는 예산이 부족한 것이 현실이다.

그동안 중앙정부 예산에서 체육부문이 차지하는 비율은 2005년 0.08%에서 2008년 0.13%까지 증가하다가 2009년 0.11%, 2010년 0.07%로 감소하였고 이후 2013년까지 4년 동안 0.07%의 점유율이 그대로 유지되었다. 또한, 우라니라 중앙정부 예산 중 문체부가 차지한 비율이 최근 10년 동안 0.66 ~ 1.30%였고, 중앙정부예산 가운데 체육부문이 차지한 비율은 0.07 ~ 0.13%였다. 특히, 2010년부터 2013년 동안의 체육부문 예산은 문체부 예산의 10%조차 되지 못하고 있는 실정이다.

따라서 체육발전을 위한 체육재정의 효율적 지원 방안은 다음과 같이 제시할 수 있다.

첫째, 체육진흥 기금 중 수익금 배분의 개선을 통한 체육재정의 추가적 확보가 요구된다. 둘째, 재정 자립도를 기준으로 스포츠 이벤트(sports event)개최 이후에 활용도를 높일 수 있는 충분한 지원이 필요하다. 셋째, 각 단체를 평가할 수 있는 공정한 평가 기준을 확립하고 이에 따른 전략적 지원과 체육재정의 확보가 요구된다. 넷째, 각 지역에 대한 충분한 사전 조사를 통해 양적 지원을 벗어나 실제 사용 가치를 높일 수 있는 질적 자원이 이루어지도록 해야 한다. 다섯째, 체육부문의 지원 규모에 대한 심층 연구를 통하여 다양한 사업에 대한 공정한 분배가 이루어져야 한다.

172. 한국 스포츠 문화의 현실과 과제에 따른 엘리트스포츠의 메커니즘과 지향점

스포츠 문화는 신체활동에 의한 인간행동의 양식이며 역사적, 사회적 산물로 이해된다. 따라서 스포츠 문화는 다양한 사회현상과 관계를 맺으며 외연이 더욱 확정되어 매우 복잡한 구조물로 형성되고 있다. 복잡한 구조물로서 스포츠 문화를 이해하기 위해서는 해석적 프레임이 동원될 필요가 있다. 일반적으로 스포츠 문화의 주요 해석적 프레임은 학교체육, 엘리트스포츠, 대중스포츠 등으로 설정된다.

엘리트스포츠(Elite Sport)란 정책적으로 특정 소수의 엘리트 선수들에게만 집중적으로 투자를 하고 훈련을 시켜 국제대회 등에서 메달획득의 가능성을 높이는 스포츠를 일컫는 용어이다. 이는 생활 체육 스포츠를 말하는 풀뿌리 체육 (Grass Root Sport)와 상업주의에 입각한 프로페셔널 스포츠(Professional sport)와 구분되는 용어다. 엘리트스포츠는 전문적으로 운동 경기를 행하는 사람들의 스포츠이다. 일반적으로 프로에서 뛰고 전문적으로 운동을 하는 선수들이 경기를 하는 것을 말하며, 이들은 운동을 직업으로 하는 사람이다.

대한민국 2007 체육백서에서는 특정 경기종목에 활동과 사업을 목적으로 설립되고 대한체육회에 가맹된 법인 또는 단체인 경기단체에 등록된 선수들이 수행하는 운동경기 활동으로 정의하고 있다. 즉, 각급 학교의 경기종목별 운동부, 각 경기종목의 실업리그 등 전문적으로 운동경기를 행하는 사람들의 스포츠 경기를 포괄하는 용어이다.

최근 한국 스포츠문화는 다문화 사회, 고령화사회, 사회 통합, 양극화 등의 새로운 사회문화적 트랜드와 조합되면서 해석적 프레임의 범위가 더욱 확장되고 있다. 우리가 주목해야 할 한국 스포츠문화의 해석 프레임은 절대적 신념으로 수용되거나 정치적 동원 전략으로 비판받아 온 엘리트스포츠다.

해방 이후 한국 스포츠문화에서 엘리트스포츠는 경기력뿐만 아니라 경제 발전에 수반한 네가 스포츠이벤트 개최 능력 등의 측면에서 급격한 성장세를 기록해왔다. 한국은 특정 종목에 편중되어 있지만 하계·공계올림픽에서의 종합 성적이 10위권 내에 입상하는 엘리트 스포츠 강국이다. 또한 2018년 평창동계올림픽 개최가 확정됨으로써 세계에서 5번째(독일, 프랑스, 일본, 이탈리아)로 4개 메가 스포츠이벤트를 모두 개최하는 '스포츠그랜드슬램' 달성 국가이기도 하다. 이처럼 한국은 스포츠강국으로서의 저력 유지만큼이나 메가 스포츠이벤트 유치 및 개최에도 상당히 적극적이었다.

그동안 한국 스포츠문화에서 엘리트스포츠는 정치적인 측면에서 사회 통합, 국위 선양 등의 순기능적 역할만 부각시켜 왔다. 그럼에도 엘리트스포츠의 인위성과 편중성으로 인해 다양한 문제점도 동시에 발생하였다.

엘리트스포츠가 한국 사회만이 가지는 독특한 스포츠 문화로 간주하고, 그 태생적 한계와 가능성을 동시에 지니고 있다. 특히 엘리트스포츠의 본질적 한계성으로 거론된 담론으로 종합하면 엘리트스포츠가 태생적 한계에 따른 의무 부재로 외부 변화에 매우 둔감하다는 것이다.

오랜 근현대사의 공포 정치 기간 동안 지배 이데올로기를 강화하기 위한 정치적 수단으로 체육정책으로 수립되어 시행되다보니 선진화의 속도가 더디다. 문민정부 이후 체육정책의 탈권위적인 발생을 기대하였으나 3개의 프레임이 융합되어 합리적 관계성이 설정되기 보다 일관성과 효율성 부족이 지속되어 간극이 좁혀지지 않았다. 오히려 이 세대의 화두인 사회통합과 도시 재개발이라는 명분아래 엘리트스포츠에 기반한 메가 스포츠이벤트 개최가 탄력을 받고 있으나 지자체의 재정적 능력이 수반되지 못해 새로운 국면을 맞고 있다.

또한 2016년 3월까지 엘리트스포츠와 대중스포츠를 운영해 온 대한체육회와 국민생활체육회가 기계적 또는 유기적 통합을 강제할 만큼 스포츠문화의 선진화를 시대적 요청이자 과제임을 알 수 있다.

한국 스포츠문화는 정치력과 경제력에 수반하여 추동력이 가속화되었다. 그러나 스포츠문호에 내면화된 낡은 관성을 버리고 선진화를 기회하기 위해서는 새로운 추동력이 필요하다. 무엇보다 '의식의 선진화'가 수반될 때 스포츠문화의 외연이 합리적으로 확장될 가능성이 높다. 이러한 과정에서 가치 판단의 문제지만 학교체육 발전을 위한 응시와 집중력도 중용하지만 동시에 엘리트스포츠를 선진화시키기 위한 의지와 실천도 요구된다. 즉 스포츠문화의 선진화를 실현시키기 위한 광범위한 노력이 요구되나 엘리트스포츠의 한계성을 재평가하고, 미래지향적인 시선을 응시하기 위한 노력은 중요한 의미를 지닌다.

따라서 학교체육으로부터 시작된 엘리트스포츠의 질적 팽창, 즉 스포츠선진국의 가치와 모델을 지행할 필요가 있다. 스포츠선진국 만들기는 현실을 부정하거나 회피하기보다는 정확히 인식하고 인정하면서 변화 의지가 수반될 때 가능할 것이다.

173. 스포츠 실천의 아비투스(habitus)

사람마다 즐기는 스포츠는 그 종류만큼 다양하다. 축구가 좋아 주말이면 조기 축구회를 빠짐없이 다니는 사람이 있는가 하면, 골프를 좋아하는 삶은 틈만 나면 필드에 나가고 싶어 한다. 혹자는 불어나는 체중 때문에 일부러 계단을 오르내리며 운동을 대신하고, 이것도 번거로운 사람은 거실에 편히 앉아 프로스포츠를 즐긴다. 경우야 어찌되었든 건강에 대한 염려와 여유로운 삶의 욕망을 부추기는 웰빙 문화가 확산되면서 스포츠의 역할과 중요성은 거듭 강조되어지고 있다. 이제 미디어를 통해 폭주하는 스포츠의 가치에 대한 담론은 진부하게 느껴질 정도이다.

스포츠가 삶의 일부분이 되고 대중문화의 중요한 콘텐츠로 부상하는 사회적 현상은 반가운 일이다. 더욱이 이러한 현상은 스포츠학의 외연과 존재 가치가 확대, 상승한다는 점에서 고무적이다.

그러나 무조건적인 담론의 확산이 반드시 바람직한 것은 아니다. 특히 스포츠를 철학적 관점에서 바라보고 진단하는 스포츠철학의 경우 가치론적 측면에 지나치게 기울게 되면 정책의 이론적 보조나 홍보로 전락할 위험성이 있다. 운동, 혹은 스포츠가 생애에 걸쳐 개인이 누려야 할 권리라는 인식과 그것이 사회적으로 침투, 확산되는 과정은 별개의 문제인 것이다.

개인적 차원에서 스포츠는 건강과 행복을 위해 선택되는 주관적이고 자유로운 결정처럼 보이지만 달리 해석하면 국가가 책임져야 할 복지를 개인에게 위임하는 권력의 전략으로 읽힐 수 있다. 이때 스포츠의 가치에 대한 담론은 권력의 침투를 돕게 된다.

스포츠가 가치중립적이지 않다는 견해는 지금까지 줄기차게 논의되어 왔다. 이러한 입장에 서게 되면 스포츠는 권력이 주입하는 제반 가치나 규범을 내면화 하는 일종의 '훈련장치'가 된다. 다시 말해 건강한 시만의 육체 만들기를 통해 노동력의 재생산에 이바지 하는 일상의 정교한 통제장치로 가능하게 되는 것이다. 그러나 이 또한 일면적 타당성 밖에 가지지 않는다. 대중은 권력의 조작 대상으로 존재하기도 하지만 역으로 조작의 매체를 통해 권력에 저항하기도 한다.

스포츠 문화는 스포츠 활동이나 경기 관람 등 스포츠에 기반하여 이루어지는 모든 문화 또는 그것과 관련된 여러 가지 행동 양식이다.

따라서 스포츠문화는 일방적 조작이나 지배적인 가치의 재생산에 이바지하는 도구로서의 위상과 스포츠를 향유하는 대중들의 욕망의 자율성과 창조성이라는 두 가지 측면을 동시에 가진다. 이처럼 스포츠에 대한 상반된 입장이 대두되는 이유는 스포츠 고유의 부정적인 기능과 긍정적인 기능의 차이에서 기인하기보다 스포츠와 사회와의 관계를 파악하는 관점의 편차에 기인한다.

스포츠 선택권은 우선 개인적인 취향에 따르는 것이지만 사회적 도식으로부터 자유로울 수 없다. 이는 사회결정론적 관점과 주체론적 선택권을 동시에 부정하는 것이 된다. 특히 아비투스(habitus)는 스포츠가 차지하는 개인적 위상과 사회적 위상과의 관계를 밝히는 유의미한 개념적 장치이다.

예를 들어 골프를 좋아하는 사람과 축구를 즐기는 사람의 차이를 어떻게 설명할 수 있을까. 이때 접근의 방법은 여러 가지로 나누어질 것이다. 골프가 신체적 접촉 없는 신사적인 스포츠인 반면 축구는 거친 몸싸움을 피할 수 없는 종목인 까닭에 보다 남성적이고 활동적인 사람들이 취향의 사람들이 선호하는 종목으로 간주할 수 있다.

한편 게임에 소요되는 경비의 관점에서 바라볼 경우 축구보다 골프를 선택하는 사람의 경제적 수준이 높을 가능성이 많다. 그러나 이러한 표면적 분석은 많은 한계를 지닌다. 골프를 선호하는 사람이 축구를 선호하는 사람보다 덜 남성적이라는 분석은 쉽게 납득할 수 없으며, 골프가 반드시 상류계층의 전유물이라고 보기도 어렵기 때문이다.

따라서 계급 구조가 아비투스에 결정적인 영향을 미친다는 관점은 우리나라의 스포츠문화를 파악하는 새로운 관점이면서 동시에 적용의 한계를 되묻게 만든다.

근대적 스포츠 문화의 특성은 세속성, 평등성, 전문성, 합리성, 관료화, 계량화, 기록성 등으로 설명할 수 있다.

174. 학교체육 지도자의 윤리 강령(code of ethics) 제정과 실행

최근 우리 사회는 사회 전반에 부는 개혁과 혁신, 투명성과 정의로움이라는 새로운 가치 창조의 문제가 화두가 되고 있다. 과거 우리 사회는 전통적으로 정치적 타협, 오랜 관행과 타성, 지역주의, 차별, 편견과 불평등 등 소위 부정적이고 반사회적 제도나 관습 등이 거부감 없이 받아들여져 정부조직, 국회, 기업체뿐만 아니라 학교사회에도 수많은 문제를 야기시켰고 결국 이러한 요인들이 우리 사회의 건전성과 도덕성을 약화시킴으로써 국가발전의 결정적 걸림돌로 작용하였다.

그러나 현대 정보화 사회에 접어들면서 인터넷의 확산과 자유민주주의의 여론정치의 급속한 발달에 힘입어 정의와 합리성, 민주성, 평등성, 보편성의 원리가 강조되어지고 도덕성과 윤리성의 문제가 학교 교육체계 내에서 크게 강조되기 시작하였다.

미국의 하아버드 대학에서 '정의란 무엇인가?' 라는 강좌가 세계적으로 관심을 끌고 나가 우리 사회의 트랜드도 정의롭고 윤리적으로 건전한 정치 이념과 교육자질, 그리고 교육자 덕목의 문제에 깊은 관심을 보이고 있다.

특히 체육교육의 현장에도 그러한 혁신과 개혁, 정의롭고 깨끗한 가치 구현의 바람이 거세게 불고 있어 체육인들에게 많은 역할이 요구되고 있다. 체육이 진정 주장하는 대로 인간학적 가능성을 함축한 가장 효율적인 교육제도 혹은 수단으로 발전하느냐? 아니면 사회에서 가장 낙오된, 도저히 어찌 할 수 없는 불건전하고 역기능적인 부작용만을 양산하는 과목으로 낙인 될 것이지는 체육에 대한 인문학적 접근에서는 매우 중요한 과제가 아닐 수 없다.

학교체육 현장을 들여다보면 체육수업 시 학생들의 개성과 창의성이 무시된 학습, 체육교사의 부적절한 언행, 학생 운동선수의 신체적 소외현상과 체벌, 학생운동선수의 교육결손 등 많은 문제가 있기에 체육 교육자 전체가 비난과 편견, 차별적 인식을 받고 있으며, 이러한 이유로써 체육과목은 열등한 학과목으로 평가절하되는 경우가 많다.

따라서 우리 사회의 정의 사회 구현에 목말라 있는 우리나라의 국민들에게 학교체육 교육에 있어서의 윤리강령 제정은 우리 모두에게 커다란, 그리고 신선한 의미가 아닐 수 없다.

학교체육에 있어서 윤리강령은 유명무실하거나 혹은 존재 가치가 없을 만큼 생소하기 때문에 체육교육의 항구적 발전과 학문적 정체성 학보, 그리고 정의 사회 구현에 중요한 의미를 지니는 것이 된다.

따라서 민주적이고 도덕적으로 건전한 사회 구현을 열망하는 국민 절대다수의 시대적 요구에 부응하기 위하여 체육교육 현장에 윤리강령을 제정하여 보급, 시행시킴으로써 정의롭고 존경받는 학교 체육교사와 운동 감독이 될 수 있도록 세부적인 행동 규범을 제정하여 실행해야 한다.

즉, 체육교사와 운동감독은 학교체육을 담당하는 지도자로 총칭되는 바 이들이 학교 체육현장에서 체육수업과 운동부 관리에 있어서 가장 윤리적이고 도덕적인 존재로서 인정받을 수 있는 규범을 제시함으로써 일반 교육자의 윤리강령 외에 체육지도자의 전문화되고 특수화된 교육윤리관을 정립해야 한다. 일반 교육자들은 대체로 체육교육의 특성과 목표, 그리고 체육 및 스포츠 현장에 대한 경험과 세부 교육환경에 대한 인식이 부족하기 때문에 체육 지도자에게는 일반적 윤리강령 외에 개별화된 윤리강령이 반드시 필요하다.

학교체육 지도자의 윤리문제는 학생의 개성과 창의성이 무시된 획일적 교육과 기능 숙달 및 승리 지향적 교육관 그리고 학생 운동선수에 대한 체벌 및 약물복용에 있으며, 문제는 이러한 부정적 현상들을 학교체육 지도자들이 방치 내지 조장하고 있었다는 데 있다.

몇 년 전 일본의 어느 대학교를 방문했을 때의 일이다. 스포츠선수와 지도자를 많이 배출하는 대학으로서 스포츠 시설 역시 매우 잘 갖추고 있었다. 운동장과 체육관, 수영장 등을 둘러보다가 우리의 대학 체육관에는 없는 특별한 것을 발견했다. '스포츠지도자 윤리 강령'이라는 아크릴 현판을 학생들이 수시로 접할 수 있도록 체육관 곳곳마다 걸어놓고 있었다. 체육을 전공하고 대학에서 학생들에게 가르치고 있지만, 이러한 윤리 강령을 전혀 접해보지 못했기에 궁금증을 갖고 그 내용을 읽어보았다.

첫 번째 강령은 '개인의 존엄한 인권을 존중한다'이다. 운동선수로서 경쟁하는 상대편 선수뿐만 아니라, 가르치는 학생들과 선수들을 존엄한 인격체로 대하라는 의미이다. 비록 이겨야 할 상대선수지만 그들이 최선을 다할 수 있도록 배려해주고 승패가 결정된 후 서로 응원하고 격려해주는 스포츠맨십이 떠올랐다.

두 번째 강령은 '폭력을 절대 사용하지 않는다'이다, 여전히 선후배간, 지도자와 선수간의 체벌과 구타가 남아 있는 우리 스포츠계를 안타까워하며, 우리에게 가장 절실한 강령이라고 생각했다. 세 번째 강령은 '남을 희롱하거나 괴롭히

지 않는다' 이다. 체격이나 체력이 상대적으로 강한 운동선수들은 그들보다 약한 존재를 희롱하기보다는 오히려 보호하고 구해줘야 한다는 의미로 받아들였다. 그렇지 않다면 폭력배와 다를 바 없기 때문이다. 2002년 중국민항기가 그 당시 재직하던 대학 근처 산에 추락했을 때, 생존자들을 구하겠다고 구조대보다 먼저 산으로 뛰어 올라갔던 자랑스러운 옛 제자들이 생각났다.

네 번째 강령은 '금지 약물을 복용하지 않는다' 이다. 스포츠의 가장 소중한 가치는 공정성이다. 승리를 위해 금지된 약물을 복용하는 것은 상대를 속이는 매우 비겁한 행위로 스포츠의 공정성을 훼손하는 가장 불량한 행위라고도 볼 수 있다. 금지약물인지 모르고 복용했다라는 항변은 궁색한 변명일 뿐이다. 따라서 스포츠선수는 금지약물에 대해 본인 스스로 철저히 공부해야 하며, 자신이 투약하는 약물에 대해선 이중, 삼중으로 금지여부를 확인해야 한다. 다섯 번째 강령은 '안전을 확보하고 사고예방을 철저히 한다' 이다. 스포츠는 늘 사고에 노출되어 있기 때문에 신체적 부상뿐만 아니라 최악의 경우에는 생명까지 잃을 수도 있다. 지도자는 학생과 선수들에 대한 안전사고를 미연에 방지할 수 있도록 최선을 다해야 한다. 안전사고뿐만 아니라 과도한 연습으로 인한 선수들의 스포츠상해 역시 지도자의 책임이 크다. 지도자는 선수를 부상으로부터 보호하기 위해 스포츠의학에 대해 끊임없이 공부하고 이를 현장에 적용해야 한다.

마지막 여섯 번째 강령은 '규범을 잘 지키고, 좋은 본보기가 될 수 있도록 노력하고 적극적으로 행동한다' 이다. 음주뺑소니운전, 불법도박, 승부조작, 불법약물복용. 스포츠계에서도 일어난 일탈행위들이다. 일반인들보다 운동선수들이 나쁜 짓을 덜 할 수도 있다. 하지만 이들은 학생들에게 롤모델인 존재이기 때문에 더욱 가혹하게 지탄받고 책임져야 함이 마땅하다.

스포츠 지도자 윤리 강령을 지금 와서 다시 돌이켜보니, 우리 국민들이 국가 최고 지도자에게 바라던 것과 별로 다를 바가 없다는 생각이 든다. 새로운 지도자는 이러한 윤리 강령을 본인에게 엄격하게 적용하며 끝까지 지켜나갈 분이 되길 바란다.[81]

175. 태릉선수촌과 태릉의 공존 방안은 없는가

서울 노원구 공릉동에 위치한 태릉선수촌이 문화재청의 조선왕릉 유네스코(UNESCO) 세계 유산등록으로 인하여 철거 권고를 받았다. 이로 인하여 세계문화유산으로 지정된 태릉·강릉을 보존하는 것이 더 중요하다는 문화재청과 1966년부터 한국 근현대 스포츠를 상징해 온 태릉선수촌의 역사를 이어가는 것도 필요하다는 체육계의 의견이 대립하고 있는 실정이다.

문화재청은 40기의 조선 왕릉을 2009년 6월 유네스코에 세계 문화유산으로 등재하는 과정에서 태릉과 강릉 일대를 포함시킴으로서 훼손된 능제의 원형 복원과 완충지역의 적절한 보존 지침을 마련하라는 권고를 받게 되면서 2009년 9월 '세계 유산 조선 왕릉 보존관리 및 활용 기본 계획'을 발표하여 태릉과 강릉 내에 있는 태릉선수촌, 태릉국제사격장, 한국체육과학원 등의 스포츠 시설에 대한 철거와 이전을 요구하고 있다.

그러나 태릉선수촌은 보통의 스포츠 시설이 아니다. 한국 엘리트스포츠의 메카, 국가대표선수의 요람이요, 스포츠를 통해 한국의 국가브랜드를 국제 사회에 부각시켜 우리나라의 국위를 선양한 역사적 가치가 있는 스포츠문화 공간이다.

태릉선수촌은 도쿄올림픽을 통해서 얻은 값진 교훈을 바탕으로 스포츠 인프라를 구축하기 위한 일환으로 건립되었으며, 1966년 건립된 이후 47년간 한국스포츠의 메카로서 올림픽을 비롯한 각종 국제대회에서 한국의 위상을 널리 알리는 역할을 한 곳으로서 그 가치는 매우 크다. 그리고 우리 국민들은 태릉하면 문화유적지보다는 태릉선수촌을 먼저 떠올릴 정도로 많이 알고 있으며, 역설적으로 태릉선수촌으로 인해 태릉이 더 유명해 졌다. 그리고 태릉선수촌은 지근가지 수많은 국가대표 선수들의 피와 땀의 흔적이 고스란히 남아 있는 공간으로서 역사적, 문화적 가치가 내재되어 있는 곳이다. 그러므로 한국스포츠의 혼이 살아 숨쉬며 상징적인 의미를 가지고 있는 태릉선수촌을 동대문운동장처럼 없어지도록 방치해서는 안 된다. 동대문운동장의 철거는 스포츠 인들을 비롯한 국민들이 스포츠 시설에 대한 역사적·문화적 가치를 제대로 인식하지 못했기 때문에 그와 같은 과오를 범했다. 이러한 과오에 대해 스포츠 인들은 스스로 반성하고 두 번 다시 같은 일이 되풀이 되지 않도록 해야 한다.

이번 기회에 스포츠시설에도 충분히 문화재적 가치를 부여할 수 있다는 사실을 확인해서 태릉선수촌을 스포츠 문화유산으로 후손에게 자랑스럽게 물려줄 수 있도록 보존 방안에 대해 적극적으로 방법을 모색해야 할 것이다.

태릉선수촌은 국가대표선수와 지도자들의 요람이자 한국 근현대사의 산실이며, 이곳에서 훈련을 통하여 각종 국제경기대회에서 우리나라의 위상을 드높일 수 있었던 한국 스포츠의 특수한 문화적 가치를 갖는 곳으로 간주되기 때문에 다각도로 조명하는 것이 선결되어야 한다. 이를 통하여 태릉선수촌의 이전과 철거와 관련하여 불용과 저항의 틀에서 벗어나 조선 왕릉과 한국 스포츠가 상생할 수 있는 새로운 방안을 모색할 필요성이 있다. 어떤 사회든 스포츠는 무엇이며, 이것이 어떤 위상을 지니는가를 규정하는 '의미와 가치' 지평을 가지고 있다. 그리고 이에 따라 스포츠에 대한 사회적 위상이 결정된다. 따라서 이에 따라 스포츠에 대한 사회적 위상이 결정된다. 바로 태릉선수촌의 철거는 스포츠의 사회적 위상과도 관련이 문제다.

태릉선수촌의 공존방안으로 우선적으로 왕릉을 하드웨어 중심의 공간적 보존 방식에서 벗어나 역사적 교훈을 홍보·학습하고 실천하는 스프트웨어 보존 방식의 변화를 검토할 필요성이 있다. 또한 태릉선수촌의 역사적·문화적 가치를 고려하여 국내에서 문화재로 등록하고 왕릉은 최대한 원형 보존을 원칙으로 하면서 불가능한 것은 이동, 축소 디지털 보존 방식을 병행하여 태릉선수촌을 보존함으로서 역사문화적 가치를 신장시킬 수 있다.

176. 기술창조에 앞서 건강이 우선

현대의 정보화 지식기반 사회를 무한 경쟁 시대라 일컫는다. 남보다 한발 앞선 정보와 폭넓은 지식을 바탕으로 한 신기술의 개발이 곧 경쟁력이다. 주지하다시피 천연자원이 부족한 우리나라는 사람과 기술이 최고의 자산이다. 따라서 인재가 체계적으로 양성되어야 한다.

강원도교육청에서는 빠르게 변화하는 시대 흐름에 맞추어 국가와 시대가 요구하는 능력 있는 인재를 육성하기 위해 2008학년도 고교입시부터 선발고사를 실시할 수 있도록 하고 있다.

앞으로 고교입시에 내신성적과 함께 선발고사가 실시됨에 따라 학생들이 책상 앞에 앉아 있는 시간이 늘어나고 책과 씨름하는 시간이 길어질 것은 분명하다. 학생들은 학력을 신장시켜 가면서 자신만의 경쟁력을 높이기 위한 노력에 최선을 다할 것이다. 우리나라는 국제적으로도 지식정보화 기반사회에 걸맞은 지식강국, 인재강국을 만들어 세계를 선도하는 나라로 성장할 때 미래가 보장될 수 있기 때문이다. 그리고 그 중심에 우리 강원교육이 우뚝 자리 잡고 있어야 한다.

하지만 여기서 간과해서는 안 되는 것이 있다. 남보다 앞선 정보를 획득하고 폭넓은 지식을 습득해 새로운 기술을 창조하기 위해서는 무엇보다 건강이 뒷받침돼야 한다는 사실이다. 건강은 현대인이 추구하는 '삶의 질 향상' 을 위한 조건 중에서도 으뜸가는 가치이다.

그러나 현재 우리나라 청소년들의 체질과 체력은 기대와는 달리 점점 약화되어 가고 있는 실정에 있다. 어른들에게서 나타나는 고혈압, 당뇨 등 성인병이 학생들에게 놀라운 속도로 증가하고 있는 추세다. 체격은 점차 서구화되어 가고 있으나 체력은 매년 하향곡선을 그리고 있다. 운동부족이 가장 큰 요인이다. 학생들이 땀흘려 운동할 공간도 부족하지만 시간은 더욱 없다. 운동할 수 있는 시간은 학교의 체육시간이 고작이다. 그나마 대학 입시에 맞춰져야 하는 선택중심의 고등학교 교육과정에서는 교과 채택 자체가 쉽지 않다.

가장 바람직한 방법은 학생 스스로 건강관리를 할 수 있는 능력을 갖추는 일이다. 하지만 이리 쫓기고 저리 쫓겨야 하는 어린 학생들에게 자기주도적 건강관리를 기대하는 것은 탁상에서의 이론처럼 쉬운 것은 아니다. 결국 어른들이 챙겨주는 방법이 최선이다. 학력향상도 체력이 유지돼야 가능하다. 졸음을 이겨내며 공부에 집중하는 시간을 많이 확보하는 학생일수록 유리하다. 그러기 위해서는 왕성한 체력이 뒷받침되어야 한다. 우리는 곧잘 '돈을 잃으면 일부를 잃고 명예를 잃으면 절반을 잃으면 건강을 잃으면 모두를 잃는다.' 는 말을 즐겨 쓰곤 한다. 조금도 틀린 말이 아니다. 특히 청소년기에 다져진 체력은 평생을 살아가는 재산이라는 점에 유의해야 한다. 물론 지식과 건강 모두 중요하며 심신이 균형을 유지해야 어떤 형태의 경쟁력도 높아지게 마련이다. 그러나 굳이 따져보자면 건강을 우선하는 가치는 그 어떤 것도 존재할 수 없다고 믿는다.

외국인 SF영화에 등장하는 미래 세계의 인간이나 우주인들은 대부분 머리가 크고 몸통과 팔다리는 작은 우스꽝스런 모습을 하고 있다. 몸을 움직이지 않고 머리만 쓴 결과이다. 매우 설득력 있는 형상이다. 그러나 이러한 모습이 정상적인 모습은 결코 아니다. 괴물의 모습이다.

학생들에게 건강과 체력을 등한시한 채 학력향상만 강조한다면 우리는 결국 기형의 인간을 키우는 결과를 초래하게 될 것이다.

이제 미래의 주인공인 청소년들의 건강을 유지 · 증진시키는 가운데 학력을 향상시키고, 앞선 정보를 획득하여 질 높은 경쟁력을 확보하는 방안이 모색되어야 한다. 초·중등학교에서 체육교육을 강화하고, 체력장의 부활 또는 학교 체력검사 결과의 점수화 등 어떤 형태로든 체력과 건강의 척도가 입시에 반영되도록 하는 방법이 강구될 때 건강한 학생, 경쟁력 있는 인간을 육성할 수 있게 될 것이다.

강원도교육청에서 오랜 기간 많은 연구와 노력 끝에 의욕적으로 채택한 고교입시의 선발고사 제도가 성공적으로 정착되기를 기대한다.

177. 국민의 운동 부족은 국가적 차원에서 체육 · 스포츠 정책으로

'스포츠가 우리 아이 바꿉니다.' 라는 조선일보 특집 기사와 나트륨 과다의 문제를 지적한 '건강한 삶 9988' 신년기획을 상기하면서 행복한 미래를 그려 본다.

미국 등 다른 선진국들도 스포츠 활동의 교육적 중요성을 강조하고 있다. 청소년 시절의 스포츠 활동, 특히 학교 스포츠 활동은 체력 향상과 스트레스 해소를 비롯하여 학교 폭력과 같은 교육 현장의 당면 문제들을 해결하며 생애 건강을 다지는 기틀이 될 뿐만 아니라 민주 시민으로서의 인성과 자질 함양에도 큰 보탬이 되기 때문이다.

그동안 입시 위주 교육에서 벗어나 청소년들의 체력향상에 관심을 갖는 것은 국가 백년대계를 위해서도 꼭 필요한 교육정책이라고 생각한다. 현대 스포츠의 모국이라고 하는 영국은 교육의 우선순위를 학생들의 체력 증진에 두고 있고 그 순위도 체 · 덕 · 지로 우리가 흔히 말하는 지 · 덕 · 체와는 순서가 다르다.

벤저민 프랭클린이 "건강은 자기 자신에 대한 첫째 의무이며, 둘째는 사회에 대한 의무"라고 한 말을 떠올리게 한다. 말은 쉬워도 행동으로 옮기기는 어렵지만, 하루에 한 번 심장운동을 권장하는 기획을 제안하고 싶다. 여기서 심장운동이란 걷기, 달리기, 자전거, 수영, 등산, 댄스 등의 활동을 통해 평소 맥박의 약 2배 정도인 맥박 130 정도의 유산소 운동을 말한다.

우리 국민의 운동 부족이 얼마나 심각한지는 조금만 자료를 뒤적여 보면 쉽게 알 수 있다. '주 2회 이상', '1회 30분 이상' 규칙적으로 운동을 하는 국민이 41.4% 밖에 되지 않고, 청소년 5명 중 1명은 일 주일에 단 하루도 30분 이상 운동을 하지 않는 게 우리 현실이다. 상황이 이 지경인데 건강을 국민이 각자 알아서 챙기라고 하는 건 정부의 정책으로서의 도리가 아닌 듯싶다.

지난 20여 년 간 국정(國政)에서 체육 · 스포츠 복지 정책을 책임지는 정부 조직부터 점점 쪼그라들었다. 지금 문화체육관공부의 체육국(局) 소속 공무원은 50여 명뿐이다. 관련 업무는 보건 복지부 등 다른 부처로 쪼개져 나갔다. 더욱 심각한 것은 체육 · 스포츠 관련 업무를 조율할 컨트롤타워가 없다는 점이다. 학교체육만 해도 주무 부처가 문화체육관광부와 교육과학기술부로 양분(兩分)돼 있다.

노인들이 많이 이용하는 생활스포츠 시설 조성은 문화체육관광부가 하는데, 노인을 위한 공공 사업은 보건복지부가 추진하고 있다. 칸막이 행정 때문에 덜컹거리는 체육 · 스포츠 관련 정책이 수두룩하다. 우리나라는 이미 고령화 사회에 접어들었다. '얼마나 사느냐' 의 차원을 넘어 '어떻게 사느냐' 의 문제를 고민해야 할 시기이다.

선진국 대통령들은 일찌감치 체육 · 스포츠 활동의 중요성을 간파했다. 프랑스의 조르주 퐁피두 대통령은 '삶의 질(質)' 이라는 연설에서 중산층 조건으로 '스포츠 하나쯤은 즐길 수 있는 능력' 을 꼽았다. 미국 존 F. 케네디 대통령은 '내가 이끌 행정부의 원동력은 체력' 이라며 국민 건강과 체력 향상에 방점(傍點)을 찍었다.

정부에서는 체육 · 스포츠 정책에 대하여 제 몸 챙길 여유가 없어 팍팍한 삶을 사는 국민을 한 번쯤은 떠 올려주길 바랄 뿐이다. 체육은 신체의 단련만이 아니라 몸을 통한 자아의 발견과 교류를 매개하는 활동이어야 한다. 표현과 소통의 문화로 몸의 길을 스포츠가 열어주었을 때 격이 높아진 신체는 곧 자존감의 토대가 된다.

세계보건기구가 권장하는 건강을 지키기 위한 50개 항목 중 첫 번째 항목은 "많이 움직여라" 이다. 우리 몸은 일상생활에서 근육과 관절의 3분의 1만 쓴다고 한다. 안 쓰고 아껴둘수록 망가지는 게 우리 인체이다. 스포츠 활동은 이렇게 평소에 사용하지 않는 신체 여러 조직에 자극을 주어 체력을 향상시키고 노화를 지연시키며 각종 질병을 예방하는 효과까지 있다. 모든 국민이 국가적 차원에서의 신체활동을 통해 건강한 활력을 찾았으면 한다.

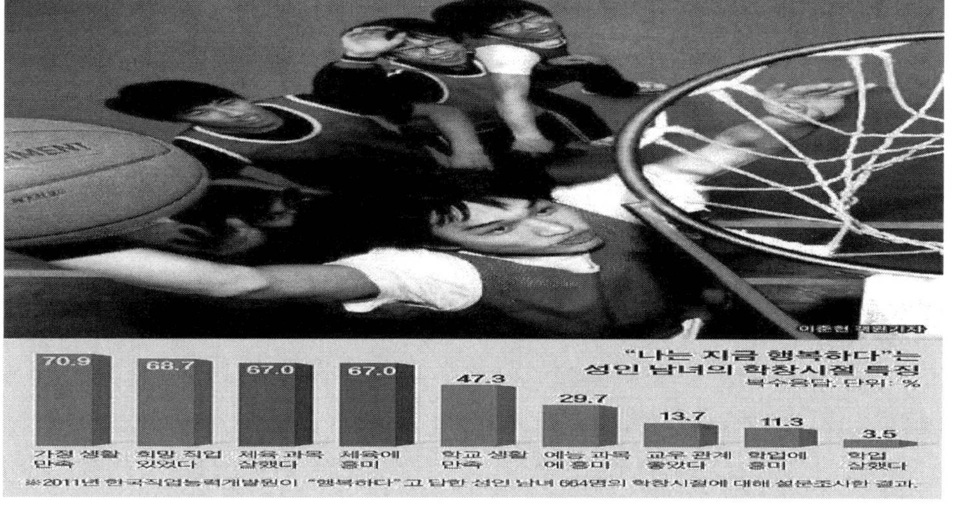

178. 교육인적자원부의 인식 변화 없이는 학교체육이 살 길이 없다

교육 인적 자원부(教育人的資源部)는 국가 교육에 관한 정책 수립과 학교 교육, 평생 교육 및 인적 자원에 관한 사무를 관장하던 중앙 행정 기관이다.

1948년 정부수립당시 설립된 문교부가 1991년 1월부터 교육부로 개칭되었으나, 국가적인 차원에서 인적자원개발정책을 총괄·조정할 기능을 담당할 조직을 명시하여야 한다는 요구에 따라 2001년 1월 29일 정부조직법을 개정하여 교육부를 교육인적자원부로 확대·개편하였다.

문교부가 교육부로 개칭된 바 있었으나, 이 기관의 업무는 정부수립 이후 문화·예술 업무와 체육 업무가 다른 부처로 이관된 것을 제외하고는 별다른 변화가 없었다. 그러나 21세기로 접어들면서 정보통신산업이 큰 관심을 끌게되고 이러한 환경변화에 적응하기 위해서는 지식기반사회를 구축하여야 하였다

교육인적자원부는 고교 2·3학년이 반드시 공부해야 할 5개 필수과목 군(群)에서 체육을 따로 떼어내 6개로 늘리는 초·중등 교육과정을 확정하여 운영하고 있다.

당초 교육과정의 필수과목은 '국어·도덕·사회', '수학·과학·기술·과정', '체육·미술·음악', '외국어', '교양'의 5개 군으로 구성돼 있었다. 이 5개 군에서 최소 한 과목씩을 필수적으로 배우도록 해왔다.

그 후 교육과정 개정안의 결정은 '체육·미술·음악' 군을 '체육'과 '미술·음악' 으로 분리해 각각을 필수과목으로 정해 필수과목을 6개로 늘린 것이다. 이에 따라 예·체능과목의 내신(內申) 비중, 즉 입시 비중이 커진 것이다. 반면 수학·과학과 기술·가정을 나눠 과학교육을 강화하려던 시안(試案)은 사실상 백지화됐다.

대부분 인문계 고등학교의 경우 2학년 정도가 되면 체육 시간이 일주일에 한 시간 정도이고, 3학년이 되면 아예 없어진다. 촌음을 아껴 대학 입시공부에 매진하기 위해서다. 그러한 과목 편제와 학사 운영을 학교 당국뿐만 아니라 학부모들도 원한다. 새벽에 등교하여 야간 자율학습과 이어지는 학원 수업까지 학생들은 하루 종일 교실 안에 갇혀 공부하는 기계가 되고 있다. 전문계 고등학교는 체육교사 조차도 대부분 배정되지 않아 더욱 심하다.

청소년기에 체득한 스포츠의 기능과 즐거움은 평생 이어진다는 점에서 매우 중

요하다. 청소년들이 스포츠를 즐길 수 있게 하기 위해서는 행정 당국은 물론 학교에서는 학생들이 마음대로 뛰고 싶은 환경을 조성해 주어야 한다.

하지만 지금 우리 체육은 지름 2m 원(圓) 안에서 배구공 40회, 토스하기, 50m 코스에 깃발 꽂아놓고 축구공 드리블하기, 농구 자유투(自由投) 성공 횟수에 따라 점수를 매기는 식이다. 이런 체육으로 어떻게 청소년들이 건강한 체력을 기르며 이 나라의 지도자 혹은 국민에게 요구되는 리더십, 협동심, 인내력, 준법정신, 희생정신을 갖출 수 있게 하겠는가.

미국과 유럽의 체육은 주중(週中) 2시간의 수업시간에 중점이 있는 게 아니라 방과 후 육상・수영・축구・야구・농구・테니스・레슬링・권투 등 다양한 스포츠 클럽을 통해 이뤄지는 스포츠의 생활화에 있다. 이런 과정을 통해 '심(心)' 과 '신(身)' 을 함께 기르는 진정한 체육이 이뤄지고, 그렇기에 대학진학 과정에서도 각 대학은 스포츠클럽에서의 활동상을 중요하게 평가하고 있는 것이다.

교육과정의 또 다른 특징은 온 세계 정부와 지도자가 수학과 과학교육 강화 경쟁을 벌이고 있는 세상의 변화에 다시 한 번 눈을 감고 귀를 닫아 버린 것이다. 이 나라 지도자와 교육인적자원부 그리고 교과목 심사위원들은 세계의 신문도 읽을 줄 모르고 세계의 방송도 들을 줄 모른다는 증거다.

수학과 과학이 앞선 나라는 지금 선진국이거나 머지않아 선진국의 반열에 오를 나라이고, 수학과 과학이 뒤진 나라는 지금 선진국이라도 곧 후진국으로 퇴보할 나라이고, 만약 후진국이라면 영영 선진국으로 올라서지 못할 나라라는 세계의 상식(常識)도 모르고 있는 것이다.

결국 현재의 교육과정은 대한민국에서 '교육인적자원부가 인식 변화 없이는 학교체육이 살 길이 없다' 는 말이 왜 나오고 있는가를 증명하는 결로 끝나고 말 것인가.

179. 주지주의(主知主義) 교육정책과 학교체육의 실종

청소년들의 신체적·정서적·사회적 발달을 도모함으로써 원만한 인격도야와 공동체의식을 함양하는 학교체육은 문민정부 등장 이후 부각된 주지주의 교육정책으로 인해 점차 침체의 길로 들어서게 되었다. 문민정부가 주지주의 교육정책을 전면에 내세우게 됨에 따라 입시교육에 파묻혀 학교체육은 침체와 파행이 불가피해졌고, 체육행정의 난맥상만을 드러나 문제의 심각성을 더하게 되었다.

물론 그 뿌리는 1980년대로 거슬러 올라간다. 제5공화국 88서울올림픽에 대비하여 '체육부(體育部)'를 신설하게 됨에 따라 체육정책이 엘리트스포츠에 치중하게 되었고, 상대적으로 학교체육을 소홀히 하는 구조적 문제를 안게 되었기 때문이다. 이로 인해 교육부는 학교체육을 체육부에 떠넘겨 학교체육진흥을 위한 정책적 의지를 상실했고, 체육부는 학교체육의 교육적 기능을 염두에 두지 않고 경기력 향상만을 생각하여 학교체육 본연의 기능이 실종되는 결과를 가져오게 된 것이다.

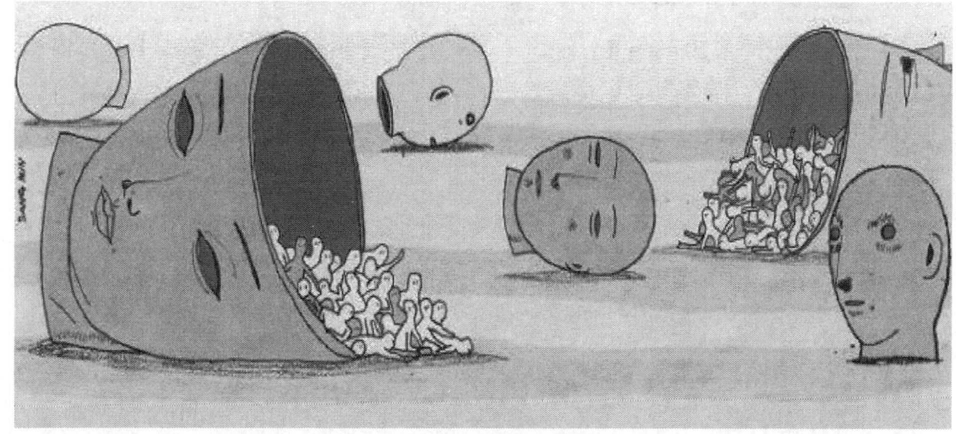

중·고등학교의 체육 시간은 대폭 축소되었고, 학생 체력장제도와 입시 체력검사제도는 폐지되었으며, 교양필수 과목이었던 대학체육이 선택과목으로 밀려났다. 여기에 우수선수 조기 발굴 육성을 위한 소년스포츠대회가 또다시 폐기의 위기를 맞았고, 체육특기생 제도마저 유명무실해지는 최악의 조건으로 후퇴해 학교체육은 고사(枯死) 위기에 직면하기에 이르렀다. 그럼에도 불구하고 역대 정부는 학교체육을 정상화시키는 조치를 취하려 하지 않고, 오히려 학교체육을 후퇴시키는 정책만을 앞세운 것이다.

이를 행정제도의 측면에서 보면 보다 쉽게 알 수 있다. 문민정부 이후 학교체육은 교육부의 교육환경개선국 학교보건환경과와 문화관광부의 체육국 체육진흥과 및 청소년국 등에서 분담해 왔다. 그러나 교육부의 학교보건 환경과는 학교체육의 육성·지원, 학생 체육 활동 및 체력검사에 관한 사항, 학교 체육시설의 운영 지원 등에 관한 사항을 관장했지만, 명칭에서부터 학교체육을 정책적으로 전담하고 확고한 이미지를 느낄 수 없었다.

이런 분위기를 느낀 교육인적자원부가 자문기구인 학교체육발전위원회와 대학체육발전위원회를 설치 운영하며, 학교체육발전위원회를 통해 초·중등학교의 아마추어 체육 및 전통체육 활성화 방안과 전국소년체전 운영 개선방안을 강구하였다. 대학체육발전위원회로 하여금 대학 아마추어체육의 획기적 진흥방안과 체육 특기자의 선발 및 학사 지도의 근원적 개선방안을 수립할 것이라는 점을 밝히기도 했다. 그러나 단순한 자문기구가 실질적인 정책 수행에 얼마나 큰 힘을 발휘할 것인지는 미지수일거라는 우려가 사실로 드러났다.

지금 이 시대는 공부만 잘하는 우등생만을 결코 원하지 않는다. 학업성적만 좋은 100점짜리 보다는 다소 미흡하더라도 운동을 통한 팀워크를 경험하고 게임의 룰을 익힌 건전하고 튼튼한 사람을 선호한다. 더욱이 우리의 꿈나무들이 살아갈 미래사회에서 성공하고 출세한 지도자들 중에는 분명 운동선수 출신이 많아 질 것이라 생각한다.

이는 선진국 지도자들 중 많은 분들이 학창시절 운동부로 활약하였던 경험을 갖고 있다는 사실과 함께 우리나라를 비롯한 세계의 유명 대학들 대부분이 스포츠 활동에 많은 관심과 투자를 한다는 점이 이를 증명하고 있다.

이제는 보다 획기적인 학교체육 정책이 요구되고 있는 시점이다. 주지주의 교육정책에서 한 걸음 더 탈피하여 실종된 학교체육을 되살려야 할 때이다.

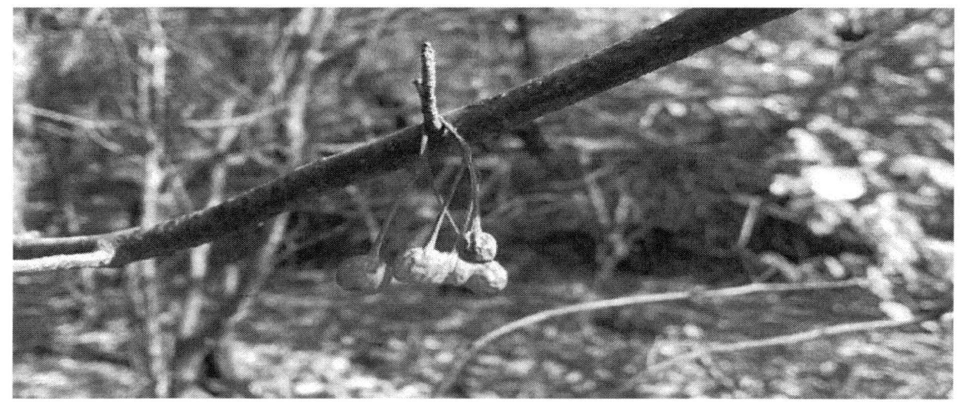

180. 덕(德)교육 · 체(體)교육 · 진로(進路)교육을 통해 미래의 삶을 설계할 때다

가장 큰 원인은 모든 공부를 입시로 연결하는 교육환경과 체육 · 스포츠에 대한 편견과 무지에서 비롯된다. 현재 우리 교육에서 지 · 덕 · 체(知 · 德 · 體)를 논할 때 체(體)는 과목이 아니라 더 큰 범주의 교육 영역이란 점을 학교교육에서 간과하고 있다는 사실조차 인식하지 못하는 경우가 허다하다.

학교교육의 균형을 논하는 많은 사람들조차도 체육을 여러 과목 중의 하나로 인식하고 있어 체육의 교육적 가치와 그 역할을 무의식적으로 경시하고 있는 것이 사실이다. 그 결과로 체육전공자가 아닌 교육 관계자들은 개인적 주장, 정치적 논리, 사회적 쏠림 현상 등에 따라 교육과정을 개정할 때마다 체육수업 시수를 축소해 왔다. 4차 교육과정까지 전 학년에 걸쳐 주당 3시간씩 하던 고등학교 체육수업은 2009년 개정 교육과정이 실시된 후 2011년부터 고등학교 전 학년에 걸쳐 10시간만 수업하고 있다.

또한 중학교 경우 시수는 그대로 유지되지만 많은 학교들이 체육을 하나의 기능 습득 정도로만 여기고 집중이수제를 선택하여 실시하고 있어, 학교 체육 · 스포츠가 제 기능을 수행할 수 없을 지경에 이르렀다. 또 초등의 경우 통합교육을 해야 한다는 일부 교육학자들의 무책임한 주장에 따라 초등학교 1, 2학년의 '즐거운 생활' 이란 과목 안에 '체육' 을 포함시킴에 따라 체육 · 스포츠의 본질은 훼손되고 체육교과의 기능과 역할이 대폭 축소되었다.

우리는 학생들의 흥미와 관심 분야에 관련된 공부와 활동을 더 많이 하고 탐색할 수 있도록 지원해 주며, 미래 계획을 세울 수 있도록 도와주고 있는지 반성하면서 끝으로 진로교육에 교육의 역힐과 가치에 대해 생각해 봐야한다.

선진국에서는 평생직장의 개념이 사라진지 오래며 일생에 약 7~8개의 직업 생활을 한다는 이야기를 들었다. 또 70% 이상이 20세 전후에서 자아 정체감을 형성하고 푸른 꿈에 부풀어 그들의 미래를 웃으면서 가꾸어나간다고 한다.

우리의 청소년들은 지금 어디서 무엇을 하고 있는 걸까? 진로교육과 평생교육 측면에서 문제를 보고 접근해야 하며, 초등학교에서부터 진로교육을 신설하여 체계적인 교육이 이루어져야 한다.

한마디로 학교 체육 · 스포츠가 지 · 덕 · 체(知 · 德 · 體)교육의 하나의 축으로 인식되는 것이 아니라 하나의 과목으로 인식되고, 그 과목마저도 교육 관계자와 단위 학교의 체육 · 스포츠에 대한 인식 부족으로 수업 시간을 줄이며, 존폐의 기로에까지 몰고 가는 우(愚)를 범하고 있다. 우리가 주목해야 할 점은 결국에는 이에 대한 피해는 고스란히 학생들이 받게 되고 한국 미래는 물론 우리 2세들의 만든다는 점이다.

학부모의 무한한 자식 사랑이 교육으로 침착(沈着)되어 그들을 풍요로운 인성이 겸비되고 개성이 최대한 계발되고 신장되게 교육시켜야 한다.

181. 세계적인 스포츠 영웅의 기반은 학교 운동부 육성에서 부터

우리는 운동선수들이 세계대회에 출전하여 입상하는 과정을 통해 체육의 힘이야말로 한 국가의 위상을 높이는 데 큰 역할을 하고 있다는 것을 알 수 있다. 그렇기 때문에 스포츠 경기력 향상을 기반으로 한 스포츠마케팅 전략에 많은 나라들이 혼신의 노력을 다하게 되는 것이 아닌가 싶다.

이러한 엘리트 선수를 양성한 체육의 근간은 학교체육이라 생각하며, 학교체육은 다시 생활스포츠로 연결되어지는 것이라 하겠다. 이런 의미에서 매년 개최되는 전국소년체육대회는 꿈나무들의 큰 스포츠 잔치임과 동시에 유망선수 발굴 혹은 생활스포츠의 경연장이라 할 수 있다. 이번 강원도에서 개최한 전국소년체육대회에 참가한 모든 학생선수들은 많은 사람들의 격려와 칭찬의 찬사를 받아야 마땅할 것이다. 왜냐하면 학교체육에서 선수를 발굴하고, 발굴된 선수의 기능을 배양시키는 것이 결코 쉬운 일이 아니기 때문이다.

어린 시절 습득된 운동기능은 오랜 세월이 지나도 소멸되지 않는다는 것이 이미 입증되었다. 오히려 그 기능은 성장하면서 더욱 세련되어지고 다른 종목으로까지 전이되어 인간의 신체활동을 원활하게 해줌과 동시에 성인이 되어서는 생활을 보다 즐겁게 해나갈 수 있는 하나의 요인도 될 수 있는 것이다. 궁극적으로는 개인의 삶을 보람되고 즐겁게 만들어 주는 역할기능까지 하게 되는 것이라 생각한다.

근래에 들어서는 자녀를 전문적인 운동선수로 키우려는 부모들을 제외하고는 대다수가 운동부에 소속되는 것조차 허락하지 않는 실정이니 참으로 안타까울 뿐이다. 다시 말해 운동부 육성에 소요되는 재정적인 면과 지도자 확보에 따른 어려움도 많지만 보다 큰 문제는 학부모와 학생들의 운동 회피 경향에 있는 것 같다.

전국소년체육대회 출전하는 선수 규모가 줄어들었다는 것을 모일간지 기사를 보면서 학교체육활성화와 생활스포츠인의 저변확대를 위한 각계각층의 노력과 의식의 변화가 절실히 요구됨을 느낄 수 있었다. 진정 이런 추세라면 그 많은 운동종목과 막대한 예산을 투자하여 갖추어 놓은 스포츠 시설물들이 선수가 없어 그냥 사장되는 것은 아닌지 우려하는 심정이다.

체육(體育)은 인간의 근본을 길러주는 교육 또는 교과(敎科)라고 한다. 그러므로 어린이들과 청소년들은 스포츠 활동을 통해 심신을 단련하고 정해진 경기규칙을 따르면서 최선을 다하는 강인한 정신력은 물론, 협동심과 이해심 등 사회생활에 반드시 필요한 많은 덕목들을 배양 할 수 있다.

각종 국제대회에서 국위선양을 위해 선전하는 우리의 선수를 보며 간절한 응원과 승리의 환호로 한 마음이 되어 웃기도 울기도 하는 우리 국민들이 아닌가? 마치 내 아들·딸이 이긴 것 같은 기쁨을 가지면서도 내 자녀만은 운동선수를 시키지 않겠다는 의식은 이제 버리고 학교에서의 운동선수 모집에 적극 호응하여 주시기를 간절히 기대해 본다. 혹시 내 자녀의 남다른 운동기능을 부모님이 스스로 묵살해 버리지 않도록 말이다. 근래에는 지자체 및 사회단체에서 운동선수 양성에 대하여 각별한 관심을 갖고 지원금 보조, 지도자(코치)배정과 대회개최 등으로 유망선수 육성에 학교와 함께하는 역할도 수행하고 있다.

이제라도 세계적인 스포츠 영웅인 '국민의 아들·딸' 들을 탄생시키는 힘은 학교체육의 활성화로부터 이루어 질 수 있음을 인식하고 학부모는 물론 관련되는 모든 사람들이 학교운동부 육성·발전에 더 많은 관심과 사랑을 가져주길 바라는 마음뿐이다.

182. 악순환이 되풀이 되고 있다

국내의 학생 선수들은 각종 세계대회와 국내대회에서 우수한 성적을 거두고 있는 외양과 달리 이들은 '반쪽 학생' 혹은 '운동 기계'라고도 불리도록 만드는 불균형적인 교육시스템에 의해 학업 부진, 교육 단계 단절, 불투명한 진로 등 많은 문제에 시달려 왔다.

학교운동부 운영이 경기력 향상과 경기 성적 중심으로 이루어지면서 엘리트스포츠의 그늘에 가려진 대다수 학생 운동선수들에게 파행적인 학교생활과 나아가 사회에 적응하기 위해 필요한 최소한의 소양마저도 등한시 하도록 강요하고 있는 실정이었던 것이다.

이것이 지속되고, 학생선수들을 위한 교육시스템의 미비로 이를 개선하기 위한 인식의 부족에 대한 우려의 목소리가 높아지기 시작하자 교육인적자원부는 국민체육진흥법 제9조 및 시행령 제15조에 의거하여 학생선수의 학습권 및 행복추구권 보장의 기틀을 마련하고 실행에 옮겼다. 그 외에도 학생선수 정상화 노력의 일환으로 일선 학교 내학생선수보호위원회 설치와 폭력 가해자에 대한 삼진아웃제의 도입, 선수고충처리센터를 설치 및 운영, 학생 선수들을 위한 상담의 의무화, 상시합숙의 금지, 대회 참가의 제한 등의 정책이 이루어졌다. 그러나 교육부의 이러한 시도에도 불구하고 운동선수들의, 특히 정책의 수혜 당사자인 학생 선수들의 반응은 미온적이다 못해 냉랭하다. 학생 선수들이 이러한 반응을 보이는 이유는 무엇일까?

엘리트스포츠는 홍보의 천병으로써 아주 중요한 역할을 수행하였고, 현재도 그러한데, 이는 국가, 대기업, 문화스포츠, 엘리트 등을 하나의 상품으로 국가 경쟁력을 늘인다고 인식하고 있기 때문이다. 하지만 그 과정에서 적지 않은 부작용이 엘리트 선수들에게 파생되는 위기를 맞고 있다. 학생선수의 경우에도 수업 결손, 고된 훈련, 인가된 폭력, 금품수수, 비인가된 합숙, 성적조작 등 승리지상주의가 그것인데 아직도 진행형이다.

프로선수의 경우에도 폭력, 약물복용, 학생시절 수업 결손으로 인한 무지(無知)의 대상으로 오인된 경험, 일반적인 직업으로의 전환 어려움 등도 문제시 되고 있다. 따라서 공부하는 운동선수를 육성하려는 제도, 방과 후 훈련, 주말시합, 연중 출전 횟수 제한 등 정부 차원에서 권하고 자율적인 일반 클럽에서 선수를 수용하는 등 개선안을 인권 차원에서 제시한 바 있다. 그러나 입시제도의 한국문화는 선수들에게 일정 부분의 경기 성적을 요구함과 동시에 학생, 취업 등과 연결되어 있기 때문에 또 다시 선수 역할에 집중해야 하는 악순환이 되풀이 되고 있다는 것이다.

교육청 차원의 스포츠를 통한 건전한 인격과 건강한 신체의 형성이라는 본래 체육의 목적을 성취하기 위해서는 학교운동부의 세 주체가 학생의 스포츠 활동에 대한 올바른 인식을 제공하고 이를 실천하기 위한 행동적 노력을 경주해야 한다는 것을 의미한다. 학교교육의 목적은 학생이 정상적인 수업을 받아 교육적 성장을 하는 데 있다. 학생은 학습에 대한 권리와 의무를 가진다. 학생은 수업을 받을 권리가 있으며 이에 상응하여 학습할 의무도 지닌다. 그러나 학교는 학생의 전인교육이라는 적극적인 사명을 유보한 채 교육적인 요구에 의해 수동적으로 끌려가는 실정이어서 정작 학생 선수는 물론이고 일반 학생들의 체육·스포츠 활동의 학업 기회를 책임져야 할 본래의 책임과 기능을 다하지 못하고 있는 실정이다.

특히 학생선수와의 유기적인 협조가 이루어지지 않아 학생 선수의 학업 능력은 저하되고 있다. 학교운동부가 체육의 목적을 달성하기 위해서는 감독교사의 선임 방법 및 처우 개선과 코치 위상 강화와 직업적 안정이 필요하다. 또한 학생 선수에 대한 후생 복지 대책이 강화되어야 한다.

특히 학생선수와의 유기적인 협조가 이루어지지 않아 학생 선수의 학업 능력은 저하되고 있다. 학교운동부가 체육의 목적을 달성하기 위해서는 감독교사의 선임 방법 및 처우 개선과 코치 위상 강화와 직업적 안정이 필요하다. 또한 학생 선수에 대한 후생 복지 대책에 관심을 갖고 강화되어야 한다.

183. 생활스포츠 활성화를 기대하며

코로나19가 처음 발생한 지 벌써 3년의 시간을 지나고 있다.

우리 생활 변화 중 가장 큰 특징은 마스크 착용 등 일상의 변화로 사람들 간 접촉을 피해 사회적 거리두기, 학교 수업은 컴퓨터·패드 등 디지털 도구를 활용한 온라인 수업, 직장은 재택근무 등이 생활화되었다.

이로 인해 온라인, 비대면 서비스 등 이용이 증가하게 되었고 우리 주변의 공원, 체육시설 등의 폐쇄나 이용 인원의 제한으로 인해 우리의 신체활동에 영향을 미치게 되었다.

문화관광부의 '2021 국민생활체육조사'에 의하면 코로나19에 의해 규칙적인 생활체육 참여빈도에 변화가 있다고 응답한 대상자 중 참여빈도가 증가했다고 응답한 사람은 17.3%로, 2020년 0.2%에서 17.1%p 증가한 것으로 나타났다.

코로나19로 인한 체육시설 폐쇄와 전염의 위험성으로 움츠러들었던 체육활동 참여가 새로운 형태로 변화한 것으로 볼 수 있다. 최근 1년간 생활스포츠에 전혀 참여하지 않은 집단을 대상으로 비참여 이유를 질문한 결과, 체육활동 가능 시간 부족이 68.7%로 1순위로 나타났고, 체육활동에 대한 관심 부족(40.0%), 체육시설 접근성 낮음(28.7%) 등이 전년과 같이 뒤를 이었다.

이를 통해 많은 이들이 운동을 위한 개별 시간 마련이 힘들어 규칙적인 운동을 하지 못하고 있음을 알 수 있었다. 특히 건강상의 문제(22.5%) 때문이라고 응답한 비율이 전년도 8위에서 5위로 크게 상승했고, 1순위 응답률을 기준으로 할 때 체육활동 가능 시간 부족(45.9%)에 이어 두 번째로 높은 비율(15.9%)을 보여 건강 문제로 체육활동에 참여하지 못한 경우가 증가한 것으로 나타났다.

이러한 문제를 해결하기 위해서는 시민들의 면역력 강화로 일상생활 속에서 체육활동을 활성화하기 위한 다양한 스포츠 활동을 전개하여야 한다.

우선, 시민 체력 진단 프로그램을 강화할 필요가 있다. 내 몸의 건강 상태와 나에게 맞는 운동 방법을 맞춤형으로 진단하기 위하여 '체력인증센터' 프로그램 활성화가 필요하다. '체력인증센터'는 국가가 지정한 공인 인증기관으로 시민들의 건강 상태에 따라 맞춤형 운동 처방과 체력 증진 프로그램을 제공해 주는 곳이다.

만 11세 이상이면 누구나 무료로 참여 가능하며, 체성분 분석 및 체력 측정 등 데이터를 바탕으로 운동 처방을 제공하는 등 체계적 체력 관리를 지원하고 있다. 즉 시민 개개인의 일상생활에 맞춤형 스포츠 서비스 제공할 수 있는 시스템을 마련하여야 한다.

둘째, 시민들의 접근이 편리한 체육 공간 확장이 필요하다. 시민들의 접근이 편리한 학교체육관을 활용 생활스포츠의 활성화가 필요하다. 즉 시민 개개인의 건강, 공동체, 대면이 중요해지면 사람들은 마을 단위의 체육 활동을 강화하기 위한 장소로 매개체 역할을 강화시켜야 한다.

셋째, 생활스포츠 활성화를 통한 개개인의 신체적 건강 강화와 정서적 문제를 해결하여야 한다.

생활스포츠는 모든 국민이 운동의 기회와 혜택을 균등히 누릴 권리를 제공하는 것을 목적으로 하고 있다. 일상생활 속으로 찾아가는 생활스포츠지도자 수업 등 다양한 프로그램을 제공할 필요가 있다. 다양한 생활스포츠 프로그램이 있더라도 시민 참여가 없으면 필요가 없다. 따라서 코로나19 시대에 적절한 운동을 통해 면역력을 높이고 건강 강원을 구축하기 위해서는 생활스포츠는 선택이 아닌 필수적인 것으로 생활스포츠 프로그램에 대한 홍보 강화 방안을 마련해서 시민참여를 활성화하여야 한다.

'위기는 곧 기회' 라는 말이 있듯이 강원 스포츠 현장도 살아나기 시작하고 있다. 사회적 거리두기 해제와 함께 스포츠계도 대전환이 요구되고 있다.

체육활동은 코로나19로 인해 무너진 과거와 빠르게 결별하고, 새로운 뉴노멀의 전환으로 일상을 촉진하는 촉매제로 역할을 할 것이다. 특히 AI 시대로의 전환은 우리의 신체활동에도 급격한 변화를 견인할 것이다. 이러한 준비를 위하여 강원체육회가 컨트롤타워가 되어 강원도, 시민, 학계 등 모든 구성원이 함께하여 스포츠 선진 도시로 도약할 필요가 있다.

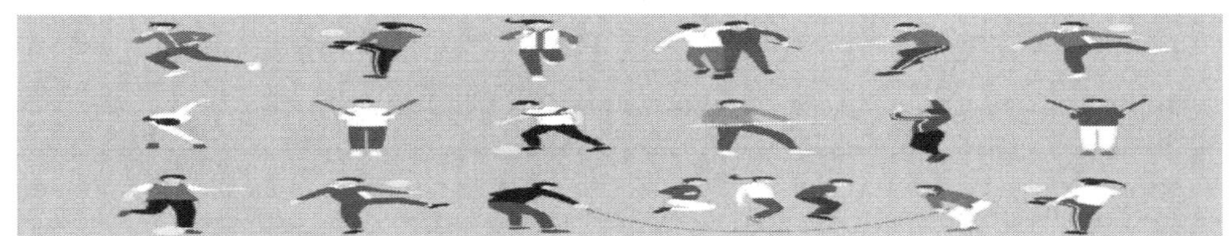

184. 운동과 학습, 공존법은 많다

탁구 신유빈(18 · 대한항공)과 김나영(17 · 포스코에너지), 테니스 조세혁(14)의 공통점은 무엇일까. 학교를 다니지 않고 있다는 점이다. 신유빈과 김나영은 고교 진학을 포기했다. 학교 수업을 규정대로 받으면서 선수 생활을 하기 어렵다고 판단했기 때문이다. 지난 7월 윔블던 테니스대회 14세부 남자 단식 우승자 조세혁도 중학교 학년 유예 처분이 내려진 상태다. 손흥민(30 · 토트넘)은 동북고 중퇴다. 고교 2년 때 독일로 축구유학을 갔기 때문이다. 남자골프 간판 김주형(20)은 어릴 때부터 중국, 필리핀, 호주, 태국 등을 돌며 성장했고 15세 때 프로가 됐다. 학업에 집중하기 힘든 상황이었다. 이들은 학교 학습은 다소 부족했지만 현재 선수로서 무척 성공적인 삶을 살고 있다.

문화체육관광부는 지난달 '문체부, 스포츠혁신위 권고 중 현실과 동떨어진 학생 선수 대회 참가 관련 제도 보완 · 개선한다'는 제목의 보도자료를 배포했다. 2019년 스포츠혁신위원회 권고가 실효성이 떨어지고 부작용이 적잖다고 뒤늦게 판단한 것이다. 당시 혁신위는 출석 인정 일수 축소, 학기 중 주중 대회 참가 금지(교육부), 학기 중 주중 대회를 주말 대회로 전환(문체부) 등을 '권고'했다. 권고 방향은 옳았지만 시행방식에서 현장 목소리를 너무 무시한 탓에 반감과 혼란을 증폭했다.

운동과 공부는 서로 대치되는 개념이 아니다. 둘은 공존이 가능하다. 학생 선수는 운동선수를 꿈꾸는 학생이다. 기성세대는 이들이 안전한 환경 속에서 좋은 훈련을 받을 수 있도록 도와줘야 한다. 인프라 확충, 선진훈련법 개발이 필요하다. 학업은 '맞춤형'으로 마련돼야 한다. 학습은 삶과 연결될 때 자발적으로 이뤄지고 효과도 높다. 물론 돈이 많이 든다. 그런데 학생 선수 맞춤형 수업은 비용이 아니라 투자다.

운동은 누군가의 '재능'이다. 운동선수가 되고 싶은 꿈은 법조인, 의사, 과학자, 음악가, 화가가 되고 싶은 경우처럼 존중받아야 한다. 운동을 진학, 취업, 취직을 위한 '수단'으로만 보는 구시대적 선입견이 사라져야 하는 이유다.

'학생 선수가 내 자녀라면 어떻게 운동과 공부를 시킬까'를 고민하면 많은 해법이 보인다. 자녀가 축구선수라면 얼음판 축구장, 프라이팬 축구장에서 뛰지 않게 할 것이다. 수업에 조금 더 빠지더라도 날씨가 좋은 봄과 가을 대회를 더 많이 만들 것이다. 좋은 훈련 프로그램 개발에도 노력할 것이다. 수업은 자녀들이 배우고 싶은 내용과 형식으로 진행할 것이다. 직업 선수가 되지 못할 수도 있으니 어릴 때부터 기본적인 학습은 충실하게 시킬 것이다.

대한민국 공교육은 붕괴한 지 오래다. 공교육이 뛰어나다면 고위층이 자기 자녀를 왜 미국으로, 유럽으로 보내겠나. 학생 선수 학습을 논할 때 공교육에 학생 선수를 집어넣으면 모든 게 해결된다고 생각하면 오산이다. 내적, 외적 동기가 없는 환경에서 이뤄지는 교육은 효과가 떨어지게 마련이다. 세계적인 교육학자 켄 로빈슨은 "학습권은 '교육'이 아니라 '배움'의 차원에서 접근해야 한다"며 "다양한 잠재력을 가진 씨앗들이 발아 환경을 기다리는 것처럼 교육도 명령하는 식(Command Control)이 아니라 환경을 조성해주는 식(Climate Control)으로 이뤄져야 한다"고 말했다.[82)]

재능이란 건 지능과 마찬가지로 딱 떨어지게 판단할 수 없는 요소인데, 대개 어릴 때부터 특정 능력에 두각을 나타내면 재능이 충만하다고 평가한다. 하지만 나이를 먹어 늦게 자신의 능력을 각성해 성과를 거두거나 특정 분야는 확고하지만 다른 분야는 열등한 등, 재능이라는 지표는 함부로 내릴 수 없다. 특히 아이큐가 밀어나고 다중지능과 여러 성격 이론이 대세가 되면서 인간의 재능은 함부로 판단할 수 없다는 결론이 더 강해졌다. 심지어 평범함조차도 일종의 올라운더라는 재능일 수 있다.[83)]

185. 운동능력은 수많은 재능 중 하나…한 가지 기준으로 재단하지 말자

세계적인 교육학자 겸 철학자 켄 로빈슨은 "명령하는 식(Command Control)이 아니라 환경을 조성하는 식(Climate Control)으로 교육해야 한다" 고 강조한다.

세계적인 교육학자 겸 철학자 켄 로빈슨은 "명령하는 식(Command Control)이 아니라 환경을 조성하는 식(Climate Control)으로 교육해야 한다" 고 강조한다.

학생 선수 관련 이슈를 제대로 파악하고 해결하려면, 과거 경험에서 비롯된 그릇된 선입견을 극복해야 한다. 선입견에 매몰돼 이성적으로 사고하지 못하면, 학생 선수 관련 논의는 '학생 선수 vs 일반 학생' '운동 vs 학업' 등 두 가지 개념에만 함몰돼 땜질식 처방에 그치고 만다. 운동, 교육에 대한 철학적, 사회적 이해가 필요한 이유다.

운동은 특별한 게 아니다 : 운동이 특별하다고 생각해서는 안 된다. 교육자, 교사뿐만 아니라 학부모, 지도자부터 먼저 극복해야 하는 선입견이다. 학생 선수 측은 일반 학생과 다른 처우를 원해서는 안 된다. 학습 인정 일수, 정규수업 등에서 과도한 예외를 원하는 것도 무리다. 학생 선수도 학생이다. 다만 교과 학습보다는 조기 취업을 원할 뿐이다. 교육계도 운동을 입학, 취업을 위한 수단으로만 봐서는 안 된다. 운동은 미술, 음악, 수학, 외국어, 과학 등 수많은 재능 중 하나다.

몸으로 하는 건 천한 게 아니다 : 과거 연예인은 '딴따라' 라는 말을 들으며 광대로 취급받았다. 그런데 지금은 청소년들 최대 꿈이 연예인이 되는 것이다. 운동선수들도 '돌대가리' '족쟁이' 등으로 평가절하됐다. 그런데 현재 초등학생 첫 번째 꿈이 운동선수다. 과거 우리 사회는 음악, 미술, 기술, 무술 등을 다소 천하게 봤다. 숭문배무사상, 문신정권 역사, 유교사상에서 비롯된 현상들이다. 세계적인 교육학자 겸 철학자 켄 로빈슨은 "몸은 머리를 운반하는 도구에 불과하다는 말인가" 라며 "체육은 상위 교과에 들어가야 한다" 고 말했다.

운동부는 시한폭탄이 아니다 : 운동부를 사고뭉치로 보는 관점이 교육계에 팽배해 있다. 운동부 관련 사고가 생기면 언론도 대서특필한다. 문제가 있는 운동부도 있지만 그걸 운동부 전체로 일반화해서는 곤란하다. 운동부는 선후배 간 규율, 지도자 관리 속에서 약간 경직된 게 있지만 일탈하는 경우는 많지 않다. 오히려 일반 학생들이 음주, 흡연, 과도한 컴퓨터게임, 폭력 등에 더 노출돼 있다. 무조건적 합숙 반대, 비현실적인 학습 강요는 운동부를 교화 대상으로만 보는 선입견에서 나온 탁상공론들이다.

모든 걸 해볼 수있는 학교로 : 학교는 미래 전체를, 학생들의 모든 욕구를 담을 수 없다. 그걸 학교가 할 수 있다고 착각해서는 안 된다. 과거 사회 발전이 더딘 시기에는 교육이 사회를 이끌었다. 그러나 지금은 교육이 사회를 따라가기도 벅차다. 시선이 학교 안에만 머무는 교육계가 학생들이 바라는 꿈을 임의로 재단하는 것은 무척 위험하다. 기성세대는 미래를 예측할 수도 없고, 직면하지도 않는다. 알지 못하는 미래에 맞서 생존해야 하는 것은 학생들 몫이다. 손흥민 부친 손웅정씨는 "자유라는 연료가 타야 창의력이 나온다" 고 말했다.

기억해야 하는 격언들 : 알베르트 아인슈타인은 한 가지 기준으로 사람들을 평가하는 걸 경계했다. 여러 동물들을 놓고 "공정한 선발을 위해 나무에 가장 먼저 오르는 동물에게 좋은 점수를 주겠다" 는 한 장짜리 그림이 울림을 준다. 알리바바그룹 마윈 회장은 2018년 "우리 자녀들은 앞으로 기계와 경쟁해야 한다" 며 "지식에서는 기계를 이길 수 없다. 기계가 할 수 없는 팀워크, 상호 보호, 독립적 사고 등을 심어주기 위해 음악(music), 미술(painting), 체육(sports)을 가르쳐야 한다" 고 말했다. 켄 로빈슨은 "명령하는 식(Command Control)이 아니라 환경을 조성하는 식(Climate Control)으로 교육해야만, 무한한 잠재력을 가진 학생들이 꿈을 이룰 수 있다" 고 말했다.[84)]

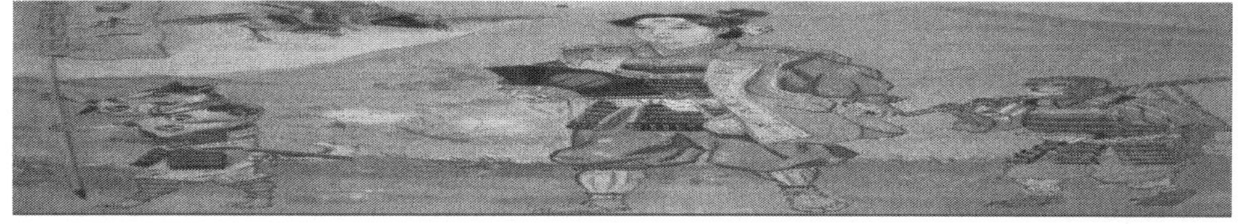

Ⅱ. 나가는 글

캐시모어(Eliss Cashmore)의 이론이 스포츠 수요자의 관점에서 설명되고 있다는 점을 비판하면서 스포츠 공급자의 관점에서 살펴보면, 우선 스포츠가 훌륭한 사회 통제의 도구가 될 수 있다는 점이다. 스포츠의 규율은 공정성과 공평성에 대한 신뢰성을 받아들이도록 한다. 그러나 대부분의 스포츠 규율은 과학적 원리와 상관없이 자의적으로 만들어진 것들이다. 그리고 이러한 규율이 자의적인 것들이라 하더라도 '스포츠 활동에 참여하려면 먼저 규칙에 절대 복종' 해야 하는 것이다. 이렇게 '규율에 순종하는 태도는 스포츠를 통해 형성되는 신체 속에 각인' 된다. 흔히 특정 스포츠에 적합한 신체 구조를 갖추어야 한다는 것, 즉 '몸을 만든다' 는 말은 특정 스포츠에 참여하기 위한 과정에서 근육의 통증이나 고된 고통의 과정들에 순응할 것을 요구하는 것이다.

이것은 한편으로 스포츠의 표준화와 관련되는데 마치 신입 사원의 용모 기준에 맞춰갈 수밖에 없는 입사 지망생의 경우처럼 현대인들은 개인의 특질을 무시한 채 스포츠의 일반화된 표준화에 의해 규정된 신체의 규율에 복종하는 존재로 탈바꿈한다는 것이다. 또한 스포츠는 참여자들에게 즐거움을 부여해줌으로써 '사회 비판의 칼날을 무디게 하는 데도 효과적' 이라고 한다. 즉 매일 쏟아지는 스포츠 소식이나 활동의 즐거움에 빠져 '일희일비하다보면 정작 중요한 사회 문제에 관심을 제대로 쏟지 못하게 된다' 는 것이다.

한편 스포츠는 현대 자본주의 체제의 상업주의와 밀접한 관련을 맺고 있다. 즉 오늘날 스포츠는 거대한 산업이 되고 있다는 것이다. 현대인이 열광적으로 스포츠를 즐기게 된 데에는 더 많은 스포츠를 끊임없이 제공해줌으로써 그들의 소비를 부치긴 산업의 역할이 적지 않았다. 이 같은 스포츠 공급의 확대는 결국 스포츠 활동의 기회를 증가시켰고, 이에 따라 높아진 수요의 결과로 인한 전문 스포츠 선수들의 몸값이 치솟아 사회적 유명 인사의 반열에 오르게 된다. 이는 결국 스포츠를 통한 사회 이동의 기회라는 인식을 가져와 특히 하층 계급에게 효과적 사회 이동의 길로 인식되게 된다. 이렇듯 스포츠 공급자의 측면에서 보더라도 스포츠는 인기를 구가할 수밖에 없는 것이다.

스포츠는 일종의 사회문화적 현상으로 인간 사회의 다양한 영역들과 복합적으로 관련을 맺고 있다. 즉 스포츠는 인류가 발생하고 진화하는 과정 속에서 시대별로 다양한 관점을 반영하면서 발전하였다. 또한 대중매체의 발달은 대중문화 발전의 중요한 요소가 되었으며 그 중 스포츠는 최근에 가장 주목받는 대중문화 요소 중의 하나가 되었다.

스포츠 문화는 사회제도 내에서 대중문화의 특성을 강하게 나타내면서 다양한 형태로 현대사회 속에서 그 영향력을 발휘하고 있으며 대중매체의 발달과 더불어 스포츠 문화는 대중문화로 더욱 발전을 거듭해 나아가고 있다. 그러나 지나친 스포츠 상업화는 승리 지상주의를 발생시켜 도박이나 불법 내기, 승부 조작 등의 사회적인 문제를 일으켜 순수한 아마추어리즘을 위협하고 있다. 따라서 스포츠 상업화의 폐해를 줄이고 건강한 스포츠 산업을 육성하려는 노력이 더욱 중요해지고 있다.

현대사회에서의 스포츠에 의한 세련된 사회 통제 수단으로서의 측면을 헉슬리(ALDOUS HUXLEY)가 그의 소설 『멋진 신세계(Brave New World)』에서 묘사한 "쾌락에 의한 지배" 사회에 모든 인간의 존엄성을 상실한 미래 과학 문명의 세계를 신랄하게 풍자하고 있는 의미와 비유하게 된다.[85]

http://cafe.daum.net/firsthakwi/Dbre/113(2012. 04. 13)

'멋진 신세계'는 과학 문명의 과도한 발전으로 인간성의 상실을 초래한 미래 사회의 모습을 그려 냄으로써 현대 문명을 비판한 작품이다. 이 소설에서 '문명국'은 사회의 안정과 전체의 행복을 위해 개인을 철저하게 통제하고 억압하는 세계이다.

과학의 발달로 노화나 병에서 자유로워지고, 경제적인 궁핍도 사라진 이 '멋진 신세계' 속에서 인간의 자유로운 의지는 말살되고 만다. 작가는 이를 통해 문명과 야만의 이분법으로 세계를 인식하는 서구 문명 중심주의, 과학으로 모든 것이 해결될 것을 믿으며 맹신하는 과학 만능주의를 신랄하게 비판하고 있다. 동시에 과학의 진보가 인간의 행복을 위한 것인지에 대한 의문을 제기하고 있다.

(부록)

2018 평창동계올림픽의 축복과 재앙간 지배담론과 주변담론

Ⅰ. 들어가는 글

2018 평창동계올림픽 언론 보도와 관련해서 대부분의 국민들에게 각인되고, 일상의 대화를 통해 담론화되는 주제는 '올림픽 유치의 당위성'과 '메가 스포츠 이벤트에 따른 무조건적인 경제적 이득' 일 수 밖에 없다. 그 이유는 국민의 80% 이상이 보는 메이저 신문에서 주되게 보도되어 온 내용이 '평창동계올림픽의 유치는 당연한 것'이고 '국가의 중대사'라는 '찬성담론'이 자리하고 있기 때문이다. 반대의 목소리, 비판의 목소리, 혹은 개최 준비활동에 방해되는 목소리는 주변으로 쫓겨나고 있다. 소위 반대 담론의 '모퉁이화(化)'가 형성된 것이다. 지금까지 정선 경기장 설치 환경 문제, 일본과 공동 개최, 북한과 분산 개최, 한국 내 분산 개최, 강원도 내 분산 개최 등은 지배담론에 밀려 한 귀퉁이도 차지하지 못하는 '주변담론'으로 전락되었다. 주변화된 담론으로 형성된 내용은 과연 동계올림픽을 통해 경제가 회생될 수 있는가, 관광에만 의존하려는 강원도의 논리와 그러면서 환경문제에 침묵하는 의도가 무엇인지를 언론에서 찾아볼 수 없다. 도리어 주류언론이 동계올림픽 개최에 따른 경제적 수익을 사후 책임지지 못하면서 불확실한 통계를 들고 나와 국민과 도민을 혼란시킨 자들보다는 양심적이다.

하지만 2014년부터 2015년에 이르기까지 평창동계올림픽과 관련된 150여 편의 기사를 분석해 보면, 평창의 동계올림픽 개최 준비와 관련하여 '문제없다'고 외치는 언론의 여론 형성 과정이 지배적으로 나타나고 있음을 말해주고 있다. 특히 동계올림픽 개최를 함으로써 경제적으로 '회생'할 것이고, 그러한 개최가 지니는 의미는 강원도 주민의 소망을 넘어 대한민국 국민의 염원까지 대변해주는 것임을 말해준다. 더불어 지역경제의 회생을 위한 지방자치단체의 자립적 노력보다는 국가정부의 개입과 재계인사의 치열한 노력이 필요함을 말한다.

이미 시기적으로 늦었지만 환경과 예산문제, 그리고 사후 강원도의 부채 문제는 좀 더 언론의 비판과 함께 합리적인 대안을 찾았어야 했다. 물론 대통령까지 나서 '의미 없다' 고 선을 그어서 그렇다고 하겠지만 그런 문제가 어디 국회나 대통령이 나서서 해결할 문제인가. 추후 우리 후손들에게 빚을 떠넘기거나 악영향이 미친다면 누가 책임진단 말인가. 그래서 주변담론도 필요하며 때로는 요긴하게 쓰일 때도 있다. 주류 언론들은 우리 사회의 중상층에 그 초점을 맞추고 있기에 그들의 평창동계올림픽의 개최 준비 과정 보도는 중상층의 자부심, 인류 국가로 가는 지름길 등, 소위 그들의 '입맛에 맞는' 내용으로 이루어질 수밖에 없는가, 스스로의 노력을 통해 보도의 균형을 맞출 수 있는 자정활동에 제약이 따를 수밖에 없는가. 결국 외부에서 비판적 해석과 주장을 통한 교정 실천이 필요한데도, 알면서도 모른 척 할 뿐인가

동계올림픽에 대비해서 강원도민은 정신을 바짝 차려야 한다. 물론 평창군민도 마찬가지다. 빚더미에 나 앉지 않고 현상 유지라도 할 수 있는 대책을 강구해야 한다.

11조 4,311억 원의 국비가 들어가는 평창 동계올림픽이 빚더미 동계올림픽의 대표 사례 도시로 기록된다면 대한민국과 강원도에 비극이 될 수 있다. 7,000천억 원 이상 비용을 대야 하는 강원도는 부채에 허덕이게 되고 부담은 강원도민과 평창군민에게 돌아가 미래 세대에 불행을 초래할 수도 있다. 물론 올림픽과 관련된 직접 시설에 소요되는 예산은 1조 2,600억 원이며, 강원도 부담액은 3,457억 원이라 하더라도 혈세인 만큼 적은 액수는 아니다. 신설이 필요한 6개 경기장은 유치 신청서의 착공 예정일보다 반년 늦은 2004년인 지난 해 하반기 첫 삽을 떠서 현재 공정이 10% 안팎에 불과하다.

재정 자립도가 30%를 밑도는 강원도가 2006년부터 올림픽을 유치한다며 알펜시아 리조트를 지었다가, 2016년까지 갚아야 할 공사채는 1조원이 넘는다. 최소 3년간 긴축 재정을 몰입해도 상환하기 빠듯한 규모였다. 분산 개최를 결사반대하는 사람들은 강원도의 빚을 다른 지역 주민에게 떠안기지 않겠다고 약속이라도 해야 한다. 2006년부터 추진한 알펜시아가 남긴 상처는 생각보다 크다. 강원도 재정 자립도는 21.6%로 꼴찌에서 세 번째다. 알펜시아 리조트를 지었다가 1조원의 빚을 진 데다 올해 1,200억 원, 내년 1,000억 원 지방채를 발행할 계획이다. 이 빚을 어떻게 감당할 것인지 말하는 사람은 아무도 없다.

게다가 평창 올림픽조직위원회는 운영 예산 중 41.5%를 스폰서 유치로 충당하게 되어 있다. 예상 수입원 가운데 자체 해결해야 하는 비중이 가장 높은데, 2월

현재 목표액의 3분의 1도 달성하지 못해, 안정적인 대회 운영을 위해 스폰서 확대가 시급하다.

1988년 나가노 동계올림픽 조직위원회는 2,800만 달러의 흑자를 냈다고 주장했지만 경제학자들의 분석에 따르면 오히려 110억 달러 적자를 봤다. 가장 성공적으로 대회를 치렀다는 2010년 제21회 캐나다의 밴쿠버 대회도 최대 100억 달러의 적자로 끝났다. 조직위에서 흑자라고 주장하는 2014 인천 아시아경기대회도 마찬가지다. 조직위 관계자는 "적자는 경기장 시설에 국한되어 있다"라고 전하고 있다. 인천시의 전체 부채 규모는 1조 2,493억 원이며, 올해 매월 이자만 11억 원을 부담해야 할 것이라는 추산은 다 알고 있는 사실이다. 아시아드 주경기장을 비롯해 4개 시설에 수익 사업을 유치하겠다던 계획도 현재로선 소득이 없다. 여전히 "많은 기업에서 참여 의사를 밝히고 있다"는 말로 하는 희망만 있을 뿐이다.

1. 2018 평창동계올림픽 말, 말 말, 다 옳은 말이다.

지난 1월 4일 최문순 강원도지사는 한 언론과의 인터뷰에서 "스노보드 한 두 종목을 상징적으로 북한 지역에서 분산 개최하는 방안을 검토할 수 있다"고 말한 바 있다. 최지사가 남북 분산 개최 종목으로 거론한 스노보드는 평창의 휘닉스파크 스키장의 기존 시설을 205억 원을 들여 리모델링해 치를 예정이다. 6개 신설 경기장 건설비용이 6,694억 원인 것을 감안 한다면 적은 액수다. 따라서 남북 분산 개최에 따른 경제적인 효과도 크지 않다는 게 조직위의 분석이다. 또한, 류길재 통일부 장관이 1월 28일 평창올림픽 남북 분산 개최 가능성에 대해 단독 개최가 원칙이라는 전제를 달긴 했지만 "남북 관계가 어떻게 되느냐에 따라 모든 것이 열려 있다"고 발언해 논란이 되자 통일부는 "분산 개최가 가능하다는 취지는 아니었다"고 급히 해명했다.

하지만 오죽했으면 강원도정을 책임지고 있는 도지사가 신년 기자 회견 및 라디오 방송에서 한 말을 이틀 후 "남북 분산 개최는 사실상 물 건너간 상태다"라고 뒤집었을까. 최지사의 '가벼운 입'으로 보지 말고, 혼선과 불협화음이 생길 수 있는 사안임을 알면서도 답답한 심정을 표현한 것으로 해석할 수가 있다. 물론 강원도가 "남북 평화 등의 상징성을 고려한 아이디어 차원의 언급이었다"고 해명하긴 했지만 최문순 도지사 입장에서 보면, 개최에 따른 물적·재정적 숙제에 엄청난 부담을 느끼는 현 상황에서 고려는 해볼 수 있었다고 본다. 또한 류길재 통일부 장관의 남북 관계 개선의 탈출구를 찾으려는 입장은 십분 이해도 간다. 그러나 남북 분산 개최 문제를 다루기에는 시기적으로 늦은 상태이고 만약 남북이 합의를 한다고 해도 북한이 대회를 앞두고 허튼소리를 한다면 큰 위기에 봉착하여 낭패를 볼 수도 있다. 이러한 제안이 불가능으로 판명난 이 상황에서 행여 예기치 못한 변수까지 끼면 블루오션은커녕 평창 동계올림픽을 제대로 치를 수 있을지 괜한 걱정을 해 본다.

하지만 돌이켜 보면, 2018 평창동계올림픽을 위해 강릉에 새로 짓는 남자 아이스하키 경기장은 1,079억 원의 공사비가 소요되지만 올림픽이 끝나면 1,000억을 들여 철거한다. 200억 원의 비용으로 서울 아이스 링크를 활용하면 큰돈을 절약할 수 있다. 역시 강릉에 1,311억 원을 들여 짓는 스피드스케이팅 경기장은 1,000억 원의 철거 비용을 길바닥에 버릴 바에는 서울 태릉 스케이트장을 활용하면 400억 원으로 충분하다. 환경 파괴 논란을 빚으며 사업비와 복원비에 2,190억 원을 쓰는 정선의 활강 경기장 또한 1997년 동계유니버시아드 대회를 치른 무주리조트를 활용하면 300억 원이면 가능하다. 여기에 859억 원을 들여 짓는 4만 5,000석의 개·폐회식장은 단 5~6시간을 사용한 뒤 1만 5,000석만 남기고 철거된다. 게다가 생활스포츠 시설로 사용하겠다는 여자 아이스하키 경기장과 피겨-쇼트트랙 경기장도 사후 연간 30억~50억 원이 들 것으로 예상되는 운영비용을 어떻게 감당할지 무계획이다.

또한, 평창 올림픽조직위원회는 운영 예산 중 41.5%를 스폰서 유치로 충당하게 되어 있다. 예상 수입원 가운데 자체 해결해야 하는 비중이 가장 높은데, 2월 현재 목표액의 3분의 1도 달성하지 못해, 안정적인 대회 운영을 위해 스폰서 확대가 시급하다.

일본과 공동 개최나 북한과 분산 개최는 국민 정서상 현실적으로 이뤄지기 어렵다. 그러나 아이스하키, 피겨-쇼트트랙, 스피드스케이팅, 일부 스키 종목 등은 국내 다른 도시에서 분산 개최하는 방안을 적극적으로 고려해 봐야 한다는 의견이 많다. 하지만 박근혜 대통령이 '의미 없다' 고 대못을 박아 놓은 상태이다.

2014년 인천 아시아경기대회를 경험한 조직위 한 관계자는 "정치적 이해관계에 따라 움직이면 결국 경제적으로 손해를 볼 수밖에 없다. 평창에 제대로 된 인프라가 없으면 대회 참가자들은 모두 고속철도를 타고 서울 근교를 관광하며, 돈을 쓰고 갈 것" 이라고 말했다.

2018 평창 동계올림픽 개막 'D-3년 성공 개최' 의 외침과 국민을 통합시키기 위해 강원발전 100년 도약을 다짐하는 '문화도민 한 마음 다짐행사' 인 출정식

도 중요하지만 사후 대책을 먼저 면밀하게 살펴보고, 올림픽 시설을 건설해야 한다는 점을 명심해야 한다. 지금부터는 말, 말, 말, 다 옳은 말이지만 한 치의 시행착오도 허락될 수 없다.

2. 2018 평창동계올림픽의 성공을 위해 또 한 마디

지난 1월 15, 16일 한국을 찾은 구빌라 린드베리 국제올림픽위원회(IOC)조정위원장은 "평창 올림픽은 현재 계획된 장소에서 열기를 결정했다"고 했다. 그러나 "경기장 사후 활용에 대해서는 명확하게 평창 조직위원회가 계획해야 한다"는 조건을 강조했다고 전해지고 있다. 올림픽의 역사적 유산(遺産)은 극대화하되 비용은 최소화하자는 것이 최근 IOC의 방침이다.

평창 동계올림픽을 일본과 공동 개최나 북한과 분산 개최를 하는 것은 현실성이 없지만 국내에서 분산 개최하는 것은 현 시점에서 출구 전략이 될 수 있다. 국제올림픽위원회(IOC)가 공동 및 분산 개최 여부를 알려 달라고 한 시한은 올해 3월까지다. 박근혜 대통령은 지난해 12월 일본과의 공동 및 북한과의 분산 개최론에 대해 '불가(不可)' 입장을 분명히 했다(강원도민일보 2015. 2. 3). 하지만 국내 분산 개최는 IOC에 통보해야 하는 3월 시한까지 합리적으로 결단할 필요가 있다. 강원도와 지역 국회의원들, 조양호 조직위원장은 나라와 지역을 위한 선택이 무엇인지를 깊이 생각하고 책임 있는 자세를 보여야 할 것이다.

한편으로는 강원도민과 평창군민을 이해시키고 설득해야 한다. 그래야 평창 동계올림픽이 성공한 올림픽이 될 수 있다. 물론 평창조직위도 IOC가 규정을 바꾸어가며 '확산과 참여'를 위해, 타국가나 타도시의 분산 개최를 가능케 한 '어젠다 2020'을 내놓은 배경을 잘 알고 있다. 문제는 '경제올림픽'을 내세운 IOC의 방침에는 공감하지만 이를 따를 수 없다는 게 평창조직위가 빠진 진퇴양난 상황이다. 무엇보다 개최지인 평창, 강릉, 정선을 비롯한 강원도의 반발을 무시할 수 없다. 삼수 끝에 평창이 동계올림픽 개최지로 선정된 데는 강원도민의 지원이 큰 힘이 됐기 때문이다.

그런 입장에서 조직위로서는 올림픽의 성공 개최를 위해 분산 개최를 고려할 수 있지만 "분산 개최를 하면 올림픽 반납도 불사하겠다"는 강원도민의 눈치를 보지 않을 수 없다. 그러나 현 상태로 올림픽을 치르면 피해는 불 보듯 번하다. 조직위 한 관계자는 "가장 이상적인 그림은 강원도가 국익을 생각해 공동 및 분산 개최를 먼저 제안하는 것"이라며 "그럴 경우 IOC는 평창대회 운영비로

6,000억 원을 지원하게 돼 있어 협상에 따라 착공에 들어간 경기장의 원상복구 비용을 IOC에서 받아낼 수도 있다" 고 말했다.

현재로서는 올림픽 특별 구역 개발 사업에 대한 부담금 감면 혜택과 이를 통한 관광 인프라 구축, 지속 가능한 관광콘텐츠 개발 및 고부가가치 관광산업 창출 등을 골자로 한 평창동계올림픽특별법 개정안과 올림픽 경기장 등을 체계적으로 관리하기 위해 서울올림픽기념 국민체육진흥공단이 평창 동계올림픽 관련 사업도 지원할 수 있도록 하는 것을 핵심 내용으로 한 국민체육진흥법 개정안이 빠른 시일 내에 국회의 문을 넘어서야 한다.

평창 올림픽조직위원회와 강원도는 레드오션으로 알려진 동계올림픽을 개최한 도시의 실상을 모르고, 아직까지 안타깝게 블루오션이라는 망상에 사로잡혀 있지는 않는지 걱정스럽다.

평창 동계올림픽조직위원장인 조양호 한진그룹 회장은 '땅콩 회항 사태' 이후 손을 놓고 있는 상태였는데, 이제야 알펜시아 콘서트홀에서 열리는 문화도민 다짐행사인 2018 동계올림픽 개막 'D-3년 성공 개최', 강원 발전 100년 도약을 다짐하는 '문화도민 한 마음 다짐행사' 인 출정식 Game-3년 미리가 보는 평창에 참여했다. 정부는 지난해 7월 자리를 고사하는 조 위원장에게 떠맡기다시피 위원장 자리를 맡겼다. 당초에 "공무원보다 경쟁과 손익 계산에 익숙한 기업인에게 조직을 이끌게 하는 것이 훨씬 더 경쟁력이 있다" 는 판단으로 선임된 만큼 그 진가를 발휘해야 할 때이다.

이 같은 상황에서 평창 동계올림픽이 돈만 많이 들고 쓸모없는 '화이트 엘리펀트' 가 아닌, 적어도 밑지지 않는 장사가 되기 위해서 평창조직위와 강원도에 지금 필요한 것은 유치 때와 같은 문화관광 콘텐츠로서의 흥행과 진정한 레거시의 가치를 창출하는 '비지너스 마인드' 로 경쟁력을 갖는 것이다.

평창 동계올림픽에 있어서 사후 대책과 배후 시설 문제는 경제적으로 대회 개최보다 중요하다. 시작부터 세심하고 철저한 준비가 없으면 성공하기 어렵다.

3. 그 많은 적자를 무엇으로 감당하려고 숨기려 하는가

불 보듯 번한 진실을 왜 시간을 벌면서 숨기려 하는가. 평창 동계올림픽을 성공적으로 치를 수 있을지 우려하는 목소리가 상당히 높다. 평창 동계올림픽이 엄청난 적자와 함께 국제적 실패한 도시로 전락할 수 있다는 전망까지 나오고 있다. 3년도 남지 않은 현재 올림픽의 성공 개최를 위한 방안과 사후 관리도 불확실하다. 현재 평창동계올림픽조직위원회의 인적 구성을 보면 현재 341명이며, 운영 예산은 2조 540억으로 예상하고 있다. 이들은 이러한 사실을 모를 리가 없다. 직무 특성상 알면서도 모른 척 할 뿐이다.

2018 동계올림픽을 위해 강릉에 새로 짓는 남자 아이스하키 경기장은 1,079억 원의 공사비가 소요되지만 올림픽이 끝나면 철거되거나 원주로 이전된다. 철거 비용만 추가로 1,000억 원이 들것으로 추산한다. 2010년 올림픽 유치 계획대로 원주에서 유치하면 된다. 아니면 강릉을 '빙상의 메카'로 발전시키던가. 또한 당초에 스노보드를 신청했던 횡성은 올림픽에 버금가는 국제대회를 다섯 차례나 치러 본 경험이 있으니 적합한 종목으로 조정하면 안성맞춤이다.

11조 4,311억 원의 국비가 들어가는 평창 동계올림픽이 빚더미 동계올림픽의 대표 사례 도시로 기록된다면 대한민국과 강원도에 비극이 될 수 있다. 7,000천억 원 이상 비용을 대야 하는 강원도는 부채에 허덕이게 되고 부담은 강원도민과 평창군민에게 돌아가 미래 세대에 불행을 초래할 수도 있다. 물론 올림픽과 관련된 직접 시설에 소요되는 예산은 1조 2,600억 원이며, 강원도 부담액은 3,457억 원이라 하더라도 혈세인 만큼 적은 액수는 아니다. 신설이 필요한 6개 경기장은 유치 신청서의 착공 예정일보다 반년 늦은 지난 해 하반기 첫 삽을 떠서 현재 공정이 10% 안팎에 불과하다. 늦었지만 마지막으로 강원도민과 평창군민은 허심탄회하게 논의하여 합리적인 방안을 모색해 보는 게 더 현실적이다.

1988년 나가노 동계올림픽 조직위원회는 2,800만 달러의 흑자를 냈다고 주장했지만 경제학자들의 분석에 따르면 오히려 110억 달러 적자를 봤다. 가장 성공적으로 대회를 치렀다는 2010년 제21회 캐나다의 밴쿠버 대회도 최대 100억 달러의 적자로 끝났다. 조직위에서 흑자라고 주장하는 2014 인천 아시아경기대회도 마찬가지다. 조직위 관계자는 "적자는 경기장 시설에 국한되어 있다"라고 전하고 있다. 하지만 인천시의 전체 부채 규모는 1조 2,493억 원이며, 올해 매일 이자만 11억 원을 부담해야 할 것이라는 추산은 다 알고 있는 사실이다. 아시아드 주경기장을 비롯해 4개 시설에 수익 사업을 유치하겠다던 계획도 현재로선 소득이 없다. 여전히 "많은 기업에서 참여 의사를 밝히고 있다"는 말로 하는 희망만 있을 뿐이다.

레이크플레시드 올림픽지역개발청(ORDA) 최고 경영자인 테드 블레이저가 "파티의 손님이 모두 떠난 뒤에 문제가 시작된다"고 언급한 것처럼, 올림픽 개최 전 경제적 파급 효과에 대한 장밋빛 기대와 달리 대회 이후 현실에서는 올림픽 시설이 지역의 훌륭한 문화적 유산으로서가 아닌 '애물단지'가 되어 지역경제의 부담으로 전락한 사례가 많다. 올해 3월이면 분산 개최 여부의 결정 시안이 끝나 IOC에 통보해야 한다. 그 전까지 나름대로의 타당성에 따른 합의와 결정은 국가나 강원도를 위해 절실히 필요하다. 그리고 난 다음 '강원의 힘'을 보여줘도 늦지 않다.

동계올림픽 저변에 열악한 한국에서 동계올림픽을 경험해 본 전문 인력은 거의 없다. 현재 341명이 일하는 조직위(중앙공무원 30명, 지방공무원 107명, 대한체육회 및 대한장애인올림픽위원회 8명, 위원장 회사 대한한공 27명, 민간전문직 160명)는 내년까지는 876명, 2018년까지는 1,300명으로 늘어난다. 이들을 통한 강력한 리더십과 체계적인 준비, 그리고 온 국민의격려가 없다면 평창 동계올림픽은 성공하기 쉽지 않다.

현재 중요한 것은 화합 차원의 '다짐 대회'나 아이디어 창출을 위한 '토론회'도 중요하지만, '동계올림픽 경기 사후(事後) 활용방안'과 '실패 사례를 감안한 배후(背後)시설 설치방안'을 주제로, 빠른 시일 내에 관련학회나 유수대학에 프로젝트를 추진해야 한다. 그래야 지금까지 논의되고 있는 주먹구구 담론에서 벗어나 큰 틀에서 향후 적자를 메울 수 있는 인프라가 구축될 것이다. 올림픽 전후의 배후시설 설치를 통한 지방경제 활성화와 배후도시와 연결된 지역 관광산업은 상호 긴밀한 활용계획에 따라 그 결과가 다양하게 나타날 수 있다.

2018년 2월 9일에 열리는 개막식에서 전 세계인을 대상으로 개막을 선언하는 사람은 박근혜대통령이지만, 후일 진정으로 평가받는 사람은 대통령과 조직위 및 관계자가 아니라 강원도민과 평창군민 모두이다. 이 점을 명심해야 한다.

4. 왜 가만히 있는가, 합리적인 해법은 없는가

평창 동계올림픽에 필요한 경기장은 모두 13개다. 이 중 5곳은 기존 경기장을 활용하고, 2곳은 보완하며, 6곳은 신설한다. 6곳의 신설 경기장에 대한 사후 활용계획은 진정성과 타당성이 부족하다. 강릉에 들어서는 4개의 경기장 가운데 사후 활용 방안이 결정된 곳은 생활스포츠 시설로 바뀌는 여자 아이스하키 경기장과 피겨-쇼트트랙 경기장뿐이다.

1,079억 원 소요의 남자 아이스하키 경기장과 1,311억 원을 들여 짓는 스피드스케이팅 경기장은 올림이 대회가 끝난 후 이전 혹은 철거나 민자 유치로 예정돼 있다. 철거에 건설비 못지않은 경비가 소요되는 걸 감안하면 2,000억 원가량의 국민 혈세를 써야만 한다.

소요 예산 1095억 원을 들여 짓는 강원 정선 가리왕산 활강 경기장도 대회 후 환경 문제로 복원 또는 민자 유치한다는 계획이다. 여기에다 알펜시아에 859억 원을 들여 가건물로 짓는 4만 5,000석의 개 · 폐회식장은 단 5~6시간을 사용한 뒤 1만 5000석만 남기고 철거된다. 생활스포츠 시설로 사용하겠다는 여자 아이스하키 경기장과 피겨-쇼트트랙 경기장은 연간 30억~50억 원이 들 것으로 예상되는 운영비용을 감당할 수 있을지 걱정스럽다.

해외 분산 개최나 북한 공동 개최는 국민 정서상 현실적으로 이뤄지기 힘들다. 또한 아이스하키, 피겨-쇼트트랙, 스피드스케이팅, 일부 스키 종목 등은 국내 다른 도시 유치도 여건상 어렵다. 강원도에서 원주, 횡성으로 분산 개최하는 합리적인 방안을 적극적으로 고려해 봐야 한다는 의견이 많다.

늦은 감은 있지만 2018 평창동계올림픽 종목에 따른 강원도 경기장 분산 개최 장소와 주장에 에 대한 의견이 타당한 건지, 합당한 건지 살펴보자. 2010년 올림픽 유치 계획에 아이스하키 경기가 열리는 개최 도시였던 원주는, IOC가 관련 시설의 거리를 줄이는 콤팩트 경기장 배치 규정상의 이유를 앞세우는 바람에 불발로 끝났다.

하지만 "남자 아이스하키 경기장은 강릉에 신축하고 올림픽이 끝나면 이전 비용 600억을 들여 원주로 이전하기로 되어 있다." (강원도민일보 2015, 원창묵) 또 횡성은 조직위와 IOC에 불가 원칙에 막혔지만 당초에 스노보드를 요청했는데, "하프파이프, 슬로프 스타일 종목을, 올림픽에 버금가는 국제대회를 이미 다섯 차례나 치러냈고, 공인된 경기장과 숙박시설, 운영 노하우는 성공 올림픽을 담보하는 막대한 자산이기 때문이다" (강원도민일보 2015. 1. 15 한규호)는 당위성 있는 의미로 받아들여진다.

이와 같은 고려를 나름대로 고민해 봐야 하는 이유는, 신설 경기장 6곳에 공사 진행 상황이 당초의 계획보다 6개월 이상 착공이 지연된 현 시점에서 공정률마저도 불안하게 만들고 있기 때문이다. 평창 알펜시아 슬라이딩센타 공정 12.4%, 정선 가라왕산 활강장 공정 7.6%, 강릉 스포츠콤플렉스 아이스하키 I 은 공정 6%, 강릉 스포츠콤플렉스피겨-쇼트트랙 7%, 강릉 관동대학교 이아스하키 II 는 공정 6%, 강릉 스포츠콤플렉스 스피드스케팅장은 공정 0%로 재설계 중이다. 이러한 상황에서 기존 시설을 리모델링하면 경제적 이득은 물론이고 공사기간도 훨씬 앞당겨지므로 그만큼 철저한 대회 준비를 할 수가 있을 것이다.

물론 분산 개최는 강원도와 평창군은 반대한다. "모든 경기장을 이미 착공했고, 지금 상황에서 분산 개최는 불란 만 가져올 뿐 올림픽에 전혀 도움이 안 된다”, “이제는 부족한 2%에 대비해서만 이야기 하지 말고 98%의 긍정적인 부분도 함께 보면서 올림픽 유산(legacy) 효과를 극대화하는 지혜가 필요하다” (강원도민일보 2015 1. 28. 이범연)는 논리를 앞세우고 있다. 하지만 평창 동계올림픽은 나랏돈이 총 11조 4,300원 드는 국가 중대사(重大事)다. 강원도 등 지방 정부도 7,000원 이상의 비용을 대야 한다. 직접 시설에 소요되는 예산은 1조 2,600억 원인데, 강원도 부담액은 전체 예산 27.5%인 3,457억 원이다. 재정 자립도가 30%를 밑도는 강원도가 2006년부터 올림픽을 유치한다며 알펜시아 리조트를 지었다가, 2016년까지 갚아야 할 공사채는 1조원이 넘는다. 최소 3년간 긴축 재정을 몰입해도 상환하기 빠듯한 규모였다. 분산 개최를 결사반대하는 사람들은, 강원도의 빚을 다른 지역 주민(대한민국 국민) 어느 누구에게도 떠안기지 않겠다고 약속이라도 해야 한다.

IOC가 분산 개최 여부의 마지노선으로 정한 시간은 올해 3월이다. 모든 사심을 내려놓고 국가와 강원도를 먼저 생각해야 한다. 그런 점에서 강원도민과 평창군민은 한번쯤 동서화합의 차원에서 논의할 필요가 있다. 서로 마음을 비우면 가장 타당하고 합당한 합리적인 방안이 나올 수도 있다. 이게 ‘강원도민의 힘’ 이다.

Ⅱ. 중간에

1. 성공한 평창 동계올림픽이 되기 위한 인프라 구축이 필요하다

2011년 7월 7일 자정을 넘은 시각 전국이 떠들썩했다. 평창이 3수 끝에 2018년 동계올림픽 개최지로 선정됐다는 소식이 전국을 강타한 것이다. 다음 날 부터는 동계올림픽에서 굴러들어올 돈이 적어도 몇 천억은 될 것이라고 야단법석을 떨었다. 이때까지만 해도 동계올림픽은 수익성이 큰 보물덩어리를 발굴한 것으로 생각했다. 적어도 그때는 국민적 정서나 담론이 그러했다. 하지만 하계올림픽과 동계올림픽은 상당한 차이가 있다. 동계스포츠는 지구 전체 인구의 20%만이 즐길 수 있는 ‘혜택’ 이지, 범인류적인 문화가 아니라는 점이다.

평창 올림픽조직위원회와 강원도는 안타깝게 황금알이라는 망상에 사로잡혀 이미 뜨거운 감자로 알려진 동계올림픽을 개최한 국가 · 도시의 실상을 모르고 있는 것일까. 그러한 현실을 정확히 알고 있으리라 본다. 그런데 어찌하랴 이제 와서 포기하고 반납할 수도 없고 이미 쏟아진 물인데, 시간이 갈수록 생각지도 않은 적자의 수준은 늘어나고 기존 개최 도시는 빚더미니 깔리고 있으니 말이다.

몇 년 전과는 달리 이제는 국제올림픽위원회(IOC)에서 동계올림픽을 유치해 달라고 애걸하는 시대이다. 이러한 상황은 이미 2022년에 동계올림픽을 신청한 나라들이 중도에 포기 선언을 한 것이 그것을 입증하고 있다. 그래서 평창 동계올림픽에 6000만 달라를 주기로 한 올림픽 준비 지원금을 2022년 주최국에게는 1억 달러까지 올리겠다는 유인책을 쓰고 있다. 유치 도시의 재정 부담을 줄여 줘 모두가 기피하는 현상을 막고, 흥행의 성과를 얻겠다는 심산이 깔려 있는 셈이다. 국제올림픽위원회(IOC)가 평창조직위원회에 분산 개최를 제안하고 경기장 사후 활용을 심도 있게 논의해야 한다고 강조한 부분도 같은 맥락으로 봐야 한다. 만약 평창의 실패한다면 동계올림픽 전체의 흥행 추락을 가속화 시킬 수 있다는 것이 IOC의 우려이다.

그러나 실제로는 평창조직위원회와 강원도가 보족한 대안이 없는 듯하다. 동계올림픽을 외부에 알리는 과시용이나 지역 발전을 위한 행사용으로 착각하고 있지는 않은지 염려된다. 여기에다 낡은 사고의 틀에 갇혀 1월 20일 기자 간담회에서 평창조직위원회는 “일본 등과의 분산 개최는 불가능 하다. 더 이상 거론하지 않으면 좋겠다” 고 못을 박으면서 사후 경기장 활용 방안을 묻는 질문에는 “4년 뒤 베이징 동계올림픽이 열리면 그 경기장으로 활용하면 된다” 고 답할 정도면 발등의 불을 끄기도 바쁜 이 시점에서 동문서답할 정도로 문제의식이 부족한 것으로 판단된다.

평창 동계올림픽 준비는 2018년 개최를 3년 앞두고 총체적 난맥상을 보이고 있다. 경기장 건설이 예정보다 6개월 이상 지연되고 있고, 공정이 10% 안팎인 실정이다. 정부 고위 관계자는 1월 20일, 2018 평창동계올림픽조직위원회에 1988년 서울올림픽조직위에 버금가는 권한을 주기로 했다. “성공적인 대회 개최를 위해 조직위에 모든 힘을 실어주기로 했다” 고 한다. 그리고 신설 경기장 등에 대한 확실한 사후 방안을 마련한 뒤 기획재정부 등 관련 부처와의 협의를 통해 최대한 지원한다는 방침이다. 다만 “아무런 대책 없이 국비를 더 달라는 요청은 받아들일 수 없다” 고 전해지고 있다. 실제로 해당 지자체의 경제 파급 효과와 고용 창출과 같은 긍정적인 효과를 기대하는 것이 사실이지만, 경기장 건립에 필요한 지자체의 재정 부담과 사후 운영에 따른 위험 부담이 동시에 과제로 남아 있는 것이 현실이다.

성공한 평창 동계올림픽이 되기 위해서는 단순한 경제 효과 수치를 벗어나 비용 대비 편익을 철저히 재분석하여 중앙정부와 강원도 재정에 장기적 부담을 최소화 할 수 있는 인프라를 구축하여야 한다.

2. 평창 동계올림픽은 효율적인 사후 대책과 배후 시설만이 성공한 올림픽이 될 수 있다

국제올림픽위원회(IOC)가 평창올림픽에 대해 일본과의 분산 개최를 제안하자 지난해 12월 박근혜 대통령은 "세 번 만에 어렵게 유치한 대회이고, 경기장 공사가 진행 중인 상황에서 의미가 없다"고 말했다. 하지만 IOC가 '확산과 참여'를 위한 올림픽 분산 개최를 주 골자로 하는 '어젠다 2020'를 공표했을까. 오죽하면 유치 도시의 재정적 부담을 줄여 줘 동계올림픽 유치를 세계 모두가 기피하는 애물단지가 되는 것을 막겠다고 나섰겠는가!

문화체육관공부는 "2018년 평창 동계올림픽 개최에 맞춰 2017년 말까지 설악산에 친환경 케이블카가 설치된다. 평창, 강릉, 정선 등 동계올림픽을 여는 3개 도시는 '레저스포츠 메가시티'로 재탄생한다"는 내용을 중심으로 2015 관광분야 정책을 올해 1월 28일 발표했다. 케이블카 설치 지역은 양양군 오색리에서 끝청봉에 이르는 3.5km 구간이다.

문체부는 아울러 강원도 관광을 활성화하가 위해 "평창동계올림픽 개최 도시인 평창에는 민간 투자 766억 원을 유치해 대관령 가족 휴양지를 개발하고, 강릉에는 1079억 원을 들여 전통 한옥촌을 지을 예정이다. 산과 계곡이 발달한 정선은 ' 에코 익스트림 파크'를 조성해 체험형 관광지로 육성한다"는 것이다.

먼저 결론부터 애기하자. 사후 대책 사업으로 그 정도의 관광 활성화 수준으로는 어림없다. 요사이 언론에서 강하게 비판하는 이명박 정부의 4대강 살리기 사업이나 자원 외교 사업이 섬뜩하게 머리를 스친다. 물론 그 사업들의 결과는 다음 세대에 두고 봐야 하지만, 동계올림픽 사후 대책과 배후 문제는 우리 세대뿐만 아니라, 다음 세대로 바로 직결되기 때문이다. 문체부에서 대략 2,500억 원을 투자할 계획인 모양인데, 평창 동계올림픽과 별개인 강원도를 극진히 사랑하는 문체부의 국내 관광 활성화 정책이면 강원도민의 한 사람으로서 백번 감사의 절을 해도 부족함이 없다. 하지만 이 사업이 평창 동계올림픽 사후 대책과 배후 시설 방안의 한 가지 사업으로 추진한다면, 정말로 올림픽유치 국가의 경기 후 사정을 모르는 처사이다. 그럴싸한 명분을 내세워 혈세로 부족한 예산을 충당하고자 노인네 담배값 2,000원이나 인상한 국회나 정부의 처사를 모름지기 알만도 하다.

만약에 평창 동계올림픽 배후지역 시설 문제를 논의하려면 좀 더 포괄적으로 기획하여 추진할 필요가 있다. 겨울철 온통 시내 아스팔트를 파헤치는 일처럼 주먹구구식 행정이 아닌 좀 더 방법과 활용 면에서 광범위 하면서도 쉽지 않은 일이어야 한다. 강원도나 평창, 강릉, 정선이라는 협의의 내용이 아닌 국가적 차원에서 이 문제를 다루어야 한다. 다시 말해 계획안이 국회를 통과하거나 대통령이 직접 국민을 설득할 수 있을 정도의 기획이어야 동계올림픽 적자 문제를 어느 정도 해결할 수가 있다.

강원도를 넘어선 범국민적 차원에서의 사후 계획과 배후 시설 투자가 따라야 그나마 점진적으로 부채를 줄일 수 있다고 본다. 그렇지 않으면 시설은 애물단지가 될 것이고, 미래에는 국가는 물론 강원도에 엄청난 재정적 재앙이 불어 닥칠 것은 불 보 듯 번하다.

그 예로 알펜시아를 생각하지 않을 수 없다. 2006년부터 추진한 알펜시아가 남긴 상처는 생각보다 크다. 강원도 재정 자립도는 21.6%로 꼴찌에서 세 번째다. 알펜시아 리조트를 지었다가 1조원의 빚을 진 데다 올해 1,200억 원, 내년 1,000억 원 지방채를 발행할 계획이다(조선일보 2015 1. 8). 이 빚을 어떻게 감당할 것인지 말하는 사람은 아무도 없다.

알펜시아는 동계올림픽을 유치하기 위한 시설이라고 하지만, 따져보면 리조트와 골프장 분양을 위한 수익 사업으로 추진됐다. 도민을 기만하고 사업 초기부터 성공 가능성이 희박하다는 전망을 강원도가 귀담아 듣지 않았다.

강원도는 당장 적자에 허덕이면서 재정 파탄 위기로 몰려 아우성인 인천시를 반면교사로 삼아야 하며, 알펜시아 때문에 '올림픽 푸어(Olympic Poor)'가 될 번한 사실을 타산지석으로 삼아야 한다. 그런 점에서 지금부터 정부에서 추진한다는 사후 대책과 배후시설 방안을 강원도민 입장에서 **곰곰이** 곱씹어 봐야 한다. 성공할 가능성이 있는지.

3. 올림픽지역 개발청, 대형 노인요양시설, 국제 수준 카지노를 설치하라

김종덕 문화체육부 장관은 지난 2월 6일 "올림픽의 진정한 레거시는 올림픽을 계기로 만들어지는 문화 관광 콘텐츠다. 정부는 앞으로 강원도를 레저스포츠의 중심지로 집중 육성할 계획이다. 올림픽 개최지인 3개 시 · 군의 특성을 반영해 올 상반기 중에 올림픽 특구 종합계획을 변경하고 관련 예산을 확보하겠다"고 문화관광 콘텐츠에 대한 정부계획을 전했다. 맞는 말이다.

하지만 평창동계올림픽은 오랜 지역의 문제와 국가적 과제를 동시에 해결하고 미래의 비전을 담아야 한다. 그리고 그것은 평창 동계올림픽이 개최되는 2018년까지 유보된 가치 창출이 아니라 바로 올해부터 차근차근 실천에 옮겨 사후(事後)까지 연결되어야 할 일로, 올림픽 개최보다도 중요한 당면 과제다. 물론 문화체육관공부장관의 '문화관광 콘텐츠'에 대한 언급이 강원도가 풀어야 할 동계올림픽 배후 대책이 아니길 바랄 뿐이다.

그런 점에서 김종덕 문화체육부 장관과 최문순 강원도지사에게 감히 동계올림픽 사후와 배후 대책과 관련하여 몇 가지 간략하게 돈키호테적인 의견을 제안하고자 한다.

첫째, 공단 수준의 '올림픽지역개발청(Olympi Regional Development Authority)'을 설치해라. 그리고 지금부터 빠르게 유수대학과 관련학회 연구기관에 사후 관리 문제와 배후 시설에 대해 용역비를 주고 프로젝트를 추진해라. 해방 이후 우리나라에서 내적으로 성공한 국제대회는 88서울올림픽 밖에 없다. 그 성공의 비결은 그 당시 민간 전문직 종사자들과 자원봉사 요원을 경기 후 당시 인력을 올림픽 기념 '국민체육진흥공단'으로 창설하여 활용했다는 점이다. 그래야만 민간 전문직 종사자들과 자원봉사자들이 적극적이면서도 창의적인 활동이 이루어질 수 있다. 1988년 이후 지금까지도 대한민국 '국민체육진흥공단은 대한민국 활 체육·스포츠 발전을 위해 기여한 바가 크며 성공한 케이스다.

둘째, 평창을 중심으로 대한민국 최대의 노인 요양시설을 건립해라. 지금 평창의 3곳의 노양요양시설과 6개의 노인의료 복지시설은 시골 수준이다. 제주도 서귀포시의 14곳인데 이곳 요양소의 2배 정도의 국가 수준 시설과 장비를 설치해야 한다. 우선 경인지역과 접근성에서 다른 지역보다 유리하다. 가까운 강릉 사천과 원주에 최신식 병원이 유치되어 있기는 하지만 건립 위치에 따라 종합병원도 필히 설치 계획에 넣어야 된다.

셋째, 동계올림픽 복권을 발행해라. 서울올림픽 복권은 5년8개월간 발행해 625억 원의 수익을 남긴 바 있다. 평창동계올림픽의 경우 복권 발행기간이 4년에 불과한 실정이고 보면 서둘러 논의할 일이다. 복권이 사행성을 조장한다는 원론과 법률 개정 문제를 모르는 바가 아니다. 하지만 경마·경륜장 운영은 물론이고 각종 복권 판매를 통해 사업 자금을 충당하고 있다. 현재 우리나라 복권시장 규모가 4조 원에 달한다. 하지만 서울올림픽이 흑자를 낼 수 있었던 한 요인이 복권 발행이었음을 부인할 수 없다.

넷째, 가장 어려운 난제지만 꼭 필요한 대목은 국제 수준의 '카지노' 설치이다. 거기다 관광진흥개발기금을 2018년까지 한시적으로 유보하고, 이를 지방세로 전환해야 재정 압박을 덜 수 있다. 물론 엄청난 반대에 부딪치겠지만 도지시가 직접 나서고, 대통령이 지원해야 가능하다. 올림픽 후 알펜시아와 함께 불어나는 수백억 원의 계속되는 누적 적자의 혈세와 강원도의 파산을 막기 위해서는 필수적이다.

문화체육관광부는 “2018년 평창 동계올림픽 개최에 맞춰 2017년 말까지 설악산에 친환경 케이블카가 설치된다. 평창, 강릉, 정선 등 동계올림픽을 여는 3개 도시는 3,000억 원을 들여 ‘레저스포츠 메가시티’로 재탄생한다” 그리고 강원도 관광을 활성화하가 위해 “평창동계올림픽 개최 도시인 평창에는 민간 투자 766억 원을 유치해 대관령 가족 휴양지를 개발하고, 강릉에는 1079억 원을 들여 전통 한옥촌을 지을 예정이다. 산과 계곡이 발달한 정선은 ‘ 에코 익스트림 파크’를 조성해 체험형 관광지로 육성한다”는 주먹구구식 탁상공론에다 사탕발림 수준이다. 그럴 바에는 그 돈으로 평창과 강릉을 중심으로, 광범위하게 국제적인 설상·빙상의 메카 도시로 올림픽 공원(PyeongChang & Gangneung Olympic Park)설립하여 2018 평창 동계올림픽 사후 ‘올림픽지역개발청(Olympi Regional Development Authority)’에 운영권을 주는 것이 효율성 측면에서 더 가능성이 높다.

2002년 한·일 월드컵을 비롯해서 가까운 2014 인천아시안게임 등 모두 지금까지 적자에 허덕이고 있는 점을 반면교사와 타산지석으로 삼아야 한다. 올림픽은 강원도, 평창뿐만 아니라 국가 중대사이이다. 때문에 대한민국 국민이며, 강원도민의 한 사람으로서 닥아 올, 그리고 아무도 책임지지 않을, 몰려올 적자의 거센 폭풍을 피할 수 있는 방안인 나름대로 필자의 4가지 제안 중 2가지만이라도 성취되기를 간곡히 기대해 본다.

Ⅲ. 나가는 글

이 연구는 평창 동계올림픽 개최과정에 대하여 언론이 어떠한 담론을 생산하고 있는가를 분석하는 데 그 목적으로 하고 있다. 이를 위해 2014년부터 2015년에 이르기까지 평창 동계올림픽과 관련된 총 150편의 기사를 분석하였다. 그 결과 동계올림픽을 개최함으로써 강원도는 경제적으로 회생하고, 이러한 개최는 강원도 주민의 소망을 넘어 대한민국 국민의 염원의 의미로까지 확장되어 있음을 알 수 있었다. 더불어 지역경제 회생을 위한 지방자치단체의 자립적 노력보다는 국가정부의 적극적 개입과 재개 인사의 치열한 노력이 필요함도 결과를 통해 나타났다.

아직까지 국내·외적으로 88서울올림픽부터 2002월드컵, 2014인천 아시아경기대회, 그리고 평창동계올림픽 같은 메가 스포츠이벤트에 이르기까지, 우리는 스포츠이벤트를 유치할 때마다 아무런 반대 없이 '그냥 하나보다' 하고 넘어왔고, 때로는 권력자들의 밥벌이로 악용되는 것을 방관해 왔음을 부정하기는 힘들다. 이는 전적으로 '비판의 부재'에서 기인한 것이다. 비판이 부재한 사회는 '쏠림 현상'이 극단적으로 나타날 수 있음을 우리 역사가 말해주고 있다.

지금까지 정선 경기장 설치 환경 문제, 일본과 공동 개최, 북한과 분산 개최, 한국 내 분산 개최, 강원도 내 분산 개최 등은 지배담론에 밀려 한 귀퉁이도 차지하지 못하는 '주변담론'으로 전락되었다. 주변화된 담론으로 형성된 내용은 과연 동계올림픽을 통해 경제가 회생될 수 있는가는 늘 과제로 남았다. 하지만 주류언론이 동계올림픽 개최에 따른 경제적 수익을 사후 책임지지 못하면서 불확실한 통계를 들고 나와 국민과 도민을 혼란시킨 자들의 내용이 상당 부문 나타났다.

또한 연구 결과는 지배담론과는 달리, 주변적 담론에서의 내용이 과연 동계올림픽을 통해 경제가 회생할 수 있는가를 과거 스포츠이벤트의 결과를 통해 반박하였고, 더불어 관광에만 의존하려는 강원도의 논리와 그리고 환경문제에 침묵하는 의도가 무엇인지를 말해 주었다.

이제는 시대가 변했다. 2011년을 기준해서 그 이전과 이후 동계올림픽이 흑자가 될 거라고 호언장담한 각종 연구소나 정확한 데이터 없이 구술로 기사를 쓴 자들은 추후 그 책임을 반드시 물어 응징해야 한다. 그래야 우리 지금 정부나 차기 정부에서 국민의 혈세로 4대강 살리기 사업이나 자원 외교 사업 같은 확실하지도 않은 사업을 벌이지 않을 것이다. 2018 평창동계올림픽도 마찬가지다. 정부를 믿어서는 안 된다. 강원도민은 알펜시아 1조원과 동계올림픽 4,000억 원의 빚더미에 깔리게 되었다.

강원도는 당장 적자에 허덕이면서 재정 파탄 위기로 몰려 아우성인 인천시를 반면교사로 삼아야 하며, 알펜시아 때문에 '올림픽 푸어(Olympic Poor)'가 될 번한 사실을 타산지석으로 삼아야 한다. 그런 점에서 지금부터 정부에서 추진한다는 사후 대책과 배후시설 방안을 강원도민 입장에서 곰곰이 곱씹어 봐야 한다. 성공할 가능성이 있는지, 그리고 강원도민을 위해서 적합한 계획인지, 늦었지만 강원도민과 평창군민은 허심탄회하게 논의하여 사후 대책과 배후시설 방안을 모색해 보는 게 더 현실적이다. 정부를 믿지말고.

Abstract

With research question whether journals played their own roles to furnish various information on the bid of Winter Olympic in Pyeonchang, this article attempted to analyze how journals produced discourse about the bidding process of that event. For achieving this purpose, I analyzed 1,828 articles in major newspapers released during from 2002 to 2007, a period dealing with the bidding process in Korea. The results of this study showed that dominant discourse as a 'support to bid' was constructed with various contents saying Gangwon Province(GP) would re-survive from a economic depression by hosting 2010/2014. Winter Olympic. Moreover, the meaning and value to host that event was to realize the long-cherished desire of dwellers in GP and to increase in national pride of Koreans. In contrast to this discourse, marginalized discourse as a 'critical stand to bid' was produced by categorized in the suspicion for the effect of hosting event in GP, the condition to form a 'transcend-positive-law' for absolve a lawbreaker to eradicate obstacles of diplomacy, and the logic of GP to depend on a tourism, as well as intention for silencing the environmental issues in Pyengchang.

본 연구는 평창동계올림픽의 유치과정에 대하여 언론이 어떠한 담론을 생산해 왔는가를 분석하는 것을 그 목적으로 하였다. 이를 위해 2002년부터 2007년에 이르기까지 평창동계올림픽과 관련된 총 1,828편의 기사를 분석하였다. 그 결과 동계올림픽을 유치함으로써 강원도는 경제적으로 회생하고, 이러한 유치는 강원도 주민의 소망을 넘어 대한민국 국민의 염원이라는 의미로까지 확장되었음을 발견할 수 있었다. 더불어 지역경제의 회생을 위한 지방자치단체의 자립적 노력보다는 국가정부의 적극적 개입과 재계인사의 치열한 노력이 필요함도 결과를 통해 나타났다. 또한 연구 결과는 지배담론과는 달리, 주변적 담론으로서의 내용이 과연 동계올림픽을 통해 경제가 회생할 수 있는가를 과거 개최된 스포츠 이벤트의 결과를 통해 반박하였고, 더불어 재계인사의 스포츠 외교활동에 걸림돌이 될 수 있는 요건을 제거하는 초(超)법적 예외상태를 체육계 스스로가 만들어가고 있었으며, 관광에만 의존하려는 강원도의 논리와 그러면서 환경문제에 침묵하는 의도가 무엇인지도 말해주었다.

Key words : critical discourse analysis, 2010/2014 Winter Olympics, Pyengchang, dominant/marginalized discourse

참고문헌

강내희(2003). 한국의 문화변동과 문화정치. 서울: 문화과학사.

강동원(1996). 한국 중세의, 군사훈련-강무제, 체육사학회지,1(1):74~85.

고문수 · 엄혁주(2012). 학교체육의 교육적 가치와 정책 지원 방안. 한국체육정책학회지, 10(1), 1-18.

구강본(2005). 체육의 맥락주의적 접근. 한국체육학회지, 44(5), 79-87.

구강본(2008). 정치개입에 따른 스포츠현상 해독. 한국체육철학회 춘계학술대회.

구강본 · 김동규(2005). 지방 분권화와 체육정책의 목표와 과제. 한국체육철학회지. 13(1), 73-84.

국민건강 보험공단(2006). 건강한 삶을 위한 생활 습관 지침서. 서울: 국민건강 보험공단.

김경용(2001). 체력과 문제. 서울: 형설출판사.

김대광(2003). 한국체육정책의 변천과정과 방향 설정. 미간행, 한국체육대학교 박사학위논문.

김대광(2007). 학교 엘리트스포츠 발전방안에 대한 연구. 한국체육정책학회지, 5(2), 17-35.

김석희(2007). '한국인 코드'로 풀어 본 국내 스포츠문화. 한국사회체육학회지, 제29호, 23-36.

김승재 · 박인서(2007). 체육교사의 반성적 실천에 대한 내러티브 탐구 .한국스포츠교육학회지, 14(3), 1-20.

김달우(1986). 체육사 연구에서의 시대구분. 서울대학교 체육연구소 논집, 7(1):59-67.

김상겸(2005. 교육학 개론, 서울: 고지각.

김석근(2006). 한국 근대성연구의 길을 묻다: 근대성과 내셔널리즘, 그리고 국민국가. 경기: 돌베개.

김화중(2004). 보건. 서울: 대한교과서.

김찬호(2010). 생애의 발견. 서울: 인물과 사상사.

김오중(1984). 세계체육사. 서울:고려대학교 출판부.

김종택(1984). Canonical Correlation에 의한 운동능력 요인을 강조한 청소년체력장과 건강요인을 강조한 청소년 체력장과의 상관관계연구. 한국체육학회지, 23(1):51~7.
김종호(1973). 한국의 씨름. 체육문화사.
김영삼(1995). 10월 6일, 제76회 전국체육대회 연설문.
김영삼(1997). 10월 8일, 제78회 전국체육대회 연설문.
김용수(2012). 돈키오테, 체육선생의 삶. 미간행, 강원대학교대학원 박사학위 논문.
김용수・박기동(2011a). 해동(海東) 선생의 체육・스포츠 이야기, 1978-1988. 한국구술사학회. 하계학술대회자료집. 58-68.
김용수・박기동(2011b). 나의 박사 학위 논문 작성 과정에 대한 사유(思維). 강원대학교부설 체육과학연구소논집. 제33호, 10-32.
김용수・박기동(2012). 해동(海東) 선생의 체육・스포츠 사랑 이야기. 스포츠인류학 연구. 7(1), 27-54.
김영명(2007). 정치를 보는 눈. 서울: 도서출판 개마고원.
김종래(2005). CEO 칭기스칸 - 유목민에게 배우는 21세기 경영전략. 서울: 삼성경제연구소.
김광용 외(1996). 참여론 바로보기. 서울: 나남.
김동국(1994). 서양 사회복지사론—영국의 빈민법을 중심으로. 서울: 유풍.
김종희(1999). 박정희 정권의 정치이념과 체육정책에 관한연구. 미간행, 한양대학교 박사학위 논문.
김형익(2008). 군사정권과 문민정권의 한국 학교체육정책에 관한 비교 연구. 한국체육사학회지. 13(1), 63-73.
김광억 외(1999). 문화의 다학문적 접근. 서울: 서울대학교 출판부.
김숙영(2003). 소비사회에서의 스포츠 소비문화 연구. 한국스포츠사회학회지, 16(2). 431-445.
나영일(2002). 한국체육체계의 변천사를 통해 본 체육단체의 올바른 위상 모색, 체육시민연대 세미나 발표문.
나영일(1989). 조선조의 무사시취제도에 나타난 무예 및 체력검정에 관한 연구(Ⅰ). 서울대학교 체육연구소 논집, 10(1):69~87.
나현성(1963). 한국체육사. 서울: 청운출판사.
나현성, 정찬모(1981). 한국고대체육고. 서울대학교 체육연구소 논집, 2(1):23-31.
노영구(2001). 조선기 단병전술의 추이와 무예도보 통지의 성격-병서로서의 의미를 중심으로. 진단학보, 91:331-354.

대한체육회(1972a). 체육. 10월, 11월(통권 76호), 대한교과서주식사.
대한체육회(1972b). 體育白書. 대한체육회.
대한체육회(1973). 體育白書. 대한체육회.
박영수(1997). 학교보건학. 서울: 신광출판사.
보건교육연구회(2005). 건강한 사회를 위한 국민 건강. 서울: 국민건강을 위한 보건교육연구회.
박남환(2002). 스포츠와 문화의 연관성에 관한 고찰. 한국사회체육학회지, 17. 51-59.
박이문(1996). 자비의 윤리학. 서울: 철학과 현실사.
박종률(2003). 경쟁 스포츠 참여시 고등학생의 스포츠맨십 실태. 한국스포츠교육학회지, 10(1), 77-93.
박호성(2002). 국제 스포츠활동과 사회통합의 상관성, 가능성과 한계. 국제정치논총, 42(2), 93-110.
박기동・김용수(2009). 창던지기 선수 심재칠(沈在七)의 삶. 한국체육사학회지. 14(2), 39-57.
박기동・김용수(2010a). 강원 투척(投擲)의 변천사, 1962-1992. 한국체육사학회지. 15(1), 1-9.
박기동・김용수(2010b). 봉주(鳳周) 선생의 삶과 투척(投擲) 선수 이야기. 한국체육학회지. 49(1), 1-14.
박기동・김용수(2010c). 체육사에서 구술을 통한 연구 방법에 대한 인식 변화. 한국체육학회지. 49(3), 1-10.
박정준(2011). 통합적 스포츠맨십 교육프로그램의 개발과 적용. 미간행. 서울대학교 박사학위 논문.
박혜란(2005a). 김영삼 정권의 체육정책에 관한 연구. 미간행, 한양대학교 박사학위 논문.
박혜란(2005b). 문민 통치 철학이 체육정책에 미친 영향. 한국체육철학회지. 13(3). 131-141.
백경미(1998). 현대소비문화와 한국소비문화에 관한 고찰. 소비자학연구, 9(1). 17-32.
백남운(1989). 조선사회경제사. 박광순 역. 서울: 범우사.
성기홍(2004). 걷기 혁명 530, 마사이족처럼 걸어라. 서울: 한국경제신문.
성동진외 1인(1999).조깅과 마라톤. 서울: 명진당.

신승환, 우재홍, 박익렬, 박재영, 전태원(2010). 기초군사훈련에 따른 사관생도의 cpfurgid상과 체력검정제도 개선방안. 운동과학, 19(1):37-48.

신호주(1996). 체육사. 서울: 명지출판사.

심승구(2004). 한국무예의 정체성탐구-고구려무예를 중심으로. 체육사학회지, 13:61-70.

안경일·오동섭(2009). 광복이후 대한민국 육군체육의 발전과정. 한국체육사학회지, 14(2), 111-123.

이창곤(2007). 추적 한국 건강 불평등. 서울: 밈.

이윤근, 한재덕(1998). 고려시대 무예활동에 대한 역사적 이해. 한국체육학회지, 37(1):9-17.

우재홍(1999). 기초군사훈련이 해군사관생도의 체력과 신체구성에 미치는 영향. 서울대학교 석사학위논문.

유흥주(1993). 체육환경과 군 전력의 관계. 서울대학교 박사학위논문.

오현택(2006). 덕론의 스포츠윤리학적 함의. 한국체육철학회지, 14(1), 19-33.

유병화(1998). 열린 교육에서 열림의 의미에 관한 연구 - 해체주의와 맥락주의의 관점에서-, 교육철학, 20, 65-83.

유정애·김선희(2007). 왜 스포츠 문화 교육인가 한국체육학회지, 46(4), 169-181.

이강우, 김석기(2002). 대중문화적 상황의 한국 스포츠문화의 발생과 전개과정에 관한 연구. 한국체육철학회지, 10(2), 51-77.

이정우(2003). 사건의 철학. 서울: 문학아카데미.

예종석(2012). 노블레스 오블리주. 경기: (주)살림출판사.

이성용(2010). 여론 조사에서 사회조사로. 서울: 책세상.

이응백(1990). 국어대사전. 서울: 교육도서.

이강우(1994). 한국스포츠의 지배 이데올로기적 기능에 관한 연구. 미간행, 성균관대학교 박사학위 논문.

이근모(2008). 청소년 교육을 위한 학교체육정책의 비전과 과제. 한국체육학회지, 47(3), 113-126.

이달원(2000). 한국 체육교육과정 변천에 따른 요인 분석. 미간행, 계명대학교 박사학위 논문.

이범제(1999). 체육행정의 이론과 실제. 서울대학교 출판부.

이용식(2008). 신정부의 학교체육 활성화 방안. 한국체육정책학회지, 6(1), 83-94.

이용식(2011). 학교스포츠클럽 정책현황 및 개선 방안. 한국체육정책학회지, 제9권

1호, 127-138.
이욱렬(2002). 전두환 정부와 김대중 정부의 체육정책 비교연구. 미간행, 숭실대학교 박사학위 논문.
이종원(2001). 스포츠정책의 역사적 접근에 관한 일 고찰. 한국체육사학회지, 제7호. 169-181.
이종원(2002a) 제5공화국의 스포츠정책 연구. 미간행, 서울대학교 박사학위 논문.
이종원(2002b). 대한체육회의 법적 규정의 변천 과정 연구. 한국체육학회지, 41(4), 15-28.
이진수(1993). 신라화랑의 체육사상 연구. 서울: 보경문화사.
이학래(2003). 한국체육백년사. 서울: 한국체육학회
이학래(2008). 한국현대체육사. 경기: 단국대학교출판부.
임영무(1985). 한국체육사신강. 서울: 교학연구사
임영택・이만희・진성원・박윤식・홍석범・권승민・정재은(2010). 스포츠교육 모형 실행에 대한 체육교사의 내러티브 탐구. 한국체육학회지, 49(1), 167-182.
임용태(1992). 체육청소년부 예산을 통한 정책 분석에 관한 연구. 미간행. 서울대학교 석사학위 논문.
전세일(1997). 한국 고대 체육사 기술과 시대구분. 한국체육사학회지, 2:1~11.
정삼현(1996). 한국무도사 연구, 한국체육학회지, 35(3):9~26.
정찬모(2003). 고려시대 무예체육의 발달과정에 관한 연구-궁사를 중심으로. 한국체육사학회지, 12:111~128.
장성수(2003). 한국 현대사에 기초한 체육정책이 사회환경에 미친 영향. 한국체육정책학회지, 1(1), 43-49.
장성수(2004). 한국의 근, 현대사에 기초한 '체육' 용어에 대한 비평적 고찰. 한국체육사학회지, 14권, 53-64.
전세일(1999). 광복이후 체육 및 스포츠 전개에 대한 비판적 검토-한국 자본주의 전개과정을 중심으로-. 한국체육사학회지, 제4권, 59-70.
정재환・김대광(2003). 한국 체육정책의 변천과 전망. 한국체육학회지, 42(4), 59-69.
조욱상(2005). 중등학교 특기적성 운동부의 유형과 참여자 인식 분석. 한국체육학회지, 44(1). 173-183.
주석범(2008). 엘리트 스포츠 선수지원을 위한 예측과 전망. 한국체육학회지,

47(3). 303-314.
장성만(2006). 한국 근대성연구의 길을 묻다. 경기: 돌베개.
정웅근, 김홍식(2003). 스포츠 윤리 담론의 새로운 방향. 한국체육학회지, 39(2), 67-76.
정준영(2003). 열광하는 스포츠 은폐된 이데올로기. 서울: 책세상.
정희준, 권미경(2007). 미디어시대, 새로운 몸의 등장: 소비자본주의적 몸에 대한 사회문화적 고찰. 한국스포츠사회학회지, 20(3), 571-586.
조현철(2003). 운동과 건강. 서울: 라이프 사이언스.
최양수(2004). 한국의 문화변동과 미디어. 서울: 정보통신정책연구원.
천길영, 김경식(2005). 체력육성을 위한 트레이닝 방법. 서울: 대경북스.
최의창(2011). 학교체육수업을 통한 정의적 영역의 교육: 통합적 접근의 가능성 탐색. 체육과학 연구. 22(2), 2025-2041.
최홍희(2004). 80년대 체육 선진화정책에 대한 역사적 고찰. 한국체육학회지, 43(5), 55-61.
채재성(2008). 스포츠클럽 육성의 변화와 과제에 대한 소고. 한국체육정책학회지, 6(1), 95-108.
최의창(2012). 즐거운 학교체육활동 활성화: 현황 분석과 정책 제안. 서울: 한국직업능력개발원.
최홍희(2005). 국민체육진흥정책 전개양상의 단계별 특징에 관한 연구. 미간행, 한양대학교 박사학위 논문.
한겨레신문. 2007년 1월 22일.
한국체육학회(2012). 2012 한국스포츠과학자 통합학술대회-체육인 이론, 현장 상생 발전을 통한 체육선진화-, 서울: 한국체육학회.
韓國日報. 1961年 7月 8日字 第3819號, 2面.
황수연(2003). 한국 체육행정 변천 연구. 미간행. 단국대학교 박사학위논문
오모 그루페/ 박남환 송형석 옮김(2004). 문화로서의 스포츠. 서울: 무지개사.
Calish, R. (1972). The sportsmanship myth. Physical Educator, 10, 9-11.
Fairclough, S., Stratton, G., & Baldwin, G.(2002). The contribution of secondary school physical education to lifetime physical activity. European Physical education Review, 8(1), 69-84.
Mckenzie, T., Sallis, J., & Rosengard, P.(2009). Beyond the stucc tower: Design, development, and dissemination of the SPARK physical education

program. Quest, 61, 114-127.

J. M. Converse(1987). *Survey Research in the United Stated : Roots and Emergence 1890~1960.* Berkeley : Unit. of California Press.

Sanford, R., Duncombe, R., & Armour, K.(2008). The role of physical activity/sport in tackling youth disaffection and anti-social behavior. Educational Review, 60(4), 419-435.

Mckenzie, T., Sallis, J., & Rosengard, P.(2009). Beyond the stucc tower: Design, development, and dissemination of the SPARK physical education program. Quest, 61, 114-127.

Fairclough, S., Stratton, G., & Baldwin, G.(2002). The contribution of secondary school physical education to lifetime physical activity. European Physical education Review, 8(1), 69-84.

Mckenzie, T., Sallis, J., & Rosengard, P.(2009). Beyond the stucc tower: Design, development, and dissemination of the SPARK physical education program. Quest, 61, 114-127.

Sanford, R., Duncombe, R., & Armour, K.(2008). The role of physical activity/sport in tackling youth disaffection and anti-social behavior. Educational Review, 60(4), 419-435.

Morgan, W. P.(1985). *The social significance of sport.* Champaign, Illinois: Human Kinetics.

Goodson, I. F.(1992). Studying teachers' lives: An emergent field of inquiry. In I.F. Goodson(Ed.), Studying teachers' lives, 1-17, London: Routledge.

Hatch, J. A. and Wisniewski, R.(1995). Life history and narrative: question, issues, and exemplary works, In J. A. Hatch and R. Wisniewski (Eds). Life history and narrative. (pp. 113-135). Washingto D.C.: The Falmer Prees.

Kirvy, R. Kenneth(2008). Phenomenology and the Prolvems of Oral History. The Oral History Review. vol 35. No. 1. pp. 22-38.

Koskela Hille(1997). Bold Walk and Breaking: women's spatial confidence versus fear of violence, Gender, Place and Culture, no. 3. pp. 301-319.

Measor, L. and Sikes, P.(1992). Visiting lives: Ethics and methodology in life history. In I.F Goodson (Ed.). Studying teachers' lives. (pp. 201-233). New York: Teachers' College Press.

Watkins, C. (Ed). (1985). The American heritage dictionary of Indo- European roots: Boston: Houghton Mifflin.

(주석)

1) 다음백과. 「스포츠, sports」, 『Daum』, 2020년 1월 30일.
2) 다음백과. 「문화, culture, 文化」, 『Daum』, 2020년 1월 31일.
3) 정준영. 『열광하는 스포츠 은폐된 이데올로기』, 서울: 책세상, 2009.
4) 다음백과. 「스포츠, sports」, 『Daum』, 2020년 1월 30일.
5) 다음백과. 「문화, culture, 文化」, 『Daum』, 2020년 1월 31일.
6) 정준영. 『열광하는 스포츠 은폐된 이데올로기』, 서울: 책세상, 2009.
7) 김용수. 「학교 체육·스포츠 정책의 엘리트 스포츠 공헌」, 『강원도민일보』, 2012년 8월 28일.
8) 김용수. 「스포츠 윤리교육이 강화되어야 할 때이다」, 『강원도민일보』, 2015년 5월 27일.
9) 장현구. 「스포츠윤리센터 조사 거부·방해·기피하면 500만원 이하 과태료」, 『연합뉴스』,입력 2024년 1월 9일.
10) 김용수. 「2018 평창동계올림픽 말, 말, 말, 다 옳은 말이다」, 『경향신문』, 2015년 3월 25일.
11) 김용수. 「엘리트스포츠의 강조는 중용(中庸)과 평등의 입장에서 어긋날 수 있다」, 『강원도민일보』, 2015년 6월 30일.
12) 김소연. 「알고 보니 피해자…김보름 "말하지 않은 이유는" 심경 고백」, 『한국경제』, 2023년 5월 14일.
13) 중앙일보. 「평창올림픽 성공 기원..EF 주최 전국고교PT 성료」, 2017년 6월 12일.
14) 김개형. 「'확산 미투운동의 여파, 빙상계의 파벌싸움'」, 『KBS』, 2018년. 2월 26일.
15) 김용수. 「강원도 체력 약한 '약질(弱質)' 학생 18%로 전국에서 가장 많다」, 『강원도민일보』, 2015년 9월 8일.
16) 김용수. 「태권도의 활성화 정책이 요구되고 있다」, 『강원도민일보』, 2015년 10월 5일.
17) 김용수. 「'도민통합체전', '경제체전', '스마트 체전' 에 강원도민의 성원이 절실하다」, 『강원도민일보』, 2015년 10월 13일.
18) 반재민. 「엘리트 선수에게 공부는 정말로 중요한 것일까?」, 『몬스터짐』, 2020년 3월 14일.
19) 강원도민일보. 「국민의 운동 부족은 국가적 차원에서 체육 · 스포츠 정책으로, 2016년 8월 5일.
20) 손애성. 「'국기(國技)' 태권도 살아남았다..'효자 종목' 레슬링은 퇴출」, 『일간스포츠』, 2013년 2월 12일.
21) 김용수. 「"高 2·3들 예체능 부담" 불만이 지속되고 있다」, 『강원도민일보』 2016년 7월 26일.
22) 김용수. 「학교 엘리트스포츠의 문제점을 알고 있는가」, 『강원도민일보』, 2016년 8월 31일.
23) 김용수. 「유희성과 도덕성을 갖는 스포츠 사회운동이 필요하다」, 『강원도민일보』, 2016년, 8월 23일.
24) 노용구. 「스포츠기본법 제정 통한 '스포츠권' 확립 방안」, 2021년 5월 14일., 『정책브리핑』, 한국스포츠정책과학원이 발행하는 〈스포츠 현안과 진단〉 기고문 입니다.
25) 김용수. 「2017년 정유년(丁酉年)에 스포츠계는 새롭게 태어났으면 좋겠다」, 『강원도민일보』, 2016년 12월 27일.
26) 김용수. 「스포츠 탈사회화에 따른 정체성 혼란을 어떻게 극복할 것인가」, 『강원도민일보』, 2017년 1월 3일.
27) 김용수. 「올림픽 문화와 2018 평창동계올림픽의 정체성」, 『강원도민일보』, 2017년 1월 25일.
28) 김용수. 「유아 교육 신체활동이 놀이성과 창의성에 미치는 영향이 크다」, 『강원도민일보』, 2017년 2월 6일.
29) 김용수 .스포츠 선진국으로 나아가는 길을 찾아서」, 『강원도민일보』, 2017년 2월 22일.
30) 김용수. 「스포츠관광의 지속 가능한 성장을 위한 2018 평창동계올림픽의 이해와 적용」, 『강원도민일보』, 2017년 4월 12일.
31) 김용수. 「올림픽 스포츠 유산 정책의 담론」, 『강원도민일보』, 2017년 5월 4일.
32) 노용구. 「스포츠기본법 제정 통한 '스포츠권' 확립 방안」, 『정책브리핑』, 2021년 5월 14일.
33) 김용수. 「국민의 스포츠 향유라는 가치가 실현될 수 있어야 한다」, 『강원도민일보』, 2017년 9월 7일.
34) 노용구. 「스포츠기본법 제정 통한 '스포츠권' 확립 방안」, 『정책브리핑』, 2021년 5월 14일.
35) 김용수. 「체육회장은 진정한 스포츠인에게 돌려줘야」, 『강원도민일보』, 2019년 12월 23일.

36) 김용수.「학교 체육정책 엘리트 스포츠에 공헌」,『강원도민일보』, 2012년 8월 28일.
37) 김용수.「스포츠 윤리교육이 강화되어야 할 때이다」,『강원도민일보』, 2015년 5월 27일.
38) 이영호.「스포츠윤리교육 강사 양성 프로그램..25일까지 교육생 모집」,『연합뉴스』, 2020년 10월 21일.
39) 김용수.「평창동계올림픽 사후 시설 활용에 대한 한 마디」,『강원도민일보』, 2018년 1월 31일.
40) 김용수.「민족주의에 입각한 스포츠에 대한 사고(思考)」,『강원도민일보』, 2018년 3월 2일.
41) 김용수.「학습활동과 운동수행을 병행하고 있다는 진실과 거짓 속에서, 2018년 4월 13일.
42) 김용수.「국가, 기업과 축구가 함께 나아가자」,『강원도민일보』, 2018년 5월 29일.
43) 김용수.「비판적 관점에서 스포츠란 우리에게 무엇인가?」『강원도민일보』, 2018년 12월 12일.
44) 김용수.「아동들의 스포츠 활동을 적극 권장하자」,『강원도민일보』, 2018 10월 16일, 11면.
45) 이순용.「한국건강관리협회, 지역사회 소외아동을 위한 스포츠활동 후원」,『이데일리』, 2023년 12월 15일.
46) 김용수.「국기(國技) 태권도의 산업화 기대」,『강원도민일보』, 2019년 8월 12일.
47) 유정우.「변모하는 '國技' 태권도…위기와 기회는」,『스포츠한국』, 2023년 3월 31일.
48) 김용수.「올림픽지역 개발청, 대형 노인요양시설, 국제 수준 카지노를 설치하라-동계올림픽 배후대책 3가지 제언-」,『강원도민일보』 게재), , 2019년 9월 24일, 8면.
49) 김용수.「모두를 위한 스포츠, 어떠한 모습으로 우리에게 다가올 것인가」,『강원도민일보』, 2020년 2월 7일.
50) 김용수.「'강원도노인체육회' 출범에 거는 기대가 크다」, 『강원도민일보』, 2020년 9월 7일.
51) 김용수.「현대의 삶에서 스포츠는 청량제이며 활력소인가(II) 」, 2020년 8월 25일.
52) 김용수.「체육청을 신설하여 스포츠 인재를 육성해야 한다(체육청 신설 인재 육성)」,『강원일보』, 2022년 6월 12일.
53) 김용수.「메달전사 집착 이제 그만 스포츠 인권 개선 나설 때」,『강원일보』, 2022년 9월 26일, 18면.
54) 박준석.「국민 60% "메달보다 과정 중요"… 성적 지상주의와 결별해야」,『한국일보』, 2023년 11월 25일.
55) 김용수.「체육회장 선거, 정치 굴레에서 벗어나야」, 『강원도민일보, 2022년 12월 14일, 20면.
56) 김용수.「새 체육회장에 거는 기대」,『강원도민일보』, 2022년 12월 26일, 18면.
57) 김용수.「생활체육・엘리트스포츠 간 상생이 필요한 이유」,『강원일보』, 2023년 1월 30일, 18면.
58) 박경은.「맑은 마음에서 품어 나오는 따스한 눈빛을 가진 진심어린 사람」, 『북경기신문(디트news24)』, 2020년 9월 6일.
59) 최의창.「학교체육에 더 투자하라」,『서울신문』, 2016년 5월 25일, 30면.
60) 문상열, 「한국스포츠와 지도자」, 『미디어 다음』, 2007년 8월 28일.
61) 안정훈.「런던올림픽을 통해 본 학교체육 발전 방향」,『경인일보』, 2012년 8월 22일, 13면.
62) 경북신문.「병력 특혜 위한 선수 구성 문제 있다, 2018년 9월 2일.
63) 강상헌.「체덕지(體德智)가 옳다… 어쩌다 지덕체가 됐지?」,『경향신문』, 2015년 2월 17일.
64) 강상헌.「체덕지(體德智)라야 생명이다」,『전국매일신문』, 2022년 11월 15일.
65) 윤상호.「스포츠 스타의 '병역특혜', 재고해볼 때다」, 『동아일보』, 2015년 2월 11일, A29.
66) 장환수.「운동선수는 머리가 나쁘다? 」,『동아일보』, 2015년 2월 11일, A29.
67) 남차우.「92세 마라토너」,『국제신문』, 2015년 6월 2일.
68) 임수원.「공부하는 학생선수 만들기의 논리적 근거」, 한국체육학회, 50권 2호.
69) 이서진.「메가 스포츠 이벤트는 과연 경제적 가치가 있을까」,『홈경청저널경청칼럼』2022년 7월 26일.
70) 나무위키.「성희롱, 성폭력,『Daum』, 2024년 2월 1일.
71) 김남일.「폭행교사 능력은 훌륭 맞을땐 운동 싫어져」,『한겨레』, 2004년 8월 1일.
72) Daum 백과.「체벌」,『Daum』, 2024년 2월 1일.
73) 손태규.「세계에서 가장 행복한 한국의 프로 선수들…'자생력'없으면 프로가 아니다」,『마이데일리』, 2024년 1월 24일.
74) 김정효. https://sportnest.tistory.com/474.「엘리트스포츠는 생활체육의 적인가?」,『스포츠둥지』, 2010년 3월 5일.
75) 권정식.「대학 교양체육수업 위기, 평생스포츠까지 멍들게 해」,『스포츠한국』, 2023년 11월 16일.
76) 김동규, 이정식.「메가 스포츠이벤트 개최의 쟁점과 실행 과제」, 한국체육철학회지 22(4), 2014.
77) 박성주「스포츠에서의 주관・객관의 문제와 도덕적 함의」,『한국체육철학회지, 23(2)』, 2015: 125.
78) 나무위키.「대한학교」,『Daum』, 2024년 1월 24일.

79) 원영신, 전영지.「여성체육학회장“스포츠 양성평등법 시급“」,『스포츠조선』, 2015년 6월 3일.
80) 윤민섭, 김지윤.「 “e스포츠, 메가 스포츠이벤트에 MZ 세대 유입 키 될 것” 」,『국민일보』, 2023년 12월 19일.
81) 이기광.「스포츠 지도자 윤리 강령」,『아시아경제』, 2016년 12월 15일.
82) 김세훈.「운동과 학습, 공존법은 많다」,『경향신문』, 2022년 9월 27일.
83) 환경이 받쳐주지 않아 재능을 깨닫지 못한 경우가 이렇다. 야나세 타카시는 소일거리를 전전하다 80세의 고령에 호빵맨을 그리기 시작했다. 편집자들은 호빵맨에 질색팔색 했으나 정작 아이들에겐 엄청난 호응을 얻어 동화작가의 능력을 각성한 셈이다. 또한 고령의 여성들에게도 흔히 보이는 현상인데 아줌마나 할머니가 엄청 그림을 잘 그린다든가 하는 케이스가 이렇다. 고령의 여성들은 시대 환경 상 성차별에 노출되어 자신의 재능을 깨닫지도 못하거나 발휘할 수 없었다. 이 경우엔 반대로 환경이 부담스럽게 재능을 밀어줘 다른 것은 신경 못 쓰게 한 케이스. 스티브 잡스는 사람들과의 인간 관계나 공감 능력이 개차반인 것으로 유명하다. 최근엔 일론 머스크가 이런 부류를 갖고 있다.
84) 김세훈.「운동능력은 수많은 재능 중 하나…한 가지 기준으로 재단하지 말자」,『경향신문』, 2022년 12월 26일.
85) 정준영.『열광하는 스포츠 은폐된 이데올로기』, 서울: 책세상, 2009.

인생찬가(A Psalm of Life)

헨리 워즈워스 롱펠로우 (Henry Wadsworth Longfellow)

슬픈 어조로 내게 말하지 말라
인생은 한낱 헛된 꿈이라고.

잠자는 영혼은 바로 죽은 영혼이며
만물은 겉모양과는 다른 것이리라.
인생은 진실한 것, 인생은 진지한 것
무덤이 결코 목표는 아닐지니
흙에서 빚어졌으니 흙으로 돌아가란 말은
우리의 정신을 두고 하는 말은 아닐 것이라네.

인생궁극의 목적이나 방법은
슬픔이나 기쁨에 있는 것이 아니라
오늘보다 나은 내일을 위하여 행동하는 것이리라.

예술은 길고 인생은 한 순간의 것
우리의 심장은 강하고 용감하나 지금 이 순간에도
무덤으로 가는 장송곡은 낮은 북소리처럼 울린다.

인생이라는 광활한 전쟁터에서, 인생이라는 노상에서
말없이 끌려가는 가축의 무리가 되지 말라
싸움에 용감히 뛰어드는 영웅이 되자!
아무리 달콤할지라도 미래는 믿지 말자.
흘러간 과거는 죽은 채 묻어두고
그리고 행동하자.

살아있는 현실에 충실하기 위해 가슴속에 용기를 지니고

천상에 하느님을 섬기며
앞서 살다간 위대한 조상들의 생애는
우리도 그와 같이 훌륭한 삶을 살아갈 수 있다는 것을 일러주지 않았는가.
이들은 떠나면서
시간의 모래밭에 거룩한 발자국을 남겼나니
인생을 항해하는 우리들의 누군가가
난파를 당해 절망에 빠졌을 때
그 발자국을 발견하면 다시 용기를 얻게 되리라

자 모두 다 일어나 행동하자
어떤 운명이 닥쳐온다 해도
용기를 잃지 말고 이루고 추구하며
일을 통해 기다리는 것을 배우자